Published by Native Child Dinétah, Flagstaff, AZ 86003

www.nativechild.com info@nativechild.com

Originally published by the Education Division, United States Indian Service, 1942

by Robert W. Young and William Morgan

ISBN 978-0-9777554-2-4

Cover Design and Illustration by Bernhard Michaelis.
Inspired by a Sandpainting from Blessingway: Place of Emergence.

Native Child Dinétah is reprinting and creating new editions of historical writings to help preserve and continue Navajo culture, language, and history. This book is a hand-scanned facsimile reprint of the original. When necessary, individual pages have been improved and enhanced for readability. Each book is true to the original work.

The Navajo Language

▲▲▲▲

The Elements of Navajo Grammar with a Dictionary in Two Parts Containing Basic Vocabularies of Navajo and English

PROLOGUE

For some time there has existed a need for literature descriptive of the Navaho language for the practical purposes of the layman. This need has not been ignored, and for a number of years various groups on the reservation have been publishing such literature, notably the Franciscan Fathers at St. Michaels, Arizona. Many groups have made use of the language in the course of their scientific studies, but effective use of such texts as they have gathered is highly limited as far as the acquisition of a practical knowledge of the language is concerned.

It is hoped that the present work may be a useful contribution to the ever growing store of such literature on the Navaho, and may in some way aid in satisfying the needs of those who desire to gain an insight into the language.

The work presented herewith is composed of three parts, an outline of Navaho grammar, a Navaho - English vocabulary, and an English - Navaho vocabulary. The various parts of speech have been described along the lines dictated by the language itself, rather than along the conventional lines of English grammatical description, for the two languages have little in common. For the convenience of the White student the fundamental inflectional forms have been given for all Navaho verbs contained in the dictionary, while the principal parts of the English verbs have been given for the use of the Navaho in learning English.

It is hoped that, in the not too far distant future, we will be able to publish a more comprehensive work, which would include comparative material from other languages of the Athabascan family for the more complete understanding of the Navaho, as well as many classes of words which have remained outside the scope of this work.

Lack of time has made it impossible to include etymological data with the Navaho word entries. This, however, is not a serious omission inasmuch as the majority of Navaho words are self-explanatory. An attempt has been made to assign a meaning to the verb stems, regardless of the fact that this is often difficult or uncertain.

A stock of literature already exists in Navaho, ranging from simple children's stories to books of adult level, and recently a news sheet in that language. Study of this material, in conjunction with the grammar and dictionary, should prove most helpful to the student.

The authors wish to acknowledge the valuable aid which they have received from the published works of such eminent students of Navaho and other Athabaskan languages as the late Edward Sapir, Harry Hoijer and Father Haile Berard.

INDEX

THE SOUND SYSTEM OF NAVAHO

The Vowels

The vowels of Navaho are: **a, e, i, o.** In the diphthong **oi, o** approximates **u** in quality. The sound represented by short **i** assimilates to a following **a,** approximating the sound of **u** in **sun,** and before a following **o** in some cases to approximate the sound of **oo** in **wood.**

The vowels occur short and long in quantity. When short the vowel is represented by a single letter, and when long by a double letter. Actually there are three regular vowel lengths, a short, long, and an extra long. The latter occurs regularly in syllables closed by a stop consonant (usually **d** or '). The difference in length between short and long vowels in Navaho is much more pronounced than in English. Vowel length is often the only mark of distinction between otherwise homophonous words. For example, **bito',** his water; **bitoo',** its juice.

The quality of the vowel is further varied by pronouncing it through the mouth alone (orally), or through the mouth and nose simultaneously (nasorally). Nasorality is indicated graphically by a subscript "nasal hook." Thus, nasoral **a** is written **ą.**

Further variation in the sound of the vowel results from the tone attached thereto. Tone (i.e. voice pitch) may be high, low, falling (from high to low) or rising (from low to high). In English sentences we do not voice all the words in the same tone or pitch; our voices rise and fall as we speak. However, the type of tone we use in English is variable, and the same word may receive a different pitch depending upon its position or meaning in the sentence. Compare the pitch of the word hungry in the two sentences: You are not hungry. You are not hungry? In Navaho the tone of each syllable is fixed, or variable only within certain prescribed limits. Tonal quality is indicated by zero (absence of diacritical) when the tone is low; and by an acute accent when high. Thus **'ashą́,** I am eating, wherein the first **a** is low in tone, and the second is high. Rising and falling tone occur only with long vowels. Thus, falling tone is indicated by placing the acute accent over the first vowel only, and rising tone is indicated by placing the acute accent over the second vowel only. Thus, **'ashą́ągo,** while I am eating, wherein **-ą́ą-** is falling in tone; **bínaaí,** his elder brother, wherein **-aaí** has rising tone. The tone is fixed, inasmuch as one would under no circumstance pronounce **'ashǫ́** as **'áshǫ,** or **'ashǫ;** it is correctly pronounced only as **'ashǫ́.**

Tone often distinguishes between words otherwise completely homophonous. Thus, **'azee',** medicine, **'azéé',** mouth; **nílį,** you are, **nilį,** he is.

The high toned vowel of a syllable containing **n** often drops out, and the **n** retains the high tone. Thus the letter **ń** will be frequently encountered. For example, **ńdiizą́** for **nídiizą́,** it started to move (a crowd).

The vowels are listed below with examples:

(a) - like **a** of f**a**ther. Navaho: **shá,** for me.

(aa) - long **a.** Navaho: **saad,** word, language.

(ą) - nasoral **a.** Similar to **an** of French dans. Navaho: **są́,** old age.

(ąą) - long **ą.** Navaho: **naadą́ą́',** corn.

(e) - like **e** in m**e**t. Navaho: **ké,** shoe.

(ee) - long **e.** It has nearly the quality of **e** in Spanish de, or of English **ey** in th**ey**, but without the offglide. Navaho: **'adee',** horn.

(ę) - nasoral **e.** Usually occurs long. Navaho: **ńt'ę́'ígíí,** what was.

(ęę) - long **ę.** Navaho: **sęęs,** wart.

(i) - like **i** of **i**t. Navaho: **shí,** I.

(ii) - long **i** like **ee** in n**ee**d. Navaho: **díí,** this, these.

(į) - nasoral **i.** Navaho: **'atsį',** flesh, meat.

(įį) - long **į.** Navaho: **dį́į́',** four.

(o) - like **o** in s**o** (but without the offglide). Navaho: **tó,** water.

(oo) - long **o.** Navaho: **dooda,** no.

(ǫ) - nasoral **o.** Something like French **on.** Navaho: **sǫ',** star.

(ǫǫ) - long **ǫ.** Navaho: **dlǫ́ǫ́',** prairie dog.

The Diphthongs

(ai) - something like **y** in m**y.** Navaho: **hai,** winter.

(aii) - similar to **ai,** but with the last element long. Navaho: **t'áá háiida,** anyone, whosoever.

(aai) - similar to **ai, aii,** but with the first element long. Navaho:

bínaaí, his elder brother.

(ao) - nearly like English **ow.** Navaho: **daolghé,** they are called.

(aoo) - **a** plus long **o.** Navaho: **'aoo',** yes.

(ei) - approximates **ey** of th**ey.** Navaho: **séí,** sand (actually a more forward pronounciation of **ai.** Many pronounce **sáí**).

(eii) - like **ei,** but with the last element long. Navaho: **'eii,** that.

(oi) - never like **oi** of **oil,** but like **oughy** of d**oughy,** or more often like **ewy** of d**ewy.** Navaho: **deesdoi,** it is warm (weather).

(ooi) - like **oi,** but with the first element long. Navaho: **łitsooígíí,** that which is yellow, yellow one.

(ouu) - **o** plus long **uu.** Navaho: **'ouu', yes** (**ouu** occurs only in this word).

The Consonants

(') - this is the most common consonantal sound in Navaho. It is called a glottal stop, and sounds like the hiatus between the two elements of the English exclamations **oh oh,** and **hunh unh.** It always precedes an otherwise word initial vowel, with the result that words are often separated where an English speaking person would expect them to be run together. It is illustrated in the Navaho words: **'át'é**, is is; **'abe'**, milk; **'a'áán**, hole.

(b) - the sound written **b** in Navaho orthography is not exactly **b,** inasmuch as it is not the voiced sound represented by that letter in English. When we pronounce **b** in English the voice box functions, but in Navaho the sound is unvoiced. It strikes our ears now as **b** and again as **p.** Actually it is neither. English **p** is aspirated in most positions, while Navaho **b** is neither aspirated nor voiced. It is much like the **p** in s**p**ot. If **pot** and **spot** are pronounced one after the other it will become apparent that there is a difference in the quality of the **p** in each case. We can describe Navaho **b** as an unaspirated **p** or as an unvoiced **b.** Navaho: **bí,** he, she, it; **'abaní,** buckskin.

(ch) - sounds much like **ch** of **church,** except that it is usually more strongly aspirated in Navaho. Navaho: **chizh,** firewood.

(ch') - represents the explosive sound produced by the almost simultaneous release of breath from the glottal closure and the closure formed by the tongue and the roof of the mouth when the tongue is in the **ch**-position. Navaho: **ch'ah,** hat.

(d) - does not represent the sound of English **d.** Navaho **d** is actually an unaspirated **t,** and sounds similar to the **t** of s**t**op. Like Navaho **b,** it is neither voiced nor aspirated. Navaho: **dį́į́'** four.

(dl) - something like English **gl,** except that the first element in the Navaho sound is the **d** described above. Navaho: **dlǫ́ǫ́'** prairie dog.

(dz) - approximates the **dz** of a**dz**e. The first element is the Navaho **d,** and the second is actually **s.** In other words, **dz** represents an unaspirated **t** plus **s** sound. Navaho: **didzé,** berry.

(g) - represents an unaspirated **k** or an unvoiced **g.** It has about the same value as **k** of s**k**id. Navaho: **gah,** rabbit.

(x, h) - represent the sound of **ch** in German i**ch,** as well as that of **h** in English **h**ave. Ordinarily, both of the sounds are written **h,** but when **h** follows **s** it is necessary to distinguish the resulting **s h** sequence from the digraph **sh.** This is accomplished by substitution of **x** for the **h.** Thus, Navaho: **yiyiisxį́,** he killed him, for **yiyiis-hį́. x** is also employed to distinguish between such forms as **'ałtso, 'ałtsxo,** the latter being more strongly aspirated than the former. Actually there are two distinct sounds in Naaho; one which is guttural and harshly aspirated, and which would be technically represented by **x;** the other being similar to English **h,** and which could be properly represented by **h.** Still another variant could be added, namely, the voiced **h** that often occurs in intervocalic position, as in **nihí,** we, which is heard as **nixí,** or **nihí,** in the latter of which **h** may be voiced.

(hw) - like **wh** in **wh**en. This is a distinct phoneme, not a labialized **h.** Navaho: **hwee,** with him.

(gh) - is the voiced equivalent of **x.** Instead of forcing air out to produce the rasping **x**-sound, the voice box functions. It could be described as a "growling sound." Navaho: **'aghaa',** wool.

(j) - is not the voiced **j (=dzh)** of English, but more closely approximates the sound composed of unaspirated **t** plus **sh.** It is between English **j** and **ch,** or something like the sound of **ch** in the sequence "hiss-chin" pronounced rapidly. Navaho: **jį́,** day.

(k) - is more strongly aspirated than in English. Navaho: **kǫ'**, fire.

(kw) - as **qu** in **qu**ick. Navaho: **kwe'é,** right here. This sound is not to be confused with labialized **k** of **kodi,** here.

(k') - is a clicked sound resulting from the simultaneous release of the back of the tongue against the soft palate, and release of the glottal closure. Navaho: **k'ad,** now; **k'ai',** willow.

(l) - like English **l.** Navaho: **bilid,** its smoke.

(ł) - is produced by placing the tongue in **l**-position, but instead of functioning the voice box, air is blown out laterally between the central portion of the tongue and the palate or roof of the mouth. The resulting sound is a hiss analogous to that produced in making the sounds **s, sh.** The difference between **ł** and **l** is analogous to that between **sh** and **zh, s** and **z.** It is similar to **ll** of Welsh. Navaho: **łóó'**, fish; **bił,** with him.

(m) - as in English. Not a common sound in Navaho. Navaho: **mą'ii,** coyote; **bimá,** his mother.

(n) - as in English. A vocalic **n** is commonly produced in Navaho by elision of the vowel in an **n**-syllable. Thus Navaho: **nnínil,** or even **ńńnil,** I placed them. Vocalic **n** always takes the tone of the elided vowel. It sounds similar to **n** in colloquial "n'nen" for "and then." Navaho: **ní,** you; **ndi,** but.

(s) - is much like **s** in **s**o. Navaho: **sis,** belt.

(sh) - as in **sh**e. Navaho: **shash,** bear.

(t) - as in English, but more strongly aspirated. Navaho: **tin,** ice.

(t') - represents the sound produced by the almost simultaneous release of breath from the closure formed by the tip of the tongue on the hard palate just above the teeth, and the glottal closure. Navaho: **t'eesh,** charcoal; **t'iis,** cottonwood.

(ts) - is something like **ts** of ha**ts,** ba**ts**man, etc., but is more aspirated. Navaho: **tsin,** log, stick, tree; **tsah,** awl.

(ts') - is similar to **k', t', ch',** except that the breath is simultaneously released from the **ts-**position and the glottal closure. Navaho: **ts'in,** bone; **'ats'id,** sinew.

(tł) - represents **t** and **ł** pronounced simultaneously. It is much like pronouncing the **ł**-sound, except that one starts from a **t**-position. Navaho: **ditłéé',** wet; **tłah,** salve, ointment.

(**tł'**) - involves the release of breath from the **t**-position laterally between the tongue and hard palate, and from the glottal closure. Simultaneous production of the three elements of the sound result in a strong click or explosion. Navaho: **tł'ízí,** goat.

(**w**) - is usually represented in Navaho by **gh,** which is strongly labialized before **o.** Navaho: **waa',** beeweed; **'awéé',** baby.

(**y**) - as in English. Navaho: **yá,** sky; **yaa',** louse.

(**z**) - as in English bu**zz.** Navaho: **biziiz,** his belt.

(**zh**) - like **s** in pleasure. Navaho: **bizhé'é,** his father.

Palatalization and Labialization

By palatalization is meant that a consonant is followed by a **y**-sound before certain vowels, and by labialization is meant that the consonant is followed by a **w**-sound before certain vowels. In English such consonants as **b, p,** and **m** are palatalized before **u** in such words as butte (byutte), puny (pyuny), and mute (myute). In Navaho certain consonants are regularly labialized before certain vowels, and palatalized before others. The word **ké,** shoe, is actually pronounced **kyé,** because **k** is regularly palatalized before **e.** Similarly, **tó,** water, is pronounced **twó,** because **t** is labialized before **o.** The following table will show where palatalization and labialization occur in Navaho. In those combinations where the former results **p** indicates this fact, and where the latter results **l** will be found. Where there is neither palatalization nor labialization, a dash (---) will be found.

		Vowels		
Consonants	**a**	**e**	**i**	**o**
g	---	p	---	l
t	---	p	p	l
k	---	p	---	l
x, h	---	p	p	l
gh	---	p	p	l

gh is so deeply affected by labialization that it sounds like a **w** before **o.** Thus, **bighoo',** his teeth, is almost **biwoo';** and by palatalization that it sounds like a **y** before **e** and **i.** Thus **bighi',** in it, is almost **biyi';** and **gholghé,** he is called, sounds like **wolyé.**

A DESCRIPTION OF THE NAVAHO LANGUAGE

The words of the Navaho language can be classed in four major categories, namely the pronoun, the noun, the verb and the particle (the latter including adverbs, numerals, conjunctions etc.). The postpositions might be added as a fifth class. Each of these categories will be taken up and described individually.

Terminology introduced to aid in the description of the language will be defined and explained whenever such terminology diverges from the ordinary.

By way of preface, it would be well to point out that the Navaho language is essentially monosyllabic; not in the sense that its words are all of a single syllable, but rather that they are composed of grouped monosyllabic elements, each of which contributes its individual significance to the whole. A word final stem defines, in a more or less unmodified manner, the act, state or quality denoted by the verb, while monosyllabic elements prefixed to the stem modify it in ways analogous to those by which the pronouns, adverbs, etc. of English modify the English verb.

GRAMMATICAL GENDER

Many of us still think of the English language as one expressing gender, although actually there exists only a vestige of such grammatical distinction, and this only in the forms of the 3rd person pronoun. Thus we use he, his, him to designate the masculine; she, hers, her for the feminine, and it, its, it for the neuter.

In Navaho, gender is not expressed by special forms, even of the 3rd person pronoun. Its expression is as unimportant for clarity in the Navaho pronoun as it is in the English noun. Of course, in both languages there are nouns such as man, woman, girl etc. which, by virtue of their meaning, are concerned with gender; but there is not a special word form, as in Latin or Spanish, to make such distinction.

When, in Navaho, it is necessary to expressly designate the sex of an animal, this is accomplished by means of the counterparts of English male, female, or by specific names distinguishing the male and the female of the species. In English we could say male sheep and female sheep, although we generally use the specific names ram and ewe. In Navaho **dibé** means sheep. **Dibé tsa'ii** is ewe, and **deenásts'aa'** (coiled horns) is ram. **Ba'ádígíí** (that which is its female) is used to denote the feminine, and **bikq'ígíí** (that which is its male) distinguishes the masculine. **Tsa'ii** is also used to denote a female, its force being to indicate that this particular sex is the one which breeds and reproduces.

The differentiation or distinction in sex as denoted by the variant forms of the English 3rd person pronoun gives rise to considerable confusion among Navaho school children learning the new language. One often hears the pronoun "he" used in reference to a woman, "she" of a man etc.

NUMBER

In English we express number as singular (one) and plural (more than one). Navaho, on the other hand, expresses number as singular (one), dual (two), duoplural (two or more), plural (more than two), and distributive plural (indicating not only that the number is more than two, but also that each of the subjects or objects in reference is taking part in the act, state or condition denoted by the verb). To illustrate with concrete examples:

yisháál, I am walking along
yiit'ash, we two are walking along
yiikah, we (plural) are walking along
niheezná, they (duoplural) moved with their goods
ndahaazná, they (distributive plural) moved with their goods

The distributive plural is indicated by the prefix **da-**. It is used regularly with verbs, and on occasion with nouns. In the latter case it indicates that there are many individually scattered about, and the attention is focused on them as individuals rather than in collectivity. Thus **kǫ'**, fire; **daakǫ'**, many fires. **Chásh-k'eh,** dry wash; **chádaashk'eh,** dry washes.

Navaho nouns are not generally pluralized, the one word standing for singular or plural as the context or accompanying verb may indicate. Thus **kǫ'** is fire or fires; **dził** is mountain or mountains.

A few personal nouns such as boy, girl, youth, maiden etc.

as well as nouns which express geneological relationship, are rendered plural by suffixation of **-ké** or **-(y)óó.** Thus:

'ashkii, boy .... 'ashiiké, boys
'at'ééd, girl .... 'at'ééké, girls
sik'is, my sibling (of same sex as self) ...... sik'isóó, my siblings*

The fact that English regularly expresses number in its nouns by means of a plural ending (boy, boys), or by means of internal vowel change (goose, geese), places another obstacle in the path of the Navaho student, and should receive due consideration.

* For an excellent discussion of Navaho relationship terms see **Learning Navaho,** Vol. 1, by Fr. Berard Haile, St. Michaels, Arizona, 1941

THE PRONOUN

The pronouns of Navaho occur as independent subjective and possessive, verbal incorporated subjective and objective, and the series prefixed to nouns and postpositions to indicate the possessor and object respectively. The demonstrative, interrogative and indefinite pronouns constitute another group.

Since the verb contains within its structure elements indicative of pronominal subject, the independent subjective pronouns are not necessary with the verbs, in contradistinction to English. The case is analogous to that of Spanish where the verb endings denote person. Thus English **I talk,** Spanish **(yo) hablo,** and Navaho **(shí) yáshti'.** Spanish -o indicates that the person is 1st singular, and Navaho -sh- does likewise, thus precluding the necessity of adding the pronouns **yo** or **shí,** unless for emphasis.

In the first group of pronouns to be given below, it will be noted that there are two 3rd person forms, one designated 3., the other 3a. It may be said here that the 3. form corresponds to the ordinary 3rd person pronouns he, she, it; whereas the 3a. form is less definite, being at times like English **one,** although it translates **he** and **she.** It is used in polite conversation, and is considered a deferential form between certain relationships, such as brother and sister.

Independent Subjective Pronouns

Person	Singular	Dual	Distributive Plural
		Number	
1.	shí, I	nihí, we	danihí, we
2.	ni, you	nihí, you	danihí, you
3.	bí, he, she, it	bí, they	daabí, they
3a.	hó, he, she, (one)	hó, they	daahó, they

A variant and particularized form of the above subjectives is obtained by suffixation thereto of relatival enclitic **-í**, and prepounding of the particle **t'áá** (just). Thus **t'áá shíhí, t'áá nihí, t'áá bíhí, t'áá hóhí** etc., the meaning being thus modified to **I myself, you yourself, he himself,** etc.

Independent Possessive Pronouns

The independent possessive pronouns occur in two forms, the first being the same as the independent subjectives already given, and the other being obtained by lengthening the vowel and closing the syllable with the glottal closure ('). Thus **shí** or **shíí',** mine; **ni** or **níí',** yours; **bí** or **bíí',** his, hers, its, theirs; **hó** or **hwíí',** his, hers etc. The form wherein the vowel is lengthened indicates that one just came into possession of it (a momentaneous perfective force); whereas the other form merely signifies the state of possssing it (a static durative concept).

Thus: 'Eii łį́į́' bí, that horse is his; but 'eii łį́į́' bíí' silį́į́', that horse became his.

Noun Prefixed Possessive Pronouns

The prefixed possessive pronouns are the same, in general, as the independent subjective forms already given, with several important exceptions. With the majority of nouns the pronoun prefix has low tone, but there is a group of nouns which require high tone on the pronoun prefix. Another minor group of nouns causes the pronoun prefix to drop its vowel (i) and join its consonantal part directly to the initial vowel of the noun (the polysyllabic pronoun prefixes drop their final vowel).

Further, there are two added 3rd person forms in this series. These are the 3rd person indefinite, designated 3i., and the 3rd person obliquative, designated 3o. The 3i. signifies someone's, something's (an indefinite possessor), while the 3o. indicates that a 3. (not 3a.) subject acts upon a 3. object. Usually the 3o. pronoun is attached to the verb, but in some constructions it is attached to the object noun. Thus **bi-**ghan is translatable as his-home, while 3o. **yi-**ghan is rendered as he-(to)-his-home (**yi-** contains the idea of a 3. subject acting upon 3. object).

Lastly, there is a reciprocal form, designated rec. This form is used on nouns in Navaho, but is more commonly used in other Athabaskan languages. It means each other's, one another's.

The noun prefixed possessive pronouns are given below, prefixed to an exemplary noun, but separated from it by a hyphen.

Number

A. The ordinary low toned series.

Person	**Singular**	**Duoplural**
1.	shi-tsii' my-head	nihi-tsii', our-heads
2.	ni-tsii', your-head	nihi-tsii', your-heads
3.	bi-tsii', his- her- its-head	bi-tsii', their-heads
3o.	yi-tsii', he, she, it to his- her- its-head	yi-tsii', they to their-heads
3a.	ha-tsii', his- her- one's-head	ha-tsii', their-heads
*3i.	'a-tsii', someone's head	'a-tsii', someone's head
rec.	--------------	'ał-tsii' (or 'ahił-tsii'), each other's-heads

B. The high toned series.

1.	shí-la', my-hand	nihí-la', our-hands
2.	ní-la', your hand	nihí-la', your-hands
3.	bí-la', his- her- its hand	bí-la', their-hands
3o.	yí-la', he, she, it to his- her- its-hand	yí-la', they to their-hands
3a.	há-la', his- her- hand	há-la', their-hands
3i.	'á-la', someone's hand	'á-la', someone's hand
rec.	--------------	'áhíł-la', each other's-hands

C. Series in which the final vowel of the prefix is dropped.

1.	sh-ádí, my-sister	nih-ádí, our-sister

2.	n-ádí, your-sister	nih-ádí, your-sister
3.	b-ádí, his- her- sister	b-ádí, their-sister
3o.	y-ádí, he, she to his- sister	y-ádí,they to their-sister
3a.	h-ádí, his- her- sister	h-ádí, their-sister
3i.	'-ádí, someone's sis.	

*The 3i. forms are herewith translated as "someone's ---." Usually such forms can best be rendered without this indefinite pronoun in English. Thus **'atsii',** head; **'ádí,** (elder) sister, etc.

Pronouns Prefixed To Postpositions

The pronouns prefixed to the postpositions are similar to those just given for the nouns. The same three series A, B, and C again occur. The reciprocal is widely used with the postpositions, and another form, the reflexive, occurs. This is designated ref.

Number

A.

Person	**Singular**	**Duoplural**
1.	shi-k'i,on-me	nihi-k'i, on-you
2.	ni-k'i, on-you	nihi-k'i, on-us
3.	bi-k'i, on-him her it	bi-k'i, on-them
3o.	yi-k'i, he, she, it on- him her it	yi-k'i, they-on-them
3a.	ha-k'i, on-him her	ha-k'i, on-them
3i.	'a-k'i, on-someone something	'a-k'i, on-someone (pl)
rec.	--------------	'ał-k'i (or 'ahił-k'i), on each other
ref.	'á-k'i, on-self	'á-k'i, on-selves

B.

1.	shí-ká, for-me	nihí-ká, for-us
2.	ní-ká, for-you	nihí-ká, for-you
3.	bí-ká, for-him her it	bí-ká, for-him her it
3o.	yí-ká, he, she, it for- him her it	yí-ká, they-for-them
3a.	há-ká, for-him her	há-ká, for-them

3i.	'á-ká, for-someone	'á-ká, for-someone (pl)
rec.	--------------	'áł-ká (or 'ahíł-ká), for-each other
ref.	'á-ká, for-self	'á-ká, for-selves

C.

1.	sh-á, for-me	nih-á, for-us
2.	n-á, for-you	nih-á, for-you
3.	b-á, for-him her it	b-á, for-them
3o.	y-á, he, she, it for-him her it	y-á, they-for-them
3a.	h-á, for-him her	h-á, for them
3i.	'-á, for-someone	'-á, for-someone (pl)
rec.	--------------	'ah-á, for-each other
ref.	'ád-á, for-self	'ád-á, for-selves

The two postpositions in B and C above,both translated **for,** are distinguished as the English **for** in whistle **for** me (to call my attention), and do it **for** me, respectively. **-ká** also renders the meaning of **after,** as in to run **after** him.

Other groups which function as subjectives are:

1.	t'áá 'ániidla, we both	t'áá 'ánóht'é, you all
2.	t'áá 'ánóhła, you both	t'áá 'át'é, they all
3.	t'áá 'áła, they both	t'áá 'ániit'é, we all
3a.	t'áá 'ájíła, they both	t'áá 'ájít'é, they all

1.	ndiniilt'é, we two	t'áá 'ániiltso, we all
2.	ndinołt'é, you two	t'áá 'ánółtso, you all
3.	ndilt'é, they two	t'áá 'ałtso, they all
3a.	nizhdilt'é, they two (n- = naaki, two)	t'áá 'ájíłtso, they all

1.	tániilt'é, we three	dįniilt'é, we four
2.	tánółt'é, you three	dįnółt'é, you four
3.	tált'é, they three	dįlt'é, they four
3a.	tájílt'é, they three (tá- = táá', three)	dįjílt'é, they four dį- = dįį', four)

One can also use the full word, instead of the apocopation of the number Thus **naaki diniilt'é,** we two; **táá' niilt'é,** we three; **dįį' niilt'é,** we four etc.

The Demonstrative Pronouns

díí, this, these
díidí, this very one
'éí, that, those (remote and invisible)
'eii, that, those (close at hand and visible)
'eiidí, that very one
ńléí, yonder one
nagháí, that one there, those
*'áa-, there (remote)
'aa-, there (nearby)
ńléi-, over there (visible or known place)
ńláh-, over there (invisible or unknown place)
ko-, here
dzą́ą-, over here
kwe'é, right here
'ákwe'é, right there
kwii, here (less definite)
'ákwii, there (less definite)

*Those from **díí** through **nagháí** are used of persons or things. Those terminating in a hyphen refer to place, and are usually used with one of the postpositional enclitics such as: **-di, -gi,** at; **-dę́ę́', -dóó,** from; **-góó,** toward; **-jí,** on the side of, in the direction of; **-ji',** up to, as far as. Thus **ko-di,** (at) here; **ko-ji',** as far as here; **ko-jí,** on this side, etc.

The Interrogative Pronouns

háa-, where? The enclitic added to it determines its meaning.
háa-dishą', háa-dish, where (at)?
háá-góóshą', háá-góósh, where (to)?
háá-dę́ę́'shą, háá-dę́ęsh, where (from)?
háí, háíshą' háísh, who? Háíshą' 'át'į, who is it?
háí bi-, háísh bi-, whose? Háísh bi-łį́į', whose horse?
haa, daa, what? (how?) Díísh haa (daa) gholghé, what is this called?
ha'át'íishą', ha'át'íish, what (is it)? Ha'át'íish 'ít'é, what is it?
háidíshą', háidísh, which one? Háidísh nínízin, which one do you want?

The Indefinite Pronouns

t'áá bíhólníhí, anything, anyone
t'áá háida, anybody
t'áá díkwíí, a few
t'áá 'ałtso, all, everybody
t'áá 'áła, both
háíshį́į, someone
t'áá 'ałtsogóó, everywhere
t'áadoo le'é, thing, something
t'áá 'ałtsoní, everything, anything

díkwíishį́į́, several
łaʼ, łaʼígíí, the other one
łą́, łání, lą'í, t'óó 'ahayóí, many, much, a lot
ha'át'íishį́į́, ha'át'íshį́į́, something

háájíshį́į́, (toward) somewhere
háájída, in some direction
háaji'shį́į́, (as far as) somewhere, to some point

Indefinite concepts are often expressed as in the following exemplary sentences:

Háadi lá naniná, ghóshdę́ę́' haniná, **wherever** you are, come out!

T'áá níyá**hígíí**, ńláhdi naniná bididíínííł, **whoever** comes, tell him to go away!

Doo nisiní da, I want **nothing**

T'áá yinízinígíí baa díílééł, give him **whatever** he wants

T'áá niza'azis siláá **shį́į́** hanilé, take out **whatever** you have in your pocket

Just as in English, there are several different classes of nouns in Navaho. These can be grouped as 1. Basic nouns, 2. Constantly possessed nouns, 3. Nouns composed of a stem and a prefix, 4. Abstract verbs used as nouns, 5. Compound nouns.

1. Basic Nouns

This group probably represents, in part at least, the oldest stratum in the language, and it refers largely to natural objects and phenomena. A list, by no means exhaustive, is given herewith by way of illustration.

'áh, 'áhí, fog, mist
bąąs, hoop
béésh, flint, metal, knife
bił, drowsiness, sleep
bįįh, deer
bis, adobe, clay
chaa', beaver
chąą', excrement
chííh, red ochre
chííl, snowstorm
chizh, firewood, wood
chǫǫh, wild rose

ch'ah, hat
ch'ał, frog
ch'il, plant, weed
ch'ó, spruce
ch'osh, bug, worm
daan, springtime
dił, blood
dláád, lichen
dloh, laughter
dlǫ́ǫ́' prairie dog
dzééh, elk
dził, mountain

'éé', clothing, shirt
gad, cedar
gah, rabbit
gish, digging stick, cane
hai, winter
hał, club
hééł, pack, burden
his, pus
hosh, thorn, cactus
'ił, coniferous needles
jooł, ball
jeeh, resin, pitch
jish, medicine pouch
jį́, day
ké, foot, footwear, shoe
kin, house
kǫ', fire
k'aa', arrow
k'ai', willow
k'ish, alder
k'į́į', sumac
k'os, cloud
łeezh, soil, dirt
łe', jealousy
łid, smoke
łį́į', pet, livestock, horse
łoh, loop, noose
łóód, sore, lesion
łóó', fish
ni', earth, ground
noo', storage cist
'ood, eagle trap
saad, word, language
są́, old age
séí, sand
sęęs, wart
siil, steam, vapor
sid, scar
sin, song
sis, belt
sool, box alder
sǫ',star
łizh, urine
shash, bear
shaazh, knot
shą́ą́', sunshine
shį́, summer
sho, frost
tééh, valley, deep water
tin, ice
tó, water
tooh, large body of water
t'eesh, charcoal
t'iis, cottonwood
tłah, grease, ointment
tł'éé', night
tł'ééł, igniter
tł'id, flatulent expulsion
tł'iish, snake
tł'oh, grass
tł'óół, rope, cord
tsah, awl
tsé, stone, rock
tsin, wood, tree
tsiid, ember, live coal
ts'aa', basket
ts'ah, sagebrush
ts'in, bone, skeleton
yaa', louse, tick
yá, sky
yas, snow
yoo', bead
zas (ib.yas), snow

Such nouns as **tł'ízí,** goat, **jádí (dijáád,** fleet plus **-í,** relatival enclitic, i.e. **the one)** might be added to the above list because they are apparently composed of a stem plus a relatival enclitic.

Some of the nouns in the foregoing list undergo phonetic changes when the possessive pronominal prefix is added. Thus:

Stem initial and final ł become l.

łeezh, soil — shi-leezh, my soil
łį́į́', horse — shi-lį́į́', my horse
łizh, urine — shi-lizh, my urine
tł'óół, rope — shi-tł'óól, my rope
hééł, pack — shi-ghéél, my pack
Exception: łóó', fish — shi-łóó', my fish

Stem initial h becomes gh.

hééł, pack — shi-ghéél, my pack
hosh, thorn — shi-ghosh, my thorn
Exception: his, pus — shi-his, my pus

Stem final sh becomes zh.

béésh, knife — shi-béézh, my knife
Exception: shash, bear — shi-shash, my bear
jish, medicine bag — shi-jish

Stem initial and final s become z.

sǫ' star — si-zǫ' (or si-sǫ'), my star
séí, sand — *si-zéí (or si-séí), my sand
sis, belt — si-ziiz, my belt
Exception: sin, song — shi-ghiin, my song
sęęs, wart — si-zęęs, my wart
*sh- assimilates to s- before -s, -z, -ts, -ts', dz.

Stem vowel shortens.

k'aa', arrow — shi-k'a' (or shi-k'aa'), my arrow
ts'aa', basket — si-ts'aa' (or si-ts'a'), my basket

Stem vowel lengthens.

sis, belt — si-ziiz, my belt
sin, song — shi-ghiin, my song

' is added to the stem.

tó, water — shi-to', my water
tsé, stone — si-tse', my stone

2. Constantly Possessed Nouns

This group comprises relationship terms and names of body parts, which cannot be logically dissociated from a possessor. An illustrative list is herewith given, the 3rd person 'indefinite pronominal possessive prefix **'a-**, **'á-,** representing the possessor.

'abe', milk, mammary gland
'abid, stomach
'áchį́į́h, nose
'ach'íí', intestine
'adoh, muscle
'agaan, arm
'agod, knee
'aghid, chest, sternum
'aghoo', tooth, teeth
'aghos, shoulder
'ajaa', ear
'ajáád, leg
'akee', foot
'ála', hand
'anáá', eye
'áni', mind
'anii', face
'ánííʼ, nare, nostril
'aníí', waiste
'átáá', forehead
'atł'aa', rump
'atsee', tail
'atsii', head
'atsoo', tongue
'ats'id, tendon, ligature
'ayol, breath
'azéé', mouth
'azid, liver
'aziz, penis
'azhí, voice

'acheii, maternal grandfather
'ach'é'é, daughter(mother speaking)
'adeezhí, younger sister
'ádí, elder sister
'aghe', son (father speaking)
'ak'is, sibling (of same sex)
'alah, sibling (of opposite sex)
'amá, mother
'ánaaí, elder brother
'atsi', daughter (father speaking)
'atsilí, younger brother
'azhé'é, father
'ayáázh, son (mother speaking)

In the case of the body part nouns, secondary or alienated possession is expressed by a combination of the definite and the indefinite possessive pronominal prefix. Thus **'abe'** means milk or literally "something's **('a-)** milk." Replacing **'a-** with definite **shi-,** my, we get **shibe'**, my milk. However, when one speaks of it as **shibe'** the meaning is that the milk came from one's own breasts. If the milk came from an animal, and passed into my possession, whereafter I speak of it as "my milk," I say not **shibe',** but **she'abe'**, wherein **she- (=shi-)** represents "me," the present possessor, and **-'a-** stands for the original possessor from which the milk has been taken. **She'abe'** means literally "my something's milk." The same is true of **sitsį',** my (own) flesh; **she'atsį',** my meat.

3. Stem and Prefix Nouns

These nouns are probably verbal in origin, but to verify their etimology at present is difficult or impossible.

'ashja', opportunity
dibáá', thirst
dichin, hunger
didzé, berry
dinééh, young man
diné, man, person Navaho
dine'é, tribe, nation, people (an old plural of diné)
dóone'é, clan
nát'oh, tobacco, cigaret

4. Abstract Verbs Used as Nouns

halgai, plain (ha-, pronoun referring to place; -lgai, white)
ntsékees, thought (he thinks, thinking takes place)
ha'a'aah, east (ha-, up out; -'a-, indefinite subject pronoun; '-aah, a round object moves (referring to the sun)
'e'e'aah, west ('e- = 'a-, in, out of sight; -'e- = -'a-, indefinite subject; -'aah, a round object moves (i.e. the sun)
nanise', vegetation (it grows about)
neest'ą́, fruit (it has matured); tsin bineest'ą', fruit (of a tree)
hado, heat (ha-, pronoun referring to space, area; -do, hot)
hak'az, coldness (ha-, spatial pronoun; -k'az, cold)

Often a relatival enclitic **-í**, the one, **-ii**, the particular one, **-ígíí**, the one, that which, is added to the verb. Thus:

'iisxíinii, killer ('i- = 'a-, indefinite object pronoun; -is- = si-perfective; -xį́ (=-hį́) perfective stem of to kill one object; -n- from the nasalized stem, which interposes -n- between the stem vowel and the relatival enclitic, and lengthens its vowel with falling tone before -ii, the particular one)
'ani'įįhí, thief ('a-, indefinite object pronoun; -ni'įįh-, he steals; -í, the one (who)
'adiits'a'ii, interpreter ('a-, indefinite object pronoun; -diits'a', he hears, understands; -ii, the particular one (who)
dilghįhí, lead (dilghį-, it melts; -í, the one (which)
hataałii, shaman (hataał-, he sings; -ii, the one (who)
nímasii, potato (nímaz-, it is globular; -ii, the one (which)

5. Compound Nouns

These fall into several categories, ranging from simple compounds to long descriptive phrases.

1. Noun plus noun.

tózis, water bag, bottle, tumbler (tó-, water; -zis, bag)
tsésǫ', glass, mica (tsé-,stone; -sǫ', star)
łeets'aa', dish, earthenware (łee- = łeezh, soil; -ts'aa', basket)
tł'aakał, skirt, dress (tł'aa-,rump; -kał, leather)
chéch'il, oak (ché- = tsé-, stone; -ch'il, plant)
tsé'áán, rock cave, lair (tsé-, rock; -'áán, hole, burrow)
k'aabéésh, arrowhead (k'aa-, arrow; -béésh, flint, metal)
tsihał, warclub (tsi-, wood; -hał, club)
tsits'aa', wooden box (tsi-, wood; -ts'aa', basket)

2. Noun plus postposition.

łeeghi', subsoil, underground (łee-, soil; -ghi', within)
tsintah, forest (tsin-, trees; -tah, among)
tséghi', canyon (tsé-,rock; -ghi', within)
tóta', Farmington, N.M. (tó-, water; -ta', between)
tághi', interior of the water (tá-, water; -ghi',within)
kék'eh, footprint (ké-, foot; -k'eh, place)
táłkáá', on the surface of the water (tá-, water; -łkáá', on)
dinétah, old Navaho country (diné-, people, -tah, among)
Naakaiitah, Mexico (Naakaii-, Mexicans; -tah, among)

It will be noted in the above examples that, in many cases, the postpositional element is used with the force of a noun.

3. Noun plus verb stem.

tł'ohchin, onion (tł'oh-, grass; -chin, smells)
łeejin, coal (łee-, soil; -jin, black)
chézhin lava, malpais (ché- = tsé, rock; -zhin, black)
tsénił, ax (tsé-,, stone; -nił, pound)
k'aaghééł, quiver (k'aa-, arrows; -ghééł, carry a pack (or as a noun hééł, pack, burden)

4. Noun plus verb.

tsinaabąąs, wagon (tsin-, wood; -naabąąs, it (a circular object as a wheel) rolls about)
tsinaa'eeł, boat (tsin-, wood; -naa'eeł, it floats about)
tónteel, ocean (tó-, water; -nteel, it is wide, broad)
gałbáhí, cottontail (ga-, rabbit; -łbáhí, gray one)
Naakaiiłbáhí, Spaniard (Naakaii-, Mexican; -łbáhí, gray one)
chidí naa'na'í, caterpillar tractor (chidí, car; naa'na'í, the one that crawls about)

siláago nda'ał'eełígíí, sailors (siláago, soldier; nda'ał'eełígíí, those who cause navigation)
deenásts'aa', ram (dee-, horns; -násts'aa', coiled)

5. Postposition plus verb.

bá'ólta'í, teacher (bá-, for her; -'ólta'-, studying takes place; -í, the one)
bee'eldǫǫh, gun (bee-, with it; -'eldǫǫh, indefinite subject (3i.) makes an explosion)
bee'atsidí, hammer (bee-, with it; -'atsid-, pounding is done; -í, the one (with which)
bee'atsxis, whip (bee-, with it; -'atsxis, whipping is done)
bee'ótsa'í, pincers, pliers (bee-, with it; -'ótsa'-, grasping (as in the teeth) is done; -í, the one)
bee'ádít'oodí, towel (bee-, with it; -'ádít'ood-, one wipes oneself; -í, the one)

6. Miscellaneous.

naalghéhé bá hooghan, trading post, store (naalghéhé, merchandise = that which is packed about; bá, for it; hooghan, home)
'atsiniltł'ish bee 'adinídíín, electric light ('atsiniltł'ish, lightning; bee, with it; 'adinídíín, light)
béésh tó bii' ńlínígíí, water pipe (béésh, metal; tó, water; bii', in it; ńlí(n)- it flows along horizontally; -ígíí, the one)
chidí naa'na'í bee'eldǫǫhtsoh bikáá' dah naaznilígíí, military tank (chidí naa'na'í, caterpillar tractor; bee'eldǫǫhtsoh, cannons; bikáá', upon it; dah, up; naaznil-, they set about (plural objects); -ígíí, the one. The enclitic -ígíí nominalizes the whole phrase, a free translation of which would be "the particular caterpillar tractor upon which cannons set.")
łį́į́' bighéél, saddle (łį́į́', horse; bighéél, his pack)
tsin bigaan, limb (tsin, tree; bigaan, its arm)

Nouns denoting clans **(dóone'é)** are often formed by means of a suffix **-nii,** people, no doubt cognate with **diné,** person, man. Clan names often have to do with geographical location, such as **kiyaa'áanii** (ki- = kin, house; -yaa'á-, it stands straight up; -nii, people), people of the erect house. **Tótsohnii,** (tó-, water; -tsoh-, big; -nii, people), big water people. Sometimes the noun **dine'é,** tribe, nation, people, is used in forming clan names. Thus **Naa-**

kaii dine'é, Mexican people (clan). Other names are formed by use of a relatival enclitic, as **tábąąhá,** (tá-, water; -bąąh, edge; -á = -í, the ones), the shore ones, or more freely, the shoremen.

Despite the long association of the Navaho with various European groups, word borrowing has been very light, probably due in some part to the dissimilarities that exist between the Navaho and Indo-European languages. A few words have come in, largely from Spanish. Such are:

máázo, marble (from Eng. marble)
gohwééh, gohwéí, 'ahwééh, etc., coffee (from Sp. café)
dééh, tea (from Sp. té)
mandagíiya, butter (from Sp. mantequilla)
'alóós, rice (from Sp. arroz,)
masdéél, basdéél, pie (from Sp. pastel)
yáál, bit (money) (from Sp. real)
bilasáanaa, apple (from Sp. manzana)
nóomba, number (from English number)
chaléego, vest (from Sp. chaleco)

Some nouns, principally those of the constantly possessed category, (i.e. those referring to body parts), can be conjugated after the fashion of neuter verbs, in which instance the signification is one of comparative condition or appearance. Thus using **shash,** bear, and -**tsii',** head, we obtain:

shash yinis-tsii', I have a head like a bear
shash yíníl-tsii', you have a head like a bear
shash yil-tsii', he, she, they (dpl) have a head like bear
shash jool-tsii', he, she, they (dpl) have a head like a bear
shash yiil- (**or** yiniil-) tsii', we (dpl) have heads like a bear
yinoł-tsii', you (dpl) have heads like a bear
shash deiniil-tsii', we (dist. pl) have heads like a bear
shash deinoł-tsii', you (dist. pl) have heads like a bear
shash daal-tsii', they (dist. pl) have heads like a bear
shash dajool-tsii', they (dist. pl) have heads like a bear

The Enclitics

There is a class of words termed **enclitics** because of their dependence upon a preceding word. They are listed herewith:

shą', -sh, -ísh. These are the interrogative enclitics. A question is not indicated in Navaho by raising the tone of a word or phrase as we do in English, but is indicated by the suffixation of one of the interrogative enclitics to the first word in the clause, or by use of the particle **da'**, whose function it is to introduce a question, or by use of both the enclitic and the particle. Thus:

Háíshą' **or** háísh 'ánít'į́, who are you?

Haait'éegoshą' doo bich'į' yáníłti' da, why do you not talk to him?

Ha'át'íishą' **or** ha'át'íish nínízin, what do you want?

Haashą' **or** haash yinílghé, how are you called? what is your name?

Bich'ahásh díí ch'ah biláah 'ánííłtso, is his hat larger than this hat? (-ásh = -ísh)

Díísh ni, is this yours?

Nichidíshą' hait'éego dilgho', how fast is your car?

Bee níní'į́į́'ísh, did you steal it from him?

Da' dichinísh nílį́, are you hungry?

-go. Generally speaking, this enclitic is comparable to the English endings -ing, as in going, and -ly, as in coldly. It functions in Navaho to adverbialize nouns and particles, and to participialize verbs. It is very widely used, translating such concepts as when, while, as, etc. The examples will illustrate its uses.

Jiníyáago hoł hodeeshnih, I'll tell him **when** he comes.

Kwe'é sézį́įgo t'áá 'íighisíí nízaad nihoolzhiizh, I have been stand**ing** here for a long time.

T'óó jiníyáhágo (or jiníyáágóó) hoł hweeshne', **as soon as** he arrived, I told him.

'Oodlą́ą'go biniinaa 'awáálya 'abi'doolt'e', he was put in jail for be**ing** drunk.

-góó. This postpositional enclitic means "toward" or "along the extension of (as tábąąhgóó, along the shore)," when used with nouns, but with verbs it translates conditional "if" in a negative sense.

Doo 'ííyą́ą'góó doo dah dideesháał da, I will not start off **if** I have not eaten.

Doo shee nikihoníłtą́ągóó shį́į t'áá kwe'é naasháago shee hodíina' dooleeł ńt'ę́ę́', **if** it had not started to rain on me, I would probably have stayed here longer.

-í, -ii, -ígíí. These are the relatival enclitics, meaning the one, the particular one, that which, those which etc. Low toned **-ii** is more particularizing than high toned **-í** (compare remote **'áá-,** there, with close at hand **'aa-,** there). The instrumental and agentive ending **-er** is translated by **-í,** or **-ii.** The following examples will illustrate.

'azee'ííł'íní, medicine maker, doctor ('azee', medicine; 'ííł'í- he makes it; -(n)í, the one who. Note that when the relatival enclitic is added to an open stem syllable whose vowel is nasal, an -n- appears between the denasalized stem vowel and the following enclitic.)

hataałii, shaman (hataał-, he sings; -ii, the one)

hataałígíí, that which he sings

yidánígíí, that which is eaten

Naakaiígíí, the Mexican(s) in particular, those that are Mexicans, **the** Mexicans

T'áá yinízinígíí baa dííléél, give him whatever he wants.

Doo nisiní da, I want nothing (nisin, I want it; nisiní, I am a wanter of it).

Doo naagháhí da, there's no one at home (naagháhí, one who walks).

T'áadoo tsį́įłgo yáníłti'í, don't talk so fast (yáníłti'í, you are a talker).

T'áadoo yiiłtsání da, I saw no one (yiiłtsání, I was a seer of him).

As it has already been noted in the section dealing with nouns, the relatival enclitics enter widely into noun formation, especially of those nouns derived from verbs.

-dą́ą́'. This element indicates past time, and is usually equivalent to English ago, last, when, yester-, etc.

daan, spring --------- dąądą́ą́', last spring

jį́, day ------------- jį́įdą́ą́', today (the part already past)

hai, winter ----------- haidą́ą́', last winter

hiiná, he is alive ----- hiináhą́ądą́ą́', when he was alive

-da. This is an enclitic, and could be written in conjunction with the preceding word, although we do not thus write it in our Navaho texts. It is used as part of a negativizer, following the negativized statement, while **doo** precedes, in a manner analogous to the French ne --- pas. Thus:

Doo yá'át'éeh da, it is not good.

Doo yiiłtsą́ą da, I did not see him. (Note that when the enclitic **da** follows a short, open, high toned stem vowel, the latter is usually lengthened and the tone becomes falling. If the stem vowel is long and high toned, the tone becomes a falling one, regardless of whether the stem syllable is open or closed; i.e. whether it ends in a consonant or not).

lá. This enclitic often renders it is, that's what it is, etc.

Háí lá 'ání, who is it that is speaking?!

Haa lá yinidzaa, what in the world happened to you?!

ga'. An emphatic.

'Éí ga' shí 'ásht'į́, I'm the one who did (said) it!

Díí ga' łį́į́' nizhóní, **this** is the pretty horse!

le'. Optative and mandatory.

'Adinídíín le', let there be light!

Tódiłhił ła' séł'ą́ą le', I wish I had (on hand) some whiskey.

ni'. Indicates past time or decease.

Shizhé'é ni', my father (deceased).

Taah yí'ą́ą ni', I had put it inthe water.

ńt'ę́ę́'. Indicates past time; was, used to be, etc.

yishááł ńt'ę́ę́', I was walking along.

-yę́ę, -yę́ęni', -ę́ę, -ę́ęni' (assimilates to **-ą́ą, -ą́ąni'** after preceding **a**) This enclitic has various meanings, among which are former, deceased, used to be and aforementioned (in narrative it is attached to a noun or verb which has already been mentioned, in the same sense as we use aforementioned in English).

shádíyę́ę, my deceased **or** aforementioned elder sister

shimáhą́ą, my deceased mother

Postpositional Enclitics

The following enclitics have largely to do with direction or place, and are suffixed to nouns, verbs or postpositions. They are:

-gi, at, in (a general area)

Europegi, in Europe

Europe hoolghéegi, at the place called Europe

-di, at, in (a more closely defined area, somewhat like English right at, right in).

'ólta'di, at school

ńléidi, (at) over there

kodi, (at) here

hooghandi, at home

-góó, to, toward, along (implies motion toward)

hooghangóó, toward home

Na'nízhoozhígóó, toward Gallup
tábąąhgóó, along the shore

-dę́ę́', from, along the way from
Na'nízhoozhídę́ę́', from Gallup
'ólta'dę́ę́', from school
'áádę́ę́', from there

-dóó, from (a point or well defined place)
tsin 'íí'áhídóó kinji', from where the tree stands to the house
'áádóó, from there, and then

-ji', to, up to, as far as
hooghanji', as far as the hooghan, as far as home
hooghanjigo, homeward
tsé si'ániji', up to the rock

-jí, on the side of, in the direction of
nish'náájí, right hand side
shíla' nish'náájí yígíí, my right hand
be'éé' danineezíjí 'atah nishłį́, I am Catholic (lit. I am on the long garment's side)
hózhǫ́ǫ́jí (hatáál), (a sing, ceremony) on the side of (i.e. for) beauty, happiness, wellbeing. (-jí is commonly used in the names of native ceremonies)
shich'ijí nilį́, he is on my side

The Postpositions

For the sake of convenience these will be listed in conjunction with the 3rd personal pronoun **bi-**, him, her, it, and translated with him or it.

The postpositions of Navaho take the place of the prepositions of English, and the examples given herewith will serve to exemplify their usage.

bá, for him, in his favor
bá jiłbéézh, he is boiling it for him

baa, about him, to him
ha'át'íísh baa yáníłti', what are you talking about?
béeso baa ní'ą́, I gave him a dollar

báátk'iisjí, (progressing, extending) beside him, parallel to it
báátk'iisjí yishááł, I am walking along beside him
'atiin báátk'iisjí béésh ńt'i', the railroad (or wire) runs along parallel to the road.

báátis, over it

nahasdzáán 'ałníi'gi hoodzooígíí báátis da'niil'éél, we (dist. pl) sailed over the equator.

bąąh, beside him, alongside it

bąąh ndeesh'ááł, I'll place it (one round or bulky object) beside him, pawn it to him.

tsin bąąh hasis'na', I climbed the tree (lit. crawled up alongside the tree).

shíla' yoostsah bąąh niní'ą́, I put the ring on my finger (lit. my finger ring alongside it I placed it).

tsinaabąąs bijáád bąąh nináni'ą́,I put the wheel back on the wagon.

béé, about, concerning it, him

béénáshniih, I remember (about) it, him.

bééhonísin, you know about him, are acquainted with him.

bee, with it, by means of it

bee da'ahijigánígíí, those things with which people kill one another, weapons

tsé bee kin, stone house (lit. stone with-it house).

tsé bee séłhį́, I killed it with a stone.

biba', for him (waiting)

biba' sédá, I am sitting waiting for him.

'ałba' siiké, we two are sitting waiting for each other.

bich'ah, at him (?)

bich'ah hodeeshkeeł, I'll scold him.

nihich'ah hóshkeed, he scolded us.

bich'ą́ą́h, in front of him, in his way

bich'ą́ą́h sézį́, I am standing in his way

shich'ą́ą́h naaghá, he walks in front of me, protects me.

'ách'ą́ą́h sodizin, self-protection prayer

t'áadoo shich'ą́ą́h sínízíní, don't stand in my way!

bich'į', to, toward him

bich'į' yáshti', I am talking to him

kin bich'į', toward the house

dził bich'į' hoołtį́įł, the rain is moving toward the mountain.

bich'ijígo, on his side

shich'ijígo niní'aah, put it on my side (i.e over here by me)!

bidááh, toward it, facing it, toward him (to meet him)

bidááh níyá, I met him, encountered him.

bidááh yáshti', I'm talking back to him.

níyol bidáahji' facing the wind

bideená, in exchange for it
díkwíísh bideená nanilnish, how much do you get (lit. how much in exchange for do you work)?
bideijígo, above it
tsé bideijígo tsin 'íí'á, above the rock there is a tree.
bee'atsidí shideijígo dah si'ą́, the hammer is setting right above me.
bighá, through it, penetrating it
bighá hoodzą́, it is perforated
bighá'deeshshish, I'll poke a hole through it.
bighanisht'ą́, I took it away from him (by force).
bighi', bii', within it, inside of it
béésh bii' kǫ'í, iron stove (lit. metal in-it fire-the-one)
This postpositional functions like a noun at times, as in:
bighi'di, (at) in its interior
bi'oh, less than it
bi'oh neesh'ą́, I cannot afford it.
bi'oh 'ánísnéez, I am less tall than he.
bikáá', over its surface, above it
tsídii shikáá' naanáát'ah, the bird is flying around above me
hooghan bikáa'gi, on, or above, the hogan
bikéé', behind him (in his footsteps)
bikéé' yisháál, I'm walking along behind him.
bik'eh, according to him, after his manner, in his way
bíni' bik'eh, according to his ideas
'éí bik'eh (or 'éík'ehgo), according to that
shá bik'ehgo, according to the sun, sunwise
Also as an enclitic **-k'ehjí,** as in Naakaiik'ehjí yáłti', he is talking Spanish.
-k'ehgo is often joined to a preceding word as an enclitic, as in Bilagáanaak'ehgo, in the White man's manner.
bilááh, beyond it; more than it
bilááh 'ánísnéez, I am taller than he (lit. tall beyond him).
bił, with him, in his company
bił naash'aash, I am accompanying him
bee bił hodeeshnih, I shall tell him about it (the use of bił in this case is idiomatic).
bił bééhózin, he knows (about) it (lit. there is knowledge about it with him).
biih, movement or action toward inside
tó biih yí'ą́, I put it in the water.

(Compare kin, house; kįįh, into town, as in kįįh yí'ą́, I took it into town).

bíighah, proportionate to it, commensurate with it, beside him
dií 'éétsoh doo bíighah da, this coat does not fit him.
doo bíighah da, it is insufficient.
kin bíighahgi sitą́, it is lying beside the house.
'ahíiłghah siidzį́, we are standing beside each other.

bighą́ą́h, in front of and against it
łį́į́' tsinaabąąs bighą́ą́h dideeshtééł, I'll hitch the horse to the wagon (lit. I'll put the horse in front of and against ---).

bik'ee, on account of him, because of him
bik'ee bił hózhǫ́, he is happy on account of it (lit. on account of it with him things are beautiful).
bik'ee bił hóghéé', he dreads it (lit. on account of it with him things are dreadful).
bik'ee dinishniih, I am peeved at him (lit. on account of him I am sore).

bik'é, for it, in exchange for it
béeso bik'é naashnish, I am working for money.

bik'i, on it, on its surface
tsé bik'i dah sédá, I am sitting up on the rock.
'áádóó bik'iji', afterward
'ałní'ní'ą́ądóó bik'iji', afternoon

bíká, for, after him (as in running after one)
bíká 'ání, he is calling him (to get his attention).
bíká 'adeeshghoł, I'll help him (lit. I'll run after him).
As a verb proclitic or prefix **-ká** often occurs as **há-, ha-:**
hádídéesh'įįł, I'll look for him.
bįįh hadeeshzhah, I'll hunt (for) deer.

biląąji', in front of him, ahead of him
biląąji' naashá, I am walking ahead of him.

binaa, around it
binaa hodighin, things (or the area) around it are (is) holy.
kin binaagóó hózhóní, it (impersonal it, area place) is pretty around the house

binahji', against it
binahji' niní'aah, put it against it!

bináká, through it, penetrating it
bináká'deeshnił, I'll bore through it.
tó bináká nílį́, water flows through it.

binaashii, opposite him
kin binaashiijí tséłchíí' ńt'i', opposite the house the red rocks extend.
'ałnaashii kééhwiit'į, we live opposite each other

binááł, in his presence
shinááł daaztsą́, he died in my presence, I saw him die.
This form is verbal. Thus:
shidoonááł, I shall be present, shall witness
shi'niinááł, I am going to witness (lit. have started to ---)
shinááł, I am present, am witnessing
shíínááł, I was present, witnessed
shónááł laanaa, I wish I could be present, witness
It is conjugated for person by merely altering the pronominal prefix, just as on the other postpositionals.

bine', behind it
dził bine'di, (at) behind the mountain
tsin bine'dę́ę́' sézį, I am standing (from) behind the tree.

biní, into it
tsé biní da'azhaazh, the rock is worn (into), eroded

biniighé, for him, for its purpose, in order to
ha'át'íísh biniighé, for what purpose?
béeso biniighé naashnish, I work for (the purpose of) money.
ha'át'íísh biniighé yíníyá, what have you come for?

bíniiká, against him
bíniiká yáshti', I talk against him.

biniinaa, because of it, on account of it
ha'át'íísh biniinaa yíníyá, why did you come?

bitah, among them
Naakaii bitahgi (**or** Naakaiitahgi), among the Mexicans
bitaashá, I am going among them
tsintah, among the trees, forest

bita', between them
tsé bita'gi sézį, I am standing between the rocks.

bitis, over it
dził bitisgóó deeshááł, I'll go over (to the other side of) the mountain.
tsídii shitis yit'a', the bird flew over me.

bítsé, bí'ítsé, before him (in time)
t'áá bítsé naashá, I am older than he (lit. I walk before him).
bí'ítsé shi'dizhchį, I was born before him.

bitsiji', in front of him, before him (in time)
nitsiji' naashá, I am older than you (lit. I walk before you).
t'áá bitsiji' níyá, I arrived before him.

bits'ą́ą́', away from him, (deriving) from it
bits'ą́ą́' dah dideeshááł, I'll start off whether he likes it or not (lit. I'll start off away from him).
béésh bits'ą́ądóó **or** bits'ą́ądę́ę́' 'ályaa, it is made of iron.
bits'áníyá, I separated from him.
'ałts'áníit'áázh, we separated from each other.

biyaa, under, below it
beeldléí biyaadę́ę́' hasis'na', I crawled out from under the blanket.
tsídii shiyaagi yit'ah, a bird is flying below me.
biyaadę́ę́' hada yishááł, I'm walking down slope from it.

biyaajígo, below it
tsé biyaajígo yishááł, I'm walking along under the rock.

bíyah, under and against it
bíyah nii'aah, put it under it (to brace it)!

It will be noted that, of these postpositions, a certain number can be suffixed directly to nouns, often serving to form compound nouns. Thus:

Tsé**ghá**hoodzání, Window Rock, Arizona (perforated rock)
tá**łkáá'**, the surface of the water
dlǫ́'á**tah** né'éshjaa', burrowing owl (owl among prairie dogs)
tó**ta'**, Farmington, N.M. (between the waters)
tsin**yaa**, under the tree

Others are given under the compound nouns.

The following postpositional enclitics are added to numerals:

-di, times
naakidi, two times

-diin, corresponds to Eng. -ty
naadiin, twenty
tádiin, thirty

-ts'áadah, -'áadah, Eng. -teen
ła'ts'áadah, eleven
dį́į́'ts'áadah, fourteen
'ashdla'áadah, fifteen

Some of the postpositions can be conjugated as neuter verbs. Such a postposition as **bíighah,** proportionate to it, is actually a neuter verb. Thus:

bííníshghah, I'm proportionate to it, able to do it
bííníghah, you are proportionate to it, etc.

bíighah, he, she, it, they (dpl) is (are) proportionate to it, etc.
yíighah, he, she, it, they (dpl) is (are) pro. to him, her, it, them
bíjíighah, he, she, they (3a. dpl) is, (are) proportionate to it
'ahííłghah, they are proportionate to each other
'ádíighah, he, she, they is (are) pro. to selves; self-sufficient
bííníigah, we (dpl) are proportionate to it
bíínóohah, you (dpl) are proportionate to it
bídeíníigah, we (dist. pl) are proportionate to it
bídeínóhah, you (dist. pl) are proportionate to it
yídáághah, they (dist. pl) are proportionate to it, them
bídajíighah, they (3a.) are proportionate to it

'anishtah, I am among
'anítah, you are among
'atah, he, she, it, they (dpl) ---
'ajítah, he, she, they (dpl) ----
'aniitah, we (dpl) are among
'anohtah, you (dpl) are -------
da'aniitah, we (dist. pl) are ---
da'anohtah, you (dist. pl) -----
da'atah, they (dist. pl) --------
da'jítah, they (3a. dist. pl) ----

Díí 'anaa' k'ad da'aniitah, we are now in this war.

The Particles

(Conjunctions, adverbs, numerals)

'áádóó, and then
'áádóó diidííłjéé', and then he built a fire
'áádóó bik'iji', afterward
'adą́ą́dą́ą́', yesterday
'aghá, 'agháadi, superlative, foremost, best, favorite
díí 'agháadi shinát'oh, this is my favorite cigaret.
díí hastiin 'agháadi 'áníłnéez, this man is the tallest of all.
'áko, then, so then, so
'eii tóshjeeh nááníłhis 'áko łahdę́ę́' dínéesh'įįł, turn that barrel around so I can look at the other side.
'ákódei, up there
'ákódei hadeeshááł, I'll go up over there.
'ákónaa, across there
'ákónaa nanítsééh, put it across right there!
'ákóyaa, down there
'ákóyaa bidadeeshááł, I'll go down there.
'ákǫ́ǫ́, there
'ákǫ́ǫ́ deeshááł, I'll go over there.
'aláąhjí, furthermost, furthest
ńléí 'aláąhjí si'ánígíí, that furthest one

'ałdó', also, too
shimá 'ałdó' yiyiiłtsą́, my mother saw him, too.
'ał'ąą, separate, distinct, different
'ał'ąą dine'é t'áá 'ałtso 'ákót'éego 'ádaa ntsídaakees, different peoples all think thus with respect to themselves.
'ałk'idą́ą́', long ago
'ałk'idą́ą́' Naabeehó Naakaii yich'į' 'ałnáádaabah ńt'ę́ę́', long ago the Navaho used to raid the Mexicans.
'áłtsé, first, firstly
'áłtsé 'adą́ą́dą́ą́', day before yesterday
'ániid, new, recent, young
'ániid naashá, I am young (lit. I go around recent, new).
'ániidí, new; recent
chidí bikee' t'ah 'ániidí, the tires are still new.
díí 'atsį' t'ah 'ániidí, this meat is still fresh.
'áníídí daaztsą́, he recently died.
'aoo', 'ouu', yes
'ąą', yeah, uh huh (as in agreement while another talks)
'át'ah, wait
'át'ah t'áá kwe'é, wait right here!
'át'ahígo, in a little while
'át'ahígo shaa doogááł, he'll come to me in a little while.
'ayóí, remarkably, exceedingly
'ayóí 'át'é, he is remarkable
'ayóígo deesk'aaz, it's very cold.
'azhą́ ---- ndi, even though, no matter how
'azhą́ nízaadji' ndi 'ałchin, he can smell no matter how (even though) far away.
ba'aan, in addition to it
dízdiin dóó ba'aan dį́į́', 44 (forty and in addition four)
biiskání, on the next day
biiskání ńdeeshdááł, I'll return on the next day.
ch'ééh, futilly, in vain
ch'ééh 'íít'įįd, I acted in vain, failed.
ch'óóshdą́ą́dą́ą́', originally, formerly, in the beginning
ch'óóshdą́ą́dą́ą́' shitah yá'áhoot'ééh, I was formerly well.
dah, up at an elevation
dah si'ą́, it is setting up (at an elevation)
da'níłts'ą́ą́'góó, in several directions from a reference point
sha'áłchíní da'níłts'ą́ą́'góó 'aheeskai, my children went off in different directions.

dził da'níłts'ą́ą́'góó dadeez'á, parts of the mountain go in different directions.

dei, deigo, up, upward

t'áá k'éhózdongo deigo haat'a', it flew straight up.

deigo díní'į́į́', look upward!

dei yaa'á, it stands pointing upward.

dei'ídzaa, he looked up, raised his head.

díí 'aak'eedgo, this fall

díí daaní, this spring

díí ghaaí, this winter

díí jį, today (future part)

díí zhíní, this summer

díkwíishą', díkwíish, how many? how much?

díkwíishą' dah hidínídlo', how much do you weigh?

dóó, and

shimá dóó shí, my mother and I

-dóó bik'iji', after

'ííyą́ą́'dóó bik'iji', after I ate

doo ---- ndi, not even

doo naaki yáál ndi bą́ą́h 'ílį́į da, it's not even worth two bits.

dooda, no (in refusal)

Na'nízhoozhígóóísh deeshááł nínízin, do you want to go to Gallup? dooda, no.

doo ---- da, not

doo yá'át'éeh da, it is not good

doo deighánígóó, far, a long way

doo deighánígóó hodiits'a', it could be heard a long way.

doodaii', or, or else

tó nidlą́ doodaii' 'abe' nidlą́, drink the water or the milk!

doo háájí da, nowhere

doo háájí da déyáa da, I'm going nowhere.

doo 'asohodéébéezh da, hopeless, beyond repair

doo 'asohodoobéézhgóó, extremely

doo 'asohodoobéézhgóó deesk'aaz, it's extremely cold.

dó', too, also

shimá dóó shí dó', my mother and I too.

ghódah, hódah, up, above

ghódahgo dah si'ą́, it's setting up (there).

tsídii ghódahgo yit'ah, the bird is flying up above.

ghónaaní-, hónaaní-, the other side
ghónaaníd̨ę́ę́' siz̨į́, he is standing on (from) the other side.
ghónaanígóó diit'ash, let's go (we two) to the other side.
ghónáásdóó, as time passes; soon; meanwhile
t'áadoo ńjídáhí ghónáásdóó ch'iyáán daniik'aaz, the food got cold before he came back.
łį́į́' ch'ééh hanishtáago ghónáásdóó 'i'íí'ą́, the sun went down while I searched in vain for the horse.
ghónáásdóó yóó' 'adoolghoł, soon he will run away.
ghóshdę́ę́', this way
ghóshdę́ę́' shaa ní'aah, bring it here (this way) to me!
ghóyah, hóyah, down, below
ghóyahgo si'ą́, it's setting down below.
ghóyahgo łee' si'ą́, it is setting deep in the ground.
tsídii ghóyahgo yit'ah, the bird is flying low.
-gi 'át'éego, (being) like
nigi 'át'éego shił hóghéé', I'm lazy like you.
t'áá 'éigi 'át'éego, in that way (being like that)
t'áałáhági 'át'éego, in the same way (being like one), in one way
gódei, up, above
ńléí gódei yigááł, he is walking up (hill).
bikáá' gódei 'adzííłne', he threw it up on top.
gónaa, across
ńléí gónaa nanítséé̀h, put it across!
góne', ghóne', hóne', inside (an enclosure)
kin góne' yah 'ííyá, I went inside the house.
ghóne' (**or** hóne') doo haz'ą́ą da, there's no room inside.
góyaa, down
bidah góyaa yigááł, he is walking down it (as a bank).
bikooh góyaa 'adzííłne', he threw it down in the arroyo.
háá-, where?
háadishą', where (at)? háádę́ę́'shą', where (from)? háágóóshą', where (to)? háajigoshą', which way?
haa, how? what?
haa níłtso, how big is it?
haa nízah, how much farther?
deigo haa níłtso, how high is it?
haa níłtsogo nímaz, how big around (globular thing) is it?
haa níłtsogo názbąs, how big around (circular thing) is it?
haa níldííl, how large is it?

yaago haa nízah, how far down is it?
haa níłtsááz, how big around is it? (man, tree, rope)
haa níshóní, how pretty is it?
haa néelt'e', how many? (as sacks of beans, potatoes, etc.)
haa níłnééz, how tall, long?
haa néelą́ą́', how much? (sand, hay, beans, wool, water,etc.)
haa yidéetą́ą́', how deep, thick, is it?
haa nízáadi, how far is it?
haait'éegoshą', haait'éegosh, haait'é, how? how is it that?
haait'éego łigai, how white is it?
haait'éego sido, how hot is it?
haait'éego sik'az, how cold is it?
haait'éego díłch'il, how dense is it? (as wool on a sheep)

haah, here (i.e. hand it here)

háájí shį́į́, in some direction, somewhere
t'áá ninááháłtį́į́h bik'eh łeezh yę́ę́ háájí shį́į́ neheleeh, every time it rains the soil goes somewhere else.

haalá, what the --- ! how in the --- !
haalá yinidzaa, what happened to you!?
haalá 'áhánééh, what's happening? how do you do?

háálá, for, because
háálá t'áá bí sizínígi t'éiyá 'ádaa ntsékees, for he thinks only of himself.

hááníyee', who? anybody?
hááníyee' bitsitł'ééłí hóló, who has a match?

hádą́ą́'shą', how long ago, when (in the past)?
hádą́ą́'shą' níyá, how long ago did he arrive?

hágo, come here!

hágoshį́į́, all right

hah, hahí, fast, quickly
hahí naaghá, he is in a hurry.

hahgoda, sometime
hahgoda ńdeeshdááł, I'll come back sometime.

hahgodashą', (I) wonder when
hahgodashą' ńdoodááł, I wonder when he'll return.

hahgoshą', when (in the future)?
hahgoshą' ńdíídááł, when will you come back?

ha'naa, across (an area)
ha'naa nanítsééh, place it across (as a stick)!

háidíshą', háidíígííshą', which one?
háidíshą' nínízin, which one do you want?
háidíígííshą' nitsxaa, which is the larger? (as two mountains)

hazhó'ógo, carefully
hazhó'ógo naalnish, he works carefully

hazhóó'ógo, slowly, carefully
hazhóó'ógo naalnish, he works slowly and carefully.

hool'áágóó, forever, for all time
hool'áágóó doo 'ánáádeesh'níił da, I won't ever do it again.

hózhǫ́, very, well
doo hózhǫ́ 'eesh'įį́ da, I don't see well.

-ii', and
ńdiitą́ii' 'ahíítłhan, I picked it up and threw it.
yah 'ííyáii' neezdá, he came in and sat down

'íídą́ą́', then, at that time (past)
'íídą́ą́' diné 'ádin, at that time there were no men.

'índa, then, then only
t'áá 'íídą́ą́' hoł hweeshne'go 'índa yíníyá, I had already told him when you arrived (lit. already I told him then you arrived).

jį́įdą́ą́', today (part already past)

kódei, up this way; up here
kódei hadeesháál, I'll go up this way (as from a cañon).

kóhoot'éédą́ą́', last year at this time
kóhoot'éédą́ą́' nahałtin ńt'ę́ę́', last year at this time it was raining.

kónaa, across here
kónaa nanítséého, put it across right here!

kónááhoodzaago, next year at this time
kónááhoodzaago 'anaa' da'niitah dooleeł, next year at this time we will be in the war.

kóoní, hereabout
kóoní tsin 'ádin, there are no trees hereabout.

kóyaa, down here
kóyaa bidadeesháál, I'll go down here.

kǫ́ǫ́, hereabout
kǫ́ǫ́ tsin 'ádin, there are no trees here.
kǫ́ǫ́ ch'ídoogááł, he will come out through here.

k'ad, now
k'ad shił bééhózin, now I know.

k'adę́ę, nearly, about
k'adę́ę 'ałné'é'aah, it's nearly noon.
k'asdą́ą́', almost, nearly
k'asdą́ą́' dasétsą́, I almost died.
lą́'ąą', lą́'ą, yeah, OK, all right
lą'í, lą'ígo, much, many
diné lą'í yiiłtsą́, I saw many people.
chizh lą'ígo 'ahidíłkaał, chop a lot of wood!
lą'ídi, t'óó 'ahayóídi, many times
lą'ídi Na'nízhoozhígóó niséyá, I've been to Gallup many times.
łah, once
łah taah yígo'go k'asdą́ą́' tó shiisxį́, once I fell into the water and nearly drowned.
łáháda, rarely, seldom
łáháda bįįh hanáshzhah, I seldom hunt deer.
łahda, sometimes
łahda kwii náshdáah łeh, I sometimes come here.
łahdi, once
łahdi bįįh séłhį́, I once killed a deer.
łahgo, otherwise, different
łahgo 'át'éego, being changed, otherwise.
łahgo 'ádzaa, he changed (color, character etc.)
łahgóó, in some places
łahgóó nahasdzáán bikáa'gi deikódaadzaa, in some places the earth's surface rose
łahjí, to one side, on the other side
łahjí sizį́, he's standing on the other side.
łahji', part
łahji' shaa ní'aah, give me part!
ła'ígíí, the other one
ła'ígíí shaa ní'aah, give me the other one!
łeh, usually, custumarily
nahałtin łeh, it usually rains.
naa, sidewise
naa 'ííkęęz, it toppled over sidewise, fell over to one side.
náás, forward, onward
náás yínááł, keep walking on!
nah, nahji', to one side
nahji' dínááh, go off to one side!
yas nahgóó 'ayiizgeed, he shoveled the snow aside.

na', here (as when handing something to a person)

nát'ą́ą́', back (returning)
nát'ą́ą́' ńdísdzá, I'm going back.

nda, no (in negation)
deesk'aazísh, is it cold? nda, no.

ndi, but
shííníiłdon ndi sisiih, he shot at me but he missed me.

ni'góó, on the ground, on the floor
ni'góó sétį, I'm lying on the ground.

nízaa(d)góó, afar, far off
nízaadgóó (**or** nízaagóó) deesháál, I shall go far off.

sha'shin, maybe, possibly
nahodoołtįįł sha'shin nisin, I think maybe it will rain.

shįį, probably
nahodoołtįįł shįį, it will probably rain.
shįį also shows uncertainty and indefiniteness, as in haashįį néelą́ą́', an indeterminately large number or quantity; háájí shįį, in **some** direction, etc.

t'áá, just
t'áátá'í, just one
t'áá 'áko, right then

t'áá 'áhání, near
t'áá 'áhánídi si'ą, it sets (at) nearby.

t'áá 'aaníí, really, truly, actually
t'áá 'aaníí 'ání, he's telling the truth.
t'áá 'aaníí séłhį, I really killed him.

t'áá 'áhą́ą́h, frequently, often
t'áá 'áhą́ą́h shaa nádááh, he comes to me often.

t'áá 'ahąąh, simultaneously
t'áá 'ahąąh ní'áázh, they (d) arrived at the same time.

t'áá 'ákódí, that's all

t'áá 'ákwíí, every (with ref. to days, night, and seasons)
t'áá 'ákwíí jį, every day
t'áá 'ákwíí zhíní, every summer
t'áá 'ákwíí ghaaí, every winter

t'áá 'áłaji', always
koji' 'anáhálzhishgo t'áá 'áłaji' nahałtin, it always rains at this time of the year.

t'áá 'áłch'įįdígo, a little bit
t'áá 'áłch'įįdígo nahałtin, it's raining a little bit.

t'áá 'ałtsogo, everything, everywhere
t'áá 'ałtsogo shił 'ééhodoozįįł, I shall know everything.
t'áá 'ałtsogo yishááł, I'm going everywhere.
t'áadoo, without, don't
t'áadoo 'ashání níyá, I came without eating.
t'áadoo shaa nánít'íní, don't bother me!
t'áadoo bahat'aadí, clearly, evidently
t'áadoo bahat'aadí t'óó 'ádinda'jidlo', clearly they were merely fooling themselves (dist. pl).
t'áadoo hodina'í, soon (in the future)
t'áadoo hodina'í ńdeeshdááł, I'll soon return.
t'áadoo hodíina'í, soon (in the past)
t'áadoo hodíina'í nádzá, he soon returned.
t'áadoo hooyání, suddenly
t'áadoo hooyání nikihoníłtą́, it suddenly started to rain.
t'áadoo kót'é 'ílíní, suddenly and without warning
t'áadoo kót'é 'ílíní shiztał, he suddenly kicked me.
t'áá 'éí bijį́, on that day
t'áá 'éí bijį́ daaztsą́, on that day he died.
t'áá 'éí bitł'éé', on that night
t'áá 'éí bitł'éé' ch'íníyá, on that night I went out.
t'áá gééd, without
shilį́į́' t'áá gééd naashá, I am (going) without my horse.
t'áá hazhó'ó, except
łį́į́' t'áá 'ałtso da'oodlą́ą́' t'áá hazhó'ó t'ááłá'í t'éiyá t'áá dooda, the horses all drank except one.
t'áá 'íídą́ą́', already
t'áá 'íídą́ą́' 'ííyą́ą́', I already ate.
t'áá 'íighisíí, very
t'áá 'íighisíí nízaad, it is very far.
t'áá 'íishjání, clear, evident, apparent
t'áá 'íishjání silį́į́', it became apparent
t'áá łą́ągóó, in many ways, in many places
k'ad 'índa t'áá łą́ągóó nihił 'éédahoozin, only now have we acquired great knowledge.
t'áá sahdii, alone, separately
t'áá sahdii sizį́, he stands apart, separately.
t'áá sáhí, alone
t'áá sáhí naashá, I'm going about alone.
t'ą́ą́', t'ą́ąji', t'ą́ąjigo, back, backward

t'ah, still, yet
t'ah hinishná, I'm still alive.
t'ą́ą́' kóníléęh, put it in reverse, back it up (car)!
t'ą́ąji' hidínááh, take a few steps backward!
t'ą́ąjigo 'íítłizh, he fell over backward.
t'ééh, t'éí, t'éiyá, only, alone, exclusively
shí t'éiyá daastsaah, I only am sick.
bilasáana t'áá t'éehgo yishą́, I'm eating the apple raw.
t'įįhdígo, a little, a bit
t'įįhdígo diniih, it hurts a little.
t'óó, merely
t'óó 'ásht'į́, I'm just loafing (lit. I'm merely doing).
t'óó 'ahayóí, t'óó 'ahayóígo, much, many, very
diné t'óó 'ahayóí yiiłtsą́, I saw many people.
t'óó báhádzidgo, very seriously, extremely
t'óó báhádzidgo deezni, he was badly hurt.
t'óó náhodi'naahgo, every once in a while; at intervals
t'óó náhodi'naahgo tsitł'éłí náyiidzoh, every once in a while he lit a match.
t'óó kónígháníji', (for) a little while
t'óó kónígháníji' sédá, I'm sitting for a little while.
tł'óó'-, outdoors, outside
tł'óo'di naaghá, he's walking around (at) outside.
tsé'naa, across
bikooh tsé'naa hasínááh, go across the arroyo!
tséde, on the back, face upward
tséde sétį́, I'm lying on my back.
tséde 'íítłizh, I fell over backward.
tsé'yaa, on the face, face first
tsé'yaa sétį́, I'm lying on my belly.
tsé'yaa 'íítłizh, I fell over on my face.
tsí', in every direction
tsí' naashá, I'm walking in all directions, am dizzy, drunk.
tsį́įł, tsį́įłgo, fast, rapidly
tsį́įłgo yilghoł, he is running fast.
tsį́įł nishłį́, I'm in a hurry.
ts'ídá, really, decidedly
ts'ídá shaa hojooba'í, I am really poor, miserable.
yah, into (an enclosure)
yah 'ííyá, I went in

ya', isn't it, n'est-ce pas
'ayóigo deesk'aaz ya', it's very cold, isn't it?
nahastiin doo sidáa da ya', your husband isn't home, is he?
(the answer is 'aoo', yes, he isn't; if one answers nda, no, he **is** there. **ya'** requires agreement)

yéigo, hard, diligently
yéigo naalnish, he works hard

yiskáago, tomorrow

yóó', away (into invisibility or infinity)
yóó' 'ííyá, I went away, got lost.

The Numerals

Cardinal.

łáá'ii, t'ááłá'í, 1
naaki, 2
táá', 3
dį́į́', 4
'ashdla', 5
hastą́ą́h, 6
tsosts'id, 7
tseebíí, 8
náhást'éí, 9
neeznáá, 10
ła'ts'áadah, 11
naakits'áadah, 12
táá'ts'áadah, 13
dį́į́'ts'áadah, 14
'ashdla'áadah, 15
hastą́'áadah, 16
tsosts'idts'áadah, 17
tseebííts'áadah, 18
náhást'éíts'áadah, 19
naadiin, 20
naadįįła', 21
naadiinaaki, 22
naadįįtáá', 23
naadįįdį́į́', 24
naadįį'ashdla', 25
naadįįhastą́ą́h, 26
naadįįtsosts'id, 27
naadįįtseebíí, 28
naadiináhást'éí, 29
tádiin, 30
tádiin dóó ba'aan t'ááłá'í, 31
(From here on **dóó ba'aan,** in addition to it, is used.)
tádiin dóó ba'aan naaki, 32
dízdiin, 40
dízdin dóó ba'ąą tseebíí, 48
'ashdladiin, 50
hastą́diin, 60
tsosts'idiin, 70
tseebídiin, 80
náhást'édiin, 90
t'ááłáhádi neeznádiin, 100
naakidi neeznádiin, 200
naakidi neeznádiin dóó ba'aan naaki, 202
táadi neeznádiin dóó ba'aan 'ashdladiin dóó ba'aan táá', 353
t'ááłáhádi miil (**or** mííl; from Sp. mil, thousand), 1000
t'ááłáhádi miil dóó ba'aan náhást'éidi neeznádiin dóó ba'aan dízdiin dóó ba'aan táá', 1943

t'ááłáhádi miiltsoh (mííltsoh), 1,000,000 (Cp. miiltsoh, big thousand, and Sp. millón, big thousand = million.)

Ordinal.

The ordinals are the same as the cardinals, **góne',** or **góne'ígíí** merely being added to the cardinal number form. Thus:

'átsé, or łáá'ii góne', 1st
naaki góne', 2nd
táá' (or tá'í) góne', 3rd
dį́į́' (or dį́'í) góne', 4th

The Adjective

In Navaho the adjectives are, for the most part, 3rd person forms of neuter verbs denoting quality, state or condition. There are a few adjectival suffixes, as:

-tsoh, big dinétsoh, big man
-chil, -chilí, small łį́į́chilí, small horse
-ts'ósí, slender 'asdzą́ą́ts'ósí, slender woman
nééz, tall hastiin nééz, tall man; Mr. Long
-dííl, tall, big dinédííl, tall, big man
yáázh, little shash yáázh, bear cub

An exemplary list of 3rd person neuter verbal adjectives is:

'ałtas'éí, varied, assorted
'aszólí, light (in weight)
'áłts'óózí, slender
'áłt'ą'í, shallow, thin
bii' halts'aa', hollow
dah 'ats'os, conical, tapering
deení, sharp
deeshzhah, pronged
deeshgizh, having a gap
dijool, ball-like
ditłid, shaky, quivery (as jello)
ditą, thick, deep
dighozh, thorny
di'il, di'ilí, hairy (as a goat)
dik'ą, squared
ditsxis, jerky
díílid, burnt
dichosh, stubby
díiłdzid, rotten
dit'ód, dit'ódí, pliable, soft
ditł'o, hairy, hirsute (bear)
dizéí, crumbly
dích'íí', bitter, hot (as chile)
díłch'il, dense (wool, woods)
dits'oz, hairy (long hair, as on certain sheep)
dits'id, tough (as meat)
dinilchíí', pink
dinooltł'izh, greenish
dinilgai, cream color
dinilbá, light green
dootł'izh, green, blue

dinilzhin, tan
diłhił, dark colored, jet-black
diniltso, orange
dík'ǫǫ́zh, sour
dilch'ił, crackling, popping
dilchxosh, effervescent
dighol, rough, rutted
dich'íízh, asperate, rough (as a file); coarse (as wool)
doo yá'áshǫǫ da, no good
heets'óóz, tapering
(The following refer to space or area; ho-, ha-, pronoun of space, area, place.)
honoojí, rugged, broken
hóteel, flat, plain, broad
halchíí', red
halzhin, black
haltso, yellow
halbá, gray
hodootł'izh, blue, green
hazgan, dried up
hoozdo, hot (as an oven)
hodighol, rough, rutted
hóghéé' dreadful, awful
'íídéetą́ą́', thick, deep
łibá, gray
łichíí', red
łigai, white
łigaigo łibá, light gray
łikan, sweet, tasty
łikizh, spotted
łikon, inflammable
łizhin, black
łitso, yellow
názbąs, circular
nahateeł, slippery (place)
nashch'ąą', decorated
naneeshtł'iizh, zigzag
nástłéé' wet (it became wet)
naat'ood, flexible
názhah, bent (horseshoe-like)
nineez, long
nímaz, globular, spherical
niłchxon, stinking
nitsaa, big, large
niiłtsǫǫz, rugose; flat (tire)
niłdzil, firm, solid
níghiz, round and slender
nidaaz, heavy
nitł'iz, hard (as stone)
niteel, broad, wide
niłtólí, clear, transparent
nihodii'á, steep
niłts'ílí, clear, crystalline
noojí, rugged, corrugated
noodǫ́ǫ́z, striped
nizhóní, pretty, nice, clean
nichxǫ́ǫ́'í, ugly, filthy
shibéézh, boiled
sitłéé', mushy
sido, warm, hot
sik'az, cold
sigan, dried, dessicated
sisíí', piquant (as pepper)
sit'é, cooked, roasted, "done"
sits'il, shattered, broken
tátł'id nahalingo dootł'izh, light green
tsédédéeh nahalingo dootł'izh, purple
t'óó baa'ih, dirty, filthy
yá'át'ééh, good, suitable
yázhí, little
yídéeltǫ', slippery
yilzą́ą́' cured (hide)
yilzhólí, soft, fluffy
yíłtseii, dry, withered
yishtłizh, coffee colored
yisk'ą́ą́z, straight(ened)

Certain adjectivals denoting physical qualities or conditions as size, distance, extension, weight, etc., have a different form when used in a relative or comparative sense from the absolute form merely describing the quality or condition. Thus:

Absolute	**Relative**
nineez, it is long	'áníłnééz, it is long
nitsaa, it is large	'áníłtsxááz, it is large
niteel, it is broad	'áníłtéél, it is broad
néelt'e', numerous	'ánéelt'e', numerous
níldííl, it is large	'áníldííl, it is large
nidaaz, it is heavy	'áníłdáą́s, it is heavy
-tsoh, big	'áníłtso, it is big
nízaad, it is far	'ánízáád, it is far

Comparison of Adjectives

There are no forms in Navaho comparable with large, larger, largest, wherewith to express the positive, comparative and superlative degrees for the adjective. Such comparison is accomplished in Navaho by means of the postpositional **-láah,** beyond, **-'oh,** less than, or **'aghá, 'agháadi,** superlative ---- or by other locutions. The following examples will illustrate:

-neez, -nééz, long, tall

díí 'éétsoh nineez, this coat is long

díí 'éétsoh shiláah 'áníłnééz, this coat is too long for me (lit. this coat beyond me is relatively long).

díí 'éétsoh shi'oh 'áníłnééz, this coat is too short for me (lit. this coat less than me is relatively long).

biláah 'ánísnééz, I am taller than he (lit. beyond him I am relatively tall).

-tsoh, -tso, big

łį́į́tsoh, big horse

díí łį́į́' 'ayóí 'áníłtso, this horse is very (relatively) big.

biłį́į́' díí łį́į́' biláah 'áníłtso, his horse is bigger than this horse

biłį́į́' díí łį́į́' bi'oh 'áníłtso, his horse is smaller than this horse.

biłį́į́' 'aláahdi **or** 'agháadi 'áníłtso, his horse is the largest(lit. his horse beyond anything is relatively large).

naaniigo t'áá náásee 'áníłtsoígi 'áníłtso, it is as long as it is wide (lit.crosswise just lengthwise like it it is rel. big).

-zaad, -záád, far

shikin nízaadi si'ą́, my house is far away.

nighandóó shighan bita'gi kodóó Na'nízhoozhíji' 'ánízáád, it is as far from your home to mine as it is from here to Gallup (lit. from your home between my home from here to Gallup it is relatively far).

Miscellaneous.

shíjígo dinishgho', ni t'áá 'a'oh, I can run faster than you (lit. being on my side I am a runner, you just less).

niláahgo dinishgho', I can run faster than you (lit beyond you I am a runner).

doo jóołta' 'ánéelą́ą' nááhaiídą́ą', countless years ago (lit. not that one might count them years are rel. many).

The Verb

The Navaho verb is the most difficult phase of the language for the non-Navaho to master. It often appears to be a hopeless maze of irregularities, and in reality it **is** irregular from our point of view.

The pattern of Navaho thought and linguistic expression is totally unlike that of the European languages with which we are most commonly familiar. We learn such foreign languages as Spanish, French, Italian and German with a minimum of difficulty because there exist so many analogies, both with respect to grammar and to words, with our own native English. Moreover, the pattern according to which we conceive and express our thoughts in English and in these common European languages is basically the same throughout. We translate readily from one to the other, often almost word for word. And lastly, similar or very closely related sound systems prevailing throughout make the words easy to pronounce and to remember.

On the other hand, the Navaho language presents a number of strange sounds which are difficult to imitate, and which make the words very hard to remember at first. Secondly, the pattern of thought varies so greatly from our English pattern that we have no small difficulty in learning to think like, and subsequently to express ourselves like the Navaho. An understanding of the morphology and structure of the language, and an insight into the nature of the thought patterns involved can go far in aiding to solve the puzzle.

In the foregoing pages we have described the noun, pronoun and particles. In the following pages we shall deal with the verb.

General

The Navaho verb, unlike the English, often contains within its structure not only the verbal idea, but also subject and object pronouns, and many adverbial modifiers. It is, in itself, a complete sentence. Actually, each of these elements is a monosyllable, each with its own signification. When these are placed together in a certain prescribed order, they serve to express a concrete thought, just as a number of blocks placed in the correct order serve to make a rectangle. Each monosyllabic prefix has its own position in the verb complex, and cannot exchange places with another without altering or nullifying the meaning. Thus, **ha-si-s-'na'**, I crawled up out, cannot be ***si-s-ha'-na'**, for each element of the word has its own fixed position with relation to those which precede or follow it; just as in the English sentence "he shot a rabbit," not "shot a he rabbit," although there is more liberty in altering the relative order of English words than in the case of the Navaho verb prefixes.

The modifying prefixes, along with the pronouns and the stem classifier, always stand first in the verb complex, the final position being occupied by the monosyllabic stem.

The Verb Stem

By the stem of the verb we refer to that part which contains the verbal idea in more or less abstract and unmodified form. The stem does not express the doer of the act, nor in most cases does it tell how the act was done; it merely expresses or defines an action state or quality in an abstract sense. We say that the stem of the Spanish verb hablar, to speak, is habl-. We modify it with respect to time, person, number, etc., and give it concrete meaning, by adding various suffixes to the stem. Thus habl-o, I speak, habl-aste, you spoke, habl-arán, they will speak, etc.

The Navaho verb stem is a monosyllabic element composed of a consonant-vowel (CV), or of a consonant-vowel-consonant (CVC). The stem does not always remain the same in all forms of the verb, as it does in the case of Spanish habl-. The Navaho stem is often varied to express different modes or aspects of the verb. Lengthening, or change in the quality of the stem vowel, tone alterations, or change of the final consonant accomplish these variations, although a number of verbs retain the same stem for all the modes and aspects.

As many as four different aspects, and six different modes may be distinguished by alterations of the stem. It is rarely that a verb distinguishes more than five modes and one or two aspects at best by use of distinct stem forms, although a few verbs have as many as eight different stem forms.

The modes distinguished in the Navaho verb are:

Imperfective, indicating that the action is incomplete, but is in the act of being accomplished, or about to be done.
Perfective, indicating that the action is complete.
Progressive, indicating that the action is in progress.
Iterative, denotes repetition of the act.
Usitative, denotes habituality in performing the act.
Optative, expresses potentiality and desire.

The aspects distinguished are:
Momentaneous, action beginning and ending in an instant.
Repetitive, action repeated.
Semelfactive, action which occurs once, and is neither continued nor repeated.
Continuative, action which is continued.

The various stems and forms of the verb meaning "to handle one round or bulky object" will serve as illustration.

Mode	**Stem**	**Concrete Verb Form**
Imperfective		
mom.	'aah	taah yish'aah, I'm putting it into the water.
cont.	'áh	naash'áh, I carry it about.
Perfective	'ą́	taah yí'ą́, I have put it in water.
Progressive	'ááł	yish'ááł, I'm carrying it along.
Iterative	'ááh	taah násh'ááh, I repeatedly put it in water
Usitative	'ááh	taah yish'ááh, I habitually put it in water.
Optative	'ááł	taah ghósh'ááł, that I might put it in water

The stem may contain the verbal idea as an abstraction, as **-gah,** to whiten, become white, or the stem may classify the object to which it refers on the basis of size, shape, number, etc. Some of these stems which classify their objects are herewith listed.

The stems given are for the progressive, imperfective, perfective, iterative and optative modes. Some of these verbs do not have a progressive, but their future tense forms employ the stem of the progressive. Thus where there is no progressive mode possible, the stem form given is for the future tense.

Stems that classify shape, size, manner.

'ááł, 'aah, 'ą́, 'ááh, 'ááł, to handle one round or bulky object.
'ał, 'aał, 'aal, t'ał, 'aał, to chew, eat, a hard object.
'ał, 'ah, 'áád, 'ah, 'áád, to lose, toss, a flat flexible object.
bąs, bąąs, bą́ą́z, bąs, bąąs, to roll (a circular object).
shosh, shóósh, shoozh, shosh, shóósh, to place slender stiff objects side by side (in parallel position).
dił, deeł, déél, dił, dił, to lose, toss, a slender flexible object.
ghał, ghał, ghal, ghał, ghał, to chew, eat, meat.
ghééł, gheeh, ghį́, gééh, ghééh, to handle a load or pack.
hęsh, hę́ę́sh, hęęzh, hęsh, hę́ę́sh, to flow, fall (mushy matter).
kááł, kaah, ką́, kááh, kááł, to handle anything in a vessel.
kił, keed, kid, ki', keed, to chew, eat, one round object.
kǫs, kęęs, kę́ę́z, kǫs, kęęs, to fall (slender stiff object).
lééł, léh, lá, lééh, lééł, to handle a slender flexible object.
mas, máás, mááz, mas, máás, to roll (spherical object).
nish, níísh, nizh, nish, níísh, to break a slender flexible object.
niił, ne', ne', niih, ne', to toss or lose a round or bulky object.
joł, jooł, jool, joł, jooł, to handle non-compact matter (wool).
tsos, tsóós, tsooz, tsos, tsóós, to handle a flat flexible object.
tłoh, tłeeh, tłéé', tłoh, tłeeh, to handle mushy matter.
jih, jááh, jaa', jih, jááh, to handle plural granular objects.
tééł, teeh, tį́, tééh, tééł, to handle one animate object.
tį́į́ł, tįįh, tą́, tį́į́h, tį́į́ł, to handle a slender stiff object.
tsoł, tsóód, tsood, tso', tsóód, to feed one.
ts'ǫł, ts'ǫǫd, ts'ǫ́ǫ́d, ts'ǫ', ts'ǫǫd, to make taut a slender object.
t'eeł, t'e', t'e', t'eeh, t'e', to drop a slender flexible object.
tah, tááh, taa', tah, tááh, to shatter a fragile object.
ts'ah, ts'ééh, ts'ee', ts'ah, ts'ééh, to eat mushy matter.
chosh, chozh, chosh, chosh, chozh, to eat, chew, herbs.
ts'ił, ts'íid, ts'id, ts'i', ts'íid, to fall (a hard object).
tłish, tłíísh, tłizh, tłish, tłíísh, to fall (animate object).
dlosh, dlóósh ,dlosh, dlosh, dlóósh, to go on all fours, trot

Stems that distinguish number.

'ash, 'aash, 'áázh, t'ash, 'aash, to go, walk (2)
kah, kááh, kai, kah, kááh, to go, walk (more than 2).
lóós, lóós, lóóz, lóós, lóós, to lead (1).
yoł, yóód, yóód, yo', yóód, to drive a small herd (5-10)
héél, héh, hį, hééh, héél, to kill (1).
ghą́ą́ł, ghą́, ghą́ą́', gą́ą́h, ghą́ą́ł, to kill (2 or more).
tsił, tseed, tseed, tsi', tseed, to kill (more than 2).
tsaał, tsaah, tsą́, tsaah, tsaał, to die (1).
'nééł, 'nééh, 'ná, 'nééh, 'nééł, to die (2 or more).
daał, daah, dá, daah, daah, to sit (1).
keeł, keeh, ké, daah, keeh, to sit (2).
bįįł, bįįh, bin, bįįh, bįįh, to sit (more than 2).
tééł, teeh, tį, tééh, tééł, to lie down (1).
tish, teesh, téézh, tish, teesh, to lie down (2).
jah, jeeh, jéé', jah, jeeh, to lie down (more than 2).
ghoł, gheed, ghod, gho', gheed, to run (1).
chééł, chééh, chą́ą́', chééh, chééł, to run (2).
jah, jeeh, jéé', jah, jeeh, to run (more than 2).
nił, nííł, nil, nił, nííł, to handle plural objects.
das, daas, daaz, das, daas, to fall (heavy plural objects).
dah, dééh, deeh, dah, dééh, to fall (plural separable objects).
dił, deeł, déél, dił, deeł, to chew, eat plural objects.
hą́ą́ł, han, han, ghą́ą́h, han, to throw (1) object.
tł'ił, tł'iid, tł'íid, tł'i', tł'iid, to throw plural objects.

A number of stems could be added to enlarge these lists, but the foregoing will serve to illustrate. In these lists only the principal stems are given. In the dictionary the same verbs will be found more fully explained, and with all stems given.

Phonetic alterations of the stem initial consonant.

There are a few phonetic alterations of the stem initial consonants which will be noticed in the paradigms. Examples of these changes may be helpful. The verb stems given are all in the imperfective mode.

Stem initial **gh** often becomes **h** after **sh, h,** or **ł.**
ghą́, to kill plural objects; **yishhą́,** I am killing them; **ghohhą́** you (dpl) are killing them. **ghał,** to chew meat, **ghołhał,** you (dpl) are chewing it.

Stem initial **s** often becomes **z** after **l**.

síid, to awaken; ch'ééniilzíid, we are awakening him.

Stem initial **sh** becomes **zh** after **l**.

shééh, to mow; **yiilzhééh,** we are mowing it.

Stem initial **zh** becomes **sh** after **h**.

zha, to spit; **dohsha,** you (dpl) are spitting.

Stem initial **l** becomes **ł** after **sh** or **ł**.

lééh, to make; **'áshłééh,** I'm making it; **'óhłééh,** you (dpl) are making it.

The Stem Classifier

With position immediately preceding the stem is the stem classifier, a prefixed element which serves to distinguish between active and passive voice, and sometimes to transitivize intransitive verbs, or even to detransitivize transitive ones. The four stem classifiers are **ł, l, d,** and **zero.**

ł. Example, **hółbį',** you are building a hogan. **ł** becomes **l** in the passive, and in the 1st person dpl. Thus, **hwiilbį',** we dpl are building a hogan; **halbį',** a hogan is being built. **ł** is added to many **zero** class and **l** class verbs as a causative and transitivizing agent.

l. Example, **ńdíiltłoh,** you will get wet. **l** classifier becomes **ł** in the 2nd person dpl. Thus, **'ádílzhééh,** you are shaving yourself, but **'ádółzhééh,** you are shaving yourselves. **Zero** class verbs with **sh** or **s** initial stems infix **l** in the first person dpl and passive in order to avoid confusion with the **d** classifier. **yidoosih,** he will miss it; **diilzih,** we will miss it; **doolzih,** it will be missed. **didíishoł,** you will start dragging it; **didiilzhoł,** we will start dragging it; **didoolzhoł,** it will start to be dragged.

l class verbs can be transitivized by **ł,** as **ńdíiltłoh,** you will get wet; **ńdíiłtłoh,** you will make it wet.

d. This classifier is lost as such in Navaho. It still remains in certain verbs whose stem initial consonant is ', d, gh, l, n, z, zh, or y. It joins with these stem initials as follows:

d plus **'** = **t'**		**d** plus **n** = **'n**
d plus **d** = **d**		**d** plus **z** = **dz**
d plus **gh** = **g**		**d** plus **zh** = **j**
d plus **l** = **dl**		**d** plus **y** = **d**

Thus, for example, **ní'ą,** I brought it; **bighanisht'ą,** I took it away from him. **Ch'éédeessił,** I'll awaken him; **ch'éédeesdził,** I'll wake up. **Yileeh,** it is becoming; **nádleeh,** it becomes repeatedly. **Yideeshshį́į́ł,** I'll make it black; **yideeshį́į́ł,** I'll get black. (In these latter cases **d** classifier serves to detransitivize.)

Zero. Example, **yí'ááł,** you are carrying it along. Some of the **zero** class verbs can be transitivized by insertion of **ł** classifier. Thus:

si'ą́, it sets, has position; **séł'ą́,** I have it (in position, i.e. am causing it to set).

níséghiz, I turned around; **níséłhiz,** I turned it around (i.e. caused it to turn around).

'oo'oł, there is movement along floating (i.e. an indefinite thing is floating along); **'ooł'oł,** he is causing an indefinite thing to move along floating (i.e. he is navigating).

yooł'oł, he is causing (definite) it to move along floating (i.e. he is sailing it along).

sélį́į́', I became; **séłį́į́',** I caused it to become.

Tense

The Navaho verb expresses time as future, present or past. The simple future is expressd by such forms as **deesháał,** I'll go, **deeshį́į́ł,** I'll eat it, etc. (V. Future paradigms.)

The present tense is expressed principally in the imperfective and progressive mode forms, including the neuter verbs. In general the imperfectives of the momentaneous aspect translate "in the act of," about to," while the continuative and repetitive render a simple present. To illustrate:

yishą́, I am eating it (continuative imperfective).

yisdiz, I am spinning, twisting, it (continuative imperfective).

nánishtał, I am repeatedly kicking him (repetitive imperf.).

yíníshtą', I am holding on to it (neuter).

naashá, I am walking about (continuative imperf.)

dishłóós, I am in the act of starting to lead him (momentaneous imperfective).

bi'dishłeeh, I'm in the act of cheating him (mom. imperf.).

taah yish'aah, I'm in the act of putting it in water (mom. imperf.).

'iishháásh, I'm about to fall asleep (mom. imperf.).

yish'ááł, I'm carrying it along (progressive).
yishghoł, I'm running along (progressive)
nishłį, I am (neuter).
honishłǫ́, I exist (neuter).
yínístseii, I'm dry (neuter)
dinistsiz, I'm shaky, trembling (neuter).
dinishghin, I'm holy (neuter).
łinishchíí', I'm red (neuter).
si'ą́, it sets (si-perfective neuter).

Past tense is generally expressed by the perfective mode. Thus, **naa ní'ą́,** I gave it to you; **níyá,** I arrived, came; **yishghal,** I chewed, ate it (meat).

Periphrastic tense forms are produced by postpounding **dooleeł** (often abbreviated to **doo,** or even to **leeł),** it will be; **ńt'ę́ę́',** or **ni',** it was, used to be; or a combination of the two **(dooleeł ńt'ę́ę́'),** to the verb forms. Thus:

Dooleeł, renders a future; **ńt'ę́ę́',** a past, and **dooleeł ńt'ę́ę́',** a conditional.

deeshį́įł, I'll eat it.
deeshį́įł ńt'ę́ę́', I would eat it.
yishą́, I'm eating it.
yishą́ą́ ńt'ę́ę́', I was eating it.
yishą́ą dooleeł, I'll be eating it
yíyą́ą́', I ate it.
yíyą́ą́' ńt'ę́ę́', I had eaten it.
yíyą́ą' dooleeł, I'll have eaten it.
yíyą́ą' dooleeł ńt'ę́ę́', I would have eaten it.
nishłį́, I am.
nishłį́į́ ńt'ę́ę́', I was, used to be
nishłį́į dooleeł, I'll be.
nishłį́į dooleeł ńt'ę́ę́', I would be.
sédá, I'm sitting.
sédáá ńt'ę́ę́', I was sitting.
sédáa dooleeł, I'll be sitting.
honisą́, I'm wise.
honisą́ą dooleeł, I'll be wise.
honisą́ą deeshłeeł, I'll become wise.
honisą́ą yishłeeł, I'm becoming (progressively) wise(r).
honisą́ sélį́į́', I became wise.

The following sentences will help illustrate the expression of time in the Navaho verb:

T'áá 'íídą́ą́' hoł hweeshne'go 'índa yíníyá, I had already told him when you arrived (already I having told him then you arrived).

Kintahgóó diikah nisin ńt'ę́ę́' 'aho'niiłtą́, I was wishing we could go to town, but it rained (to town we (pl) will go I want it rained).

Shą́ą́' dibé bitsį' deeshghał nínízingo shighandi nánídááh ni', remember, whenever you used to want to eat mutton you used to come to my home (remember sheep its meat I shall eat it you wanting my home at you repeatedly come it was).

Yiskąągo kwe'é naasháago shee naaki nááhai dooleeł, tomorrow I shall have been here two years (tomorrow here I walking about with me two years it will be).

'Ákǫ́ǫ́ nich'į' deesháál ńt'éé' ndi shinaanish hólǫǫgo biniinaa t'áadoo déyáa da, I would have gone to see you but I had work to do (there toward you I shall go it was but my work existing because of it without I started going).

Shá bíighah hahonishtáá ńt'éé' ndi t'áadoo hak'íníshááhí t'óó nánísdzá, I had looked for him all day, and not finding him I returned (sun proportionate to it I am searching for him it was but without I am the one who finds him merely I returned).

K'adę́ę dah diisháah ńt'éé' nikihonííłtą́, I was about to start off when it started to rain (almost off I am about to start it was it started to rain).

Bighandi yíníyáago yóó' 'ííyáa dooleeł, he will have gone by the time you get to his place (his home at you having arrived away he has gone it will be).

Kintahgóó t'ah doo disháah da, I have never gone to town (to town still not I am in the act of starting to go).

T'áadoo nádáhí 'i'íí'ą́ągo biniinaa 'ííyą́ą́', he hadn't returned at sundown so I ate (without he is the one in the act of returning it (sun) having moved in because of it I ate).

Objective yi- and bi-

Transitive verbs, as a rule, do not require expression of the 3rd person ordinary **(bi-)** object pronoun, although there is a class of verbs which does. Ordinarily, the 3rd person ordinary objective pronoun is expressed by zero in the 1st and 2nd persons singular and duoplural. In the ordinary 3rd person form of the transitive verb, the 3rd person pronominal object is represented by the 3rd person obliquative (3o.) **yi-,** indicating that an ordinary 3rd person subject **(bí)** acts on a mentioned 3rd person ordinary object.

'awéé' shéłchį́, I gave birth to a baby.

'awéé' shíníłchį́, you gave birth to a baby.

'awéé' **yi**shchį́, she gave birth to a baby.

'awéé' yizhchį́, birth was given to a baby.

The **yi-** of the 3o. person **(yishchį)** indicates that the 3rd ordinary subject (she) gave birth to a 3rd person ordinary object expressed nominally by **'awéé',** baby. **Yi-** precludes the possibility of **'awéé'** being taken as the subject of the verb, for it can only be the object. If the noun preceding the verb is the subject, then **yi-** is replaced by **bi-,** so **'asdzą́ą́ bishchį́,** the woman gave birth to him. Similarly, **náshdóítsoh yidiyoołhéél,** he will kill the puma; **náshdóítsoh bidiyoołhéél,** the puma will kill him.

The **yi-** of the passive form **(yizhchį́)** indicates that the verb is transitive with respect to a definite 3rd person object (expressed as zero just as it is in the forms **yishą́,** I am eating it, and **yidą́,** it is being eaten). If **yi-** is replaced by indefinite (3i.) **'a-,** we have:

yidą́. it is being eaten
'adą́, there is eating going on.
yizhchį́, birth was given to it
'azhchį́, birth occured (birth was given to something)

In the passive forms of **yi-** and **si-** perfectives **yi-** indicates the transitivity of the verbal action to a definite object, just as it does in the imperfective transitive form **yishą́,** I am eating it. **Yi-** is lacking in the passives of paradigms wherein there is no paradigmatic **yi-** prefix. Thus:

'awéé' yidoołchííł, she will give birth to a baby.
'awéé' doolchííł, a baby will be born.
'awéé' yółchííł laanaa, would that she give birth to a baby.
'awéé' ghólchííł laanaa, would that a baby be born.
'atsį' yidoołbish, he will boil the meat.
'atsį' doolbish, the meat will be boiled.

There is a group of verbs in Navaho which require the expression of the 3rd person ordinary objective pronoun in the 1st, 2nd and 3a. persons by the pronoun **bi-,** which becomes **yi-** in 3o.

bíhooł'ą́ą́', I learned it (yíhooł'ą́ą́', he learned it)
bí'nééł'ąąd, I measured it (yí'nééł'ąąd, he measured it)
nabídídéeshkił, I shall ask him (nayídídóołkił, he'll ask him)
bi'délo', I cheated him (yi'deezlo', he cheated him)
nibideeshtłił, I'll halt him (ni(y)idoołtłił, he'll halt him)
binéłtį́, I laid him down (yineestį́, he laid him down)
bínísdzil, I can resist it (yíníłdzil, he can resist it)

Postpositional prefixes usually require expression of the 3rd person pronominal object in all persons. Thus:

bik'iigeed, I covered it with dirt (yik'iigeed, he covered it ---)
bighanisht'ą́, I took it away from him (yighaít'ą́, he took it ---)

Transitive and Intransitive Verbs

It has already been noted in the discussion of the stem classifiers that **ł** often transitivizes **zero** and **l** class verbs, in a causative sense, and that **d** sometimes renders passive, or detransitivizes, **zero** class active verbs. Thus:

sélį́į', I became; séłį́į', I caused it to become.
níséghiz, I turned around; nísé łhiz, I turned it around.
ńdíílts'oh, you will get wet; ńdííłtłoh, you will make it wet.
ch'éédeessił, I'll awaken him; ch'éédeesdził, I'll wake up.
yideeshshį́įł, I'll blacken it; yideeshjį́įł, I'll get black.

In this treatise, active verbs which are transitive with respect to a definite object (as yishą́, I am eating it) are classified as transitive verbs, while those which transfer their action to an indefinite object (as 'ashą́, I am eating something) are termed intransitive. Actually, it is quite obvious that the act of eating cannot go on without an object.

Thus it may be said that transitive verbs are often rendered intransitive by merely changing the object from a definite to an indefinite ('a- something).

yíyą́ą́', I ate it; 'ííyą́ą́' (='a-íyą́ą́'), I ate (something).
yishą́, I'm eating it; 'ashą́, I'm eating (something).
nish'įįh, I steal it; 'anish'įįh, I steal (things), I'm a thief.

Indefinite **'a-** is often represented only by its preceding **(')**, the vowel dropping out. Thus:

nánísh'į́įh, I repeatedly steal it; ná'nísh'į́įh (=ná'ánísh'į́įh), I repeatedly steal (something).

Many verbs which are neither transitive nor intransitive (i.e. passive verbs) contain **ł** or **l**, and passive verbs often appear with prefixed **'a-** or **yi-**. Thus:

'íłhosh, You are sleeping; ('ashhosh, I am sleeping).
yílghoł, you are running along; (yishghoł, I'm running along).

Indefinite Person and Impersonal Verbs

Verbs which are neither transitive nor intransitive, i.e., passive verbs, prefix the indefinite subjective pronoun **'a-,** someone, to render the sense impersonal. Thus:

nitéého, he habitually lies down; 'anitééh, indefinite someone lies down, lying down occurs (as in bikáá' dah 'anitéhí, bed: upon it up lying down habitually occurs).

sidá, he is sitting; 'asdá, sitting occurs (as in bik'i dah 'asdáhí, chair: the one on which sitting occurs).

sizį, he is standing; 'azį, there is standing (or as a noun: standing. Many such verbal nouns will be found in the dictionary)

naalnish, he is working; na'anish, there is work going on.

didoolnish, he will start working; 'adidoonish, work will start.

yaa naakai, they (pl) are doing it; baa na'akai, it is being done (by indefinite plural doers).

chidí bik'i'ídaazgo biniinaa bikee' deesdǫǫh, weight on the car blew out its tire (something weighing on the car on account of it its tire (lit. shoe) exploded).

The Navaho forms with indefinite subjective (or objective) **'a-** often correspond to English nouns of the type ending in -ing, -tion, -ment, etc. The Navaho forms still express mode and aspect, however, for actually they are still verbs.

'az'ą́, extension (si'ą́, it (round or bulky object, or land) sets; 'az'ą́, something indefinite sets, there is setting. Cp. haz'ą́, it (space or area) sets, there is room.)

na'alt'a', flying, flight, aerial navigation.

'iilghéh, killing, murder (someone is being killed).

'ádiilghé, suicide (someone kills self).

Verbs whose meaning is rendered intransitive by prefixation of indefinite objective **'a-**, something, cannot reduplicate **'a-** to express both indefinite subject and indefinite object. Where both occur in the same word the indefinite subject is represented by zero; the verb form being that of the passive (voice).

'ayą́, he is eating (something indefinite); 'adą́, eating (of something indefinite) is going on (by someone indefinite).

Active and Passive Voice

There are two types of passive voice forms in Navaho. One, designated passive A, indicates no agent of the act, and refers only to a definite noun object. The other, designated passive B, indicates indefinite pronominal **'a-**, someone, as the agent of the act. The B form can refer either to a definite noun object (the object being again represented in the verb by the pronoun **bi-**), or to a pronoun object. The two passives are herewith described.

Passive A.

This passive is formed by joining the verb prefixes, exclusive of those which represent pronominal subject, directly to the

stem classifier. In the passive the **ł** classifier is replaced by **l**, and **zero** class verbs take the **d** classifier. Thus:

1. ł class.

dlǫ́ǫ́' néidooł'ah, he will skin the prairie dog.
dlǫ́ǫ́' ńdool'ah, the prairie dog will be skinned.
chidí bikee' yoołbąs, he is rolling the tire along.
chidí bikee' yilbąs, the tire is being rolled along.

2. zero class.

yoo' yidoo'ish, he will string the beads.
yoo' doot'ish, the beads will be strung.
yoo' néí'ish, he repeatedly strings the beads.
yoo' nát'ish, the beads are repeatedly strung.
ch'il yiyą́, he is eating the plant.
ch'il yidą́, the plant is being eaten.

It is to be noted that such forms as "it will be skinned by me" are not used in Navaho. Rather, the active voice is used, giving "I will skin it."

As we stated above, the passive A does not refer to other than noun objects. Thus the passive **dibé yázhí yizhchį́**, the lamb was born, cannot be altered to ***shizhchį́**, I was born, nor can **seesghį́**, of such a phrase as **'ashkii seesghį́**, the boy was killed, be altered to ***shiseesghį́**, I was killed. Passive B must be used in referring to a pronoun object.

Passive B.

This passive is formed by use of the indefinite pronoun subject **'a-**, as the agent of the act. Since the prefix **di-** is added to **'a-** the Passive B can be designated the **'adi-** passive. Whether this **di-** is the inceptive **di-** prefix of **dideeshááł**, I'll start going, or similar to **di** of **'ádi**, self, is a moot question. Paradigms and examples of the passive B are given herewith. The vowel (a) of indefinite pronominal **'a-** is often dropped, only the glottal stop (') remaining. Thus **shi'dizhchį́**, I was born (not *shi'adizhchį́).

shi'dizhchį́, I was born
bi'dizhchį́, he, she, they (dpl)
ni'dizhchį́, you were born
was (were) born
ho'dizhchį́, he, she, they (dpl)

shi'diisghį́, I was killed
ni'diisghį́, you were killed
bi'diisghį́, he,she was killed.
ho'diisghį́, he, she was killed
nanihi'diztseed, we, you (dpl)

was (were) born
nihi'dizhchį, we, you (dpl) was (were) born
danihi'dizhchį, we (dist. pl) were born

were killed
nabi'diztseed, they were kill.
naho'diztseed, they were kill.
ndanihi'diztseed, we (dist. pl) were killed

Compare:

hastiin yistin, the man was frozen (naturally)
hastiin bi'distin, the man was frozen (artificially --- by someone acting as the indefinite agent)

Further **'adi-** or **B** passive forms are given herewith in the 1st person singular, with the 3rd person active for comparison.

shidiyoołhééł, he'll kill me
shidi'yoolghééł, I'll be killed
shiisxį, he killed me
shi'diisghį, I was killed
shiiłhéh, he is killing me
shi'diilghéh, I'm being killed
shiyółhééł lágo, I wish he would not kill me.
shidi'yólghééł lágo, I wish I wouldn't be killed
shididooniił, he'll say to me
shidi'doo'niił, I'll be told
shiłní, he says to me
shi'di'ní, I am being told
shidííniid, he said to me
shi'doo'niid, I was told
shidóniih laanaa, I wish he'd tell me
shi'dó'niih laanaa, I wish I'd be told
shidoołbish, he'll boil me
shidi'doolbish, I'll be boiled

shiłbéézh, he's boiling me
shi'dilbéézh, I'm being boiled
shishbéézh, he boiled me
shi'dishbéézh, I was boiled
náshiíłbish, he rep. boils me
náshi'dilbish, I am rep. boiled
shółbéézh lágo, I wish he would not boil me
shi'dólbéézh lágo, I wish I would not be boiled
shidooghįįł, he'll eat me
shidi'doodįįł, I'll be eaten
shiyą́, he's eating me
shi'didą́, I'm being eaten
shííyą́ą́', he ate me
shi'doodą́ą́', I was eaten
náshidįįh, he rep. eats me
náshi'didįįh, I'm rep. eaten
shóyą́ą́' lágo, I wish he would not eat me
shi'dódą́ą́' lágo, I wish I would not be eaten

Imperatives

The imperative has no special form, but is rendered by the future tense forms (which are obligatory in force), by the imperfective or progressive mode (when the act is to be carried out at once), and by the optative (when the act is to be carried out in the proximate future, and in a negative sense). To illustrate:

1. Future used as an imperative.

shaa díínáál, come to me (you will come to me)!
diit'ash, let's go (we two will go)!
diikah, let's go (we plural will go)!
bíni' shaa doogááł, let him come to me (let he will come to me)!

2. Imperfective and progressive used as an imperative.

ch'íninítkaad, herd them out (you are in the act of herding them out)!
ch'íninołkaad, herd them out (you dpl are in the act of ---)!
sha'ní'aah, loan it to me (a round or bulky object)!
shaa ní'aah, give it to me (round or bulky object)!
'adiiłtłáád, turn on the lights (light something on fire)!
'aníłtséés, turn off the lights (extinguish something)!
náás yínááł, keep walking forward!

The negative imperative, when immediate in force, is formed by suffixing the relatival enclitic **-í** to the verb, and prepounding the particle **t'áadoo,** without, don't. Thus:

níní'ááh, deceive him (you are in the act of deceiving him)!
t'áadoo níní'ááhí, don't (be in the act of being a) deceive(-r of) him!
yáníłti', talk (you are talking)!
t'áadoo yáníłti'í, don't talk (without you are a talker)!
naníłkaad, herd them (about)!
t'áadoo naníłkaadí, don't (be a) herd (-er of) them!

The optative, in conjunction with the particle **lágo,** let it be not, is used to render a negative imperative in the sense of a future admonition. Thus:

ghóóyą́ą́' lágo, don't (would that you might not) eat it!
noó'ááł lágo, don't place, park, it (as a car, or bulky object)!
hatíóóléeh lágo, don't punish him!
t'áákó ch'énáóósííd, don't awaken him!
bik'idoóltaał lágo, don't step on it!
bee naóóne' lágo, don't hurt him!
bee biłhóólne' lágo, don't tell it to him!

The particle **hágo,** come here, is used as a command, as in hágo, kodi shił naniné, come over here and play with me!

Neuter verbs are also used as imperatives in a present sense.

t'áadoo nahí'nání **sínízį**, stand still (without you are one that moves you are standing)!

t'áadoo shich'ą́ą́h **sínízíní**, don't stand in my way (without in my way you are the one that stands)!

nizéé' 'ąą **'áhwíínísin**, keep your mouth open (your mouth open you keep it (area or space)!

Indirect imperatives are rendered as direct imperatives, as t'áadoo shąąh níni'í niłníigo shił hoolne', he told me to tell you not to worry (without beside me your mind the one = don't worry about me you telling him to me he told; i.e. he told me you tell him don't worry about me)!

The Deictic Prefixes

There are three deictic prefixes (i.e. that designate, point out) which are to be found in the paradigms, and a word of description with respect to them will be of benefit. They are:

1. **ji-**, the 3a. verbal incorporated subjective pronoun, meaning he, she, one.

jizlį́į', he, she, one, became

jidoogááł, he, she, one, will go

joogááł, he, she, one, is walking along

Ji- sometimes becomes **-zh-**, **-sh-**, as in:

bił 'a**zh**deesdǫǫh (instead of bił 'ajideesdǫǫh), he shot it

da**sh**diilghod (instead of dah jidiilghod), he started off running

2. **'a-**, the 3i., or indefinite subjective pronoun, someone. As we have noted it is the same in form as the 3i. objective **'a-**

'anitééh, someone habitually lies down

'asdá, someone sits (sitting is done)

'azį́, someone stands (standing is done)

As we have pointed out under **Indefinite Person and Impersonal Verbs** the indefinite (3i.) pronoun enters into the formation of certain types of verbal nouns, as **na'ałt'a'**, flight, flying.

3. **ho-**, **ha-**, are the pronouns which refer to space, area or place, as well as to impersonal it, or things. Thus:

hodootł'izh, it (area) is blue

halgai, it (area) is white

haz'ą́, it (area or space) sets, has position = there is room

hółchxon, it (area, place) stinks

hótł'iz, it (area) is hard.
halchin, it (area, or impersonal it) smells, has an odor
halniih, it (impersonal) tastes, has a taste

Verbal Incorporated Subjective Pronouns

The deictic prefixes, given in the preceding section, function as subjective pronouns, **ji-** for the 3a. person, **'a-** for the 3i., and **ho-, ha-,** in referring to space, area, etc. (the **3s.** as it will be hereafter designated).

The elements indicating pronoun subject in the verb are highly variable, and will be best understood in studying the various paradigms. The 1st person singular is usually indicated by **-sh-,** as in **nishłį́,** I am. However, it may also be found as a high toned vowel, as in **ní'ą́,** I brought it.

The 2nd person singular is sometimes represented by **-ni-,** and sometimes by a high toned vowel. Thus **nicha,** you are crying but **'ídiz,** you are spinning.

The ordinary 3rd person (corresponding to **bí**) is represented in the verb by zero. Thus **'ayą́,** he is eating ('a-, the indefinite object pronoun; -yą́, imperfective stem of **eat**). Only in the 3o. (3rd person obliquative) is reference made to an ordinary 3rd person subject. Thus **yidiz,** he is spinning it.

The 1st person duoplural expresses **we** by means of a long vowel followed by a **d,** which is altered according to the following initial stem vowel in the same manner as that described for the **d** classifier. In the presence of **l** or **ł** (which becomes **l** in the 1st person duoplural) classifiers this **d** is dropped. Thus, **niidlį́,** we are; **ghoodzį́įh laanaa,** would that we might stand up; **díníilzéél,** we will grow up.

The 2nd person duoplural is represented by the vowel **o,** long or short in quantity, and with or without a final **-h.** Thus in the word **ghohsą́,** you dpl are eating it; in **doohłeeł,** you dpl will become, and in **soozį́,** you dpl are standing.

Modal Prefixes

One of the prefixes **yi-, ni-,** or **si-** usually occurs in the verb paradigm. There are several **yi-** prefixes similar in form, but not in meaning or grammatical force. One **yi-** commonly found prefixed in the imperfective mode has been called the peg element by such well known students as Sapir and Hoijer, because upon prefixation of the object pronouns, or of other prefixes, **yi-** is dropped. Another **yi-** is used in the perfective and in the progressive modes. It is not dropped upon prefixation of another element as in the case of the peg element. The latter, as it will be seen later, is replaced by such prefixes as the iterative **ná-**, optative **ghó-**, etc.

Yi- of the perfective mode is completive in force, indicating that the act denoted by the verb stem is completed, and does not imply a durative or static condition as a result.

yish'ááł, I am carrying it along.
taah yish'aah, I am in the act of putting it in the water.
taah yí'ą, I have put it in the water.

The prefix **ni-** is often a terminative in force, or it describes an act as completed and resulting in a static durative condition. It is quite possible that this prefix may be cognate with **ni'** the noun meaning ground, earth. There are two **ni-** prefixes, both no doubt derived from the same source. Thus **níyá,** I came, arrived; **niníyá,** I went as far as a point and stopped (as in **kinji' niníyá,** I went as far as the house). **Ni'ą,** I brought it; **ni' niní'ą,** I set it on the ground. The noun **ni'** itself is used as a terminative in such forms as **ni' nishłį,** I am stopped (i.e. static). Further examples are herewith given:

díníeeshdaał, I shall sit down (shall terminate the act of sitting down and thereafter be in a static durative state).
nishdaah, I am in the act of sitting down.
nédá, I have sat down.

The **ni-** prefix always forms part of the inchoative verb form as in **deeshįįł,** I shall eat it, but **bidí'néeshįįł,** I shall start eating it.

Likewise in the prolongatives, as **dinoolghod,** it ran (in) and stayed (chidí séí yiih dinoolghod, the car ran into the sand and stayed; i.e. got stuck in the sand).

The prefix **si-** indicates or implies that the act is completed, and is in a durative static state, or is of durative static nature. It is illustrated by the form **tsé'naa ni'séłkǫ́ǫ́',** I have been across by swimming(i.e. have swum across at some time or another), in contradistinction to **tsé'naa ni'níłkǫ́ǫ́',** I have arrived across swimming (i.e. have terminated the act of swimming across). Similarly:

sédá, I am sitting; in contradistinction to **nédá,** I sat down.
si'ą́, it sets, has position (a round or bulky object).
séł'ą́, I keep it, cause it to set, have position.

The **si-** perfective does not occur with the future paradigm, and does not always occur with the imperfective. However, such forms as **dah shish'aah,** I am in the act of setting it (a round or bulky object) up (as on a shelf); **hasínááh,** climb up! etc. occur.

Si- is widely used with neuter static verbs of the **si'ą́** type, and also in the perfective paradigms where it gives rise to a number of irregularities. Both the regular and the irregular **si-** perfective paradigms will be taken up under the heading **Si-perfective.**

Sometimes the **ni-** prefix and the **si-** prefix seem to occur together in certain forms such as **neezdá,** he sat down (**n-** representing **ni-** and **-z-** representing **si-).**

In describing the perfective paradigm, the three categories of **yi-perfective, ni-perfective** and **si-perfective** are employd for practical reasons. This is not necessary in the imperfective paradigm because of the relative simplicity and regularity of its formation. The imperfectives formed with **yi-** and **ni-** are given side by side.

Verb-incorporated Objective Pronouns

Person	**Singular**	**Duoplural**
1.	shi	nihi
2.	ni	nihi
3.	bi	bi
3o.	yi	yi
3a.	ho, ha	ho, ha
3s.	ho, ha	ho, ha
3i.	'a	'a
Ref.	'ádi	'ádi
Rec.	----	'ahi

As we mentioned before, the 3. as object is usually represented by zero, except in the 3o., where **yi-** is prefixed. Only in those verbs which require expression of the 3. pronominal object for all persons is **bi** used as pronominal object in other than the 3rd person. Thus **bíhoosł'ą́ą́',** I learned it; **shash bidiyoołhééł, the bear** will kill him, but **diyeeshhééł,** I'll kill him.

The position of the pronominal object varies with the verb prefixes. The following presentation should serve to illustrate the use and position of this element.

In the future, the object pronouns are merely prefixed to the verb, the pronoun having its position just before the future prefix.

deeshtééł, I'll carry him; **ni**deeshtééł, I'll carry **you;** díítłtééł, you'll carry him; **shi**díítłtééł, you'll carry **me; yi**dootłtééł, **he'll** carry **him; ni**dootłtééł, he'll carry **you; 'ahi**dooltééł, they'll carry **each other;** da**ni**diiltééł, we (dist. pl) will carry **you** (sgl); da**shi**dootłtééł, you (dist. pl) will carry **me;** de**i**dootłtééł (=dayidootłtééł), they (dist. pl) will carry **him;** da**'ahi**dooltééł, they (dist. pl) will carry one another; náá**ni**deeshtééł, I'll carry **you** again; náádа**ni**diiltééł, we (dist pl.) will carry **you** again.

Note that the reciprocal **'ahi-** requires that the stem classifier **ł** be changed to **l.** The reflexive **'ádi** causes a similar change, as in **yáłti',** he is talking, but **'ádił yálti',** he is talking to himself.

The following further examples of the incorporated object pronoun are given in tabular form. It will be noted that in the imperfectives the pronominal object replaces **yi,** necessitating what is called a conjunct paradigm,

taah yishteeh, I am putting him in the water.
taah **ni**shteeh, I am putting **you** in the water.
taah níłteeh, you are putting him in the water.
taah **ni**łteeh, he is putting **you** in the water.
taah **shí**łteeh, you are putting **me** in the water.
taah **yi**łteeh, **he** is putting **him** in the water.
taah **n**iilteeh, we (dpl) are putting **you** in the water.
taah **sh**ołteeh, you (dpl) are putting **me** in the water.

haashteeh, I'm carrying him up out.
ha**ni**shteeh, I'm carrying **you** up out.
ha**shí**łteeh, you're carrying **me** up out.
ha**yi**łteeh **he** is carrying **him** up out.
ha**shi**łteeh, he's carrying **me** up out.
ha**hoj**iłteeh, he (3a.) is carrying **him** (3a.) up out.
ha**'ahi**lteeh, they are carrying **each other** up out.
hanáá**ní**shteeh, I'm carrying **you** up out again.
hanáánéíłteeh, **he's** carrying **him** up out again.
hanáá**shí**łteeh, you are carrying **me** up out again.
hanáá**shí**łteeh, he's carrying **me** up out again.
hanáádа**shi**łteeh, they (dist. pl) are carrying **me** up out again.

Note that high toned **náá-,** again, raises the tone of a following vowel in some cases, and that when the 3o. **yi-** is added **náá-** becomes **náánáá-,** which in turn assimilates to the following **(y)i-,** and resultant **náánáyi-** becomes **náánéí-.** The tone of distributive **da-** is not raised by preceding **náá-,** so the syllable -shił- of hanáádashiłteeh is not raised as is the same syllable in hanááshíłteeh.

ni' ninishteeh, I'm setting him down on the ground.
ni' ni**ni**nishteeh, I'm setting **you** down on the ground.
ni' niiyíłteeh, **he's** setting **him** down on the ground.
ni' ni**shi**níłteeh, you're setting me down on the ground.
ni' ninaá**ni**nishteeh, I'm setting **you** down again on the ground.
ni' ninááné**í**łteeh, **he's** setting **him** down again on the ground.
ni' nináádа**shi**nołteeh, you (dist. pl) are again setting **me** down.

taah yíłtį, I put him into the water.
taah **níí**łtį, I put **you** into the water.
taah **shíí**níłtį, you put **me** into the water.
taah **yi**yííłtį, **he** put **him** into the water.
taah '**a**hooltį, they put **each other** into the water.
taah **shíí**łtį, he put **me** into the water.

yishghal, I ate him.
neeshghal, I ate **you.**
shíínílghal, you ate **me.**

níłtį, I brought him.
niníłtį, I brought **you.**
shííníłtį, you brought **me.**
yiníłtį, **he** brought **him.**
shiníłtį, he brought **me.**

ch'íníłtį, I took him out
ch'í**ni**níłtį, I took **you** out.
ch'ínáá**ni**níłtį, I took **you** out again.
ch'ínáádа**ni**niiltį, we (dist. pl) took **you** out again.

shéłbéézh, I boiled him.
shishíníłbéézh, you boiled **me.**
shishbéézh, he boiled **me.**
nishéłbéézh, I boiled **you.**
yishbéézh, **he** boiled **him.**
'**ahi**shbéézh, they boiled **each other.**
'**ádé**shbéézh, I boiled **myself.**

'ádíshínílbéézh, you boiled **yourself.**
náá**shi**shíníłbéézh, you boiled **me** again.

Yi- of the progressive mode is not dropped like **yi-** of the imperfective. One drops this prefix in yishghał, I'm eating him; **ni**shghał, I'm eating **you,** but progressive yishtééł, I'm carrying him along; **nee**shtééł, I'm carrying **you** along (not *nishtééł). Similarly in the perfective mode yishghal, I ate him; **nee**shghal, I ate **you.**

yishtééł, I'm carring him along.
neeshtééł, I'm carrying **you** along.
yíłtééł, you're carrying him along.
shííłtééł, you're carrying **me** along.
yoołtééł, **he's** carrying **him** along.
shoołtééł, he's carrying **me** along.
'**ee**shtééł, I'm carrying **something** indefinite ('e- = 'a-) along.
shijoołtééł, he (3a.) is carrying **me** along.
hojoołtééł, he (3a.) is carryiny **him** (3a.) along.
da**níí**níilteeh, we (dist. pl) are carrying **you** along.
da**shíí**nółteeh, you (dist. pl) are carrying **me** along.
da**shí**łteeh, they (dist. pl) are carrying **me** along.
da**shi**jíłteeh, they (3a. dist. pl) are carrying **me** along.

Reciprocal and Reflexive Pronoun Objects

Reciprocal. The reciprocal, corresponding to English each other, one another, is rendered in Navaho by the pronominal prefix **'ahi-.** Its position corresponds to that of the other objective pronouns, but its presence requires that the **ł** classifier be changed to **l**, or that the **d** classifier be added. Thus:

'ahiiltééł, we (dpl) are carrying each other.
'ahołtééł, you (dpl) are carrying each other.
'ahooltééł, they (dpl) are carrying each other.
'ahijooltééł, they (3a. dpl) are carrying each other.
da'ahííníilteeh, we (dist. pl) are carrying one another.
da'ahíínółteeh, you (dist. pl) are carrying one another.
da'ahílteeh, they (dist. pl) are carrying one another.
da'ahijílteeh, they (3a. dist. pl) are carrying one another.

'ahiit'į, we (dpl) see each other.
'ahoht'į, you (dpl) see each other.
'ahoot'į, they (dpl) see each other.
'ahijoot'į, they (3a. dpl) see each other.

Where the verb contains a postpositional prefix, reciprocality is denoted by the prefix **'ał- 'ahił-** (V. postpositions).

'ałghaniit'ą, we (dpl) took it away from each other.
'ałghanooht'ą, you (dpl) took it away from each other.
'ałghaít'ą, they (dpl) took it away from each other.
'ałghajít'ą, they (3a. dpl) took it away from each other.
'ałghadaniit'ą, we (dist. pl) took it away from one another.

Reflexive. The reflexive, corresponding to English self, is formed by prefixation of **'ádi-,** self (as an object pronoun). **'Ádi-** also changes **ł** to **l,** or requires a **d** classifier, and causes the same paradigmatic changes as those occasioned by prefixation of the object pronouns. Thus compare:

yish'į, I see him	neesh'į, I see you	'ádeesht'į, I see myself
yíní'į, you see him	shííní'į, you see me	'ádííníť'į, you see yourself
yoo'į, he sees him	shoo'į, he sees me	'ádoot'į, he sees himself
joo'į, he (3a.) sees him	shijoo'į, he (3a.) sees me	'ázhdoot'į, he (3a.) sees himself
yiit'į, we (dpl) see him	niit'į, we (dpl) see you	'ádiit'į, we (dpl) see ourselves
ghoh'į, you (dpl) see him	shooh'į, you (dpl) see me	'ádooht'į, you (dpl) see yourselves
deiit'į, we (dist. pl) see him	daniit'į, we (dist. pl) see you	'ádadiit'į, we (dist. pl) see ourselves
daoh'į, you (dist. pl) see him	dashooh'į, you (dist. pl) see me	'ádadooht'į, you (dist. pl) see yourselves
dayoo'į, they (dist. pl) see him	dashoo'į, they (dist. pl) see me	'ádadoot'į, they (dist. pl) see themselves
dajoo'į, they (3a. dist. pl) sees him	dashijoo'į, they (3a. dist. pl) see me	'ádazhdoot'į, they (3a. dist. pl) see themselves

Verb Prefixes

There is a large number of prefixes which are used for derivation of the various verbal meanings. Some are directional in force, some express manner, some are postpositions used as verb prefixes, etc. They replace, to a large extent, the adverbs of English, and to some extent the English prepositions. The list herewith given is not exhaustive, but contains those prefixes which are most commonly and widely used.

It is not always possible to assign an exact meaning to each of these prefixes, for the precise signification is often not clear.

'ąąh, beside (something indefinite)
'ąąh ndeesh'ááł, I'll pawn it (set it down beside someone).

'ąą, open.
'ąą dideeshtį́į́ł, I'll open it (door).
'ąą 'át'é, it is open.

'a-, into (an enclosure); out of sight.
yah 'adeesháál, I'll go in.
'ahóółtą́, or yóó' 'ahóółtą́, it stopped raining (rained away out of sight).

'á-, thus (?)
'ání, he says (thus).
'ádeeshłííł, I'll make it (thus).
'ádin, there is none.

'ádaa-, to, about, from, self.
'ádaadideestsos, I'll remove it from myself (sheet like thing).
ni'éé' 'ádaadiiltsoos, take off your shirt!

'ádá-, for self.
'ádádideesdził, I'll take a swallow of it.

'adá-, close ('adáá', edge, orifice).
'adádi'deeshjoł, I'll close it (as by stuffing weeds in it).

'ada-, bida-, hada-, down.
'adadeesmas, I'll roll down.

'áde-, above self.
'áde'eshdą́, I'm overeating (eating above myself).

'ádi-, self.
'ádideeshzhoh, I'll brush myself.

'aghá-, 'agha-, through (penetrating).
'aghá'deeshshish, I'll make a perforation, poke a hole.
bighanisht'ą́, I'll take it away from him (lit. through him).

'ahá-, in two halves.
'ahádeeshgish, I'll cut it in two.

'ahéé-, around (in a circle).
'ahééníshłį́, I am making it flow around in a circle.
'ahééníshghod, I ran around in a circle.

'ahééh, 'ahéésh-, gratitude.
baa 'ahééshnisin, I am grateful for it.
'ahi-, apart.
'ahideeshkał, I'll chop it apart.
'ahi-, together.
'ahidiilį, they flow together.
'ahí-, into.
'ahííghį, it (e.g. water) extends into it (the land) (as a bay).
'áká-, upon self.
'ákádeeszis, I'll put on a belt, gird myself.
'ák'i-, on self.
'ák'idideesht'ááł, I'll take it off, put it on (hat).
'ak'i-, on something indefinite.
'ak'e'shéłchį, I wrote (lit. scratched on something).
'ákó-, that way, thus, correctly.
'ákót'é, it is that way, thus; it is correct.
'ákóshłaa, I made it thus; I made it right.
'ałnáá-, back and forth.
'ałnáádeesh'ááł, I'll carry it back and forth.
'ałná-, alternate, exchange.
'ałnádeesh'ááł, I'll exchange their position.
'ałts'á-, away from each other.
'ałts'ádiit'ash, we two will separate, part from each other.
'atí-, harm, injury.
'atídeeshłííł, I'll punish, harm, him.
'aza-, (from 'azéé', mouth), action toward the mouth.
'azanisht'aah, I'm kissing (in the act of moving my head to someone's mouth).
bizanisht'aah, I'm in the act of kissing her.
béé-, concerning, about, him.
béédeiilniih, we (dist. pl) remember (about) him.
bí-, against it.
bídideeshłoh, I'll brake it (apply the brakes against it).
bíyah, under and against it (bracing it).
bida-, down.
bidadeeshtłish, I'll fall down.
bik'i- on it.
bik'iideeshgoł, I'll cover it (with earth).
bik'idideesh'ááł, I'll uncover it (take the lid off).

bináká-, through it (perforating it).
binákáʼdeeshnił, Iʼll bore holes through it.

biní, biná-, around it.
binídeeshááł, Iʼll walk around it.
bináʼáztʼiʼ, it extends, is stretched, around it (as a wire).

cha-, has to do with darkness.
chahałheeł, it is dark.
chahaʼoh, shade, shadow.

chá-, (?).
cháshkʼeh, arroyo, wash, race course.
chátłʼish, phlegm.

cho-, use.
choyoołʼį́, he makes use of it.

choo-, has to do with menstruation.
chooghin sélį́į́ʼ, I am menstruating (have become chooghin).
chooghiní, hunchback (because it is said that if one has intercourse with a menstruating woman he will become a hunchback).

chʼéé- (chʼí-, out plus ná-, back), pertains to reawakening.
chʼéédeessił, I shall reawaken him.
chʼéédeesdził, I shall reawaken.

chʼí-, horizontally outward, out of an enclosure.
chʼídeeshááł, I shall go out (as from a house).
nikʼi shił chʼídoolghoł, Iʼll run over you.

da-, distributive plural.
ʼadadidiijah, we (dist. pl) will spit.

de-, dei-, upward.
deʼádeeshłíił, Iʼll raise it (make it up).
shikeeʼ deńdaashchʼil, my shoes curled up.

di-, indicates inception or beginning of an action.
dideeshááł, I shall start to go.
dideeshʼááł, I shall start to carry it along (a bulky object).

di-, pertains to fire.
didideeshjah, Iʼll build a fire.
didideeshʼááł, Iʼll put it in the fire.

dini-, a combination of **di-** and **ni-.** Indicates prolongation of the act or state, and a variety of other meanings.
bichidí séí yiih dinoolghod, his car got stuck in the sand (ran into the sand and stayed).

bidíníish'ą́, I have my head against it (am holding it there).
dinishgho', I am a (fast) runner.
'adineesdzá, I walked in (and stayed, unable to get out).

dzí-, -z-, -zh-, into space; into infinity.
dzígai, white (line) runs into the distance.
'azhdeeshtł'į́į́ł, I'll sling it off into space.

dzídza-, into fire.
dzídza yíínil, he put them into the fire.

dziłts'á-, away from fire, water.
dziłts'ádeesh'ááł, I'll take it out of the fire or the water.

ha-, up and out.
hadeesháálł, I'll go up out; I'll climb up.
bibéézh hayíí'ą́, he pulled out his knife.

há-, ha-, (from **-ká,** for, after), for
haséyá, I went for (after) it.
haníyá, I'm here for it; I came after it.
hadeeshzhah, I'll hunt (for) it (game).

hada-, down (ib. 'ada-, bida-).
hadadeeshtłish, I'll fall down.
hadadeesháálł, I'll get down, dismount.

hasht'e-, in readiness; prepared.
hasht'ediisdza, I got ready.
hasht'eelyaa, it was prepared; made ready.

hasht'e', aside, in readiness, in order.
hasht'e' niinínil, he set them aside; put them in order.

hi-, time after time, one after another.
hideesh'ááł, I'll carry it one time after another.
hahinidééh, they are falling out one after another.

hi-, in challenge; ambush.
hinisdzá, I went (in challenge).
Na'nízhoozhígóó jooł yee ndaanéhígíí baa hiniikai, we (pl) went to meet and challenge the Gallup basketball team.
baa nihinisdzá, I'm lying in wait for him; ambushing him.

'í-, against (something indefinite).
'ídideeshłoh, I'll put on the brakes (apply them against).

'íí-, (?).
'íínísin, I keep it.

'ii-, (?).
'íinisin, I have in mind.
doo 'íinisin da, I don't want to.

jo-, jii-, pertains to emotions of hate, kindness, etc.
joshbą', I am kind, merciful.
bee baa jiisébą', I treated him with it (as candy, pop).
jiisélą́ą́', I came to hate him.
ka-, sickly.
kanaashá, I am sickly (chronically).
kéé', footwear.
kéé' sé'ééz, I have my shoes on.
kįįh, into town; to market.
kįįh yíghį́, I hauled it to town.
kí-, position leaning against.
kínishdáh, I'm sitting in a leaning position.
kin-, (?) (possibly kin, house).
kindeeshdaał, I shall menstruate (for the first time; formerly menstruating women were tabu and spent the period isolated in a special structure).
kó-, in this way.
kót'é, in this way; it is this way.
kóyinishghé, I am called thus; thus is my name.
k'e-, (?).
k'e'íí'a, I untied, loosened it (as in taking down the hair).
k'í-, apart in two pieces.
k'ídeeshnish, I'll break it in two (as a string).
k'i-, (?).
k'idideeshłééł, I'll plant it.
łeeh, into dirt, ashes.
łeeh yí'ą́, I put it into the dirt; I buried it.
łee', in the ground.
łee' si'ą́, it is setting in the ground (within the soil).
łi-, has to do with inherent quality.
łigai, it is white.
łikon, it is inflammable.
łikan, it is sweet.
náá-, again.
yah 'anáádeesht'ááł, I'll carry it in again.
naa-, náá-, down, downward.
naajin, black (as a streak) running down (as on a hillside).
náálį́, it drips down (as water through a leaky roof).
naa-, na-, n-, about, around (without definite direction).
naashá, I'm walking around.

naniná, you're walking around.
njighá, he (3a.) is walking around.

naa-, na-, ni-, across.
na'nízhoozh, bridged (na-, across; ' = 'a-, indefinite subject; ní-, horizontally; -zhoozh, slender objects lie parallel).

naaní-, to turn around.
naanísísghod, I turned around running; ran there and turned.

ná-, repetition of an act or state.
nánishtał, I'm kicking him repeatedly.
náshdį́įh, I repeatedly eat it.

ná-, ní-, ń-, action upward from the ground, up.
ńdideesh'ááł, I'll pick it up, lift it.
ńdideeshdááł, I'll arise, stand up, get up.

ná-, ní-, ń-, back (returning).
ńdeeshdááł, I'll return, go back.
ńdeesh'ááł, I'll take, bring, it back.
nát'ą́ą́', back, returning back.

náhi-, over.
náhideesh'ááł, I'll turn it over.

ni-, indicates termination or static condition.
niníyá, I went as far as a point and stopped.
niijin, black (as a streak running) to a point (and stopping).
ní'ą́, I brought it (terminated the act of carrying it).
ni' niní'ą́, I set it down on the ground.

ní-, horizontally and parallel to the ground.
ní'á, it extends horizontally.

nihi-, add to (?)
nihidideesháál, I'll join it (a club, political party, etc.).
shilį́į́' nihidideeshtééł, I'll join the race (add my horse to it).

nihi-, in many pieces, slices, etc.
nihideeshgish, I'll slice it, cut it up.
nihideeshtih, I'll smash it to pieces (as a box).

niki-, on the surface.
nikidél'á, they are scattered around on the ground.
nikididees'is, I'll step down onto the floor.

nikí-, against the surface.
nikídideeshgoh, I'll fall (and strike the ground).

niki-, nihi-, indicates inception, beginning.
nikida'diłtsį', it has started to sprinkle (rain).

nikihoníłtą, it has started to rain.
nikideeshááł, I'll start back home(ward).
ntsí-, (?).
ntsíníkees, you are thinking.
ntsi-, (?).
ntsidideesgoh, I shall kneel.
shói-, acquisition.
shóideesht'eeł, I'll acquire it.
so-, soh-, have to do with hope and entreaty (?)
sodideeszįįł, I shall pray.
doo sohodéébéezh da, it is hopeless, beyond repair.
taah, tá-, into water.
taah deeshtłish, I'll fall into the water.
tá'ádísgis, I'll wash myself.
ta-, tá-, (from **-tah,** among), among.
tádííyá, I've been among; been on a trip.
bitaashá, I am walking among them.
t'óó hootaashá, I am merely visiting (places) about.
té- (from tééh, deep water), in deep water.
téhoołtsódii, a mythological monster (lit. the one that grabs one in the deep water).
tsá-, body.
tsásk'eh, imprint of the body (where one has lain); bed.
yáá-, up (from, or cognate with yá, sky).
yáádahidiilghą́ą́ł, we (dist. pl) will throw it up in the air.
yaa-, straight up.
yaa'á, it stands (extending) straight up.
yá-, (?).
yáshti', I'm talking.
yá'át'ééh, it is good.
yá-, embarrassment, bashfulness.
yánísin, I am bashful, embarrassed.
ya-, down.
yaideessił, I'll pour it.

The Distributive Prefix Da-

As in the case of some of the nouns, **da-** is also affixed in verbal complexes to denote a distributive plural. When more than two subjects are each performing or sharing in the action or state denoted by the verb stem, the distributive **da-** is added.

'iidą́, we (dpl) are eating; da'iidą́, we (dist. pl) are eating.

When **da-** is added to a verb it may occasion certain phonetic alterations within the verb, depending on the nature of the preceding or following syllable. The more common changes are:

da plus yi = dei
da plus yii = deii
da plus ghoo = daoo
da plus oh = daah (or daoh)
da plus ghó = daó (daghó)

da plus 'a = da' if another syllable intervenes between 'a and the stem, but remains **da'a** if **'a** immediately precedes the stem. Thus da'doodį́į́ł, they will eat (for *da'adoodį́į́ł), but da'ayą́, they are eating ('ayą́, he, they dpl are eating).

The prefixes **ní-, ná-, ni-, na-** precede **da,** but lose their vowels generally to give, with **da-: ńda-, ńda-, nda- nda-** resp.

The prefix **da-** has a definite position within the verb, varying according to the other prefixes present.

Da- follows:

ha-, up out;for (hadadiit'ááł, we'll carry it up out; hadadiilzhah, we'll hunt it (game).

ch'í-, horizontally out (ch'ídadiit'ááł, we'll carry it out).

Postpositions such as bí-, bik'i-, etc. used as verb prefixes (bídahwiidiil'ááł, we'll learn it; bik'ideiiljool (= bik'idayiiljool) we covered it with brush).

ní-, up, back, repeatedly (ńdeiiljooł, we repeatedly carry it; yah 'ańdeiiljoł, we repeatedly carry it in; ńdadiit'ą́, we lifted it, picked it up).

náá-, again (náádadiidį́į́ł, we'll eat it again).

'a-, in (yah 'adeiit'ą́, we carried it in).

ni-, down (ni' ndaniit'ą́, we set it down).

na-, ni-, about (ndei'áh, they carry it about).

Da- precedes:

All objective personal pronouns affixed in the verb, **unless** they are the object of a postpositional verb prefix (nidiigish, we (dpl) will cut you; danidiigish, we (dist. pl) will cut you; **but,** bik'idadidiiltał, we'll step on it. da'ayą́, they're eating).

Verbal prefixes which denote mode, tense and pronominal subject in the verb, with exception of repetitive ná-. These include:

future di- as in dadiidleeł, we will become.

yi-perfective as in taah deiit'ą́ (dayiit'ą́), we put it in water

ni-perfective as in naa daniit'ą́, we brought it to you.
si-perfective as in dasiidlį́į́', we became.
peg and progressive yi- as in deiidloh (dayiidloh), we are laughing; deíníit'aah, we're carrying it along.
hi- as in ndahee'ná, we moved one after another; dah dahididiit'ááł, we will hang it up.
di- inceptive as in dah dadidiit'ááł, we'll start off carrying it.

The affixation of da- in the progressive mode requires an alteration of both prefixes and stem, the imperfective stem generally being substituted for the progressive. Thus:

Transitive.

deíníi- plus imperfective stem = we (1st person dist. pl).
deínóh- plus imperfective stem = you (2nd person dist. pl)
deí- plus imperfective stem = they (3o. person dist. pl).
dají- plus imperfective stem = they (3a. person dist. pl).

Intransitive.

da'íníi- plus imperfective stem = we
da'ínóh- plus imperfective stem = you
da'í- plus imperfective stem = they
da'jí- plus imperfective stem = they

Semeliterative náá-

The prefix **náá-** is added to verbs to render the meanings again, another, some more (the latter two in conjunction with **ła'**, a, an, some). In many **zero** class verbs the addition of **náá-** requires the **d** classifier, although this rule is not always observed.

deeshłeeł, I'll become; náádęeshdleeł, I'll become again.
ła' yishą́, I'm eating some of it; ła' náánáshdą́, I'm eating some more of it; **or** another one.
taah yí'ą́, I put it in the water; taah náánásht'ą́, I again put it in the water.

The addition of the **d** classifier requires a different 1st person singular infixed subjective pronoun in the perfective mode. In **d** and **l** class verbs **-sh-** represents the 1st person singular subject (I), whereas a high toned vowel indicates this person in **zero** and **ł** class verbs.

Furthermore, where **náá-** stands before **gho-**, or replaces a prefix **yi-**, the **náá-** is reduplicated to give **náánά-**. Thus compare:

yish'ááł, I'm carrying it along; náánásht'ááł, I'm again carrying it along.

yisháál, I'm walking along; náánáshdááł, I'm again walking a.

kįįh yíghį, I hauled it to town; kįįh náánáshgį, I again hauled it to town (**d** classifier plus **gh** = **g**).

A few paradigms for comparison should prove helpful.

1. Future tense. Stem 'ááł, to handle a round or bulky object.

Person	Semelfactive	Semeliterative
1.	deesháát	náádeesht'ááł
2.	díí'ááł	náádíít'ááł
3o.	yidoo'ááł	náánéidoot'ááł
3a.	jidoo'ááł	náázhdoot'ááł
dpl 1.	diit'ááł	náádiit'ááł
dpl 2.	dooh'ááł	náádooht'ááł
dist. 1.	dadiit'ááł	náádadiit'ááł
dist. 2.	dadooh'ááł	náádadooht'ááł
dist. 3o.	deidoo'ááł	náádeidoot'ááł
dist. 3a.	dazhdoo'ááł	náádazhdoot'ááł

2. Imperfective (momentaneous). Stem **'aah.**

Person	Semelfactive	Semeliterative
1.	nish'aah	náánísht'aah
2.	ní'aah	náánít'aah
3o.	yi'aah	náánéít'aah
3a.	ji'aah	náájít'aah
dpl 1.	niit'aah	náániit'aah
dpl 2.	noh'aah	náánoht'aah
dist. 1.	daniit'aah	náádaniit'aah
dist. 2.	danoh'aah	náádanoht'aah
dist. 3o.	dayi'aah	náádayit'aah
dist. 3a.	daji'aah	náádajit'aah

3. Perfective. Stem **'ą́.**

Person	Semelfactive	Semeliterative
1.	ní'ą́	náánísht'ą́
2.	yíní'ą́	náánéínít'ą́
3o.	yiní'ą́	náánéinít'ą́
3a.	jiní'ą́	náázhnít'ą́
dpl 1.	niit'ą́	náániit'ą́

dpl 2.	noo'ą́	náánoot'ą́
dist. 1.	daniit'ą́	náádaniit'ą́
dist. 2.	danoo'ą́	náádanoot'ą́
dist. 3o.	deiní'ą́	náádeinít'ą́
dist. 3a.	dajiní'ą́	náádazhnít'ą́

4. Progressive. Stem 'ááł.

1.	yish'ááł	náánásht'ááł
2.	yí'ááł	náánáát'ááł
3o.	yoo'ááł	nááyoot'ááł
3a.	joo'ááł	náájoot'ááł
dpl 1.	yiit'ááł	náánéiit'ááł
dpl 2.	ghoh'ááł	náánáoht'ááł
dist. 1.	deíníit'aah	náádeíníit'aah
dist. 2.	deínóh'aah	náádeínóh'aah
dist. 3o.	deí'aah	náádeí'aah
dist. 3a.	dají'aah	náádají'aah

5. Repetitive (Iterative). Stem 'ááh.

1.	násht'ááh	náánásht'ááh
2.	nánít'ááh	náánánít'ááh
3o.	néít'ááh	náánéít'ááh
3a.	ńjít'ááh	náánájit'ááh
dpl 1.	néiit'ááh	náánéiit'ááh
dpl 2.	náht'ááh	náánáht'ááh
dist. 1.	ńdeiit'ááh	náánádeiit'ááh
dist. 2.	ńdaaht'ááh	náánádaaht'ááh
dist. 3o.	ńdeit'ááh	náánádeit'ááh
dist. 3a.	ńdajit'ááh	náánádajit'ááh

6. Continuative (imperfective). Stem 'áh.

1.	naash'áh	nináánásht'áh
2.	nani'áh	nináánít'áh
3o.	nei'áh	nináánéít'áh
3a.	nji'áh	nináájít'áh
dpl 1.	neiit'áh	nináánéiit'áh
dpl 2.	naah'áh	nináánáht'áh
dist. 1.	ndeiit'áh	ninááděiit'áh
dist. 2.	ndaah'áh	nináádaaht'áh
dist. 3o.	ndei'áh	nináádeit'áh
dist. 3a.	ndaji'áh	nináádajit'áh

7. Optative. Stem 'ááł.

1.	ghósh'ááł	náánáosht'ááł
2.	ghóó'ááł	náánááót'ááł
3o.	yó'ááł	nááyót'ááł
3a.	jó'ááł	náájót'ááł
dpl 1.	ghoot'ááł	náánáoot'ááł
dpl 2.	ghooh'ááł	náánáooht'ááł
dist. 1.	daoot'ááł	náádaoot'ááł
dist. 2.	daooh'ááł	náádaooht'ááł
dist. 3o.	dayó'ááł	náádayót'ááł
dist. 3a.	dajó'ááł	náádajót'ááł

The Prefix ná-

The prefix **ná-** is added to verbs to indicate that the action or state denoted thereby is thought of as returning or reverting to a former state, or being done "over." It is much like English **re-** in "I **re**paid him," or **back** in "I carried it back."

The prefix **ná-,** or the concept of "back to a former state," is often employed in Navaho in instances where it would be omitted and left to the imagination in English. For example, the concept of divorce requires addition of **ná-,** since it signifies literally "to go back apart; to reseparate," in Navaho. According to the Navaho manner of expression, the two parties concerned were not always together, so it is not an original separation, but a reseparation. Thus, **'ałts'ániit'áázh,** we separated from each other (in which the separation could be original, or of momentary nature); **'ałts'ánániit'áázh,** we separated back, or reseparated from each other; we divorced each other, or got divorced. Similarly, **'ats'áá-bidi'doołt'eeł,** he will be discharged (lit. he will be put **back** away because he did not **always** work for the party who will discharge him).

As in the case of the prefix **náá-,** again, **ná-** usually requires addition of the **d** classifier in **zero** class verbs, although the rule is not always strictly observed.

The addition of **ná-** occasions few irregularities in the paradigm. It undergoes certain phonetic alterations, becoming **ní-** or **ń-** in many instances, especially where it occurs before a stopped consonant, as **ńdeeshdááł** (not ***ná**deeshdááł), I will go back. When **ná-** is prefixed to **náá-,** the combination becomes **nínáá-,** as **nínáádeeshdááł,** I will go back again; I will return again. Similarly, in conjunction with iterative **ná-,** the combination of the two prefixes becomes **níná-,** as in **nínáshdááh,** I repeatedly go back; I repeatedly return.

Often, especially in conjunction with the prefixes **ch'í-,** out horizontally, **ha-,** up out, and **di-,** fire, **ná-** is absorbed by the vowel of the prefix to give **ch'éé-,** (ch'íná-), **háá-** (haná-), and **déé-** (*diná-), respectively. Thus, **ch'éédeeshdááł,** (for ch'ínídeeshdááł), I will go back out; **háádeesht'ááł** (for hanídeesht'ááł, hańdeesht'ááł), I will take it back out; I will redeem it from pawn; **déédííłjéé'** (for *dinídííłjéé'), I will rekindle the fire.

A few further examples of **ná-** are given herewith:

bich'į' n'deeshłééł, I will pay him; bich'į' ni**ná**'deesh**d**lééł. I will pay him back; I will repay him.

'ádeeshłííł, I will make it; 'á**ń**deesh**d**lííł, I will remake it; make it back to its original state; repair it.

'áshłaa, I made it; 'á**na**sh**d**laa, I remade, repaired, it.

k'é**ná**hás**d**lįį', peace came (back); peace returned (not *k'éhazlįį', which would presuppose that all preceding time had been occupied by war).

'iiłhaazh, I went to sleep; **ná**'iilghaazh, I went back to sleep (note that the **ł** classifier becomes **l** in this instance).

The prefix **ná-** serves to render many meaning with a single stem, which are often rendered in English by distinct and unrelated words. Thus, for example:

yah 'ííłt'e', I put him in (as in jail); ch'ééníłt'e', I released him, or took him back out (as from jail).

didííłjéé', I built it (a fire); déédííłjéé', I rekindled it, or built it back up (a fire).

níyá, I went; nánísdzá, I returned, or I went back.

The Prefix hi-

A prefix **hi-** added to the verb serves to render the idea of one after another, in contradistinction to group action. Thus:

yah 'iikai, we (pl) went in (all at once as a group).

yah 'aheekai, we (pl) went in (one after another).

This prefix is used only when the subject of the verb, or the action denoted by the verb is plural (more than two).

Used with active transitive verbs it gives the meaning of to perform the act one time after another, as in:

deesh'ááł, I shall bring it (once); hideesh'ááł, I shall bring it one time after another (in succession).

The affixation of **hi-** occasions some irregularity in the 3o., and sometimes of the 3a. person, as:

yaa yidiyoo'ááł (not *hiyidoo'ááł), he'll give it to him one time after another.

yaa yiiz'ą́ (not * hiyiz ą́), he gave it to him one time after another.

In Navaho, **hi-,** or the concept one after another, time after time, etc. finds much wider use than in English where we often leave this detail to the imagination of the hearer.

Thus we say "they went in," wherein their entry or act of entering is the important idea; **how** they entered is irrelevant from our point of view. On the contrary, **how** they performed the act is also of importance according to the Navaho way of thinking. If they performed the act as a group one will say **yah 'eekai,** but if they entered one after another then one must say **yah 'aheeskai.** Similarly, **ńdízíid,** a month is passing, but **náhidizíid,** months go by one after another. In English we leave these aspects to the hearer's imagination, or ignore entirely the self evident fact that the months pass one after another, since they quite obviously can not pass as a group. To walk sideways is also expressed by **hi-** in Navaho. This is due to the manner of motion with the feet and legs when walking, or more properly shuffling sidewise. Thus naaniigo hideesháał, I'll walk sideways; naaniigo heesháał, I'm walking along sideways.

The prefix **hi-** is used with different meaning in conjunction with other verb prefixes, as:

baa hinisdzá, I approached him in challenge; baa nihinisdzá, I ambushed him.

THE VERB PARADIGMS

There are two general types of paradigm, the disjunct used when no derivational prefixes occur, and the conjunct when derivational prefixes are added. The paradigmatic prefix, along with the incorporated subject pronoun are conjugated in a separate column for all persons, including the subjective pronoun referring to space, area, or place **(ho-, ha-)**, and the passive voice. The **'adi** passive voice form is given ,when possible, in parentheses below the ordinary passive, and with the 3rd person pronoun **bi-**, him, prefixed thereto. Thus yilghał, it is being eaten; (bi'dilghał, he is being eaten). The abbreviation P. stands for passive voice, and 3s. for place or area as subject (i.e. ho-, ha). As in the foregoing, dpl stands for duoplural. The distributive plural is not given in these paradigms since, as we described in the section on distributive **da-**, it merely consists of prefixation of the element **da-** to the forms of the duoplural.

There is no distinction between the 3rd persons singular and duoplural, so these forms translate he, she, it, they as the context requires.

Imperfective disjunct.

1. -dlóóh, to be cold (of a person being physically cold).
2. -diz, to twist, spin (as the yarn in weaving).
3. -leeh, to become.
4. -ghał, to chew or eat (meat).
5. -cha, to cry, weep.

Person	1	2	3
1. yish-	yishdlóóh	yisdiz	yishłeeh
2. ni-	nidlóóh	nidiz	nileeh
3(o). yi-	yidlóóh	yidiz	yileeh
3a. ji-	jidlóóh	jidiz	jileeh
3i. 'a-	--------	'adiz	'aleeh
3s. ha-	--------	--------	haleeh
P. yi-	--------	yidiz	--------

'adi-	--------	(bi'didiz)	--------
dpl 1. yii-	yiidlóóh	yiidiz	yiidleeh
dpl 2. ghoh-	ghohdlóóh	ghohdiz	ghohłeeh

Person	4	5
1. yish-	yishghał	yishcha
2. ni-	nilghał	nicha
3(o). yi-	yilghał	yicha
3a. ji-	jilghał	jicha
3i. 'a-	'alghał	'acha
3s. ha-	--------	--------
P. yi-	yilghał	--------
'adi-	(bi'dilghał)	--------
dpl 1. yii-	yiilghał	yiicha
dpl 2. ghoh-	ghołghał	ghohcha

In the imperfective disjunct paradigms above, only the transitive verbs are actually 3o. in person. In the transitive verbs, **yi-** of the 3rd person is the obliquative pronominal he-him, but on the intransitive verbs (as yileeh, he is becoming) **yi-** is the peg element and the person is 3. Thus the designation 3(o).

A prefixed object pronoun, as we have already seen, causes the peg element **yi-** to drop out, and the verb then takes a conjunct paradigm form. Similarly, other prefixes may replace **yi-** to produce various divergent conjunct paradigms. Below we will indicate again the changes caused by replacement of **yi-** by the object pronouns, and there will follow a number of paradigms in which the same prefix is replaced by other elements.

To chew or eat meat.

yishghał, I'm eating it	**ni**shghał, I'm eating you
nilghał, you're eating it	**shí**lghał, you're eating me
yilghał, he's eating it	**shi**lghał, he's eating me
jilghał, he's eating it	**shi**jilghał, he's eating me
yilghał, it's being eaten	**shi**'dilghał, I'm being eaten
yiilghał, we're eating it	**nii**lghał, we're eating you
ghołghał, you're eating it	**sho**łghał, you're eating me

The paradigm retains the **yi-** prefix in all but the 3o. person as long as the pronoun object is the 3. (corresponding to bí) because the 3. object is expressed by zero. In the 3o. peg **yi-** is replaced by the obliquative **yi-,** he-him. (Thus, **yi-** of yishghał is not the same as **yi-** of yilghał).

In the paradigmatic presentations given below the letter **u** stands for the vowel of the prefix, **ú** for the same vowel when it is high in tone, and **uu, úú,** when the vowel is long.

Imperfective conjunct I

1. -teeh, to lie down.
2. -diz, to spin, weave (in conjunction with indefinite objective 'a-, something, rendering thus an intransitive meaning).
3. -baał, to hang it, tend it (a curtain like object).

Person	1	2	3
1. -ush-	nishteeh	'asdiz	dishbaał
2. -ú-	níteeh	'ídiz	díłbaał
3(o). -u-	niteeh	'adiz	yidiłbaał
3a. ji-	jiniteeh	'ajidiz	jidiłbaał
3i. 'a-	'aniteeh	'adiz	'adiłbaał
3s. ha-, ho-	--------	--------	--------
P. -u-	--------	('adiz)	dilbaał
'adi-	--------	(bi'didiz)	(bi'dilbaał)
dpl 1. -uii-	niiteeh	'iidiz	diilbaał
dpl 2. -uoh-	nohteeh	'ohdiz	dołbaał

An example of the 3s. form is hodileeh, it (the place) is in the act of starting to become; yóó' 'ahalzhood, it (the weather) is in the act of clearing off.

The position of the deictic prefixes **ji-, 'a-, ho-,** varies. They may precede one prefix, but follow another. Thus, **ho-** precedes **di-** in hodileeh, but follows **náá-** in nááhodidleeh, it (place) is in the act of becoming again.

Imperfective conjunct II

1. -'nééh, to crawl (arrive crawling) .
2. -t'ood, to suck it (to a point, as far as a certain point).

Person	1	2
1. -ush-	nish'nééh	nisht'ood
2. -ú-	ní'nééh	níłt'ood
3(o). -ú-	yí'nééh	yíłt'ood

3a. jú-	jí'nééh	jíłt'ood
3i. 'ú-	'í'nééh	'ílt'ood
dpl 1. -uii-	nii'nééh	niilt'ood
dpl 2. -o(h)-	noh'nééh	nołt'ood

Imperfective conjunct III

1. -dááh, to walk, go (with ń- = to get up, arise).
2. -jooł, to handle non-compact matter as brush, wool, etc. (In the form given below with bik'i- it means to cover it with noncompact matter).
3. -nííh, to suffer, have troubles and difficulties.

Person	1	2	3
1. -uush-	ńdiishdááh	bik'iishjooł	ti'hooshnííh
2. -uu-	ńdiidááh	bik'iiłjooł	ti'hoonííh
3(o). -uu-	ńdiidááh	yik'iyiiłjooł	ti'hoonííh
3a. -ji-	nízhdiidááh	bik'ijiiłjooł	ti'hojoonííh
3i. -'(a)-	ń'diidááh	('ak'iiljooł)	--------
P. -uu-	--------	bik'iiljooł	--------
dpl 1. -uii-	ńdiit'aash (d)	bik'iiljooł	ti'hwii'nííh
dpl 2. -o(h)-	ńdoht'aash (d)	bik'iołjooł	ti'hohnííh

Imperfective conjunct IV

1. -dziih, to breathe (used with the meaning of speak out)
2. -'aah, to handle a round or bulky object (to carry it up out).
3. -na', to crawl (to crawl about).
4. -'aah, (ib. no. 2) (to carry it in, out of sight).

Person	1	2
1. -uush-	haasdziih	haash'aah
2. -uni-	hanidziih	hani'aah
3(o). -uu-, -u(yi)-	haadziih	hayi'aah
3a. -uji-	hajidziih	haji'aah
3i. -u'a-	ha'adziih	ha'a'aah
P. -uu-	--------	haat'aah
'adi-	--------	habi'dit'aah
dpl 1. -uii-	haiidziih	haiit'aah
dpl 2. -uo(h)- -uuh-	haohdziih haahdziih	haah'aah

Person	3	4
1. -uush-	naash'na'	'iish'aah
2. -uni-	nani'na'	'ani'aah
3(o). -uu-, -u(yi)-	naa'na'	'ii'aah

3a. -uji-	nji'na'	'aji'aah
3i. -u'a-	na'a'na'	'e'e'aah
P. -uu-	--------	'iit'aah
'adi-	--------	'abi'dit'aah
dpl 1. -uii-	neii'na'	'iit'aah
dpl 2. -uo(h)- -uuh-	naah'na'	'oh'aah

Neuter verbs defining states or qualities without reference to preceding time or action are conjugated in the imperfective paradigm. Two types of paradigm exist for the neuter verbs, corresponding to the conjunct I and II already given. The two are herewith given together.

Neuter (imperfective).

1. -lį, to be
2. -daaz, to be heavy
3. -tł'ah, to be left handed; clumsy
4. -din, to be absent, non-existent, exhausted
5. -chíí', to be red
6. -yą́, to be wise
7. -zhóní, to be pretty
8. -tsiz, to be shaky, trembly, nervous

Person	1	2	3	4
1. -sh-	nishłį	nisdaaz	nishtł'ah	'áníshdin
2. -ú-	nílį	nídaaz	nítł'ah	'ánídin
3. -u-, -ú-	nilį	nidaaz	nitł'ah	'ádin
3a. ji-, jú-	jílį	jídaaz	jinitł'ah	'ájídin
3i. 'í-	'ílį ('ídlį)	'ídaaz	'ítł'ah	'í'ídin
3s. ha- ho-	(hóló̜)	--------	honitł'ah	'áhádin
dpl 1. -ii-	niidlį	niidaaz	niitł'ah	'ániidin
dpl 2. -oh-	nohłį	nohdaaz	nohtł'ah	'ánohdin

	5	6	7	8
1. -sh-	łinishchíí'	honisą́	nishzhóní	dinistsiz
2. -ú-	łiníchíí'	honíyą́	nízhóní	dinítsiz
3. -u-, -ú-	łichíí'	hóyą́	nizhóní	ditsiz
3a. ji-, jú-	jilchíí'	hojíyą́	jízhóní	jiditsiz
3i. 'í-	'alchíí'	hódzą́	'ízhóní	'aditsiz
3s. ha- ho-	halchíí'	--------	hózhóní	--------
dpl 1. -ii-	łiniichíí'	honiidzą́	niijóní	diniitsiz
dpl 2. -oh-	łinohchíí'	honohsą́	nohzhóní	dinohtsiz

Another type of neuter uses the stem of the iterative mode, in conjunction with the prefixes of the imperfective. These verbs have no reference to preceding time or action, but indicate that one performs the act denoted by the stem --- or more specifically that one is a performer of that act. They are made up in a manner similar to that described for the usitative, although they are not necessarily usitative in force. Such are **'adishdił,** I play (or am a player of) the stick dice game (lit. I toss a slender object repeatedly); **diskos,** I cough, am coughing, or have a cough.

Neuter verbs are also formed by prefixing the **ni- yi- and si-** perfective prefixes to the perfective stem. The result is a neuter or neuter static form, as **nímaz,** it is spherical; **yíłtseii,** it is dry; **sidá** he is sitting.

The Perfective Mode

There are three perfective paradigms, being distinguished by the perfective prefixes **yi-, ni-,** and **si-.** In neuter verbs, the perfective denotes a status or quality resulting from preceding action. The **yi-** perfective describes an act as just completed, the **ni-** perfective describes the act as completed and resulting in a static condition, while the **si-** perfective implies that the act is completed, and at the same time that it is durative and static. To exemplify the three perfectives:

taah yí'ą́, I have (completed the act of) put(ting) it into water.
naa ní'ą́, I have brought (given) it to you.
séł'ą́, I keep it (cause it to set).

Yi- Perfective

The **yi-** perfective paradigms vary according to the stem classifier required by the verb stem. Thus, **zero-ł** class verbs have a different paradigm from that of the **d-l** class.

Yi- perfective disjunct.

Zero and ł class verbs

1. -nizh, to pluck it (herbs, beard, etc.).
2. -cha, to cry, weep.
3. -ts'ee', to eat mushy matter (as mush, gravy, jello).

Person	1	2	3
1. yí-	yínizh	yícha	yíłts'ee'
2. yíní-	yíninizh	yínícha	yíníłts'ee'
3(o). yí- (yíí-)	yiyíínizh	yícha	yiyííłts'ee'

3a. jíí-	jíínizh	jíícha	jííłts'ee'
3i. 'íí-, 'oo-	--------	'íícha	'oolts'ee'
3s. hóó-	--------	--------	--------
P. yi-	yi'nizh	--------	yilts'ee'
'adi-	(bi'di'nizh)	--------	(bi'doolts'ee')
dpl 1. yii-	yii'nizh	yiicha	yiilts'ee'
dpl 2. ghoo-	ghoonizh	ghoocha	ghoołts'ee'

An example of the 3s. is hóótł'is, it (area) became hard.

d and ł class verbs

1. -déél, to eat plural objects.
2. -dlą́ą́', to drink it.
3. -ghal, to eat it (meat).

Person	1	2	3
1. yish-	yishdéél	yishdlą́ą́'	yishghal
2. yíní-	yíníldéél	yínídlą́ą́'	yínílghal
3o. yoo-	yooldéél	yoodlą́ą́'	yoolghal
3a. joo-	jooldéél	joodlą́ą́'	joolghal
3i. 'oo-	'ooldéél	'oodlą́ą́'	'oolghal
P. yi-	yildéél	yidlą́ą́'	yilghal
'adi-	(bi'dooldéél)	(bi'doodlą́ą́')	(bi'doolghal)
dpl 1. yii-	yiildéél	yiidlą́ą́'	yiilghal
dpl 2. ghoo-	ghoołdéél	ghoohdlą́ą́'	ghoołghal

Yi- perfective conjunct.

Zero and ł class verbs

Paradigm I.

1. -mááz, to roll (spherical or animate object) (to roll up out).
2. -geed, to dig (to dig it up out; to mine it).
3. -jool, to handle noncompact matter (carry it up out).
4. -jool, ib. no. 3 (to carry it in, or out of sight).

Person	1	2
1. -úú-	háámááz	háágeed
2. -ú(y)íní-	há(y)ínímááz	há(y)ínígeed
3(o). -úú-	háámááz	hayíígeed
3a. -jíí-	hajíímááz	hajíígeed
3i. -'íí-, -'oo-	ha'íímááz	ha'oogeed
P. -uu-	--------	haageed
-'adi-	--------	(habi'doogeed)

dpl 1 -uii-	haii'mááz	haiigeed
dpl 2. -uoo-	haoomááz	haoogeed

Person	3	4
1. -úú-	hááłjool	'ííłjool
2. -ú(y)íní-	há(y)íníłjool	'íníłjool
3(o). -úú-	hayííłjool	'ayííłjool
3a. -jíí-	hajííłjool	'ajííłjool
3i. -'íí-, -'oo-	ha'ooljool	'o'ooljool
P. -uu-	haaljool	'eeljool
-'adi-	(habi'dooljool)	('abi'dooljool)
dpl 1 -uii-	haiiljool	'iiljool
dpl 2. -uoo-	haoołjool	'oołjool

Paradigm II.

1. -geed, to dig (to shovel dirt on it).
2. -kǫ', to smooth it.
3. -gaii, to whiten it.
4. -kad, to sew (them together).

Person	1	2
1. -uu-	bik'iigeed	diiłkǫ'
2. -uni-	bik'iinigeed	diniłkǫ'
3o. -uu-	yik'iyiigeed	yidiiłkǫ'
3a. ji-	bik'ijiigeed	jidiiłkǫ'
3i. -'ii-	bik'i'iigeed	'iilkǫ'
P. -uu-	bik'iigeed	diilkǫ'
-'adi-	--------	(bi'diilkǫ')
dpl 1. -uii-	bik'iigeed	diilkǫ'
dpl 2. -uoo-	bik'ioogeed	doołkǫ'

Person	3	4
1. -uu-	yiiłgaii	'ahídiiłkad
2. -uni-	yiniłgaii	'ahídiniłkad
3o. -uu-	yiyiiłgaii	'ahíidiiłkad
3a. ji-	jiiłgaii	'ahízhdiiłkad
3i. -'ii-	'iilgaii	'ahí'diilkad
P. -uu-	yiilgaii	'ahídiilkad
-'adi-	(bi'diilgaii)	'ahíbi'diilkad
dpl 1. -uii-	yiilgaii	'ahídiilkad
dpl 2. -uoo-	ghoołgaii	'ahídoołkad

d and l class verbs.

Paradigm I.

1. -na', to crawl (to crawl in, or out of sight).
2. -dzíí', to breathe, expire (to speak out).
3. -ne', to tell.
4. -zhiizh, to dance.

Person	1	2
1. -uush-	'eesh'na'	haasdzíí'
2. -úíní-	'íiní'na'	háínídzíí'
3(o). -uu-, -oo-	'ee'na'	haadzíí'
3a. -ujoo-	'ajoo'na'	hajoodzíí'
3i. -u'oo-	'o'oo'na'	ha'oodzíí'
dpl 1. -uii-	'ii'na'	haiidzíí'
dpl 2. -uoo-	'ooh'na'	haoohdzíí'

Person	3	4
1. -uush-	hweeshne'	'eeshzhiizh
2. -úíní-	hwííinílne'	'íínílzhiizh
3(o). -uu-, -oo-	hoolne'	'oolzhiizh
3a. -ujoo-	hojoolne'	'ajoolzhiizh
3i. -u'oo-	(hóóne')	'oozhiizh
dpl 1. -uii-	hwiilne'	'iilzhiizh
dpl 2. -uoo-	hoołne'	'oołzhiizh

Paradigm II.

1. -'ná, to move with household (to start moving).
2. -dzá, to walk, go (to arise, get up).
3. -jį́į́', to become black.
4. -laa, to make it.

Person	1	2
1. -uush-	ńdiish'ná	ńdiisdzá
2. -uini-	ńdini'ná	ńdinidzá
3(o). -uu-	ńdii'ná	ńdiidzá
3a. ji-	nízhdii'ná	nízhdiidzá
3i. -u'-	ń'dii'ná	ń'diidzá
3s. hoo-	--------	--------
dpl 1. -ii-	ńdii'ná	ńdiit'áázh (d)
dpl 2. -ooh-	ńdooh'ná	ńdooht'áázh (d)

Person	3	4
1. -uush-	yiishjįį'	'íishłaa
2. -uini-	yinijįį'	'iinilaa
3(o). -uu-	yiijįį'	'áyiilaa
3a. ji-	jiijįį'	'ájiilaa
3i. -u'-	'iijįį'	--------
3s. hoo-	hoojįį'	--------
P. -u-	--------	'ályaa
'adi-	--------	('ábi'diilyaa)
dpl 1. -ii-	yiijįį'	'iilyaa
dpl 2. -ooh-	ghoohjįį'	'óohłaa

Ni- Perfective

The **ni-** perfective is, practically speaking, a conjunct paradigm, inasmuch as the prefix **ni-** can be considered as replacing the **yi-** element just as it was noted in the conjunct forms of the **yi-** perfective. However, we shall continue to speak of disjunct and conjunct paradigms. By disjunct we shall refer to those paradigms wherein no other derivational prefixes precede or follow the **ni-** prefix. Under conjunct we shall list paradigms in which another prefix or prefixes precede or follow **ni-**, causing certain alterations and seeming irregularities.

Ni- perfective disjunct.

Zero and ł class verbs.

1. -máaz, to roll (a spherical object) (to arrive rolling).
2. -bą́ąz, to roll it (a circular object) (to arrive rolling it).
3. -jool, to handle noncompact matter (to bring it; as wool).

Person	1	2	3
1. ní-	nímáaz	níłbą́ąz	níłjool
2. yíní-	yínímáaz	yíníłbą́ąz	yíníłjool
3(o). -ní-	nímáaz	yiníłbą́ąz	yiníłjool
3a. jiní-	jinímáaz	jiníłbą́ąz	jiníłjool
3i. 'aní, 'í-	'anímáaz	'ílbą́ąz	'íljool
P. yí-	--------	yílbą́ąz	yíljool
'adi-	--------	(bi'deelbą́ąz)	(bi'deeljool)
dpl 1. nii-	nii'máaz	niilbą́ąz	niiljool
dpl 2. nooh-	noomáaz	noołbą́ąz	noołjool

d and l class verbs

1. -'na', to crawl (to arrive crawling).
2. -tł'áh, to trot leisurely along (to arrive trotting leisurely).

Person	1	2
1. nish-	nish'na'	nishtł'áh
2. yíní-	yíní'na'	yíníltł'áh
3. yí-	yí'na'	yíltł'áh
3a. jí-	jí'na'	jíltł'áh
3i. 'í-	'í'na'	'íltł'áh
dpl 1. nii-	nii'na'	niiltł'áh
dpl 2. noo-	nooh'na'	noołtł'áh

Ni- perfective conjunct.

Zero and ł class verbs

Paradigm I.

1. -ti', to break it (to break it in two)
2. -dláád, to tear, rip it (to tear it in two)

Person	1	2
1. -uní-	k'íníti'	k'íníłdláád
2. -u(y)íní-	k'ííníti'	k'ííníłdláád
3o. -u-ní-	k'iiníti'	k'iiníłdláád
3a. -uzhní-	k'ízhníti'	k'ízhníłdláád
3i. -u'í-	k'í'íti'	k'í'íldláád
P. -u-	k'éti'	k'éldláád
'adi-	(k'íbi'dooti')	(k'íbi'dooldláád)
dpl 1. -unii-	k'íniiti'	k'íniildláád
dpl 2. -unoo-	k'ínooti'	k'ínoołdláád

Paradigm II.

1. -tł'iizh, to soak it.
2. -tsxoi, to yellow (scorch) it.

Person	1.	2.
1. -unii-	diniiłtł'iizh	diniiłtsxoi
2. -unini-	dininiłtł'iizh	dininiłtsxoi
3o. -unii-	yidiniiłtł'iizh	yidiniiłtsxoi
3a. ji-	jidiniiłtł'iizh	jidiniiłtsxoi
3i. 'a-	'adiniiłtł'iizh	'adiniiltsxoi

P. -unii-	diniiltł'iizh	diniiltsxoi
'adi-	(bi'di'niiltł'iizh)	(bi'di'niiltsxoi)
dpl 1. -unii-	diniiltł'iizh	diniiltsxoi
dpl 2. -unoo-	dinoołtł'iizh	dinoołtsxoi

Paradigm III.

1. -'aa', to deceive him.

Person	1
1. níí-	níí'aa'
2. nííní-	nííní'aa'
3o. -níí-	yiníí'aa'
3a. jiníí-	jiníí'aa'
3i. 'anoo-	'anoot'aa'
P. --------	--------
'adi-	(bidi'noot'aa')
dpl 1. nii-	niit'aa'
dpl 2. noo-	noo'aa'

Paradigm IV.

1. -'į́į́', to look at it.

Person	1
1. néé-	nééł'į́į́'
2. níní-	nínííł'į́į́'
3o. -néé-	yinééł'į́į́'
3a. jinéé-	jinééł'į́į́'
3i. 'anéé-	'anéél'į́į́'
P. néé-	néél'į́į́'
'adi-	(bidi'néél'į́į́')
dpl 1. níil-	níil'į́į́'
dpl 2. nóo-	nóoł'į́į́'

d and l class verbs

Paradigm I.

1. -t'ą́, to handle a round or bulky object (to take it away from him by force).
2. -ghod, to run (to return running; run back).

Person	1	2
1. -unish-	bighanisht'ą́	nánishghod
2. -uyíní-	bighayínít'ą́	náyínílghod
3(o). -uí-, -ú-	yighaít'ą́	nálghod

3a. -ují-	bighajít'ą	ńjílghod
3i. -u'í-	bigha'ít'ą	ná'ílghod
P. -uu-	bighaat'ą	--------
dpl 1. -unii-	bighaniit'ą	nániijéé' (pl)
dpl2. -unoo(h)-	bighanooht'ą	nánoo(h)jéé' (pl)

Paradigm II.

1. -tłah, to stop (motion).

Person	1
1. -unish-	ninishtłah
2. -uíní-	niníínítłah
3. -uu-	niiltłah
3a. -ují-	nijíltłah
3i. -u'í-	ni'íltłah
dpl 1. -unii-	niniiltłah
dpl 2. -unoo-	ninoołtłah

Paradigm III.

1. -t'ą, to handle a round or bulky object (to kiss her; lit. to move the head to her mouth).
2. -ghil, to doze.

Person	1	2
1. -unesh-	bizanesht'ą	'aneshghil
2. -uníiní-	bizaníínít'ą	'aníínílghil
3(o). -unoo-	yizanoot'ą	'anoolghil
3a. -uzhnoo-	bizazhnoot'ą	'azhnoolghil
3i. -u'noo-	biza'noot'ą	'i'noolghil
dpl 1. -unii-	bizaniit'ą	'aniilghil
dpl 2. -unooh-	bizanooht'ą	'anoołghil

1. -t'ą, to handle a round or bulky object (to adopt him).
2. -'eez, to step (to step down onto a surface).

Paradigm IV.

Person	1	2
1. -unish-	'ádaadinisht'ą	nikidinis'eez
2. -úíní-	'ádaadíínít'ą	nikidíínílʼeez
3(o). -ee-	'ádeideet'ą	nikideel'eez
3a. -zh-	'ádaazhdeet'ą	nikizhdeel'eez

3i. -ee-	'ádaa'deet'ą	niki'deel'eez
P. --------	--------	--------
'adi-	('ádaabi'deet'ą)	--------
dpl 1. -unii-	'ádaadiniit'ą	nikidiniil'eez
dpl 2. -unooh-	'ádaadinooht'ą	nikidinooł'eez

Si- Perfective

The prefix **si-** assimilates to a following **-zh, -sh,** to become an **-sh.** Thus, shéshish, shéłbéézh, instead of séshish, séłbéézh. A similar change occurs before **-k,** as in hashishké, instead of hasiské.

Si- perfective disjunct.

d, l, ł, and zero class verbs.

1. -zį, to stand (to be standing).
2. -'ą, to handle a round or bulky object (to set it as in dah sé'ą, I set it up --- as on a shelf).
3. -nil, to handle plural objects (to keep, have, them).
4. -béézh, to boil it.
5. -chį, to give birth to it.

Person	1	2	3
1. sé-	sézį	sé'ą	séłnil
2. síní-	sínízį	síní'ą	síníłnil
3(o). si-, -s-	sizį	yiz'ą	yisnil
3a. jis-, jiz-	jizį	jiz'ą	jisnil
3i. 'as-, 'az-	'azį	'az'ą	'asnil
3s. haz-	--------	haz'ą	--------
P. yizh-	--------	--------	(sinil)
'adi-	--------	--------	(bi'disnil)
dpl 1. sii-	siidzį	siit'ą	siilnil
dpl 2 soo-	soozį	soo'ą	soołnil

Person	4	5
1. sé-	shéłbéézh	shéłchį
2. síní-	shíníłbéézh	shíníłchį
3(o). si-, -s-	yishbéézh	yishchį
3a. jis-, jiz-	jishbéézh	jishchį
3i. 'as-, 'az-	'azhbéézh	'azhchį
3s. haz-	--------	--------

P. yizh-	shibéézh	yizhchį
'adi-	(bi'dishbéézh)	(bi'dizhchį)
dpl 1. sii-	shiilbéézh	shiilchį
dpl 2 soo-	shoołbéézh	shoołchį

Si- perfective conjunct

Zero and ł class verbs.

Paradigm I.

1. -bį', to build a hogan.
2. -kǫ́ǫ́', to swim (across).
3. -ne', to play.
4. -ts'ą́ą́', to hear it.
5. -tsą́, to die (one).

Person	1	2	3
1. -usé-	hoséłbį'	ni'séłkǫ́ǫ́'	niséne'
2. -usíní-	hosíníłbį'	ni'síníłkǫ́ǫ́'	nisíníne'
3(o). -us-, uz-	hasbį'	na'askǫ́ǫ́'	naazne'
3a. -jis-	hojisbį'	n'jiskǫ́ǫ́'	njizne'
3i. -u'a-	(hazbį')	na'azkǫ́ǫ́'	na'as'ne'
3s. ho-	--------	--------	--------
P. -uz-	(hazbį')	--------	--------
dpl 1. -usii-	hosiilbį'	ni'siilkǫ́ǫ́'	nisii'ne'
dpl 2. -usoo-	hosoołbį'	ni'soołkǫ́ǫ́'	nisoone'

Person	4	5
1. -usé-	diséts'ą́ą́'	dasétsą́
2. -usíní-	disíníts'ą́ą́'	dasínítsą́
3(o). -us-, uz-	yidiizts'ą́ą́'	daaztsą́
3a. -jis-	jidiizts'ą́ą́'	dajiiztsą́
3i. -u'a-	'íists'ą́ą́'	da'aztsą́
3s. ho-	hodiists'ą́ą́'	--------
P. -uz-	'íists'ą́ą́'	--------
dpl 1. -usii-	disiits'ą́ą́'	danee'ná (pl)
dpl 2. -usoo-	disoots'ą́ą́'	dasinooná (pl)

Paradigm II.

1. -tih, to be old, worn out.
2. -ké, to be mean; to scold.

Person	1	2
1. -usis-	hasistih	hashishké
2. -usíní-	hasínítih	hashíníké

3. -uus-	haastih	haashké
3a. -ujis-	hajistih	hojishké
3i. -u'as-	ha'astih	ho'dishké
dpl 1. -usii-	hasiitih	hoshiiké
dpl 2. -usooh-	hasoohtih	hoshoohké

Paradigm III.

1. -kan, to beseech, beg, him.
2. -dlǫǫd, to believe it, him.

Person	1	2
1. -usis-	néisiskan	yisisdlǫǫd
2. -usíní-	néisiníkan	yisínídlǫǫd
3o. -uoos-	náyooskan	yoosdlǫǫd
3a. -ujoos-	ńjooskan	joosdlǫǫd
3i. -u'oos-	ná'ooskan	'oosdlǫǫd
P. -oos-	--------	ghoosdlǫǫd
'adi-	(nábi'dooskan)	(bi'doosdlǫǫd)
dpl 1. -usii-	néisiikan	yisiidlǫǫd
dpl 2. -usooh-	néisoohkan	yisoohdlǫǫd

Paradigm IV.

1. -baa', to go on a raid, go to war.
2. -baal, to hang it curtain like.
3. -yá, to go, walk (Such forms as débaa', déyá, etc. imply that one is in a state of having started to perform the verbal action without reference to the preceding **act** of having started. Thus, déyá, I am on my way **or** I am going (to go); dah diiyá, I started (going) off. Likewise: yiskǫǫgo Na'nízhoozhígóó déyá **or** deeshááł, tomorrow I will go to Gallup.).

Person	1	2	3
1. -é-	débaa'	délbaal	déyá
2. -íní-	díníbaa'	díníłbaal	díníyá
3(o). -ee-, -eez-, -ees-	deezbaa'	yideesbaal	deeyá
3a. ji-	jideezbaa'	jideesbaal	jideeyá
3i. 'a-	'adeezbaa'	'adeesbaal	'adeeyá
P. -ees-	--------	deesbaal	--------
'adi-	--------	(bi'deesbaal)	--------
dpl 1. -ee- -sii-	deebaa' **or** disiibaa'	deelbaal **or** disiilbaal	deet'áázh **or** dishiit'áázh (d)
dpl 2 -soo-	disoobaa'	disoołbaal	dishoo'áázh

The following paradigms contain the **ni-** prefix and in some persons, notably the 3rd singular and duoplural, and the 2nd person duoplural, the **si-** prefix appears also.

1. tł'ah, to prevent him.
2. -dá, to sit down.
3. -'į́į́', to steal it.
4. -tį́, to lie down.
5. -tł'ííd, to throw plural objects (to throw them away).

Paradigm V.

Person	1	2	3
1.	néłtł'ah	nédá	né'į́į́'
2.	níníłtł'ah	nínídá	níní'į́į́'
3(o).	yineestł'ah	neezdá	yineez'į́į́'
3a.	jineestł'ah	jineezdá	jineez'į́į́'
3i.	'aneestł'ah	'aneezdá	'aneest'į́į́'
P.	honeestł'ah	--------	neest'į́į́'
	(bidi'neestł'ah)	--------	(bidi'neest'į́į́')
dpl 1.	neeltł'ah	neeké	neet'į́į́'
dpl 2.	noołtł'ah **or** sinoołtł'ah	nooké **or** si-nooké	noo'į́į́' **or** si-noo'į́į́'

	4	5
1.	nétį́	'ahéłtł'ííd
2.	nínítį́	'ahíníłtł'ííd
3(o).	neeztį́	'ayiistł'ííd
3a.	jineeztį́	'ajiistł'ííd
3i.	'aneestį́	--------
P.	--------	'aheestł'ííd
	--------	('abi'diistł'ííd)
dpl 1.	neetéézh	'aheeltł'ííd
dpl 2.	noo- **or** shinoo-téézh	'ahooł- **or** 'ahisooł-tł'ííd

d and l class verbs

Paradigm I.

1. -'na', to crawl (to crawl up; to climb).
2. -'náá', to move (any part of the body).
3. -doh, to get stiff muscles.
4. -da', to menstruate for the first time.

Person	1	2
1. -usis	hasis'na'	nahisís'náá'
2. -usíní-	hasíní'na'	nahisíní'náá'

3. -uus-	haas'na'	nahaas'náá'
3a. -ujis-	hajis'na'	najiis'náá'
3i. -u'as-	ha'as'na'	na'iis'náá'
dpl 1. -usii-	hasii'na'	nahisii'náá'
dpl 2. -usooh-	hasooh'na'	nahisooh'náá'

Person	3	4
1. -usis-	ńdasisdoh	kinisisda'
2. -usíní-	ńdasíníldoh	kinisínįlda'
3. -uus-	ńdaasdoh	kinaasda'
3a. -ujis-	ńdajisdoh	kinijisda'
3i. -u'as-	ńda'asdoh	kina'asda'
dpl 1. -usii-	ńdasiildoh	kinisiilda'
dpl 2. -usooh-	ńdasoołdoh	kinisoołda'

Paradigm II.

1. -dzil, to strain; to make an effort.
2. -dlįį', to become (to overcome; to be the victor).

Person	1	2
1. -és-	désdzil	'ak'ehdéshdlįį'
2. -íní-	díníldzil	'ak'ehdínídlįį'
3. -ees-	deesdzil	'ak'ehdeesdlįį'
3a. ji-	jideesdzil	'ak'ehjideesdlįį'
3i. 'a-	'adeesdzil	('ak'ehodeesdlįį')
dpl 1. -ee-	deel-dzil **or** disiil-	'ak'ehdeedlįį' **or** 'ak'ehdisiidlįį'
dpl 2. -usoo-	disoołdzil	'ak'ehdisoodlįį'

Paradigm III.

1. -ghod, to run (to run around it).
2. -ghod, to run (to go and return running).

Person	1	2
1. -usis-	binísísghod	nisisghod
2. -usíní-	binísínílghod	nisínílghod
3. -ús-, -uus-	yinásghod	naasghod
3a. -ujis-	bińjísghod	njisghod
3i. -u'as-	biná'ásghod	na'asghod
dpl 1. -ushii-	biníshiijéé' (pl)	nishiijéé' (pl)
dpl 2. -ushoo-	biníshoojéé'	nishoojéé'

The Progressive Mode

The progressive mode of the active verbs describes an act performed while going along, and of the passive verbs an act progressively taking place. Thus, active **yishjił,** I am carrying it along on my back; passive **yishłeeł,** I am progressively becoming (as e.g. older). The **yi-** prefix of the progressive is not the peg element **yi-.** It is not dropped upon addition of the pronominal objective prefixes as in the case of peg element **yi-.** Thus, the peg **yi-** of **yishą́,** I am eating it, is dropped with the addition of the indefinite object pronoun **'a-,** something, giving **'ashą́,** I am eating (something), not ***ayishą́,** or **'eeshą́.** On the other hand **yisbąs,** I am rolling it along becomes, with addition of **'a-,** **'eesbąs** (='**ayisbąs**), I am rolling (something) along; I am going along in a wagon. Similarly, **yishjił,** I am carrying it along on my back, but on addition of 2nd person objective **ni-,** you, it becomes **neeshjił,** I'm carrying you along on my back.

The 3rd person (i.e. 3. and 3o.) of the active transitive verbs uses **(y)oo-,** whereas the intransitive or passive verbs use **yi-.** Thus, **yoo'ááł,** he is carrying it along; but **yigááł,** he is walking along.

Furthermore, active transitive verbs require a different stem and different prefixes with addition of the distributive **da-.** Thus, **yiiljił,** we dpl are carrying it along on our backs; **deíníiljiid,** we dist. pl are carrying it along on our backs. (V. section on **da-**).

Passive, or intransitive verbs can either change in the same fashion as the active transitive verbs with addition of **da-,** or they can retain the progressive stem, and continue regular in this respect. Thus, **deiidleeł,** or **deíníidleeh,** we dist. pl are becoming; **yiikah** or **deíníikááh,** we dist. pl are walking along. The difference is that in the regular form with progressive stem the action is thought of as being more of a group action, whereas with the change to an imperfective stem and the distinct set of prefixes it is more of an individual action, with each of the individuals in reference taking part in the action.

Progressive disjunct paradigm.

(Active verbs)

1. -jił, to carry it (along) on the back.
2. -tį́į́ł, to carry it (a slender object) (along).

Person	1	2
1. yish-	yishjił	yishtįįł
2. yí-	yíłjił	yítįįł
3o. yoo-	yoołjił	yootįįł
3a. joo-	joołjił	jootįįł
3i. 'oo-	'ooljił	'ootįįł
P. yi-	yiljił	yitįįł
'adi-	(bi'dooljił)	(bi'dootįįł)
dpl 1. yii-	yiiljił	yiitįįł
dpl 2 ghoh-	ghołjił	ghohtįįł

(Passive verbs)

1. -tł'ééł, to trot (along) leisurely.
2. -tłish, to fall (an animate object).
3. -'nah, to crawl (along).

Person	1	2	3
1. yish-	yishtł'ééł	yishtłish	yish'nah
2. yí-	yíltł'ééł	yítłish	yí'nah
3. yi-	yiltł'ééł	yitłish	yi'nah
3a. joo-	jooltł'ééł	jootłish	joo'nah
3i. 'oo-	'ooltł'ééł	'ootłish	'oo'nah
dpl 1. yii-	yiiltł'ééł	yiitłish	yii'nah
dpl 2 ghoh-	ghołtł'ééł	ghohtłish	ghoh'nah

The **3s.** (referring to area, place, etc.) is formed with **hoo-** in the progressive. Thus, **hooleeł,** it is becoming.

Progressive conjunct

A number of prefixes can be added to the progressive to form the conjunct paradigms. These are given herewith grouped together.

1. -bąs, to roll it (a circular object) (to go in a wagon).
2. -yoł, to drive it (a small herd) along.
3. -shoł, to drag it (to turn around dragging it).
4. -jił, to carry it (again) on one's back.
5. -dááł, to walk, go (to be returning)
6. -dááł, ib. no. 5 (to be going again).

Person	1	2	3
1.	'eesbą̨s	*neesoł	naanááshshoł
2.	'ííłbą̨s	nííyoł	naanáášhoł
3(o).	'oołbą̨s	yinooyoł	naanáyooshoł
3a.	'ajoołbą̨s	jinooyoł	naaníjooshoł
3i.	'oobą̨s	('anoodzoł)	naaná'oolzhoł
P.	--------	noodzoł	naanáálzhoł
'adi-	--------	(bidi'noodzoł)	(naanábi'doolzhoł)
dpl 1.	'iilbą̨s	niidzoł	naanéiilzhoł
dpl 2	'ołbą̨s	nohsoł	naanááhshoł

*This paradigm results from the addition of the prefix **ni-**. In the distributive plural the forms are irregular. They are **daníidzóód, danóohsóód, deinéeyóód,** and **dazhnéeyóód.**

Person	4	5	6
1.	náánááshjił	nááshdááł	náánááshdááł
2.	náánááłjił	náádááł	náánáádááł
3(o).	nááyoołjił	náádááł	náánáádááł
3a.	náájoołjił	ńjoodááł	náájoodááł
3i.	náá'ooljił	ná'oodááł	náá'oodááł
P.	náánááljił	--------	--------
'adi-	(náábi'dooljił)	--------	--------
dpl 1.	náánéiiljił	néiit'ash (d)	náánéiit'ash (d)
dpl 2	náánááłjił	nááht'ash	náánááht'ash

The Future Tense

The paradigms of the future are formed with the progressive stem, and the prefixes of the progressive mode coupled with what may quite possibly be the inceptive prefix **di-**, as other students of the Athabaskan languages have pointed out. In the simpler forms **di-** immediately precedes the progressive prefixes, requiring the same type of conjunct paradigm as that required by the pronoun objects, for example; while in the more complex paradigms other prefixes are interposed between **di-** and the progressive prefixes. Thus, **deeshchah (=di-yishchah),** I shall cry; **dííchah (=di-yíchah),** you will cry, etc., and **ndí'néeshhoł (=ndí'aníyishhoł),** I shall limp about; become lame. The variant paradigms are given below.

Future tense.

Paradigm I.

1. -chah, to cry, weep.
2. -gish, to cut it; make an incision on it.
3. -leeł, to become.
4. -bąs, to roll it (a circular object).

Person	1	2
1. deesh-	deeshchah	deeshgish
2. díí-	dííchah	díígish
3(o). doo-	doochah	yidoogish
3a. jidoo-	jidoochah	jidoogish
3i. 'adoo-	*('adoochah)	'adoogish
3s. hodoo-	--------	--------
P. doo-	--------	doogish
'adi-	--------	(bidi'doogish)
dpl 1. dii-	diichah	diigish
dpl 2 dooh-	doohchah	doohgish

*The form actually used in place of **'adoochah** is **ha'doochah,** there will be crying (out).

Person	3	4
1. deesh-	deeshłeeł	deesbąs
2. díí-	díileeł	díiłbąs
3(o). doo-	dooleeł	yidoołbąs
3a. jidoo-	jidooleeł	jidoołbąs
3i. 'adoo-	'adoodleeł	'adoołbąs
3s. hodoo-	hodooleeł	--------
P. doo-	--------	doolbąs
'adi-	--------	(bidi'doolbąs)
dpl 1. dii-	diidleeł	diilbąs
dpl 2 dooh-	doohłeeł	doołbąs

A high toned prefix causes a corresponding alteration in the tone of the future prefixes. Thus:

Paradigm II.

1. -beeł, to pick (berries).
2. -'įįł, to look.

Person	1	2
1. -údéesh-	yídéeshbeeł	dídéesh'įįł
2. -údíí-	yídíibeeł	dídíí'įįł
3(o). -údóo-	yídóobeeł	dídóo'įįł
3a. ji-, -úji = jí-	jídóobeeł	jidídóo'įįł
3i 'á-, 'aú- = úú-	'íídóobeeł	'adídóot'įįł
P. -údóo-	yídóobeeł	--------
'adi-	(bidí'dóobeeł)	--------
dpl 1. -údíi-	yídíibeeł	dídíit'įįł
dpl 2. -údóoh-	yídóohbeeł	dídóoh'įįł

The prefix **hi-** causes some irregularities in the 3rd person:

Paradigm III.

1. -nih, to trade, buy, sell, it.
2. -lá, to gather or pick it back up.
3. -tih, to break it up (as a box).

Person	1	2
1. -hideesh-	nahideeshnih	náhideeshła
2. -hidíí-	nahidíiłnih	náhidííla
3o. -diyoo-	neidiyoołnih	néidiyoola
3a. -hizhdoo-, -zhdiyoo-	nahizhdoołnih	náhizhdoola
3i. -di'yoo-	nidi'yoonih	nídi'yoola
P. -hidoo-	nahidoonih	náhidoodla
'adi-	(nabi'di'yoonih)	(nábi'di'yoodla)
dpl 1. -hidii-	nahidiilnih	náhidiidla
dpl 2. -hidooh-	nahidoołnih	náhidoohła

Person	3
1. -hideesh-	nihideeshtih
2. -hidíí-	nihidíítih
3o. -diyoo-	niidiyootih
3a. -hizhdoo-, -zhdiyoo-	nizhdiyootih
3i. -di'yoo-	ndi'yootih
P. -hidoo-	nihidootih
'adi-	(nibi'di'yootih)
dpl 1. -hidii-	nihidiitih
dpl 2. -hidooh-	nihidoohtih

Interposition of other prefixes between **di-** and the progressive prefix produces a variant (Cp. progressive **neesol**).

1. Interposed **ni-**.

Paradigm IV.

1. -'įįł, to look at it.
2. -'į́į́ł, to steal it.

Person	1	2
1. dínéesh-	dínéesh'įįł	dínéesh'į́į́ł
2. díníí-	díníił'įįł	díníí'į́į́ł
3o. -dínóo-	yidínóoł'įįł	yidínóo'į́į́ł
3a. jidínóo-	jidínóoł'įįł	jidínóo'į́į́ł
3i. 'adínóo-	'adínóol'įįł	'adínóot'į́į́ł
P. dínóo-	dínóol'įįł	dínóot'į́į́ł
'adi-	(bidí'nóol'įįł)	(bidí'nóot'į́į́ł)
dpl 1. díníi-	díníil'įįł	díníit'į́į́ł
dpl 2. dínóoh-	dínóoł'įįł	dínóoh'į́į́ł

2. Interposed **'a-**

Further paradigms of this type will be found under the heading **Inchoative verbs.**

1. -tsąął, to become pregnant.
2. -hoł, to become lame; start to limp about.

Person	1	2
1. dí'néesh-	'idí'néestsąął	ndí'néeshhoł
2. dí'níí-	'idí'nííltsąął	ndí'níiłhoł
3. dí'nóo-	'idí'nóoltsąął	ndí'nóołhoł
3a. -zhdí'nóo-	'izhdí'nóoltsąął	nizhdí'nóołhoł
3i. dí'nóo-	'idí'nóotsąął	ndí'nóolghoł
dpl 1. dí'níi-	'idí'níiltsąął	ndí'níilghoł
dpl 2. dí'nóoh-	'idí'nóołtsąął	ndí'nóołhoł

3. Interposed **yi-**

1. -hééł, to kill one object.
2. -dlał, to tear, rip (to rip the earth; i.e., to plow).

Person	1	2
1. diyeesh-	diyeeshhééł	nihodiyeeshdlał
2. diyíí-	diyííłhééł	nihodiyííłdlał
3(o). -diyoo-	yidiyoołhééł	nihodiyoołdlał

3a. jidiyoo-	jidiyoołhéél	nihozhdiyoołdlał
3i. 'adiyoo-	'adiyoolghééł	niho'diyooldlał
P. diyoo-	diyoolghééł	nihodiyooldlał
'adi-	(bidi'yoolghééł)	--------
dpl 1. diyii-	diyiilghééł	nihodiyiildlał
dpl 2. diyooh-	diyoołhééł	nihodiyoołdlał

The Usitative

A usitative, indicating that the verbal action is performed habitually, is formed by prefixation of the imperfective prefix, or prefix complex to the iterative stem. All verbs do not possess a distinct stem for the iterative mode, but the imperfective mode forms can themselves be rendered usitative in force postpounding the particle **łeh,** usually. The following paradigms will exemplify:

1. -'ááh, to handle one roun or bulky object (to place it, as in water; to take it, as to town).
2. -ááh, to go, walk (to start to go).
3. -ááh, ib. no. 2 (to enter; to go out of sight).
4. -sho', to drag it (to start to drag it).

Person	1	2	3	4
1.	yish'ááh	disháah	'iisháah	dishsho'
2.	ni'ááh	dínááh	'aninááh	dísho'
3(o).	yi'ááh	digháah	'iigháah	yidisho'
3a.	ji'ááh	jidigháah	'ajigháah	jidisho'
3i.	'at'ááh	'adidááh	'é'édááh	'adilzho'
3s.	--------	hodigháah	--------	--------
P.	yit'ááh	--------	--------	dilzho'
'adi	(bi'dit'ááh)	--------	--------	(bi'dilzho')
dpl 1.	yiit'ááh	diit'ash (d)	'iit'ash	diilzho'
dpl 2.	ghoh'ááh	doh'ash (d)	'oh'ash	dohsho'

The following sentence will illustrate the use of the usitative: **Béésh sha'ní'aah shijiníigo t'áá 'áko haash'áah łeh,** when he asks to borrow my knife I (always) pull it out right then (lit. knife to me lend it he saying to me right then out I habitually take it).

The Iterative Mode

The iterative paradigms are made up of the iterative prefix **ná-**, plus the prefix complex of the imperfective mode. Many verbs have a distinct stem in this mode.

1. -dleeh, to repeatedly become.
2. -sho', to repeatedly drag it.
3. -ghał, to repeatedly eat it (meat).
4. -zhah, to repeatedly hunt (for game).

Person	1	2
1. násh-	náshdleeh	náshsho'
2. nání-	nánídleeh	nánísho'
3(o). ná-, néí-	nádleeh	néísho'
3a. ńjí-	ńjídleeh	ńjísho'
3i. ná'á-	ná'ádleeh	ná'álzho'
3s. náhá-	náhádleeh	--------
P. ná-	--------	nálzho'
'adi-	--------	(nábi'dilzho')
dpl 1. néii-	néiidleeh	néiilzho'
dpl 2. náh-	náhdleeh	náhsho'

Person	3	4
1. násh-	náshghał	nináshzhah
2. nání-	nánílghał	ninánílzhah
3(o). ná-, néí-	néílghał	ninálzhah
3a. ńjí-	ńjílghał	ninájílzhah
3i. ná'á-	ná'álghał	niná'álzhah
3s. náhá-	--------	--------
P. ná-	nálghał	--------
'adi-	(nábi'dilghał)	--------
dpl 1. néii-	néiilghał	ninéiilzhah
dpl 2. náh-	náłghał	nináłzhah

As it will be noted in the paradigm above, the prefix **ná-** often raises the tone of a following vowel.

Other prefixes may stand between **ná-** and the imperfective prefix or prefixes. For purposes of comparison, the imperfective and iterative mode forms are given below, side by side.

1. -'įįh, to steal it.
2. -'į́į́h, to repeatedly steal it.
3. -zhish, to dance.

4. -zhish, to repeatedly dance.
5. -kaad, to slap him once.
6. -ka', to slap him repeatedly.

	Imperfective	**Iterative**	**Imperfective**	**Iterative**
Person	1	2	3	4
1.	nish'įįh	nánísh'į́įh	'ashzhish	ná'áshzhish
2.	ní'įįh	náni'į́įh	'ílzhish	ná'ílzhish
3o.	yini'įįh	náyini'į́įh	'alzhish	ná'álzhish
3a.	jini'įįh	názhní'į́įh	'ajilzhish	ń'jílzhish
3i.	'anit'įįh	ná'nít'į́įh	'azhish	ná'ázhish
P.	nit'įįh	nánít'į́įh	--------	--------
'adi-	(bidi'nit'įįh)	(nábidi'nit'į́įh)	--------	--------
dpl 1.	niit'įįh	nániit'į́įh	'iilzhish	ná'iilzhish
dpl 2.	noh'įįh	nánóh'į́įh	'ołzhish	ná'ółzhish

	Imperfective	**Iterative**
	5	6
1.	ńdiishkaad	nínádiishka'
2.	ńdiikaad	nínádiika'
3o.	néidiikaad	nínéidiika'
3a.	nízhdiikaad	nínázhdiika'
3i.	ń'diikaad	níná'diika'
P.	(nábi'diikaad)	(nínábi'diika')
dpl 1.	ńdiikaad	nínádiika'
dpl 2.	ńdóhkaad	nínádóhka'

Further examples are herewith given, in the 1st person singular only, to show the variable positions of the prefix **ná-** (ní-, ń-)

Imperfective	**Iterative**	**Translation**
ch'íninishkaad	ch'ínáníshka'	I herd them out
yiishgááh	néishgah	I whiten it
dadi'nishkaał	dááń'díshkał	I close it (door)
dishkaah	ńdíshkááh	I start to carry it
na'ashkǫ́ǫ́'	niná'áshkǫ́ǫ́h	I swim about
yisgis	néisgis	I wash it
niheeshgéésh	nináháshgish	I cut it in pieces
haashgééd	hanashgho'	I run up out
nąháshgod	nínáháshgo'	I hoe
dishłéh	ńdíshdlééh	I start to carry it

k'idishłéh	k'éédíshdlééh	I plant it
haash'nééh	hanásh'nah	I crawl up out, climb
'iish'nééh	'anásh'nah	I crawl in
ninishnééh	ninashnééh	I move (to a point)
niishdóóh	náníishdoh	I heat it
hidishchééh	náhidishchah	I start to hop along
'ahídiishjeeh	'ahínádiishjah	I glue them together
'ahiiltsééh	ná'ahiiltsééh	we see each other
'ajishtaał	'ańjíshtał	I kick it into space
hanishtá	hááníshtaah	I search for it
naashné	ninásh'neeh	I play
binishteeh	nábinishtééh	I lay it down
bizanisht'aah	bizááníshtʼááh	I kiss her

The translations given above are very general; if a complete understanding of any word meaning is desired it may be found in the dictionary.

It will be noted in the examples given above that the vowel of a preceding prefix often lengthens and raises its tone, absorb- the prefix **na-**. Thus:

k'éédíshdlééh for k'inádíshdlééh, I repeatedly plant it.
hááníshtaah for hanáníshtaah, I repeatedly search for it.
bizáánásht'ááh for bizananísht'ááh, I repeatedly kiss her.

Distributive **da-** follows the iterative prefix **na-**.
bíń**da**diidloh, we dist. pl repeatedly apply the brakes to it.
'ań**de**ii'nah, we dist pl repeatedly crawl in (out of sight).
ń**da**'iilzhish, we dist. pl repeatedly dance.
'ahíń**da**diilka', we dist. pl repeatedly sew them together.
tá'áń**da**diigis, we dist. pl repeatedly wash ourselves.
háá**da**niitaah, we dist. pl repeatedly search for it.

The iterative mode is often employed to express the fact that an act is customarily done.

Díkwíididashą' 'azlį́į́' nisingo jóhonaa'áí hanásh'áah łeh, when I wonder what time it is I take out my watch (lit. how many times could it be it has become I thinking sun (i.e. watch) I repeatedly take it out usually).

The Optative Mode

The optative mode expresses potentiality or desire. Its uses are various, and will be fully explained at the end of this section

Optative disjunct.

1. -le', to become.
2. -jiid, to carry it on one's back.

Person	1	2
1. ghósh-	ghóshłe'	ghóshjiid
2. ghóó-	ghóóle'	ghóółjiid
3(o). ghó-, yó-	ghóle'	yółjiid
3a. jó-	jóle'	jółjiid
3i. 'ó-	'óle'	'óljiid
3s. hó-	hóle'	--------
P. ghó-	--------	ghóljiid
'adi-	--------	(bi'dóljiid)
dpl 1. ghoo-	ghoodle'	ghooljiid
dpl 2. ghooh-	ghoohłe'	ghoołjiid

In the conjunct paradigms initial **gh-** is dropped, as in the 3o. form above where obliquative pronominal **yi-** replaces **gh-** requiring a conjunct paradigm. Thus:

Optative conjunct.

Paradigm I.

1. -diz, to twist (to spin, as in making yarn for weaving).
2. -'nééh, to crawl (to start to crawl along).
3. -ne', to pound (to pound, cut, it in two --- as with an ax).
4. -ne', to tell.

Person	1	2	3	4
1. -ósh-	'ósdiz	dósh'nééh	k'íóshne'	hóshne'
2. -óó-	'óódiz	dóó'nééh	k'íóółne'	hóólne'
3(o). -ó-	'ódiz	dó'nééh	k'íyółne'	hólne'
3a. -jó-	'ajódiz	jidó'nééh	k'íjółne'	hojólne'
3i. -'ó-	'ódiz	'adó'nééh	k'í'ólne'	(hóne')
P. -ó-	--------	--------	k'íólne'	--------
dpl 1. -oo-	'oodiz	doo'nééh	k'íoolne'	hoolne'
dpl 2. -ooh-	'oohdiz	dooh'nééh	k'íoołne'	hoołne'

Some prefixes with low tone lower the **ó** of the optative. Usually the vowel of the prefix then assimilates to **o**.

Paradigm II.

1. -nííł, to handle plural objects (set them down;place them).
2. -nééł to move one's household (to completely move).
3. -jiid, to carry it on one's back (to carry it in; out of sight).

Person	1	2	3
1. -uosh-	nooshnííł	nooshnééł	'ooshjiid
2. -uó(ó)-	noóníił	noónééł	'oółjiid
3(o). -(u)ó-, -uo-	niyóníił	noonééł	'ayółjiid
3a. -ujó-	nijóníił	njónééł	'ajółjiid
3i. -u'ó-	ni'ó'nííł	ni'ónééł	'o'óljiid
P. -uo-	noo'nííł	--------	'ooljiid
'adi-	(nibi'dó'nííł)	--------	('abi'dóljiid)
dpl 1. -uo(o)-	noo'nííł	noo'nééł	'ooljiid
dpl 2. -uo(o)h-	noohnííł	noohnééł	'oołjiid

It will be noted that in transitive verbs where 3o. objective pronominal **yi-** comes between the prefix and the optative **-ó-**, as well as in the 3a. and 3i. persons, the **-ó-** retains its high tone, and the vowel of the prefix (**ni-**, **'a-**) does not assimilate to **o**.

The prefix **'a-**, representing the 3i. pronominal object someone, something, is absorbed or dropped in the optative, only the initial ('-) remaining. Thus **'ósdiz**, that I might spin (something). But **'a-**, meaning into, out of sight, is not dropped. Instead, the vowel **a** assimilates to **o** and the optative vowel **ó** is lowered in tone. Thus **yah 'ooshjiid**, (not ***'aóshjiid**), that I might carry it in on my back. In the 2nd person singular the **ó** always remains high in tone, and a more accurate spelling of such a word as **noónééł** would be **noóónééł (=nióónééł)**.

A prefix **yi-**, the meaning of which is not clear, is found on certain verbs such as **yideestsééł**, I shall see it, etc. In the optative paradigm this **yi-** becomes **gh-**.

Paradigm III.

1. -tsééł, to see it.
2. -zį́įh, to stand up.
3. -gááh, to whiten it.

Person	1	2	3
1. ghoos-	ghoostsééł	ghoossį́įh	ghooshgááh
2. ghóó-	ghóółtsééł	ghóózį́įh	ghóółgááh

3(o). ghoo- -oo-	yoołtséél	ghoozįįh	yoołgááh
3a. joo-	joołtséél	joozįįh	joołgááh
3i. 'oo-	'ooltséél	'oodzįįh	'oolgááh
P. ghoo-	ghooltséél	--------	ghoolgááh
'adi-	(bi'dooltséél)	--------	(bi'doolgááh)
dpl 1. ghoo-	ghooltséél	ghoodzįįh	ghoolgááh
dpl 2. ghooh-	ghoołtséél	ghoohsįįh	ghoołgááh

The optative is used to express wish or desire, either negatively or positively; to express a negative imperative (V. Imperative); and as a potential. Particles such as **laanaa,** would that, **lágo,** would that not, **le',** let it be, are commonly used with the optative, especially when the sense is one of wish or desire. Its various uses are given herewith:

I. **Potential.** This is formed in conjunction with the verb **'át'é,** it is. It is used principally in the negative sense "to be unable," and is literally translatable as "it is not that I might (perform the verbal action)."

doo 'ooshhásh 'át'ée da, I cannot go to sleep.
doo dósha' 'át'ée da, I cannot go (i.e. start going).
t'áadoo bee dósha'í da, I have nothing to go with (lit. without that with which I might start going).

II. **Desire.** Positive desire is expressed by **laanaa,** would that (it be as I wish) ---- (Cp. Spanish **ojalá**).

Naakaiitahdi hoostséél laanaa, I wish I could see Mexico (lit. at among the Mexicans that I might see the place would that).
yiskąągo nahółtąą' laanaa, I wish it would rain tomorrow.

Negative desire is expressed by **lágo,** would that not.

yiskąągo nahółtąą' lágo, I hope it doesn't rain tomorrow.
'ooshhásh lágo, I hope I won't go to sleep.

The negative optative often renders the negative imperative.

ghóóyąą' lágo, nidí'nóołhééł sha'shin, don't eat it, it might kill you (lit. that you might eat it would that not, you it will start to kill perhaps).
bee bił hóólne' lágo, don't tell it to him!
chidí t'áá 'ákwe'é noó'ááł lágo, nee deidínóo'įįł, don't park the car there, they'll steal it from you.

A particle **t'ááká,** don't, is also used with the optative.

t'ááká ch'énáóósíid, 'ałní'ní'ąągo 'índa, don't awaken him until noon.

The particles **yę́ę** and **le'** are also used to express wish or desire, **yę́ę** with the future tense forms, and **le'** with other forms, as:

deesdoi nááhodoodleeł, it will get warm again.
deesdoi nááhodoodleełę́ę, I wish that it would get warm again.

béeso shee hodooleeł, I shall come into possession of money.
béeso shee hodooleełę́ę, I wish I'd come into poss. of money.

nahodoołtį́įł, it will rain.
nahodoołtį́įłę́ę, I wish that it would rain.

nikida'diłtsį'go yishdlosh le', let it be sprinkling as I trot along.

'adinídíín le', let there be light!

Inchoative verb forms

Inchoative future and perfective paradigms, meaning to start to do the verbal action, are possible for many verbs.

deeshį́įł, I'll eat it; bidí'néeshį́įł, I'll start to eat it.
yíyą́ą', I ate it; bi'niiyą́ą', I have started to eat it.
'in'niyą́ą'ásh, are you going to eat (lit. have you started to eat)?

Note that the inchoative paradigms require expression of the 3rd person object pronoun by **bi-**, rather than by zero.

The inchoative future and perfective paradigms are:

Inchoative future.

1. -lííł, to (start to) make it.
2. -ghį́įł, to (start to) eat (something --- 'i- = 'a-, something).
3. -bish, to (start to) boil it.

Person		1	2
1.	-dí'néesh-	'ábidí'néeshłííł	'idí'néeshį́įł
2.	-dí'níí-	'ábidí'nííłííł	'idí'nííghį́įł
3(o).	-dí'nóo-	'áyidí'nóolííł	'idí'nóoghį́įł
3a.	-zhdí'nóo-	'ábizhdí'nóolííł	'idízh'nóoghį́įł
3i.	-'dí'nóo-	'ábidí'nóolnííł	'i'dí'nóodį́įł
P.	-dí'nóo-	('ábidí'nóolnííł)	'idí'nóodį́įł
dpl 1.	-dí'níi-	'ábidí'níilnííł	'idí'níidį́įł
dpl 2.	-dí'nóoh-	'ábidí'nóohłííł	'idí'nóohsį́įł

Person		3
1.	-dí'néesh-	bidí'néeshbish
2.	-dí'níí-	bidí'nííłbish
3(o).	-dí'nóo-	yidí'nóołbish

3a. -zhdí'nóo-	bidízh'nóołbish
3i. -'dí'nóo-	'idí'nóolbish
P. -dí'nóo-	bidí'nóolbish
dpl 1. -dí'níi-	bidí'níilbish
dpl 2. -dí'nóoh-	bidí'nóołbish

Inchoative perfective.

Zero and ł class verbs.

1. -yą́ą́', to (start to) eat it.
2. -béézh, to (start to) boil it.

Person	1	2
1. -'nii-	'i'niiyą́ą́'	bi'niiłbéézh
2. -n'ni-	'in'niyą́ą́'	bin'niłbéézh
3(o). -'nii-	'i'niiyą́ą́'	yi'niiłbéézh
3a. -zh'nii-	'izh'niiyą́ą́'	bizh'niiłbéézh
3i. -'nii-	'i'niidą́ą́'	bi'niilbéézh
P. -di'nii-	--------	bidi'niilbéézh
dpl 1. -'nii-	'i'niidą́ą́'	bi'niilbéézh
dpl 2. -'noo-	'i'nooyą́ą́'	bi'noołbéézh

d and l class verbs.

1. -ghal, to (start to) eat it (meat).
2. -zhiizh, to (start to) dance.
3. -laa, to (start to) make it.

Person	1	2	3
1. -'niish-	bi'niishghal	'i'niishzhiizh	'ábi'niishłaa
2. -n'ni-	bin'nilghal	'in'nilzhiizh	'ábin'nilaa
3(o). -'nii-	yi'niilghal	'i'niilzhiizh	'áyi'niilaa
3a. -zh'nii-	bizh'niilghal	'izh'niilzhiizh	'ábizh'niilaa
3i. -'nii-	bi'niilghal	'i'niizhiizh	'ábi'niilyaa
P. -di'nii-	bidi'niilghal	--------	'ábidi'niilyaa
dpl 1. -'nii-	bi'niilghal	'i'niilzhiizh	'ábi'niilyaa
dpl 2. -nooh-	bi'noołghal	'i'noołzhiizh	'ábi'noohłaa

'Áníid bi'nii'eezh, I started stringing them (beads) a little while ago.

'Áníid 'i'niiyą́ą́', a little while ago I started to eat.

The inchoative verbs are used also in such forms as:

1.	shi'niitsą́, I'm dying	dichin shi'niiłhį́, I'm hungry
2.	ni'niitsą́, you're dying	dichin ni'niiłhį́, you're hungry
3.	bi'niitsą́, he's dying	dichin bi'niiłhį́, he's hungry
3a.	ho'niitsą́, he's dying	dichin ho'niiłhį́, he's hungry
3i.	'i'niitsą́, death is occuring	dichin 'i'niiłhį́, there is hunger
dpl 1.	nihi'niiná, we're dying	dichin nihi'niighą́ą́' ,we're ----
dpl 2.	nihi'niiná, you're dying	dichin nihi'niighą́ą́' you're ----

Shi'niitsą́ actually means "I have started to die," and **dichin shi'niiłhį́,** "hunger has begun to kill me."

There are a few irregular verb paradigms in which the verb is treated as a noun, and is conjugated by merely altering the pronoun prefix. Thus:

shiyooch'íid, I am a liar (my lie).	shidziil, I am strong
niyooch'íid, you're a liar	nidziil, you are strong
biyooch'íid, he's a liar	bidziil, he is strong
hayooch'íid he's a liar	hadziil, he is strong
ghooch'íid, lie	'adziil, there is strength
nihiyooch'íid, we're liars	nihidziil, we are strong
nihiyooch'íid, you're liars	nihidziil, you are strong

Another irregular type has a 3s. (area, space, impersonal it) subject. Thus, for example:

shá háchį', I am angry (shá, for me; háchį', it is unpleasant?)
ná háchį', you are angry (ná, for you)
bá háchį', he is angry (bá, for him)
há háchį', he is angry (há, for him)
'á háchį', there is anger ('á- for someone indefinite)
nihá háchį', we are angry (nihá, for us)
nihá háchį', you are angry (nihá, for you dpl)

shił bééhózin, I know about it (shił, with me; béé-, about it; hózin, there is knowledge --- i.e. impersonal **it** knows)
nił bééhózin, you know about it
bił bééhózin, he knows about it
hoł bééhózin, he knows about it
'ił bééhózin, there is knowledge about it
nihił bééhózin, we dpl know about it
nihił bééhózin, you dpl know about it
nihił béédahózin, we dist. pl know about it

The above forms are conjugated by merely altering the pronominal object on the postposition. Similarly, shił bééhodoozįįł, I shall know about it; shił bééhoozin, I came to know about it, or found out about it; shił 'ééhózin, I have knowledge ---- i.e. know about something indefinite ('éé-); shił hózhǫ́, I am happy; shił łikan, I like it (lit. it is sweet with me) etc.

SYNTAX

A few pages of text, accompanied by a literal and a free English translation, are herewith given. A study thereof can give a much clearer concept of Navaho syntax and narrative form than can any amount of explanation.

It will already have become apparent, through study of the grammatical analysis, that Navaho is a language concerned principally with expression of mode and aspect in the verb, rather than tense. This is but one of the features that set Navaho apart from English, although it might be described as one of the most important. It is one of the many factors that make precise translation between the two languages difficult, and often inaccurate.

It will be recalled that the postpositions replace the prepositions of English, occasioning a different word order from that which characterizes English, and this difference is further heightened by the fact that many adverbial elements expressed by independent words, in English, are expressed by affixes to or within the verb, in Navaho.

As we have already learned, Navaho does not form abstract verbal nouns as freely as English. In English, large numbers of nouns are produced by suffixation of certain elements, such as -tion (inflation), -ment (resentment), -ness (swiftness), and many others, to adjectives, verbs, etc. Navaho tends to be more concrete, and such verbal nouns as it forms usually retain an indefinite or an impersonal subjective pronoun, and still retain concepts of mode and aspect.

Facility and accuracy of translation from one language to another depend, in large part, on the degree of similarity existing between the two languages. If they are as similar as English and Dutch, or Navaho and one of the Apache dialects, the difficulties of translation are minimized, and accuracy is at a maximum. On the other hand, when they are as dissimilar as Navaho and English, the difficulties in making a precise translation from one to the other are often insurmountable. Both languages may be quite capable of expressing the same thought, but the manner of expression characterizing the two languages may be extremely divergent in either case, and a literal translation from one into the other has little signification. For example, in English we say "council members," whereas the Navaho expresses the same thought by means of the term "those upon whom metal lies up" (béésh bąąh dah naaznilígíí), referring to the metal badges that the council members wear.

Too often White speakers employ phraseology, idiomatic expressions, similes and allegories in delivering discourses which must be extemporaneously translated, that baffle and confuse the native interpreter. The result is that he either misinterprets due to misunderstanding, or says something entirely at random to avoid embarrassment to himself.

Use of abstractions, similes, allegories and idiomatic expressions in speaking should be minimized, and entirely avoided, if at all possible. Instead of saying "incidence of tuberculosis on the Navaho reservation reached a new high in 1942, after which a sharp decline was reported. In view of this turn of events, a reduced medical staff will suffice to maintain the Navaho population in "tip-top" condition for the duration," the White speaker would be better understood, and a better interpretation would result if he said something like, "one year ago a great many people in the Navaho country had tuberculosis. Before then there were less people with the tuberculosis, and since then there are not as many people with tuberculosis, it is said. Because there are not very many people with tuberculosis now, less doctors can take care of the whole Navaho people, and keep them well until the war is ended."

It is true that it is not considered good oratorical form to use "choppy," childishly simple, and to the orator, monotonous phraseology bristling with repetitions, as in the above modified form. However, such simple and lucid statements can be quickly and easily translated with a maximum of accuracy, whereas the orator using the first example would no doubt be horrified to find his vaunted oratory replaced by a translation distorting beyond recognition the point he was trying so euphoniously to convey; or perhaps he would find that he had lost his interpreter at the end of the first phrase, and that the latter had quoted him as saying "he says that a lot of you people have tuberculosis, and you must come to the hospital, but because they are fighting a war, there are not enough doctors to keep you all well now," or perhaps "he says that it has rained a lot this year, and the roads are so muddy he cannot go out over the Navaho country to help you until after the war."

Such renditions of otherwise excellent and valuable speeches are far too common. Too often council members vote without knowing, or without fully understanding, that for or against which they are declaring themselves.

The more knowledge one has of the Navaho language, in this instance, and the pattern according to which the Navaho conceives and expresses his thoughts, the better will one be able to express himself in English of a type that can be translated and accurately conveyed to his audience --- and the better will one be fitted to teach English to Navaho children in terms which they can comprehend.

The ideal would be to give all speeches to the interpreter beforehand, and require him to make a written translation at his leisure --- or to teach English in terms of Navaho, but these ideals cannot always be achieved.

It is quite obvious that the Navaho language is not a primitive tool, inadequate for human expression, but a well developed one, quite as capable of serving the Navaho people as our language is of serving us. The mere fact that translation of English into Navaho is difficult does not prove, as some believe, that the Navaho language is a poor one, any more than difficulty of translation from Navaho to English proves English to be poor.

Navaho Texts With Literal Translation

Mą'ii | dóó | Gałbáhí	**Coyote | and | Gray-rabbits**
Gałbáhí | mą'ii | ndilchą́ą'go | dayiiłtsą́. | Hazhó'ó | ńdadeest'įį'go | 'índa | "Mą'ii! | Mą'ii!" | daaníigo | yich'į' | hadadeeshghaazh. | Mą'ii | bich'į' | ch'ídeeldlo'go | 'ání | jiní, | "Haalá | 'áhoodzaa, | sik'is | yázhí | daneesk'ahíshą' | haadaat'é?" |	Gray-rabbits | coyote | he-smelling-about | they- (dist. pl) saw- him. | Carefully | they-(dist. pl) having-hidden | then | "Coyote! | Coyote!" | they -(dist. pl) saying | they-toward-him | they-(dist. pl) started-to-shout-out. | Coyote | toward-them | he-having-smiled | thus-he-said | it-is-said, | "What | happened! | my-friends | little | they-(dist. pl) are-fat ? | how-they(dist. pl) are?. |
Ła' | gałbáhí | hazhó'ógo | 'ání | jiní, | "Haa'íshą' | mą'ii | bida'didiidloh. | Gah | bikágí | ła' | ńdadidiiltsos, | dóó | tsé | bii' |	One | gray-rabbit | softly | he-says-thus | it-is-said, | "Somehow | coyote | we-(dist. pl) will-play-a-trick-on-him. | Rabbit | its-skin | one | we-(dist. pl) will-pick-it-up |

hadidoolbįįł | 'áko | yich'į' | dah didoolghołgo | bighoo' | yee | neidoołtsił."|

Mą'ii | 'ałná | hanádáahgo | ńléí | gałbáhí | yázhí | daneesk'ahígíí shą' | 'ayóo | daalkan | nízin | jiní. | Gah | ła' | 'ayóo dilgho' | léi' | bich'į' | ch'élghod | jiní. | Mą'ii | "Hágo," | ní | jiní.

Gałbáhí | 'éí | 'ání | jiní, | "Doodahéi! | Nizéé' | hatsoh | dóó | 'éí | nighoo' | bik'i | yadazdiidínígíí | bee | naa | 'ayahooshłi."

Mą'ii | gałbáhí | yę́ę | yich'į' dah | diilghod | jiní. | Gałbáhí | tsék'iz | góne' | 'eelghodgo | mą'ii | yę́ę | 'éí | tsé | yik'ą́ąh | yílghodgo | bíchįįh | yíyíít'ood | jiní. | Mą'ii | yę́ę | nát'ą́ą' | 'anáátłizhgo | gah | léi' | tł'óół | bee | dah hidéch'ą́ąlgo | yiyiiłtsą́ | jiní. | Mą'ii | gah | dah | hidéch'ąlę́ę | yich'į' | dah | diilghod | jiní. Gałbáhí | tł'óół | deideests'ǫǫdgo | mą'ii | 'asiih | jiní. | Gah | yázhí | tł'óół | ńdeidiłts'ǫ'go | hónáásii' | mą'ii | k'asdą́ą' | tsí'deeyá | jiní. |

Gałbáhí | hááhgóóshįį | dloh | nábígą́ąh | jiní. | Hodíina'go | gahą́ą | nát'ą́ą' | háádeesdlo' | jiní. | 'Áko | gahą́ą | yilghoł | nahalingo | 'ádayiilaa | jiní. | 'Áko | gahą́ą | tsétahdę́ę' | ch'ídayiisxan | jiní. | 'Éí | mą'ii |

and | stones | in-it | it-will-be-filled, | then | he-toward-it | off | when-he-will-start-to-run | his-teeth | he-by-means-of-it | he-will-kill-them.|

Coyote | back-and-forth | he-repeatedly-walking | those | gray-rabbits | little | they-(dist. pl) are-fat-the-ones-? | very | they-(dist. pl) are-sweet | he-thinks | it-is-said.| Rabbit | one | very | he-is-a-fast-runner | that-was | toward-him | he-ran-out | it-is-said. | Coyote | "Come-here!" | he-says | it-is-said. |

Gray-rabbit | that-one | thus-he-says | it-is-said, | "No-emphatically! | your-mouth | area-big | and | those | your-teeth | on-them light-shines-the-ones-(dist. pl) | with-them| about-you | I-am-suspicious."|

Coyote | gray-rabbit | aforementioned | he-toward-him | off | he-started-to-run | it-is-said. | Gray-rabbit | rock-crack | inside | he-having-run | coyote | aforementioned | that-one | rock | he-against-it | he-having-run | his-nose | he-rubbed-it-against-it | it-is-said. | Coyote | aforementioned | back | he-having-fallen-again | rabbit | that-was | string | with-it | up | it-is-hanging | he-saw-it | it-is-said. | Coyote | rabbit | up | it-is-dangling-aforementioned | he-toward-it | off he-started-to-run | it-is-said. | Gray-rabbit| string | they-(dist. pl) having-pulled-on-it | coyote | he-missed | it-is-said. | Rabbits | little | string | they-(dist. pl) repeatedly-pulling-on-it (jerking) | finally | coyote | nearly | he-became-mad | it-is-said. |

Gray-rabbits | greatly | laughter | it-repeatedly-kills-them | it-is-said. | Time-having-passed | rabbit-aforementioned | back | they-withdrew-it-back-up | it-is-said. | So-then | rabbit-aforementioned | he-is-running-along | he-appearing | they-(dist. pl) made-him | it-is-said. | Rabbit-aforement-

yiyiiłtsą | jiní. | Nahaskáá' | sitį́igo | yaa | nii'na' | jiní. | Ts'ídá yich'į' | dah | diilghodgo | gałbáhí | tł'óół | náádeideests'ǫ́ǫ́d | jiní. | "Mą'ii! | Mą'ii! | Díí | doo yá'áshǫ́ǫ | da!" | daaníigo | dadilghosh. |

ioned | rocks-among-from | they-(dist. pl) threw-it-out | it-is-said. | That | coyote | he-saw-it | it-is-said. | On-the-ground | he-lying | he-to-it | he-crawled-up-to | it-is-said. | Really | he-toward-it | off | he-started-to-run-when | gray-rabbits | string | again-they-(dist. pl) pulled-on-it | it-is-said. "Coyote! | Coyote! | This-one | not | he-is-good | (not)," | they-(dist. pl) saying | they (dist. pl) are-shouting.

Gah | yázhí | díí | táadi | 'ákóńdayiidlaa | jiní. | Dį́į́di | 'azlį́į́'go | gah | tł'óół | bidiit'i' | yę́ę | t'áá | 'ákǫ́ǫ́ | ndeistį | jiní. | 'Áko | díí | mą'ii | yaa | nii'na' | jiní. | 'Áko | 'índa | t'áá | bizáákáí | yich'į' | dah | diilghod | jiní. | Gahą́ą | yiníjííłhaz | dóó | yi'nii'aal | jiní. | Tsé | gah | bikágí | bii' | shijaa' | yę́ę | yiníjííłhazgo | bighoo' | 'ałtso | neistseed | jiní. | Gah | bikáá'dę́ę́' | dah | naháaztą́ągo | hááhgóóshį́į́ | 'ańdaadlohgo | 'ádaaní | jiní, | "Nighoo' | yę́ę | 'ałtso | 'ádin | doo-ts'ídí! | K'ad | shį́į́ | dadíítsaał | nighoo' | 'ádingo | biniinaa." |

Rabbits | little | this | three-times thus-back-they-did | it-is-said. | Four-times | it-having-become | rabbit | string | he-hangs-to-it | aforementioned | just | there | they-(dist. pl) caused-him-to-lie | it-is-said. | So-then | then | just | intrepidly | he-toward-it | off | he-started-to-run | it-is-said. | Rabbit-aforementioned | he-bit-it | and | he-started-to-chew-it | it-is-said. | Stones | rabbit | its-skin | in-it | they-are | aforementioned | he-having-bitten-them | his-teeth | all | he-killed-them | it-is-said. | Rabbits | above-him-from | up | they-(pl) sitting-about | greatly | they-(dist. pl) laughing | they-(dist. pl) say | it-is-said, | "Your-teeth | that-used-to-be | all | they-are-none | not-nice-one! | Now | probably | you-will-die | your-teeth | they-being-none | because-of-it.

"Dooda! | Dooda! | Doo | t'áá | k'ad | dasétsą́ą | da! | Hool'áágóó | ts'ídá | doo | nihaa | nínáádéesht'įįł | da," | níigo | mą'ii | dilghoshgo | yicha | jiní. |

"No! | No! | Not | just | now | I-am-dead | (not). | Forever | really | not | about-you (dpl) | again-I-shall-do (bother) | (not)," | he-saying | coyote | he-shouting | he-is-weeping | it-is-said.

Gałbáhí | 'ádaaní | jiní, | "Dooda! | Nizaad | doo | yá'áshǫ́ǫ | da. | Doo | noodlání | da. | Dasínítsą́ągo | yá'át'ééh." |

Gray-rabbits | thus-they- (dist. pl) say | it-is-said, | "No! | Your-word | not | it-is-good | (not). | Not | one-who-believes-you | (not). | You-being-dead | it-is-good." |

'Áádóó | mą'ii | neeztį | jiní | bi'niitsą́ | nahalingo. | Náhidémááz | dóó | bitsoo' | háádéél | jiní. | Háácha | dóó | 'áko | 'ín-

And-then | coyote | he-lay-down | it-is-said, | he-has-started-to-die | he-appearing. | He-rolled-over | and | his-tongue | it-fell-out | it-is-said. | He-cried-out | and | then |

da | daaztsą́ | nahalingo | k'íhineezdéél | jiní. |

Gah | hadabisíid | jiní. | Hodíina'go | 'ádaaní | jiní | "T'óó | bina'adlo'; | t'áá | 'áko | 'ákót'įį | łeh. | Bikee' | hidees'náá'. | Tsé | bee | deíníilne'go | dadiyiilghééł." | Gałbáhí | mą'ii yę́ę | tsé | yee | yił | ndajis'ne' | jiní. | Díí | yaa | naakaigo | 'ádaaní | "Doo | hayooch'íid | da | dóó | doo | yooch'íid | diné | bee | bini'jilo' | da."

he-is-dead | he-appearing | he-stretched-out it-is-said.|

Rabbits | they-(dist. pl) watch-him | it-is-said. | Time-having-passed | thus-they (dist pl) say | it-is-said. | "Merely | his-trickery,| just | thus | thus-he-acts | usually. | His-foot | it-moved. | Rock | with-it | we-throwing-it-at-him | we-(dist. pl) will-kill-him."| Gray-rabbits | coyote | that-was | rock | they-by-means-of-it | they-with-(at)-him | they-(dist. pl) threw-it | it-is-said. | This | they-about-it | they-(pl) going | thus-they-(dist. pl) say, | "Not | one-tells-lies | (not) | and | not | lies | people | with-them | he-fools-them (not)."

Free Translation

The cottontails saw coyote sniffing around. After having hidden themselves carefully, they began shouting at him, saying, "Coyote! Coyote!" Coyote, smiling, said to them, "Well, how do you do! How are my little fat friends?"

One cottontail said, speaking softly, "Let's have some fun with coyote. We will get a rabbit skin, and fill it with stones. Then when he attacks it, he will break his teeth on it.

As coyote walked back and forth he thought how appetizing one of those fat little cottontails would be. A rabbit who was a fast runner ran out toward him, it is said. Coyote said "Come here!" to him.

The cottontail said, "I should say not! I am suspicious of your big mouth and your shining teeth."

Coyote jumped at the cottontail, it is said. The cottontail ran into a crevice in the rock, and coyote ran into the rock and skinned his nose. When coyote fell back he saw a rabbit hanging by a cord. Coyote sprang after the dangling rabbit, it is told. The cottontails jerked the string, and coyote missed. The little rabbits kept jerking the string, and after while coyote almost went mad.

The cottontails really died with laughter. After a while they withdrew the rabbit. Then they made the rabbit look like it was running, and they threw it out among the rocks. Coyote saw that.

Lying close to the ground he crept up on it. Just as he sprang at it the cottontails again jerked the cord, it is said. "Coyote! Coyote! He's no good," they said shouting.

The little rabbits did this three times. The fourth time they left lying there the rabbit that was tied to the string. Then this coyote crept upon it. Then he sprang fiercely upon it. He bit the rabbit and started to chew it, it is said. When he bit the stones that were inside of the rabbit hide, he broke all of his teeth. The rabbits, sitting up above him, really laughed, as they said, "Your teeth are all gone, you worthless one! Now you'll probably die because you haven't any teeth."

"No! No! I don't want to die now! I'll never bother you again," coyote said, shouting as he wept.

The cottontails said, "No. Your word is worthless. No one believes you. It is good that you die."

And then coyote lay down as though he were dying. He rolled over and his tongue fell out. He let out a cry and then he stretched out as though he had died.

The cottontails watched him. After a while they said, "He's just fooling; that's the way he does. His foot moved. Let's kill him by throwing rocks at him." The cottontails threw rocks at him, it is said. While they were doing this they said, "One must keep his word and not trick people with lies."

Sǫ'tsoh | Venus | Gholghéhígíí

Sǫ' | Venus | gholghéhígíí |
t'éiyá | 'ayóo | bits'ádinídíin |
łeh. | T'óó | 'e'e'áhígo | 'e'e-
'aah | bich'ijigo | si'ą́ą | łeh, |
dóó | haiłkáahgo | sǫ'tsoh | haa-
gháhígíí | 'ałdó' | t'áá | 'éí | 'át'é.
'Ałk'idą́ą' | diné | ła' | díí | sǫ'-
tsoh | t'óó | hiłiijį́hígo | si'ánígíí |
dóó | sǫ'tsoh | haiłkáahgo | haa-
gháhígíí | doo | t'ááłá'ígíí | 'á-
t'ee | da | daaníí | ńt'ę́ę́' | jiní. |
Ndi | díí | t'ááłá'ígíí | 'át'éego |
'át'é | jiní. | Díí | Venus | ghol-
ghéhígíí | jóhonaa'éí | bits'ą́ąjí' |

Big-star | Venus | The-one-called

Star | Venus | it-is-called-the-one | only |
very | from-it-there-is-light | usually. |
Just | when-it-customarily-goes-in (sun) |
it-moves-in (west) | being-toward-it | it-
is (in position) | usually, | and | when-it-
customarily-dawns | big-star | the-one-that-
comes-up-out | also | just | that-one | it-is. |
Upon-one-another-in-past (long ago) | peo-
ple | some | this | big-star | just | when-it-
becoming-dusk | the-one-that-is (in posit-
ion) | and big-star | when-it-dawns | the-
one-that-comes-up-out | not | just-that-
which-is-one | they-are | (not) | they-(dist.
pl) say | it-was | it-is-said. | But | these |

naaki | góne' | si'ą́ą | jiní. | Venus | bikáá'dóó | jóhonaa'éí | bich'į' | hastą́diin | dóó | ba'ąą | tsosts'idi | mííl | ntsaaígíí | tsin | sitą́ | jiní. | Nahasdzáán | bikáá'dóó | Venus | bich'į' | t'éiyá | naadiin | hastą́ądi | mííl | ntsaaígíí | tsin | sitą́ | jiní. | K'asdą́ą́' | nahasdzáán | t'áá | yił | 'ahee-níłtso. | T'áá | k'éhózdon | 'ał-níí' | góne' | tsosts'idi | mííl | dóó | ba'ąą | tsosts'idi | neeznádiin | tsin | sitą́ | jiní. | Naakidi | neez-nádiin | dóó | ba'ąą | naadįį'ash-dla' | néílkáahgo | t'áátáhádi | jóhonaa'éí | yinínádááh | jiní | Jó | 'áko | t'ááłá'í | bee | nínáhah. | Díí | sǫ'ígíí | nahasdzáán nahalingo | t'áá | bí | náághis | jiní. | Naadįįtáá' | dóó | 'ałníi'-go | 'ahénínáálki'go | t'ááłá'í | néílkááh | jiní. | Venus | t'áá | 'áłaji' | k'os | bik'idilkǫǫhgo | biniinaa | bikáá' | t'áá | 'áhoot'éhígíí | doo | bééhózin | da | jiní. | Ndi | bééhózingo | níłch'i | bikáá' | hólǫ́ | jiní | 'Áko | ndi | Venus | nahasdzáán | bilááh | 'át'éego | bikáá' | deesdoi | jiní. | Háálá | Venus | bikáá'dóó | jóhonaa'éí | bich'į' | t'áá | 'áhání | ndi | shį́į | k'osígíí | bee | doo | hózhǫ́ | bikáá' | deesdoi | da. | Diné | ła' | yaa | ntsídaakeesgo | t'áadoo | le'é | yikáá' | dahiná | sha'shin | daaní | jiní. | Ndi | k'osígíí | biniinaa | doo | bééhózin | da.

just-that-which-is-one | they-being | they-are | it-is-said. | This | Venus | the-one-that-is-called | sun (the-one-carried-about-during-the-day) | at-a-point-away-from-it two | inside | it-is (in position) | it-is-said. | Venus | from-upon-it | sun | toward-it | sixty | and | in-addition-to-it | seven-times | thousand | the-one-that-is-big | pole | it-(they) set | it-is-said. | Earth | from-upon-it | Venus | toward-it | only | twenty-six-times | thousand | the-one-that-is-big | pole | it-sets | it-is-said. | Nearly | earth | just | it-with-it | they-are-equally-large. | Just | straight | middle | in | seven-times | thousand | and | in-addition-to-it | seven-times | hundred | poles | it-(they) set | it-is-said. | Two-times | hundred | and | in-addition-to-it | twenty-five | it-repeatedly-becoming-day | just-one-time | sun | it-goes-around-it-repeatedly | it-is-said. | So | then | just one | with-it | a-year-repeatedly-passes. | This | star-what-is | earth | it-appearing | just | it | it-whirls | it-is-said. | Twenty-three | and | being-half | they-repeatedly-moving-around-in-a-circle (clock hands) | just-one | it-repeatedly-becomes-day | it-is-said. | Venus | just | always | clouds | upon-it-they-covering | because-of-it | upon-it | just | how-it (space, area) is | not | about-it-there-is-knowledge | (not) | it-is-said | But | about-it-there-being-knowledge | air | on-it | it-exists | it-is-said. | Then | even (however) | Venus | earth | beyond-it | it-being | upon-it | it-(weather) is-hot) | it-is-said. | For | Venus | from-upon-it | sun | toward-it | just | it-is-near, | but | probably | those-which-are-clouds | with-them | not | extremely | upon-it | it-(weather) is-hot | (not). | People | some | they-about-it | they-(dist. pl) thinking | some | thing | it-upon-it | they-(dist. pl) are-alive | maybe | they-

(dist. pl) say | it-is-said. | But | those-that-are-clouds | because-of-them | not | about-it-there-is-knowledge | (not).

Free Translation

The star called Venus is usually very bright. Just at sunset it is in the west, and at dawn it is also the big star that comes out. Long ago, some people said that this big star that comes out at dusk and the big star that comes out at dawn are not the same one. This one which is called Venus occupies second place in distance from the sun. From Venus to the sun there are sixty seven million miles. From Venus to the earth there are twenty six million miles. It is almost as large as the earth. Straight across it (its diameter) there are seven thousand and seven hundred miles. In two hundred and twenty five days it goes once around the sun. That is one year. This big star itself turns around just like the earth. There are twenty three and a half hours in a day. Because Venus is always covered with clouds, its surface features are not known. But it is known that there is air on it. However, Venus has hotter weather than the earth. For Venus is close to the sun, but probably the clouds keep it from getting too hot. As some people give it thought, they say that perhaps there is something alive on it. But because of the clouds it is not known.

Definitions Of Terminology

The following definitions of the terminology which has been employed in this book may prove helpful. It is to be noted that in several instances terms have been coined, due to the fact that existing words which would otherwise have been used are ambiguous in meaning.

Active verb: is one expressing action, instead of state or condition; thus, I am running, (in contradistinction to I am). V. neuter verb.

Active voice: shows the subject as the doer of the verbal action; thus, the man is running. (V. passive voice).

Affix: to fasten before or after a word; an element placed at the beginning or end of a word; a prefix or suffix.

Aspect: distinctions in verbal action, such as between momentaneous and continuative action. It describes the kind of action --- whether durative, iterative, complete, incomplete, cursive, etc.

Continuative: an aspect that describes verbal action as continuing or enduring. Thus, naashá, I am walking about.

Deictic: that which points out; used in describing certain pronominal prefixes as, 'a-, ho-, ji-, in Navaho.

Demonstrative (adjective, adverb or pronoun): which designates distinctly that to which it refers, as **this, thus, thither.**

Durative: describes the action of the verb as continuing. It may also be durative and static, as neezdá, he sat down (and remained sitting).

Enclitic: a word which, in pronunciation, forms part of a preceding word. Thus, **not,** in English can**not; -góó,** in Navaho hooghan**góó,** to home, homeward.

Imperfective: a mode denoting that the action of the verb has not been completed, but is in the state of being completed. It is often translatable by an English present tense, or by use of such words as "in the act of," "about to," etc. Thus, dah diisháah, I'm in the act of starting off. Taah yish'aah, I am putting it into the water. The imperfective may be continuative, momentaneous, or repetitive in aspect.

Infix: to fasten within a word; an element placed within a word. Thus, **sh** is referred to as the infixed subject pronoun in yá**sh**ti', I am talking.

Iterative: a mode of the verb denoting repetition of the verbal action. Thus, náshdááh, I repeatedly go.

Mode: is that distinction in verbal form denoting the manner in which the verbal action or state is conceived, whether complete, incomplete, iterated or repeated, progressively taking place, desired, etc.

Momentaneous: an aspect describing action as taking place in a split second, as, taah yí'ą́, I put it in the water (the act of putting requires but a second).

Neuter verb: is one expressing existence or state without reference to preceding action. Thus, sidá, he is sitting; nishłį́, I am.

Object (of a verb): is that noun or pronoun upon or toward which the verbal action is directed. The object may be direct or indirect; thus, in **give it to me,** the pronoun **it** is the direct object, and **to me** is the indirect object.

Obliquative: a term used to describe a 3rd person pronominal form in Navaho, wherein the 3rd person subject is expressed as acting upon a 3rd person object, and both subject and object are represented in the same syllable yi-. Thus, **yiyą́, he** is eating **it.**

Optative: a verbal mode which expresses wish or desire. Thus, nahółtą́ą́' laanaa, would that it would rain!

Passive verb: is one which, by virtue of its signification, is intransitive. Thus, I am running.

Passive voice: shows the apparent subject of the verb to be the recipient instead of the agent of the verbal action. Thus, **the man was killed.**

Perfective: is a mode denoting that the verbal action is complete or concluded. It is usually translatable by a past tense form of English. Thus, taah yí'ą́, I put it in the water; neezdá, he sat down; seesghį́, he was killed. It is often durative or static, or durative **and** static in force, as in sidá, he is sitting (has sat down, and remains in a sitting position --- a si-perfective neuter verb).

Postposition: a particle referring to direction, position, time, etc. which connects a noun or pronoun, usually in an adverbial sense. It corresponds to the English preposition (placed before, but is placed after, instead of before, the word it modifies; thus, the name postposition). Thus, **for** the man; hastiin bá, man **for-him.**

Postpound: to place after (this word was coined to replace ambiguous postpone). Thus, in the sequence **submarine chaser,** the word **chaser** is postpounded to submarine.

Prefix: to fasten before; an element fastened before a word. Thus,

postpone, wherein **post-** is a prefix, or an element prefixed to **-pone.**

Prepound: to place before (coined to replace prepose). Thus, in the sequence **man-killer,** the word **man** is prepounded to **killer.**

Progressive: is a mode of the verb which describes the action as in progress, as in I am **walking** along.

Pronoun: is a word used in place of a noun. Thus, **he** in place of **man.**

Repetitive: is an aspect denoting repetition of the act, or an act repeatedly done.

Semelfactive: is an aspect of the verb denoting action which is done once. Thus, taah yí'ą́, I put it in the water.

Semeliterative: denotes action repeated once again, as in náánásht'ą́, I brought it again.

Static: denotes duration of a state without motion. Thus, sidá, he is sitting.

Stem: is the element representing the verbal idea in unmodified form, and which remains unchanged (in Navaho) throughout a given inflection or paradigm, and is changed for mode and aspect only by phonetic alterations.

Stem classifier: is an element prefixed immediately before the stem, and possessing certain grammatical functions in Navaho. There are four stem classifiers, namely, **ł, l, d,** and **zero.**

Suffix: to fasten to the end of a word; an element fastened to the end of a word.

From the Original Publication

THE NAVAHO LANGUAGE

THE ELEMENTS OF NAVAHO GRAMMAR WITH A DICTIONARY IN TWO PARTS CONTAINING BASIC VOCABULARIES OF NAVAHO AND ENGLISH

Robert W. Young
Specialist in the Navaho Language

William Morgan
Indian Assistant in the Navaho Language

A Publication of the Education Division, United States Indian Service

A DICTIONARY OF THE NAVAHO LANGUAGE

containing a basic vocabulary of present day Navaho with the fundamental inflectional forms of all verbs

By

Robert W. Young
Specialist in the Navaho Language

William Morgan
Indian Assistant in the Navaho Language

First Edition

A Publication of the Education Division,
U. S. Office of Indian Affairs
1943

PART I

NAVAHO – ENGLISH
DINE BIZAAD - BILAGAANAA BIZAAD

INTRODUCTION

The present dictionary has been compiled to meet the demands of White people who are interested in acquiring practical knowledge of the Navaho language; to aid native draftees in meeting the linguistic problems involved in their new environment; to aid school children in building up an adequate English vocabulary, as well as to use the component parts thereof correctly and effectively; and to help the White teacher teaching English in the reservation schools. Secondarily, it may be of use to ethnologists and to students of comparative linguistics, although its aim is a more practical one, and it is not written primarily for the use of scientific investigators.

Many problems are present in the compilation of a bilingual dictionary. Firstly, one would have to be a specialist, or at least have great knowledge, in every field of science in order to give perfect translations of all terms involved, and to include all the words in the language. The present dictionary does not presume to constitute a perfect work, but the compilers have defined the words to the best of their ability, with the hope of rectifying errors in subsequent editions.

The purpose has not been to create a complete work, to which nothing need be added in the future. Such a presumption would be inconsistent with the fact that languages are active and growing, not static and fossilized. As time passes, especially with the word-coining stimulus afforded by the present conflict, new terms and phrases will appear in both the English and Navaho languages. Thus, it is proposed that periodic revisions of the dictionary be made, which would grow in completeness and become more and more adapted to the needs of those using it as time goes on. The authors of the present work hope to be laying the foundations for a future dictionary, and it is their hope that they will receive contributions from many sources.

For a number of years anthropologists, linguists, traders, missionaries and scientists in many fields, have been working with the Navaho people. Many of these workers have been, and are, specialists in certain branches of science such as botany, biology, ethnology, cosmology, religion, etc., and as such are far better qualified to define those terms pertaining to their particular fields than are persons not specialized therein. Therefore, it is hoped that those individuals will contribute to future editions of the dictionary, with full assurance that they will receive credit for their part therein. The Navaho people should also make any contributions or suggestions which, in their estimation, would improve the work. In short, contributions and constructive criticism will be most welcome.

Method Of Word Entry And Instructions For Use Of The Dictionary

Due to the character of the Navaho verb, it is impractical to merely give rules for its inflection. Such rules would have too many exceptions, and would only serve to complicate the matter of verb conjugation. Thus, with respect to this part of speech, the first person singular of derivational forms is entered under the general stem entry, followed in parentheses by the second, third (3. or 3o., and 3a.), of the singular, and the first and second persons duoplural. In a second parenthesis is given the 'adi- passive form. This method entails considerable repetition, since many verbs are similarly conjugated, but such repetition is justified inasmuch as a person can look up a verb and immediately find the desired inflectional form.

In the Navaho-English section, verbs are first entered under the stem forms, and subsequently under the derivational forms. The stems are given in the following order: progressive, imperfective, (continuative or neuter imperfective is in parentheses whenever such occur), perfective, iterative, and optative.

Thus, an exemplary stem entry would be:
leeł, leeh (lį́, lǫ́), lį́į́', dleeh, le', to become; to be.

Under this stem entry would be found the derivational entries, in the first person singular, with the other inflectional forms in parentheses, as:

1. to become; to be; to come into existence.

F. deesh-łeeł (díí, doo, jidoo, dii, dooh) **I.** yish-łeeh (ni, yi, ji, yii, ghoh) **Prog.** yish-łeeł (yí, yi, joo, yii, ghoh) **P.** sé-lį́į́' (síní, si, jiz, sii, soo) **R.** násh-dleeh (nání, ná, ńjí, néii, náh) **O.** ghósh-łe' (ghóó, ghó, jó, ghoo, ghooh)

The tense or mode of the verb is indicated by a letter, as **F.** for the future tense, **I.** for the imperfective mode (momentaneous or continuative in aspect, as the signification may indicate), **C-I.** for continuative imperfective, **P.** for perfective, **R.** for iterative (repetitive), and **O.** for optative. Others will be found in the list of abbreviations given at the end of this section.

The stem, it will be recalled, is the last syllable in the Navaho verb, and is preceded by the paradigmatic prefixes (those that show person, mode, etc. in the verb, and which are therefore variable), and by the derivational prefixes (the adverbial and other elements which modify the abstract stem and derive the various meanings, and which are more or less invariable from person to person, and mode to mode). In the dictionary entries, the stem is set off from the preceding prefixes by a hyphen, meaning that the stem remains constant (barring certain phonetic alterations) for that particular conjugation or inflection. If one or more of the derivational prefixes remain invariable throughout a given conjugation, it too is set off from the variable elements by a hyphen.

Thus, the entry **F.** deesh-łeeł (díí, doo, jidoo, dii, dooh) can be reconstructed as: deeshłeeł (I shall bcome), dííleeł (you will become), dooleeł (he, she, it will become), diidleeł (we duoplural will become), doohłeeł (you duoplural will become). In such an entry as **F.** 'ádi-deesh-zhoh (dííl, dool, zhdool, diil, dooł), the reconstruction would be: 'ádideeshzhoh (I'll brush myself), 'ádidíílzhoh (you'll brush yourself), 'ádidoolzhoh (he or she will brush -self), 'ádizhdoolzhoh (he or she will brush -self), 'ádidiilzhoh (we duoplural will brush ourselves, 'ádidoołzhoh (you duoplural will brush yourselves).

Thus, it will be evident that the part immediately before the stem is that part which undergoes changes to show person, while the part which follows (the stem) remains constant, and anything which may precede and be separated from the variable portion by a hyphen also remains constant, so that which is contained in parentheses after the 1st person singular verb entry is the part of the verb which is inflected, and the constant elements must be added thereto, the stem following, and the constant derivational prefixes preceding.

In such an entry as **R.** ni-nás-tsi' (nání, néí, nájí, néii, náh) (nábi'di-), to repeatedly kill them, the second parenthetic form is the 'adi- passive. It will be noted that ni- was set apart as a constant derivational prefix, so the reconstruction of the passive will be ninábi'ditsi', **not** *nábi'ditsi'. This should be carefully born in mind to avoid making errors.

It will have been noticed in the examples used in the foregoing, that the stem undergoes certain changes with respect to the initial vowel. These phonetic alterations of the stem-initial vowel will be explained in the following section.

We have already described the Navaho verb, and it will be remembered that the stem exhibits a number of variant forms, corresponding to the different modes and aspects. However, the stems are always listed with the progressive stem first. At first it will prove difficult to look up a Navaho word, since the interested person may not know the progressive stem form. However, he will probably be able to find it by looking down the list of stems that have the same initial consonant as the one which he is seeking, and with time and practice he will be able to look up words with a minimum of difficulty.

If a person wants to look up an English word in terms of Navaho, he will look up the English word on the English-Navaho side of the dictionary. There, after the English infinitive (in the case of a verb), he will find the progressive stem of the corresponding Navaho verb, plus the order number of its entry under the stem, and will then procede to look it up in the Navaho-English part.

ALTERATIONS OF THE STEM INITIAL CONSONANT

There are several phonetic alterations which affect the stem initial consonant when preceded by the stem classifiers, the infixed subjective pronoun, and the **d** that occurs in the 1st person duoplural of **zero** class verbs. This latter **d** produces changes identical with those produced by the **d** classifier (except in the case of **s** and **sh** initial stems). These phonetic alterations are given herewith, and should be memorized.

1. **Zero** classifier occasions no changes of the stem initial, but in **zero** class verbs **d** is inserted in the 1st person dpl and in the passive, occasioning the same changes of the stem initial as will be noted below under **d** classifier.

2. **D** classifier combines with ' to give **t'**; with **gh** to give **g**; with **l** to give **dl**; with **m** to give **'m**; with **n** to give **'n**; with **s** to give **dz** (or **lz**); with **sh** to give **j** (or **lzh**); with **y** to give **'y**; with **z** to give **dz**; with **zh** to give **j**. It sometimes gives dl or lz with an ł initial stem. It is possible that some tł initial stems **may** result from the combination of d and ł.

3. **L** classifier combines with stem initial **h** to give **lgh**; with **ł** to give **ł**; with **s** to give **lz**; with **sh** to give **lzh**.

4. **Ł** classifier combines with stem initial **gh** to give **łh**; with **l** to give **ł**; with **z** to give **łs**; with **zh** to give **łsh**.

Thus it follows that the same stem may often be found under **h|gh|g**, . **'|t**, **s|z|dz**, **sh|zh|j**, **ł|l|dl**. In other words, the stem initial consonant will be **h** with a **zero** or **ł** classifier; **gh** with **l** classifier. Stem initial (') will remain (') with **zero**, **l**, or **ł** classifier, but will become **t'** with the **d** classifier Stem initial **s** will remain **s** with the **zero** or **ł** classifiers, but becomes **z** with the **l** classifier, and **dz** with the **d** classifier, etc.

When the stem initial consonant is sonant (gh, l, z, zh), it **usually** changes to its corresponding surd form (h, ł, s, sh) when preceded by a surd (h, s, sh, ł). Thus.

nis-sin (nisin), I want it; noh-sin, you (dpl) want it; **but** níní-zin, you (sgl) want it. Similarly, nish-łį́, I am; noh-łį́, you (dpl) are; **but** ní-lį́, you (sgl) are.

This rule does not always hold, however, as in such forms as yinishghé, I am called; 'ádíshzhóóh, I am brushing myself; 'ákádeeszis, I'll put on my belt; heeshghał, I am wriggling along; yishghoł, I am running along, etc. This variation is indicated in the ensuing paradigms by writing a sonant initial stem with its corresponding surd in the first person singular entry, and writing the stem as sonant initial only when it remains so throughout the paradigm. Thus, under the sonant initial stem gheh will be found the entry 'iish-heh, and the second person will be 'ii-gheh. On the other hand, under the stem gheeł, the entry form yinish-ghé will be found, indicating that this stem will not change phonetically in accord with the rule described above, regardless of the surd that may precede it.

It must be remembered at all times that:

1. The **d** classifier is inserted in the passive forms of zero class verbs, as well as in the 1st person duoplural, so: ní'ą́, I brought it; nii**t**'ą́, we (dpl) brought it; bi'dee**t**'ą́ (or yí**t**'ą́), it was brought. nínil, I brought them; nii'nil, we (dpl) brought them; bi'dee'nil (or yí'nil), they were brought. sélį́į́', I became; sii**d**lį́į́', we (dpl) became.

2. **ł** class verbs change **ł** to **l** in the 1st person dpl and in the passive. Thus, diyííłhééł, you will kill it; diyiilghééł, we (dpl) will kill it; bidi'yoolghééł (or diyoolghééł), it will be killed.

3. The **l** classifier becomes **ł** in the 2nd person dpl. Thus, nílk'oł, you (sgl) are blinking; nołk'oł, you (dpl) are blinking.

4. In zero class verbs, **s** initial stems usually change **s** to **lz** in the 1st person dpl and in the passive, while those with **sh** initial usually change **sh** to **lzh.** Thus, dees-soł, I will blow it; diilzoł, we dpl will blow it; bidi'doolzoł (or doolzoł), it will be blown.

Other irregular alterations of the stem initial will be pointed out under the stems thus affected.

Signification of the Navaho Modes and Tenses

Remember that the initial:

1. **F.** stands for future tense; naa deesh'ááł, I'll give it to you.

2. **I.** stands for imperfective mode, and is translated either as a simple present, or with the phrase "in the act of," (the latter especially with the momentaneous aspect); naa nish'aah, I am in the act of giving it to you, **or** I am giving it to you.

3. **C-I.** stands for continuative imperfective, and is translated as a simple present; naashá, I am walking about; béésh naash'á, I carry a knife.

4. **P.** stands for perfective mode, and is translated by a past tense form in English; naa ní'ą́, I gave it to you; I have given it to you.

5. **S-P.** stands for the si-perfective, (in contradistinction to the yi- and ni- perfectives marked simply **P.**); shéłbéézh, I boiled it. Also the si-perfective neuters, as sédá, I am sitting. (V. neuter)

6. **Prog.** stands for progressive mode, translated by a gerund plus auxiliary "to be" in English; yishááł, I am walking (along).

7. **N.** stands for neuter, translated as a present tense in English; yíníshtą', I am holding it; I have ahold of it; nishłį́, I am; and the si-perfective neuters, sédá, I am sitting; sézį́, I am standing, etc. Another type of verb marked as neuter, although it is not really a neuter, is that type which joins the prefix complex of the imperfective mode to the stem of the iterative (like a usitative, but without the concept of habituality); diskos, I have a cough; I cough; I am coughing (wherein the act of coughing is not composed of a single cough, but of repeated coughs); 'adishdiił, I play stick dice; I am playing stick dice; I am a stick dice player (wherein one repeatedly tosses a slender stiff object: the stick).

8. **U.** stands for usitative, translated as a present; haash'áa łeh, I take it out (usually, or habitually).

9. **R.** stands for the iterative mode, translated usually as a present tense, or as a present with the addition of an adverb, such as always, repeatedly, time after time, etc.; hanásh'áah, I take it out time after time, repeatedly or always.

10. **O.** stands for the optative mode, translated in older English by the phrase "would that," and in present day English by "(I) wish that." Thus, nahółtą́ą' laanaa, I wish that it would rain; would that it might rain.

Remember also the uses of ńt'ę́ę' (it was), and dooleeł (it will be) in making tense and other distinctions with the verbs, as: John yinishghé, I am called John; John yinishghée dooleeł, I will be called John; John yinishghéé ńt'ę́ę', I was (or used to be) called John; nishłį́, I am; nishłį́į dooleeł, I will be; nishłį́į ńt'ę́ę', I was (or used to be); nishłį́į dooleeł ńt'ę́ę', I would be, etc.

ALPHABETIC ORDER OF WORD ENTRY

The following relative order has been assigned to the letters of the alphabet: **a b ch d e g h |'| i j k l ł m n o s t w x y z.**

It is to be noted that consonantal diphthongs, as well as long (double) vowels, are not treated as single sounds. Thus, the sound represented by **dl** will not be found under a dl-entry, but under **d.** Similarly, eb, ech, and ed, will precede ee. This makes for a maximum of analogy with the English system, and should facilitate the finding of words.

The glottal stop, |'|, is treated as a consonant in all positions with exception of the word-initial. It occurs in word-initial position only when it immediately precedes a vowel, and in such cases the word is entered as though it were vowel initial. Thus, 'amá, mother, will be found under **a,** not under |'|. The same applies to the verb stems, with the result that 'ááł will be found under **a.**

Nasoral vowels immediately follow the corresponding oral vowels.

Abbreviations Used In The Dictionary

C-I. continuative imperfective.

Cp. compare.

d dual number.

dist. pl distributive plural.

Eng. English.

F. future tense.

f. s. female speaking.

I. imperfective mode.

mat. maternal.

m. s. male speaking.

N. neuter.

O. optative mode.

P. perfective mode.

pat. paternal.

pl plural number..

Prog. progressive mode.

R. iterative mode.

S-P. si-perfecive.

sgl singular number.

V. see.

A

'áá, there (remote)
'aa, there (close at hand)
'áádę́ę́', from there
'aadę́ę́', from there
'áadi, there (at)
'áadi niit'áazhgo 'índa 'adiidį́į́ł, we'll eat as soon as we arrive there.
'aadi, there (at)
'aadi sidá, there he sits.
'áádóó, from there on; and then
shash yiyiisxį́ 'áádóó shí níséł'ah, he killed the bear and then I skinned it.
'áádóó bik'iji', after that
'áádóó bik'iji' nikiníyá, after that I went home.
'aa hasti', care, respect. baa hasti', care or respect toward it (as a fragile object, ceremony, etc.)
'aahwiinít'į́ bá hooghan, courthouse.
'aa'ą'ii, magpie
'ááhsita', cervical
'aa 'adiniih, venereal disease
baa 'adiniih, he has venereal disease.
'aa 'áhályáanii, bodyguard
'ááł, 'aah ('áh), 'ą́, 'ááh, 'ááł (O), to handle one bulky object; anything roundish and hard, as a bottle, boulder, book, hat, box, car, wagon, knife.

The following are used with the stem 'ááł only.

1. to plot against him.
F. *bizéé' dideesh-'ááł (didíí, yididoo, jididoo, didii, didooh) (didoot'ááł) **I.** bizéé' dish-'aah (dí, yidi, jidi, dii, doh) (dit'aah) **Prog.** bizéé' yish-'ááł (yí, yoo, joo, yii, ghoh) **P.** bizéé' dé-'ą́ (dííni, yideez, jideez, dee, disoo) (deest'ą́) **R.** bizéé' ńdísh-'ááh (ńdí, néidi, nízhdí, ńdii, ńdóh) (ńdít'ááh) **O.** bizéé' dósh-'ááł (dóó, yidó, jidó, doo, dooh) (dót'ááł)
* bizéé' becomes yizéé' in 3o.

2. to start it (a song).
F. sin ha-dideesh-'ááł (didíí, ididoo, zhdidoo, didii, didooh) (bidi'doot'ááł) **I.** sin ha-dish-'aah (dí, idi, zhdi, dii, doh) (bi'dit'aah **P.** sin ha-díí-'ą́ (dííní, idíí, zhdíí, dii, doo) (bi'doot'ą́) **R.** sin hańdísh-'ááh (ńdí, néidi, nízhdi, ńdii, ńdóh) (nábi'dit'ááh) **O.** hadósh-'ááł (dóó, idó, zhdó, doo, dooh) (bi'dót'ááł)

3. to start (singing).
F. ha-di'deesh-'ááł (di'díí, di'doo, zhdi'doo, di'dii, di'dooh) **I.** ha-'dish-'aah ('dí, 'di, zh'di, 'dii, 'doh) **P.** ha-'díí-'ą́ ('dííní, 'díí, zh'díí, 'dii, 'doo) **R.** ha-ń'dísh-'ááh (ń'dí, ń'dí, nízh'dí, ń'dii, ń'dóh) **O.** ha-'dósh-'ááł ('dóó, 'dó, zh'dó, 'doo, 'dooh)

4. to be sunup; to rise (sun).
F. ha'doo'ááł **I.** ha'a'aah **P.** ha'íí'ą́ **R.** haná'át'ááh **O.** ha'ó'ááł

5. to be mid morning.
F. dah 'adidoo'ááł **I.** dah 'adii'aah **P.** dah 'adii'ą́ **R.** dah ń'diit'ááh **O.** dah 'adoo'ááł

6. to be sun light; to be day.

Prog. 'oo'áá

7. to be noon.
F. 'ałní'doo'ááł **I.** 'ałne'e'aah **P.** 'ałní'ní'ą **R.** 'ałníná'át'ááh **O.** 'ałní'ó'ááł

8. to be evening (mid afternoon to sunset).
F. yaa 'adidoo'ááł **I.** yaa 'adi'aah **P.** yaa 'adeez'ą **R.** yaa ní'dít'ááh **O.** yaa 'adó'ááł

9. to be sunset; to go down.
F. 'i'doo'ááł **I.** 'e'e'aah **P.** 'i'íí'ą **R.** 'aná'át'ááh **O.** 'o'ó'ááł

10. to take it off or put it on (a hat).
F. 'ák'idi-deesh-t'ááł (díí, idoo, zhdoo, dii, dooh) ('ák'ibidi'doo-) **I.** 'ák'i-dish-t'aah (dí, idi, zhdi, dii, doh) ('ák'ibi'di-) **P.** 'ák'i-desh-t'ą (dííní, idoo, zhdoo, dii, dooh) ('ák'ibi'doo-) **R.** 'ák'i-ńdísh-t'ááh (ńdí, néidi, nízhdi, ńdii, ńdóh) ('ák'inábi'di-) **O.** 'ák'i-dósh-t'ááł (dóó, idó, zhdó, doo, dooh) ('ák'ibi'dó-)

11. to remove the lid from it.
F. *bik'i-dideesh-'ááł (didíí, ididoo, zhdidoo, didii, didooh) (bidi'doot'ááł) **I.** bik'i-dish-'aah (dí, idi, zhdi, dii, doh) (bi'dit'aah) **P.** bik'i-díí-'ą (dííní, idíí, zhdíí, dii, dooh) (bi'deet'ą) **R.** bik'i-ńdísh-'ááh (ńdí, néidi, nízhdí, ńdii, ńdóh) (nábi'dit'ááł) **O.** bik'i-dósh-'ááł (dóó, idó, zhdó, doo, dooh) (bi'dót'ááł)
* bik'i- becomes yik'i- in 3o.

12. to put a lid on it; cover it; patch it (an inner tube).
F. *bidadi-'deesh-'ááł ('díí, 'doo, zh'doo, 'dii, 'dooh) (bidabidi'doo t'ááł) **I.** bida-di'nish-'aah (di'ní, 'dee, zh'dee, di'nii, di'noh) (bidabi'deet'aah) **P.** bida-di'ní-'ą (díí'ní, di'ní, zhdi'ní, di'nii, di'noo) (bidabi'deet'ą) **R.** bida-ń'dísh-'ááh (ń'dí, ń'dí nízh'dí, ń'dii, ń'dóh) (bidanábi'dit'ááh) **O.** bida-'dósh-'ááł ('dóó, 'dó, zh'dó, 'doo, 'dooh) (bidabi'dót'ááł)
*bi- becomes yi- in 3o.

13. to accuse him.
F. bik'iho-dideesh-'ááł (didíí, didoo, zhdidoo, didii, didooh) (didoot'ááł) **I.** bik'iho-diish-'aah (dii, dii, zhdii, dii, dooh) (diit'aah) **P.** bik'iho-dii-'ą (dini, dii, zhdii, dii, doo) (diit'ą) **R.** bik'ináho-diish-'ááh (dii, dii, zhdii, dii, dooh) (diit'ááh) **O.** bik'ihodoosh-'ááł (doó, doo, zhdoo, doo, dooh) (doot'ááł)

Shilį́į' síníłhį dishníigo bik'ihodii'ą, I accused him of killing my horse.

14. to turn it over to him; to just forget about it; to call it even; to just let it go.
F. baa dideesh-'ááł (didíí, yididoo, jididoo, didii, didooh) (bidi'doot'ááł) **I.** baa dinish-'aah (diní, yidee, jidee, dinii, dinoh) (bi'deet'aah) **P.** baa diní-'ą (dííní, yidiní, jidiní, dinii, dinooh) (bi'deet'ą) **R.** baa ńdísh-'ááh (ńdí, néidi, nízhdi, ńdii, ńdóh) (nábi'dit'ááh) **O.** baa dósh-'ááł (dóó, yidó, jidó, doo, dooh) (bi'dót'ááł)

*baa becomes yaa in 3o.

Shikéyah łaji' baa diní'ą́, I turned over part of my land to him. Béeso t'áála'í shąąh hayííł'áá ńt'ę́ę́', ndi shibéeso 'ádingo biniinaa t'óó shaa yidiní'ą́, I owed him a dollar, but since I had no money he just let it go.

15. to hire him.

The noun naanish, work, is prepounded to the forms given in no. 14. Thus, naanish baa diní'ą́, I hired him; gave him work.

16. to give up in a fight.

The particle t'óó, merely, is prepounded to the forms given in no. 14. Thus, t'óó baa diní'ą́, I gave up (or gave in) to him.

17. to prohibit it to him.

F. *bits'á-dideesh-'ááł (didíí, ididoo, zhdidoo, didii, didooh) (didoot'ááł) **I.** bits'á-dinish-'aah (diní, idee, zhdee, dinii, dinoh) (deet'aah) **P.** bits'á-diní-'ą́ (dííní, idiní, zhdiní, dinii, dinoo) (deet'ą́) **R.** bits'á-ńdísh-'ááh (ńdí, néidi, nízhdi, ńdii, ńdóh) (ńdít'ááh) **O.** bits'á-dósh-'ááł (dóó, idó, zhdó, doo, dooh) (dót'ááł)

*bits'á- becomes yits'á in 3o.

18. to permit him.

F. *ba-di'deesh-'ááł (di'díí, di'doo, zhdi'doo, di'dii, di'dooh) **I.** ba-di'nish-'aah (di'ní, 'dee, zh'dee, di'nii, di'noh) **P.** ba-di'ní-'ą́ ('dííní, di'ní, zhdi'ní, di'nii, di'noo) **R.** ba-ń'dísh-'ááh (ń'dí, ń'dí, nízh'dí, ń'dii, ń'dóh) **O.** ba-'dósh-'ááł ('dóó, 'dó, zh'dó, 'doo, 'dooh)

*ba- becomes ya- in 3o.

Shighan góne' biidoołkááł biiighé badi'ní'ą́, I permitted him to spend the night in my house.

19. to give it up; quit it.

F. yóó' 'adideesh-'ááł ('adidíí, 'iididoo, 'azhdidoo, 'adidii, 'adidooh) **I.** yóó' 'adish-'aah ('adí, 'iidi, 'azhdi, 'adii, 'adoh) **P.** yóó' 'adíí-'ą́ ('adííní, 'iidíí, 'azhdíí, 'adii, 'adooh) **R.** yóó' 'ańdísh-'ááh ('ańdí, 'anéidi, 'anízhdí, 'ańdii, 'ańdóh) **O.** yóó' 'adósh-'ááł ('odóó, 'iidó, 'azhdó, 'adoo, 'adooh)

Ná'ásht'oh yóó' 'adideesh-t'ááł, I'll give up smoking.

20. to be irascible.

N. 'ayóo shí-ní si'ą́ (ní, bí, há, nihí, nihí) Only the pronoun prefixed to -ní, mind, changes.

The following have to do with the general concept of "to handle," and occur with 'ááł, as well as with the other stems herewith listed.

There are twelve verb stems referring to the handling of various objects. They are given here with the derivational prefix complexes which are common to all, with certain semantic limitations which are self evident.

After each of the following stems, the stem classifier is indicated in parentheses, (0) representing the zero classifier. This classifier must be prefixed to the stem whenever the stem is joined to the paradigmatic and derivational prefixes conjugated herewith.

ghééł, gheeh (ghé), ghį, gééh, ghééh (O), to handle a pack, burden or load; anything bundled or loaded together, as a load of grain, sheep, etc.; whether it be handled by hand, or by wagon.

jih, jááh (jaah), jaa', jih, jááh (O) to handle plural separable objects, usually of small size and large number as shot, sand, bugs seeds, strings, etc. It can also refer to animate objects, as an armful of puppies for example.

jił, jiid (jid), jid, ji', jiid (ł), to handle anything by means of the back; as a load, pack, baby, babies, etc.

joł, jool (jool), jool, jol, jool (ł), to handle non-compact matter, as wool, hay, brush, tangled hair or cord, etc.

kááł, kaah (ká), ką, kááh, kááł (O), to handle any substance or number of things in a vessel; as in a pail, box, basket, pan, dish.

lééł, lé (lé), lá, dlééh, lééł (O), to handle a slender, flexible object; as a rope, snake, one hair, strip of bark, sapling, green branch. This stem is also used in referring to an unknown object, such as something, anything.

nił, nííł (jaah), nil, 'nił, nííł (O), to handle plural objects, animate or inanimate. This stem refers to a smaller number than jih; as two or three shot, puppies, books or ropes.

tééł, teeh (té), tį, tééh, tééł (ł), to handle one animate object; as a baby, sheep, snake, bug ,man.

tįįł, tįįh (tin), tą, tįįh, tįįł (O), to handle a slender stiff object; as a pole, dry branch, stick, cigaret or rod.

tłoh, tłeeh (tłeeh), tłéé', tłoh, tłeeh (O), to handle mushy matter; as mush, mud, mortar.

tsos, tsóós (tsoos), tsooz, tsos, tsóós (ł), to handle a flexible and flat object; as paper, cloth, cured hide, sheet, blanket, etc.

1. to carry or pull it up out; to get it away from him (without using force), beat him to it (with prepounded biyaa); to recover a fumble at football (with prepounded biyaa and the stem 'ááł).

F. ha-deesh- (díí, idoo, zhdoo, dii, dooh) (bidi'doo-) **I.** ha-ash- (ni, i, ji, ii, ah) (bi'di-) **P.** háá- (háíní, hayíí, hajíí, haii, haoo) (habi'doo-) **S-P.** ha-sé- (síní, iz, jiz, sii, soo) (bi'dis-) **R.** ha-násh- (nání, néí, nájí, néii, náh) (nábi'-di-) **U.** ha-ash- (ni, i, ji, ii, ah) (bi'di-) **O.** ha-osh- (óó, yó, jó, oo, ooh) (bi'dó-)

Bikéyah biyaa háá'ą, I took his land away from him.

2. to carry it out horizontally;

to make it (a fact) known (with the stem 'áál).

F. ch'í-deesh- (díí, idoo, zhdoo, dii, dooh) (bidi'doo-) **I.** ch'í-nísh- (ní, í, jí, nii, nóh) (bi'dee-) **P.** ch'í-ní- (íní, iní, zhní, nii, noo) (bi'dee-) **R.** ch'í-násh- (náni, néí, ńjí, néii, náh) (nábi'di-) **O.** ch'óosh- (ch'óó, ch'íyó, ch'íjó, ch'óo, ch'óoh) (ch'íbi'dó-)

3. to start to carry it along.

F. di-deesh- (díí, yi-doo, ji-doo, dii, dooh) **I.** dish- (dí, yidi, jidi, dii doh) **S-P.** dé- (díní, yideez, jideez, dee, disoo) **R.** ńdísh- (ń-dí, néidi, nízhdí, ńdii, ńdóh) **U.** dish- (dí, yidi, jidi, dii, doh) **O.** dósh- (dóó, yidó, jidó, doo dooh)

4. to start off with it.

F. dah di-deesh-(ib. 3.) **I.** dah diish- (dii, yidii, shdii, dii, dooh) **P.** dah dii- (dini, yidii, shdii, dii, doo) **R.** dah ńdiish- (ńdii, néidii, nízhdii, ńdii, ńdooh) **O.** doosh- (doó, yidoo, jidoo, doo, dooh).

5. to pick it up; to lift it; to find it; to choose it.

F. ńdideesh- (ńdidíí, néididoo, nízhdidoo, ńdidii, ńdidooh) (nábidi'doo-) **I.** ńdiish- (ńdii, néidii nízhdii, ńdii, ńdooh) (nábidi'dii-) **P.** ńdii- ńdini, néidii, nízhdii, ń-dii, ńdoo) (nábidi'dii-) **R.** ní-ná-diish- (nádii, néidii, názhdii ná-dii, nádóh) (nábidi'dii-) **O.** ńdósh- (ńdóó, néidoo, nízhdó, ń-doo, ńdooh) (nábidi'dó-)

6. to be carrying it along (with prepounded dah it means to be holding it up).

Prog. yish- (yí, yoo, joo, yii, ghoh) (bi'doo-)

7. to bring it; take it; arrive carrying it; give it (with prepounded (b)aa, to (him).

F. deesh- (díí, yidoo, jidoo, dii, dooh) (bidi'doo-) **I.** nish- (ní, yí, jí, nii, noh) (bidi'dee-) **P.** ní- (yíní, yiní, jiní, nii, noo) (bi'dee-) **R.** násh- (náni, néí, ńjí, néii, náh) (nábi'di-) **O.** ghósh- (ghóó, yó, jó, ghoo, ghooh) (bi'dó-)

8. to take it; bring it; put it (with such prepounds as kįįh, into town, taah, into water, łeeh, into the soil = bury).

F. deesh- (díí, yidoo, jidoo, dii, dooh) (bidi'doo-) **I.** yish- (ni, yi, ji, yii, ghoh) (bi'di-) **P.** yí- (yíní, yiyíí, jíí, yii, ghoo) (bi'doo-) **R.** násh- (náni, néí, ńjí, néii, náh) (nábi'di-) **O.** ghósh- (ghóó, yó, jó, ghoo, ghooh) (bi'dó-)

9. to stop carrying it; to set it down (with prepounded ni'); to set it down on it (with prepounded bik'i); to carry it as far as a point and stop; to put it away (with prepounded hasht'e'); to pawn it (with prepounded 'ąąh); pawn it to him (with bąąh).

F. ni-deesh- (díí, idoo, zhdoo, dii, dooh) (bidi'doo-) **I.** ni-nish- (ní, yí, jí, nii, noh) (bi'dee-) **P.** niní- (nííní, niiní, nizhní, ninii, ninoo) (nibi'dee-) **R.** ni-násh- (náni, néí, nájí, néii, náh) (nábi'-

di-) **O.** noosh- (noó-, niyó, njó, noo, nooh (nibi'dó-)

10. to lend it to him.

F. ba'deesh- (ba'díí, ya'doo, bazh'doo, ba'dii, ba'dooh) (ba'doo-) **I.** ba'nish- (ba'ní, ya'í, ba'jí, ba'nii, ba'noh) (ba'í-) **P.** ba'ní- (ba'íiní, ya'ní, bazh'ní, ba'nii, ba'noo) (ba'í-) **R.** baná''ásh- (baná'í, yaná'á, bań'jí, baná'ii, baná'óh) (baná'á-) **O.** ba'ósh- (ba'óó, ya'ó, ba'jó, ba'oo, ba'ooh) (ba'ó-)

11a. to carry it out of sight; to carry it into an enclosure (with prepounded yah, into); to carry it away (with prepounded yóó', away into invisibility); remove it, take it to one side (with prepounded nahji', aside).

F. 'adeesh- ('adíí, 'iidoo, 'azhdoo 'adii, 'adooh) ('abidi'doo-) **I** 'iish- ('ani, 'ii, 'aji, 'ii, 'ooh) ('abi'di-) **P.** 'íí- ('ííní, 'ayíí, 'ajíí, 'ii, 'oo) ('abi'doo-) **R.** 'anásh- ('anání, 'anéí, 'ańjí, 'anéii, 'anáh) ('anábi'di-) **O.** 'oosh- ('oó, 'ayó, 'ajó, 'oo, 'ooh) ('abi'dó-)

11b. to carry it in or away by making several consecutive trips

F. 'ahideesh- ('ahidíí, 'iidiyoo, 'ahizhdiyoo, 'ahidii, 'ahidooh) ('abidi'yoo-) **I.** 'ahish- ('ahí, 'ayii, 'ajii, 'ahii, 'ahoh) ('abi'dii-) **P.** 'ahé- ('ahíní, 'ayiiz, 'ajiiz 'ahee, 'ahoo) ('abi'diis-) **R** 'anáhásh- ('anáhí, 'anáyii, 'aníjii, 'anáhii, 'anáhóh) ('anábi'dii-) **O.** 'ahósh- ('ahóó, 'iiyó, 'ajiyó, 'ahoo, 'ahooh) ('abidi'yó-)

11c. to carry it back in; to replace it with it (with prepounded bich'ą́ąhji', in its place).

F. 'ańdeesh- ('ańdíí, 'anéidoo, 'anízhdoo, 'ańdii, 'ańdooh) ('anábidi'doo-) **I.** 'anásh- ('anání, 'anéí, 'aníjí, 'anéii, 'anáh) ('anábi'di-) **P.** 'anáá(sh)- ('anéíní 'anáyoo, 'ańjoo, 'anéii, 'anáoo) ('anábi'doo-) **R.** 'aní-nash- (nání, néí, nájí, néii, náh) (nábi'di-) **O.** 'anáosh- ('anáóó, 'anáyó, 'ańjó, 'anáoo, 'anáooh) ('anábi'dó-)

12. to keep it, have it (use the stem of the perfective).

S-P. séł- (síníł, yiz, jiz, siil, sooł) (bi'dis-)

13. to carry it about (use the continuative imperf. stem).

C-I. naash- (nani, nei, nji, neii, naah) (nabi'di-)

14. to divide up, share, it (referring to a single object the signification is to divide it in halves but with reference to plural objects it means to divide them up).

F. 'ałts'á-deesh- (díí, idoo, zhdoo, dii, dooh) (bidi'doo-) **I.** 'ałts'á-nísh- (ní, í, jí, nii, nóh) (bi'dee-) **P.** 'ałts'á-ní- (íní, iní, zhní, nii, noo) (bi'dee-) **R.** 'ałts'á-násh- (nání, néí, ńjí, néii, náh) (nábi'di-) **O.** 'ałts'á-oosh- (óó, yó, jó, oo, ooh) (bi'dó-)

15. to take it down (as from a shelf, peg, limb, etc.).

F. ndi'deesh- (ndi'díí, na'iididoo, ndizh'doo, ndi'dii, ndi'dooh) (nibidi'doo-) **I.** n'diish- (n'dii, na'iidii, nizh'dii, n'dii, n'dooh) (nibidi dii-) **P.** n'dii- (ndi'ni, na'iidii, nizh'dii, n'dii, n'doo) (nibi'doo-) **R.** ni-ná'diish- (ná'dii, ná'iidii, názh'dii, ná'dii, ná'dooh) nábi'dii-) **O.** n'doosh- (n'doó na'iidoo, nizh'doo, n'doo, n'dooh) (nabi'dó-)

16. to hang it up (with prepounded dah, up).

F. hidideesh- (hidid íí, yididoo, hizhdidoo, hididii, hididooh) (bidi'diyoo-) **I.** hidiish- (hidii, yidiyii, hizhdiyii, hidii, hidooh) (bi'dii-) **P.** hidii- (hidini, yidiyii, hizhdiyii hidii, hidoo) (bi'dii-) **R.** ná-hidiish- (hidii, idiyii, hizhdiyii, hidii, hidooh) (bi'dii-) **O.** hidoosh- (hidóó, yidiyoo, hizhdiyoo, hidoo, hidooh) (bi'diyoo-)

17. to take it out of the fire; to take it out of the water; to catch large quantities of fish (with the stem ghéél).

F. dzíłts'á-deesh- (díí, idoo, zhdoo, dii, doóh) (bidi'doo-) **I.** dzíłts'á-nísh- (ní, iyii, jii, nii, noh) (bi'dee-) **P.** dzíłts'á-ní- (íní, níí, zhníí, nii, noo) (bi'dee-) **R.** dzíłts'á-násh- (nání, néí, ńjí, néii, náh) (nábi'di-) **O.** dzíłts'á-oosh- (óó, yó, jó, oo, ooh) (bi'dó-)

18. to add it (them) to it.

F. *bínéi-deesh- (díí, doo, zhdoo, dii, dooh) (bínábidi'doo-) **I.** bínéish- (néi, náyii, ńjii, néii, náoh) (bínábi'dii-) **P.** **bí-néish- (néini, náyii, ńjii, néii, náoo) (bínábi'dii-) **R.** bí-néish- (néi, náyii, ńjii, néii, náoh) (bínábi'dii-) **O.** bí-náoosh- (óó, náyoo, ńjoo, náoo, náooh) (bínábi'doo-)

*bí- becomes yí- in 3o.

**Stems with initial ', gh, n, or l add the d classifier (giving t'ááł, gééł, 'nił, etc.) requiring -sh- in the 1st sgl. ł class verbs do not have -sh- in the 1st sgl but retain the ł, so bínéíł- for bínéish-.

19. to save it, take it to safety.

F. yisdá-deesh- (díí, idoo, zhdoo, dii, dooh) (bidi'doo-) **I.** yisdá-sh- (ní, í, jí, ii, h) (bi'di-) **P.** yisdá-á- (íní, yíí, jíí, ii, oo) (bi'doo-) **R.** yisdá-násh- (nání, néí, ńjí, néii, náh) (nábi'di-) **O.** yisdá-oosh- (óó, yó, jó, oo, ooh) (bi'dó-)

20. to take it away from him by force (zero class verbs require d classifier).

F. *bigha-deesh- (díí, idoo, zhdoo, dii, dooh) (bidi'doo-) **I.** bigha-nish- (ní, í, jí, ii, oh) (bi'dee) **P.** bi-ghanish- (gháíní, ghái, ghají, ghanii, ghanooh) (ghabi'dee-) **R.** bigha-násh- (nání, néí, ńjí, néii, náh) (nábi'di-) **O.** bigha-oosh- (óó, yó, jó, oo, ooh) (bi'dó-)

* bigha- becomes yigha- in 3o.

21. to be (in position) is rendered by prefixing perfective si- to the perfective stem in the sgl and naaz- in the pl.

si'ą, sighį, sinil, etc. in the sgl, and naaz'ą, naaztą, naaznil, etc in the pl (with exception of the stem tsos which has siłtsooz in sgl and naastsooz in pl).

22. to take it back out of pawn; take it back out (zero class verbs require d classifier).
F. háá-deesh- (díí, idoo, zhdoo, dii, dooh) (bidi'doo-) **I.** ha-násh- (nání, néí, ńjí, néii, náh) (háábi'-di-) **P.** haná-ásh- (íní, yoo, joo, ii, oo) (bi'doo-) **R.** haní-násh- (nání, néí, nájí, néii, náh) (nábi'-di-) **O.** haná-oosh- (óó, yó, jó, oo, ooh) (bi'dó-)

23. to carry it back and forth.
F. 'ałná-ádeesh- (ádíí, néidoo, ázhdoo, ádii, ádooh) (ábidi'doo-) **I.** 'ałná-násh- (ání, néí, ájí, néii, náh) (nábi'di-) **P.** 'ałná-násh- (néíní, néí, ájí, néii, náoo) (bi'-doo-) **R.** 'ałná-násh- (nání, néí, nájí, néii, náh) (nábi'di-) **O.** 'ał-ná-náoosh- (náóó, áyó, ájó, áoo, áooh) (nábi'dó-)

24. to exchange their positions.
F. 'ałná-deesh- (díí, idoo, zhdoo, dii, dooh) (bidi'doo-) **I.** 'ał-násh- (nání, néí, nájí, néii, náh) (nábi'-di-) **P.** 'ałná-ní- (íní, íz, jíz, ii ooh) (bi'doo-) **R.** 'ałnání-násh- (nání, néí, nájí, néii, náh) (nábi'-di-) **O.** 'ałná-oosh- (óó, yó, jó, oo, ooh) (bi'dó-)

25. to put it into the fire.
F. di-dideesh- (didíí, ididoo, di-zhdidoo, didii, didooh) (bidi'-doo-) **I.** di-dish- (dí, idi, zhdi, dii, doh) (bi'di-) **P.** di-díí- (dííní, idíí, zhdíí, dii, doo) (bi'doo-) **R.** di-ńdísh- (ńdí, néidi, nízhdi, ńdii ńdóh) (nábi'di-) **O.** di-dósh- (dóó, idó, zhdó, doo, dooh) (bi'-dó-)

26. to set it up (as on a shelf)
F. dah deesh- (díí, yidoo, jidoo, dii, dooh) (bidi'doo-) **I.** dah shish (sí, yi, ji, sii, sooh) (bi'di-) **P.** sé,(síní, yiz, jiz, sii, soo) (bi'-dis-) **R.** násh- (nání, néí, ńjí, né-ii, náh) (nábi'di-) **O.** ghósh-(ghóó, yó, jó, ghoo, ghooh) (bi'-dó-)

27. to carry it too far.
F. ha-didínéesh- (didíníí, ididí-nóo, zhdidínóo, didíníi, didínóoh) **P.** ha-dínésh- (díníní, idínées, zhdínées, dínée, dínóo) **R.** háá-dínísh- (díní, idíní, zhdíní, díníi, dínóh) **O.** ha-dínósh- (dínóó, i-dínó, zhdínó, dínóo, dínóoh)

28. to turn it over.
F.náhideesh- (náhidíí, néidiyoo, náhizhdoo, náhidii, náhidooh) (náhibidi'doo-) **I.** náhideesh-(náhidee, néidiyee, náhizhdee, náhidee, náhidooh) (nábi'diyee-) **Prog.** náheesh- (náhíí, néiyoo, ńjiyoo, náhii, náhooh) (nábi'di-yoo-) **P.** náhidéé- (náhidííní, néidiyéé, náhizhdéé, náhidee, náhidoo) (nábi'diyee-) **R.** níná-hideesh- (nínáhidee, nínéidiyee, nínáhizhdee, nínáhidee, nínáhi-dooh) (nínábi'diyee-) **O.** náhi-

doosh- (náhidoó, néidiyó, náhizhdoo, náhidoo, náhidooh) (nábi'diyoo-)

'aał, 'á, 'a' ('aad), 'aah, 'a', to send, order, command.

1. to send him off.

F. dideesh-'aał (didíił, yididooł, jididooł, didiil, didooł) (bidi'dool-) **I.** dish-'á (díł, yidił, jidił, diil, doł) (bi'dil-) **P.** déł-'a' (díníł yidees, jidees, deel, disooł) (bidi'dees'a') **R.** ńdísh-'aah (ńdíł, néidił, nízhdił, ńdiil, ńdół) (nábi'dil-) **O.** dósh-'a' (dóół, yidół, jidół, dool, dooł) (bi'dól-)

2. to send him.

The future and imperfective of 1. are used. **P.** 'íił-'a' ('ííníł, 'ayííł, 'ajííł, 'iil, 'ooł) ('abi'dool-) **R.** 'a-násh-'aah (náníł, nééł, ńjíł, néiil, náł) (nábi'dil-) **O.** 'oosh-'a' ('oół, 'ayół, 'ajół, 'ool, 'ooł) ('abi'dól-)

3. to order, command, him.

F. deesh-'aał (dííł, yidooł, jidooł, diil, dooł) (bidi'dool-) **I.** yish-'á (nił, yił, jił, yiil, ghoł) (bi'dil-) **P.** yíł-'aad (yíníł, yiyííł, jííł, yiil, ghooł) (bi'dool-) **R.** násh-'aah (náníł, nééł, ńjíł néiil, náł) (nábi'dil-) **O.** ghósh-'a' (ghóół, yół, jół, ghool, ghooł) (bi'dól-)

4. to plan; to govern.

F. naho-deesh-'aał (or 'ááł) (díí, doo, zhdoo, dii, dooh) (doot'aał) **C-I.** na-hash-'á (hó, ha, hoji, hwii, hoh) (hat'á) **P.** na-hosé-'ą́ (síní, haaz, hojiz, hosii, hosoo) (hast'ą́) **R.** niná-hásh-'aah (hó, há, hoji, hwii, hóh) **O.** na-hósh-'ááł (hóó, hó, hojó, hoo, hooh) (hót'ááł)

Bá nahash'á, I plan for them; govern them.

5. to order him about.

C-I. naash-'a' (nanił, neił, njił, neiil, naał)

6. to take orders; to be a servant; to run errands.

C-I. naash-'a' (nanil, naal, njil, neiil, naał)

7. to be lazy; to refuse to take orders.

N. doo yish-'áa da (nil, yil, jil, yiil, ghoł). doo yil'áa da, he will not take orders; he is lazy.

8. to become or be ill; get sick.

F. *bą́ąh dahwiidoo'aał **I.** bą́ąh dahoo'aah **P.** bą́ąh dahoo'a' **N.** bą́ąh dahaz'ą́ **R.** bą́ąh dah náhoo'aah **O.** bą́ąh dahoo'aah

*The above forms are given for the 3. person only. It is conjugated by altering the pronoun object of the postposition (b)ą́ąh.

'ááł, 'aah, 'ą́ą́' 'ááh, 'ááł, to learn.

1. to learn it.

F. *bíhwii-deesh-'ááł (dííł, dooł, zhdooł, diil, dooł) (doo-) **I.** bíhoosh-'aah (hooł, hooł, hojiił, hwiil, hooł) (hoo-) **P.** bí-hooł-'ą́ą́' (hwiinił, hooł, hojiił, hwiil, hooł) (hoo-) **R.** bíná-hoosh-'ááh (hooł, hooł, hojiił, hwiil, hooł) (hoo-) **O.** bí-hoosh-'ááł (hoół, hooł, hojooł, hool, hooł) (hoo-)

*bí- becomes yí- in 3o.

2. to take training.

This is the same as no. 1, except that indefinite 'í- replaces definite bí. Thus, 'íhooł'ą́ą́', I trained, or took training.

'ąąh háá'á, debt

'ąąh háát'i', (saddle) fringes

'ąąh ha'ajeeh tó da'diisoolígíí, chicken pox, varicella

'ąąh dahaz'ą́, ailment, sickness

'ąąh dahoyooł'aałii, disease

'ąąh 'azlá, pawn

'ąął, 'ąąh (ą́), 'ąąd, 'ąąh, 'ąąh, to reach (in quantity as water).

1. to come up; rise (water).

F. dínóol'ąął **I.** neel'ąąh **Prog.** 'anool'ąął **N.** neel'ą́ **P.** nééł'ąąd **S-P.** nées'ąąd **R.** náníl'ąąh **O.** nól'ąąh

tó tsé bitsį́įjí' dínóol'ąął, the water will come up to the bottom of the rock.

2. to revert back to a former level; to go back down (with prepounded yaa, down); to come back up (with prepounded dei, up).

F. ńdí'nóol'ąął **I.** ná'neel'ąąh **Prog.** ná'nool'ąął **R.** ńdí'níl'ąąh **O.** ná'nól'ąąh

tó yaa ńdí'nóol'ąął, the water will go back down.

3. to measure up to it; to be able; to be able to afford it.

F. *bídí-néesh-'ąął (níił, nóol, zhdínóol, níil, nóoł) **N.** bí-neesh-'ą́ (ninil, nil, zhnil, niil, nooł) **P.** bí-nééśh-'ąąd (nííníl, nééł, zhnééł, niil, nóoł) **R.** bíná-nísh-'ąąh (níl, neel, zhneel, niil, nół) **O.** bí-nósh-'ąął (nóół, nól, zhnól, nóol, nóoł)

*bí- becomes yí- in 3o.

doo bínesh'ą́ą da, I am unable. nínesh'ą́, I can do anything you can. doo shíninil'ą́ą da, you're not "up to me."

4. to measure it.

F. bí-dí'néesh-'ąął (dí'nííł, dí'nóoł, dízh'nóoł, dí'níil, dí'nóoł) (dí'nóol-) **I.** bí-'neesh-'ąąh (neeł 'neeł, zh'neeł, 'niil, 'nooł) ('neel-) **P.** bí-'nééł-'ąąd (ń'níł, 'nééł, zhnééł, 'niil, 'nooł) ('neel-) **R.** biná-'neesh-'ąąh ('neeł, neeł, zh'neeł, 'niil, nół) ('neel-) **O.** bí-'nósh-'ąąh ('nóół, 'nół, zh'nół, 'nool, 'nooł) ('nól-)

* bí- becomes yí-, in 3o.

5. to be insufficient for it; to fall short of it; to be unable to afford it.

F. bi'oh dí-néesh-'ąął (níil, nóol, zhnóol, níil, nóoł) **N.** bi'oh neesh-'ą́ (ninil, neel, shneel, niil, nooł) **P.** bi'oh nésh-'ąąd (ninil, neel, shneel, niil, nooł) **R.** bi'oh ná-nísh-'ąąh (níl, níl, zhníl, niil, nół) **O.** bi'oh nósh-'ąąh (nóól, nól, shnól, nool, nooł)

* bi'oh becomes yi'oh in 3o.

sha'áłchíní bi'oh neesh'ą́, I am unable to support my family.

'á, to extend (a slender stiff obj.)

1. to extend; point.

háá'á, it extends up out; deez'á, it extends along; 'íí'á, it extends into (as a hole); ní'á, it extends horizontally; niní'á, it extends to a point (where it terminates); naní'á, it extends across; náá'á, it extends downward; yaa'á, it extends straight up. deigo deez'á, it slants upward; yaago deez'á, it slants downward; naaniigo deez'á, it extends horizontally; deigo yaa'á, it projects vertically

2. to cause it to project up out
P. háál-'á (háíníł, hayííł, hajííł, haiil, haooł) (habi'dool-)

3. to cause it to project vertically; to hold it vertically.
P. ya-ał-'á (inił, yiił, jiił, iil, ooł) (yabi'diil-)

4. to hold it horizontally.
P. dééł-'á (díníł, yidées, jidées, deel, disooł)

5. to hold it into an enclosure.
P. yah 'ííł-'á ('ííníł, 'ayííł, 'ajííł, 'iil, ooł) (yah 'abi'dool-)

6. to hold it pointed at, or against him.
P. bidiił-'á (bidinił, yiidiił,, bizhdiił, bidiil, bidooł)

shibee'eldǫǫh nidiił'á, I have my gun pointed at you.

7. to be worried; concerned.
P. shi'diił-'á (ni'diił, bi'diił, ho'diił, nihi'diił, nihi'diił)

8. to occupy an area (pl obj.).
N. niil-'á (nooł, yíl, jíl)

diné t'áá yíl'áá ńt'ę̀ę́', ąll people. dził bąąh yas yíl'á, the mt. is snow capped. shikéyah bikáa'gi tsin t'óó 'ahayóí yíl'á, my land is covered with trees.

9. to owe; to be indebted to.

This meaning is rendered by prepounding -ąąh, alongside (one) to the verb forms that follow. The idea is literally that the creditor (the subject of the verb) causes something to project up out alongside the debtor (the object of the postposition -ąąh. So, nąah háál'á, you owe me (I cause it to project out beside you); naaki béeso shąąh hayííł'á, I owe him two dollars (he causes it to project out alongside me).
P. háál-'á (háíníł, hayííł, hajííł, haiil, haooł)

10. to be noisy; to make noise.
N. ha-hwíínísh-'á (hwííníł, hóół, hojííł, hwiil, hooł)

t'áadoo hahwííníł'áhí, don't make so much noise!

'abaní, buckskin
'abąąh náát'i', border strand (of the warp of a rug)
'abe', milk (bibe'; be'abe')
'abe' 'astse', udder
'abid, stomach
'abid dikiní, duodenum (also 'abid dijoolí)
'abízhí, paternal uncle, or aunt
'achásh jish, diaphragm
'achá'áshk'azhí, kidney
'acheii ('achaii), maternal grand father
'achí, birth
'áchį́į́h, nose; snout
'áchį́į́shtah, nostril
'achó, maternal great grandmother

'acho', genitalia
'acho' bighęęzhii, testicle
'acho' bizis, prepuce
'achxoshtł'óól, sur-cingle; cinch
'ách'ą́ą́h neilghéii, shield.
'ach'áháyah, armpit
'ach'é'édą́ą́', yard; dooryard
'ach'é'é, daughter; niece (daughter of one's sister) (f.s.)
'ach'íí', intestine
'ach'íí' bits'áni'nísą́, appendix
'ach'íídííl, large intestine
'ach'íí' dootł'izhí, small intestine
'ach'ooní, comrade; partner
'ach'ozh, calf of the leg
'ach'oozhlaa', elbow
yoke
'adáádít'áhí, stopper; lid
'adááh gónaa dah sitánígíí, neck
'adaa', lip
'adághaa', mustache; whiskers
'adághi', throat (inside)
'ada', nephew (son of one's sister (m. s)
'adá'í, uncle (mother's brother)
'ádah nánídaahii, chairman
'ádah sitą́, top crossbeam of the loom
'adájóózh, epiglottis
'adáziz, glottis
'adą́ą́dą́ą́', yesterday
'adee', gourd; dipper; spoon; horn (bidee', his horn; be'adee', his gourd; dipper; spoon)
'adées'eez, linear foot. t'áálá-hádi 'adées'eez bíighahgo, one foot long.
'adeezhí, younger sister
'ádí, elder sister
'adigąsh, witchcraft
'ádin, nothing; zero; none
'adinídíín, light (be'adinídíín)
'adilghé, adultery
'ádístsiin, stirring stick
'adláanii, drunkard
'adoh, muscle
'adoh bits'id, tendon; ligament
'adoh dah diik'ąąd, cramp
'adókeedí, beggar
'agaan, arm
'agaan bita' sitání, humerus
'agąąlóó', lower arm; ulna
'agąąstsiin, scapula; shoulder blade
'agąąziz, sleeve
'agháadi, favorite; extreme; superlative; best. díí 'agháadi shił łikan, this is my favorite
'aghaa', wool; fur; pubic hair (bighaa', his pubic hair, wool; be'aghaa' his (sheep) wool)
'aghaa' binda'anishdi, woolen mills
'aghá'deeldlaad, x-ray
'agha'diit'aahii, defense attorney; lawyer
'agháhwiizídí, laxative; purge
'agháhwiizídí 'ak'ahígíí, castor oil
'agháát, rattle (be'agháát)
'agháát nímazígíí, gourd rattle
'aghęęzhii, egg; testicle (bighęęzhii, her egg; his testicle be'aghęęzhii, his (hen's) egg)
'aghęęzhii bits'iil, egg shell
'aghid, chest; sternum
'aghi' hodilid, heartburn
'aghi'dę́ę́' dił, hemorrhage

'aghih, breath
'aghóchaan, tartar (on teeth)
'aghók'iz bee na'atsii, toothpick
'aghol, marrow
'aghoo', tooth; teeth
'aghoo' bee yich'iishí, toothbrush
'aghoo' diniih, toothache
'aghoo' yinaalnishí, dentist
'aghos, shoulder
'aghótsíín, gums (of teeth)
'aghózhah, eyetooth
'agizii, chronic rheumatism
'agod, knee
'agodist'ání, kneecap
'ah, 'ah, 'ah, 'ah, 'ah, to skin

1. to skin, butcher, it.

F. ńdeesh-'ah (ńdííł, néidooł, nízhdooł, ńdiił, ńdooł) (nábidi'dool-) **I.** násh-'ah (nánííł, néíł, ńjíł, néiil, nááł) (nábi'dil-) **P.** nísél-'ah (nísíníł, néís, ńjís, nísiil, nísooł) (nábi'dis-) **R.** ní-násh-'ah (náníł, néíł, nájíł, néiil, nááł) (nábi'dil-) **O.** ná-osh-'ah (óół, yół, jół, ool, ooł) (bi'dól-)

náníł'ah, skin it! gah násh-'ah, I am skinning the rabbit.

'ah, 'ááh, 'ah, 'ah, 'ah

2. to blame him.

F. *bik'ího-deesh-'ah (díí, doo, zhdoo, dii, dooh) (doot'ah) **I.** bik'í-hásh-'ááh (hó, hé, hoji, hwii, hóh) (hat'ááh) **P.** bik'í-hosé-'ah (hosíní, ház, hojiz, hosii, hosoo) (hást'ah) **R.** bik'íná-hásh-'ah (hó, há, hoji, hwii, hóh) (hát'ah) **O.** bik'í-hósh-'ah (hóó, hó, hojó, hoo, hooh) (hót'ah)

*bi- becomes yi- in 3o.

shilįį' daaztsą́ągo nik'íhodeesh'ah, if my horse dies I'll blame you.

'ah, 'ááh, 'aa', 'ah, 'ááh, to deceive.

1. to deceive, fool, him.

F. dínéesh-'ah (díníí, yidínóo, jidínóo, diníi, dinóoh) (bidí'nóot'ah) **I.** nósh-'ááh (níní, yinó, jinó, nii, nóh) (bidi'nót'ááh **P.** níí-'aa' (nííní, yinii, jiní, nii, noo) (bidi'néét'aa') **R.** ná-nósh-'ah níní, yinó, zhnó, nii, nóh) (nábidi'nót'ah) **O.** nósh-'ááh (nóó, yinó, jinó, noo, nooh) (bidi'nót'ááh) háíshįį bidínóo'ah, some one will fool him.

2. to lure him in; trick him into entering.

F. yah 'abidínéesh-'ah ('abidíníí, 'iidínóo, 'abidízhnóo, 'abidíníi, 'abidínóoh) ('abidí'nóot'ah) **I.** 'abinish-'ááh ('abiní, 'iini, 'abizhni, 'abinii, 'abinoh) ('abidi'nít'ááh **P.** 'abiníí-'aa' ('abinííní, 'iiníí, 'abizhníí, 'abinii, 'abinoo) ('abidi'noot'aa') **R.** 'anábinish-'ah ('anábiní, 'anéini, 'anábizhni, 'anábinii, 'anábinooh) ('anábidi'nt'ah) **O.** 'abinósh-'ááh ('abinóó, 'iinó, 'abizhnó, 'abinoo 'abinooh) ('abidí'nót'ááh)

'a- can be left off, and the postposition biih, into it, substituted. Thus, chidí bighi' góne' yah 'abidínéesh'ah **or** chidí biih dínéesh'ah, I'll lure him into the automobile.

'ahąąh, abreast; side by side. siláago díí' 'ahąąh naazíígo yikah łeh, soldiers usually march four abreast.
'á háchį', anger
'ahadit'áán, joints
'ahaghał, wither (of horse, etc.)
'aha'deet'aah, treaty; agreement.
'aheedéetą́ą́', of equal thickness or depth.
'ahééjólgheedí, baseball game
'aheełt'é, the same; similar
'aheeníłdáás, of equal weight
'aheeníldííl, the same in size (as animals, people, logs, etc.)
'aheeníłnééz, of the same length
'aheeníłtsááz, of the same width
'aheeníłtso, same in length, size
'ahbíní ('abíní), morning
'ahbínígo da'adánígíí, breakfast
'áhí, fog; mist
'ahi(da)noolin, similar (dist. pl) in appearance
'ahídí'níisą́, adhesion
'ahídzískéii, married couple.
'ahigą́, combat
'ahił hane', conversation
'ahíneel'ą́, equal to each other; in a state of balance.
'ahióóltą'go, all together; counting all. hastiin bitsi' táá', bighe' t'éiyá naaki, 'áko t'áá 'ałtso 'ahióóltą'go 'ashdla' ba'áłchíní the man has three daughters and two sons, so all together he has five children.
'áhoníłtéél, (relatively) wide.
'áhóodziil, energy

'a'áán, hole; burrow (ba'áán).
'á'áhwiinít'į, kindness
'ajáád, leg
'ajáád bita' sitání, femur; thigh bone
'ajaaghi', inner ear
'ajaaghi' dáádiníbaalí, eardrum
'ajaaghi' hodiniih, ear ache
'ajaa', ear; ear lobe
'ajánił, fringe (of a shawl, etc.)
'ajástis, shin
'ajééht'iizh, wax (from the ear)
'ajéé', axle grease
'ajééts'iin, thorax
'ajéí díshjool, heart
'ajéíts'iin, trunk of the body; thorax
'ajéí yilzólii, lungs
'ajéí yilzólii biih yíłk'aaz, pneumonia
'ajéí yilzólii bik'ésti'ígíí, pleura
'ajilchii', anus; rectum
'ajóózh, vagina
'akáá' yihę́ę́s, itch; pruritis
'akááz, tonsil; gland
'akágí, skin
'akágí 'ánóolingi, complexion.
'akáísdáhí, Milky Way
'akał, leather
'akał 'agháál, hide rattle
'akał bee 'ak'aashí, strop
'akał bistłee'ii, cowboy
'akáshtł'o, body hair
'akee', foot; feet
'akédiníbiní, toes
'akéghos, bunion
'akénii', arch of foot (also 'akéts'iil)
'akéshgaan, toenail, hoof, claw

'akéshgaan 'agháál, hoof rattle
'akétal, calcaneous, heel bone
'akétł'ááh, sole (of the foot)
'akétł'óól, root
'akéts'iin, tarsus; ankle joint
'akézhoozh, toes; phalanges of the foot
'áko, then; so then; so. łį́į' bikétsíín be'sétł'ǫ, 'áko doo nízaadgóó 'adoogáał da, I hobbled the horse so he won't go far.
'ákódei, up there. 'ákódei ha'atiin, the road goes up there.
'ákohgo 'índa, when; then. chizh ła' 'ahidíłkaał 'ákohgo 'índa nich'į' n'deeshłééł, when you
'áko 'ínidída, then. 'ałtso k'i'chop some wood I'll pay you. dííláago 'áko 'ínidída hooghan 'ádeeshłííł, when I've finished planting then I'll build a home.
'ákóne', there inside. 'ákóne' hoozk'az, it is cold there inside.
'ákónaa, across there. 'ákónaa tsin naa'íík'ę́ę́z, the tree fell across there.
'ákóyaa, down there. 'ákóyaa tó ńlį, down there a river flows.
'ákǫ́ǫ́, thereabout; to there. 'ákǫ́ǫ́ diit'ash, let's go there.
'ákǫ́ǫ́, here and there. 'ákǫ́ǫ́ tsin 'adaaz'á, here and there a tree sticks up.
'ákwe'é, right there. 'ákwe'é tó háálį, there is a spring there.
'ákwii, there. 'ákwii shiba' ,wait for me there.
'ak'áán, flour (be'ak'áán)
'ak'áán dich'ízhí, cornmeal; cream of wheat
'ak'aashjaa', pelvis; ilium
'ak'ah, lard fat, tallow, grease, vaseline (bik'ah; be'ak'ah)
'ak'ahkǫ', oil; kerosene; oil lamp
'ak'ahkǫ' biih yít'i'í, lamp wick
'ak'ah 'agháhwiizídígíí, castor oil.
'ak'ah diltłi'í, candle
'ak'ai', hip; pelvic bone
'ak'e'elchí, writing
'ak'i'iilchį, nightmare
'ak'inaalzhoodí, harrow
'ak'inaazt'i', harness
'ak'is, sibling or maternal cousin (of the same sex)
'ak'os, neck
'ak'osdoolghółí, atlas bone
'ak'ǫ́ǫ́', seed
'alááhjí, on the farther side. 'alááhjí naa'ołí k'ídíílá, I planted the beans on the farther side.
'alą́ąji' siziinii, leader.
'alą́ąji' naaziinii, leaders.
'alah, sibling or maternal cousin (of opposite sex)
'ála', hand
'ála' 'ahą́ąh dadé'áhígíí, knuckles
'álák'e, hand; area of the hand
'áláshgaan, fingernails
'álástsii', beard (of grain)
'álátah, tip; extremity.
'álátł'ááh, palm (of hand)
'álátsíín, wrist
'álátsį́į́ts'in, wrist bones
'álátsoh, thumb

'álázhoozh, fingers; phalanges of the hand

'ál'į́į́gi, the technique of making; how it is made.

'álííl, magic; supernatural power (be'álííl).

'alizh bikáá́z, prostate gland

'alohk'e', pancreas

'alóós, rice (be'alóós)

'ał, 'ááđ, 'ah, 'ah, 'ááđ, to toss a flat flexible object.

1. to drop it (one flat flexible object.

F. ndeesh-'ał (ndíí, neidoo, nizhdoo, ndii, ndooh) (nabidi'doot'ał) **I.** naash-'ááđ (nani, nei, nji, neii, naah) (nabi'dit'ááđ) **P.** náá-'ah (néíní, nayíí, njíí, neii, naoo) (nabi'doot'ah) **R.** ninásh-'ah (nání, néí, ńjí, néii, náh) (nábi'dit'ah) **O.** na-osh-'ááđ (óó, yó, jó, oo, ooh) (bi'dót'ááđ)

2. to lose it (one flat flexible object.

F. yóó' 'adeesh-'ał ('adíí, 'iidoo, 'azhdoo, 'adii, 'adooh) ('abidi'doot'ał) **I.** yóó' 'iish-'ááđ ('ani, 'ii, 'ajii, 'ii, 'ooh) ('abi'dit'ááđ) **P.** yóó' 'íí-'ah ('ííní, 'ayíí, 'ajíí, 'ii, 'oo) ('abi'doot'ah) **R.** yóó' 'anásh-'ah ('anání, 'anéí, 'ańjí, 'anéii, 'anáh) ('anábi'dit'ah) **O.** yóó' 'oosh-'ááđ ('oó, 'ayó, 'ajó, 'oo, 'ooh) ('abi'dót'ááđ)

'ał, 'aał, 'aal, 'ał, 'aał, to chew a hard object (corn, ice, candy, gum, etc.).

1. to chew, eat, it.

F. deesh-'ał (díí, yidoo, jidoo, dii, dooh) (bidi'doot'ał) **I.** yish-'aał (ni, yi, ji, yii, ghoh) (bi'dit'aał) **P.** yí-'aal (yíní, yiyíí, jíí, yii, ghoo) (bi'doot'aal) **R.** násh-t'ał (nání, néí, ńjí, néii, náh) (nábi'dit'ał) **O.** ghósh-'aał (ghóó, yó, jó, ghoo ghooh) (bi'dót'aał)

'ał, 'ad, 'ah, 'ah, 'ah, to loosen.

1. to untie; loosen; take down (the hair).

F. k'e-'deesh-'ał ('díí, 'iidoo, zh'doo, 'dii, 'dooh) ('bidi'doot'ał) **I.** k'é'-esh-'ad (í, e, ji, ii, oh) (bi'dit'ad) **P.** k'e'-íí-'ah (ííní, íí, jíí, 'ii, 'oo) (bi'doot'ah) **R.** k'ená'-ásh-'ah (í, á, jí, ii, óh) (bi'dit'ah) **O.** k'e'-ósh-'ah (óó, yó, jó, ,oo, 'ooh) (bi'dót'ah)

'ałah 'aleeh, conference, convention, meeting

'ałchíní, children (ba'áłchíní)

'ałch'ishjí, on both sides: or either side.

'áłch'į́į́dí, few; little

'ałdó', also; too. shilį́į́' 'ałdó' 'oodlą́ą́', my horse drank too.

'ałdzéhé, tanner

'ałhosh, asleep

'ał'ąą, different; apart; distinct; separate. 'ał'ąą ndaninil, separate them one from the other!

'ał'ąą 'ádaat'éii, different kinds

'ał'ąą dine'é, (different) tribes

'ałiiłnii, prostitute; whore

'ałk'éí, mutually related (as kin)

'ałk'ésdisí, candy (be'ałk'ésdisí)

'ałk'ésgiz, twisted.

'ałk'idą́ą́', long ago. 'ałk'idą́ą́' 'ayóo ndahałtin ńt'ę́ę́' jiní, it is said that long ago it used to rain a lot.
'ałk'íniilgizh, jerky; jerked meat (be'ałk'íniilgizh).
'ałnáhá́ádláád, oblique fracture
'ałníí', center; middle (be'ałníí')
'ałní'ní'ą́, noon
'ałtaas'éí, assorted; various
'ałtah, mixed; different. t'áá 'ałtso 'ałtah 'ádaat'éego nisin, I want them all different. 'ałk'ésdisí tsé bił 'ałtah lá, there are stones mixed with the candy.
'ałta'nínił, alternation
'ak'éí, kin; relatives
'ak'ídadidisí, bandages
'ak'idahi'nilí, saddle blanket
'ałt'ąą, in spite of their wishes; to their dismay; malgré lui.
'ałtį́į́', bow (be'ałtį́į́')
'ałtį́į́tł'óól, bowstring
'áłt'ą́'í, shallow; thin
'áłtsé, first
'ałts'ą́ą́hjí, on each side; on both sides.
'ałts'ą́ą́' deeníní, pick
'áłts'íísí, little; small
'áłts'óózí, slender; slim
'amá, mother; maternal aunt
'amá sání, paternal grandmother
'amá yázhí, niece (daughter of one's sister) (m. s.)
'anáá', eyes
'anaa', war
'anaashashí, Santa Clara Pueblo
'á naazį́, representatives.
'ananish, business (shinaanish)
'ánaaí, elder brother
'anaasází, ancient people; enemy ancestors
'anádiz, eyelash
'anágaii, white of the eye
'ana'í, enemy (be'ena'í)
'anák'eę, eye socket; ocular area
'análí, paternal grandfather or grandmother
'anáts'iin, eyebrow; supraorbital
'anázhiin, pupil (of the eye)
'anáziz, eyelid
'anáziz bii' dighozhí, trachoma
'aneest'į́į́', theft, burglary
'ané'éshtił, snot; nasal mucus
'aníchxooshtł'ah, the corner of one's eye. shiníchxooshtł'ah bee déé'į́į́', I looked out of the corner of my eye. shiníchxooshtł'ah bee nééł'į́į́', I looked at him out of the corner of my eye.
'ánihwii'aahii, judge
'ání'áii, stem (bání'áii)
'ani'įįhii thief; burglar
'ani'į́į́', thievery
'ániid, recently. 'ániid nayiisnii', he recently bought it.
'ánííd í, recently. 'ánííd í daaztsá, he recently died.
'anii', face
'aníí', waist
'ánii', nares
'aniishjiaa', cheek bone
'aniitsį', cheek
'anik'idé'ání, halter
'áníldííl, large; big
'anilí, rags
'áníłtso, large; big. díí ch'ah

shiláách 'áníłtso, this hat is too big for me.
'anít'i', fence
'anít'i' bił 'adaalkaałí, staple
'áńt'įįh, poison
'aoo', yes
'ásaa', pot; dish; bowl; drum (be'ésaa' or be'ésa')
'ásaa' bee yiltązhí, drumstick
'ásaa' dádeestł'ónígíí, pot drum
'ásaa' ditání, dutch oven
'ásaa' tó bee naakáhí, pail
'asdzání, woman; wife (be'esdzáán)
'asdzání bahastiin daaztsánígíí, widow
'asdzání da'iigisígíí, laundress
'asdzoh, inch. hastą́ądi 'asdzoh, six inches.
'aseezį, gossip
'asgą', pelt; hide. (bisgą'; be'esgą')
'ash, 'aash ('ash), 'áázh, 'ash, 'aash, dual stem of walk, go, etc (V. gááł)
'ashchíinii, parents (bishchíinii)
'ashch'ąh, fit; hysteria
'ashdla'ajį nda'anish, Friday
'ashiiké, boys.
'áshįįh, salt (be'áshįįh)
'áshįįh, Salt Lake, N.M.
'áshįįh likan, sugar
'ashja'ał'iinii, opportunity; "opportunity maker."
'ashkii, boy
'as'ah, long (time). doo 'as'ah sédáa da, I cannot sit long.
'as'ahgóó, a long time (enduring). tsé'édǫ́'ii doo 'as'ahgóó dahináa da, flies do not live long. díí ké 'as'ahgóó nąąh dínóołnah, these shoes will last you a long time.
'ásitą́, lower crossbeam (on loom)
'á sizį, representative (bá sizį).
'asnááhii, captor
'ászólí, light (in weight)
'átáá', forehead
'atahazhosh, muscle under femur
'atah nahaztseed, general anesthesia
'átásiil, perspiration
'atéél, ventral area
'atélí, spleen
'atéél siłtsooz, apron
'atiin, trail; road (bitiin, his own trail; be'atiin, his road)
'atoo', soup; juice; stew; gravy
'at'ąą', leaf
'át'ahígo, in a little while. 'át'ahígo dah didiit'ash, we'll start off (d) in a little while.
'at'a', wing
'at'ééd, girl
'at'ééké, girls.
'at'og, clavicle; collarbone.
'atł'aa', rump; buttock.
'atł'eeyah dah sinilí, single tree.
'atł'eeyah dah sinilí bá ni'áhígíí, double tree.
'atł'eeyah dah sinilí bił 'íí'áhígíí, wagon hammer (queen bolt).
'atł'eh, crotch (between legs).
'atł'izh, bile.
'atł'ótsin, upper and lower loom poles.
'átsą́ą́', ribs

'atsá, eagle.
'atsá biyáázh, February.
'atságah, side (of the body).
'atsą́, belly; abdomen (inside).
'atsą́ ha'íí'ééł, miscarriage.
'átsé, first.
'átsé choo'įįhii, first aid.
'atsee', tail.
'atseełtsoii, western red tail hawk.
'atsék'ee, lap. sitsék'ee dah sidá, he is sitting on my lap.
'atsézííł, lumbar.
'atsi', daughter; niece (daughter of one's brother) (m. s.)
'atsį', flesh; meat (bitsį'; be'atsį').
'atsiighąą', brain.
'atsiighąą' bik'ésti'ígíí, meninges; membranes that cover the brain.
'atsiigha', mane.
'atsii', hair.
'atsiin, stem (bitsiin).
'atsiit'áád, crown (of the head).
'atsiit'áád tó 'álnééh, baptism.
'atsiits'iin, head; craneum.
'atsiiyah, back of head; occiput.
'atsilí, younger brother.
'atsinilt'ł'ish, lightning; electricity.
'atsinilt'ł'ish bee 'adinídíín, electric light.
'atsóí, grandchild.
'atsoo', tongue.
'atsxil, female genitalia.
'ats'áoz'a', limb; bough (of man or of a tree) (bits'áoz'a').
'ats'áoz'a' k'égéésh, amputation
'ats'éé', navel; umbilicus.
'ats'id, sinew; tendon; ligament.
'ats'íís, body.
'ats'íís doo hináanii, corpse.
'ats'íísts'in, skeleton.
'ats'oos, blood vessel; nerve.
'ats'oos dootł'izhígíí, vein.
'ats'oos łichí'ígíí, artery.
'ats'oosts'óóz, capillary.
'ats'oos yita', pulse.
'ats'ooz naaztseed, local anesthesia.
'ats'os, down; downy feathers.
'awáalya, jail.
'awáalyaaí, prisoner; convict.
'awáalyaa hótsaaí, penitentiary.
'awáalya yaa 'áhályání, jailer.
'awéé', baby (be'awéé').
'awéé' biyaałáí, placenta.
'awéé' hayiidzįįsii, midwife.
'awéé' yii' nitéhí, crib.
'awééshchíín, doll.
'awéétsʼááł, cradle; cliff rose (be'awééts'ááł).
'ayaadi daa'é'ígíí, underclothes.
'ayaadi 'éé', underclothes.
'áyaańda, no wonder. 'áyaańda yídloh, no wonder you are laughing.
'ayaats'iin, chin; jaw.
'ayaayááh, throat (outside).
'ayaayááh dah 'iighe', goiter.
'ayaayááh niichaad, mumps.
'ayáázh, son; nephew (son of one's sister or brother). (f. s.)
'ayahdidi'nił, incense.
'ayahoolni, suspicion.
'ayání, bison; buffalo.
'ayání bito', Iyanbito, N.M.

'ayóígo, exceedingly; remarkably. 'ayóígo shił hózhǫ́, I am very happy.
'ayóo, very. 'ayóo deesk'aaz, it (weather) is very cold.
'ayóogo, very. 'ayóogo niłchxon, it smells very bad; stinks terribly. 'ayóogo nił hóghéé', you are very lazy.
'azaatł'óól, rein.
'azáát'i'í, bridle.
'azágí, esophagus; gullet.
'azahat'ágí, palate.
'aza'azis, pocket (biza'azis).
'azanátsihí, clinical thermometer.
'azází, ancestor (bizází).
'azeedích'íí', chilli; pepper (be-'azeedích'íí').
'azéédéenilí, hames (of harness).
'azéédéetání, collar (harness).
'azeedí, cousin (daughter of one's paternal aunt, or of one's maternal uncle).
'azeediilch'iłii, (or łįįdą́ą́'), blue flowered lupine.
'azee', medicine; drug.
'azéé', mouth.
'azee'adiłidí łizhinígíí, iodine.
'azee' báháádzidii, poison.
'azee' bá hooghan, drug store.
'azee' bee 'iilgháshí, ether.
'azee'étłohí, liniment.
'azee'iiłchíhígíí, mercurochrome
'azee'íił'íní, doctor; physician.
'azee'íił'íní na'algizhígíí, surgeon.
'azee' łikoní, alcohol.
'azee' nayiiłniihí, druggist.
'azeeniłchin, peppermint plant.
'azéé' si'ání, bit (on the bridle).
'azeetł'ohii, blue-eyed grass.
'azhą́ --- ndi, even though. 'azhą́ hasistih ndi 'ayóo 'eesh'į́, even though I am old I see well.
'azhéé', saliva.
'azhé'é, father.
'azhí, voice.
'azhi', torso; body.
'azhííh, bast.
'azid, liver.
'azis, bag; sack.
'aziz, penis.
'azóól, corn tassel.
'azool, trachea; windpipe.
'azǫ́ǫ́z, stinger (bizǫ́ǫ́z).

B

baa, to him; about it. baa ní'ą́, I gave it to him. baa hashne', I am telling about it.
báháádzidii, poison.
bááh, bread.
bááh bighan, outdoor oven.
bááh bił 'ál'íní, yeast.
bááh 'ál'įįgi, bakery.
bááh dá'áka'í, crackers.
bááh 'íił'íní, baker.
bááh łikaní, cake; doughnuts; cookies,
bááh łikaní náhineests'ee'ígíí, cinnamon rolls.
bááh yázhí, buns.
baa', component of many feminine personal names. Its meaning is probably warrior. baa-ts'ósí, Slender (warrior) Girl.
baał, baah (ba'), ba' ---, ---.

1. to treat him with kindness; be merciful, good, to him; to aid him (with contributions of food, money, shelter, etc.).
F. jiideesh-baał (jiidíí, jiidoo, jijiidoo, jiidii, jiidooh) **I.** jiinishbaah (jiiní, joo, jijoo, jiinii, jiinoh) **U.** jiinish (or joosh) -ba' (jiiní, joo, jijoo, jiinii, jiinoh) **P.** jiisé-ba' (jisíní, jooz jijooz, jisii, jisoo) 'ałk'ésdisí bee baa jiiséba', I treated him to some candy. naaldlooshii baa jiinishba' łeh, I am kind to animals.
báálk'iisjí, beside it; parallel to it. báálk'iisjí yínáał, walk beside it!
bááshzhinii, jet (stone).
báátis, over it. kin báátis jooł 'ahííłhan, I threw the ball over the house.
bąąh, beside it. 'atiin bąąhgi tsin 'íí'á, the tree stands beside the road.
bąąh, edge; border (bibąąh). dá'ák'eh bibąąhgi shighan, my home is at the edge of the field.
bąąhágii ('át'éii), sin; crime, misdeed.
bąąh ha'íízhahí, cup.
bá, for him; in favor of him. bá 'ádeeshłííł, I'll make it for him.
bah, bááh (baah), baa', bah, bááh, to make war.
1. to start on a raid.
F. dideesh-bah (didíí, didoo, jididoo, didii, didooh) **I.** dish-bááh (dí, di, jidi, dii, doh) **P.** dé-baa' (díní, deez, jideez, dee, disoo) **R.** ńdísh-bah (ńdí, ńdí, nízhdí, ńdii, ńdóh) **O.** dósh-bááh (dóó, dó, jidó, doo, dooh)
2. to be going along on a raid.
Prog. yish-bah (yí, yi, joo, yii, ghoh)
3. to raid about; go raiding.
F. ndeesh-bah (ndíí, ndoo, nizhdoo, ndii, ndooh) **C-I.** naashbaah (nani, naa, nji, neii, naah) **P.** nisé-baa' (nisíní, naaz, njiz, nisii, nisoo) **R.** ni-násh-bah (náni, ná, nájí, néii, náh) **O.** naoshbaah (naóó, naoo, njó, naoo, naooh)
4. to return from a raid.
F. ńdeesh-bah (ńdíí, ńdoo, nízhdoo, ńdii, ńdooh) **Prog.** nááshbah (náá, náá, ńjoo, néii, náh) **P.** nání-baa' (néíní, nání, názhní, nánii, nánoo) **R.** ní-náshbah (náni, ná, nájí, néii, náh) **O.** náosh-bááh (náóó, náoo, ńjó, náoo, náooh)
5. to storm, raid, a city.
(3rd person dist. pl)
F. kįįh dadoobah **I.** kįįh daabááh **P.** kįįh daazbaa' **R.** kįįh ńdaabah **O.** kįįh daoobááh
6. to storm city after city.
(3rd person dist. pl)
F. kįįh dahidoobah **I.** kįįh dahabááh **P.** kįįh dahaazbaa' **R.** kįįh ńdahabah
báhályáahii, absentee
bahastiin naakii, bigamist (i.e. one with two husbands).
ba'aan, in addition to it. dízdiin dóó ba'aan díį', 44.

ba'át'e', his faults.

bá'ólta'í, teacher.

bał, baał, baal, bał, baał, to suspend a curtain like object.

1. to hang it up.

F. dideesh-bał (didíít, yididooł, jididooł, didiil, didooł) (bidi'-dool-) **I.** dish-baał (díł, yidił, jidił, diil, dołł) (bi'dil-) **P.** dét-baal (díníł, yidees, jidees, deel, dooł) (bidi'dees-) **R.** ńdísh-bał (ńdíł, néidił, nízhdíł, ńdiil, ńdół) (nábi'dil-) **O.** dósh-baał (dóół yidół, jidół, dool dooł) (bi'dól-)

2. to hold it up (as a curtain).

N. yínísh-baal (yíníł, yiníł, jiníł, niil, nołł) (ní-)

báyóodzin, Paiute.

bąs, bąąs, bą́ą́z, bąs, bąąs, to roll (a circular, wheel like object)

1. to drive it (car, wagon) up out (as from a hole, uphill, etc.).

F. ha-dees-bąs (díít, idooł, zh-dooł, diil, dooł) (bidi'dool-) **I.** ha-as-bąąs (nił, ił, jił, iil, oł) (bi'-dil-) **P.** háát-bą́ą́z (háíníł, hayíít-hajíít, haiil, haooł) (habi'dool-) **R.** ha-nás-bąs (náníł, néíł, ńjíł, néiil, nát) (nábi'dil-) **O.** ha-os-bąs (óół, yół, jół, ool, ooł) (bi'dól-)

2. to start off driving it (car).

F. dah didees-bąs (didíít, yididooł, jididooł, didiil, didooł) **I.** dah diis-bąąs (diił, yidiił, jidiił, diil, dooł) **P.** dah diił-bą́ą́z (diníł, yidiił, jidiił, diil, dooł) **R.** dah ńdiis-bąs (ńdiił, néidiił, nízhdiił, ńdiil, ńdooł) **O.** dah doos-bąąs (doół, yidooł, jidooł, dool, dooł)

3. to start rolling it along.

F. didees-bąs (didíít, yididooł, jididooł, didiil, didooł) (bidi'dool-) **I.** dis-bąąs (díł, yidił, jidił, diil, doł) (bi'dil-) **P.** dét-bą́ą́z (díníł, yidees, jidees, deel, disooł) (bi'-dees-) **R.** ńdís-bąs (ńdíł, néidił, nízhdíł, ńdiil, ńdół) (nábi'dil-) **O.** dós-bąąs (dóół, yidół, jidół, dool, dooł) (bi'dól-)

4. to drive it out (horizontally as a car from a garage).

F. ch'í-dees-bąs (díít, idooł, zh-dooł, diil, dooł) (bidi'dool-) **I.** ch'í-nís-bąąs (nít, ił, jíł, niil, nół) (bi'deel-) **P.** ch'í-níł-bą́ą́z (íníł, iníł, zhníł, niil, nooł) (bi'-deel-) **R.** ch'í-nás-bąs (náníł, néíł, ńjíł, néiil, nát) (nábi'dil-) **O.** ch'óos-bąąs (ch'óół, ch'íyół, ch'íjół, ch'óol, ch'óoł) (ch'íbi'dól)

shichidí chidí bá hooghandę́ę́' ch'íníłbą́ą́z, I drove my car out of the garage.

5. to be driving or rolling it a-long (a car, wagon, etc.).

Prog. yis-bąs (yíł, yooł, jooł, yiil, ghoł) (bi'dool-)

6. to arrive (driving or rolling it); to go (by car or wagon).

F. dees-bąs (díít, yidooł, jidooł, diil, dooł) (bidi'dool-) **I.** nis-bąąs (nít, yít, jít, niil, noł) (bi'-deel-) **P.** níł-bą́ą́z (yíníł, yiníł, jiníł, niil, nooł) (bi'deel-) **R.** nás-bąs (náníł, néíł, ńjíł, néiil, nááł) (nábi'dil-) **O.** ghós-bąąs (ghóół, yół, jół, ghool, ghooł) (bi'dól-)

7. to drive or roll it in (as into the garage).

F. yah 'adees-bąs ('adííł, 'iidooł, 'azhdooł, 'adiil, 'adooł) ('abidi'-dool-) **I.** yah 'iis-bąąs ('anił, 'iił, 'ajiił, 'iil, 'ooł) ('abi'dil-) **P.** 'ííł-bą́ą́z ('íínił, 'ayííł, ajííł, 'iil, 'ooł) ('abi'dool-) **R.** 'a-nás-bąs (nánił, nééł, ńjíł, néiil, nááł) (nábi'dil-) **O.** 'oos-bąąs ('oół, 'ayół, 'ajół, 'ool, 'ooł) ('abi'dól-) shichidí chidí bá hooghan góne' yah 'ííł-bą́ą́z, I drove my car into the garage.

8. to go, make a trip (by auto or wagon).

F. 'a-dees-bąs (dííł, dooł, zhdooł, diil, dooł) **I.** 'a-dis-bąąs (dił, dił, zhdił, diil, doł) **Prog.** 'ees-bąs ('ííł, 'ooł, 'ajooł, 'iil, 'oł) **P.** 'a-déł-bą́ą́z (dínił, dees, zhdees, deel, dooł) **S-P.** *ni'séł-bą́ą́z (ni'sínił, na'as, n'jis, ni'siil, ni'-sooł) **R.** ń'dís-bąs (ń'díł, ń'díł, nízh'díł, ń'diil, ń'dół) **O.** 'a-dós-bąąs (dóół, dół, zhdół, dool, dooł)

*This form means to have made the trip, and returned. Na'nízhoozhígóó ni'séłbą́ą́z, I drove to Gallup (and back).

9. to return driving; to drive back.

F. ń'dees-bąs (ń'dííł, ń'dooł, nízh'dooł, ń'diil, ń'dooł) **I.** ná'nís-bąąs (ná'nił, ná'íł, ń'jíł, ná'niil, ná'nół) **Prog.** ná'ees-bąs (ná'ííł, ná'ooł, ń'jooł, ná'iil, ná'oł) **P.** ná'níł-bą́ą́z (ná'íínił, ná'nił, názh'nił, ná'niil, ná'nooł) **R.** ní-ná'ás-bąs (ná'íł, ná'áł, ná'jíł, ná'iil, ná'ół) **O.** ná'ós-bąąs (ná'-óół, ń'jół, ná'ool, ná'ooł)

10. to turn it around (car, etc.)

F. naa-nídees-bąs (nídííł, néi-dooł, nízhdooł, nídiil, nídooł) (nábidi'dool-) **I.** naa-nás-bąąs (nánił, nééł, ńjíł, néiil, nááł) (ná-bi'dil-) **P.** naa-níséł-bą́ą́z (nísí-nił, néis, ńjís, nísiil, nísooł) (ná-bi'dis-) **R.** naaní-nás-bąs (ná-nił, nééł, nájíł, néiil, nááł) (nábi'-dil-) **O.** naa-náos-bąąs (náóół, náyół, níjół, náool, náooł) (ná-bi'dól-)

11. to turn around (in a car or wagon).

F. naa-ní'dees-bąs (ní'dííł, ní'-dooł, nízh'dooł, ní'diil, ní'dooł) **I.** naa-ná'ás-bąąs (ná'íł, ná'áł, ń'jíł, ná'iil, ná'ół) **P.** naa-ní'-séł-bą́ą́z (ní'sínił, ná'ás, ń'jís, ní'siil, ní'sooł) **R.** naaní-ná'ás-bąs (ná'íł, ná'áł, ná'jíł, ná'iil, ná'ół) **O.** naa-ná'osbąąs (ná'-óół, ná'ół, ń'jół, ná'ool, ná'ooł)

12. to park it (car, wagon).

F. ndees-bąs (ndííł, niidooł, ni-zhdooł, ndiil, ndooł) **I.** ni-nis-bąąs (níł, yíł, jíł, niil, nół) **P.** niníł-bą́ą́z (nííníł, niiníł, nizhníł, niniil, ninooł) **R.** ni-násbąs (ná-níł, nééł, nájíł, néiil, nááł) **O.** noos-bąąs (noół, niyół, njół, nool nooł)

13. to park (a car).
F. n'dees-bąs (n'dííł, n'dooł, nizh'dooł, n'diil, n'dooł) **I.** ni'nis-bąąs (ni'níł, ni'íł, ni'jíł, ni'niil, ni'nooł) **P.** ni'níł-bą́ą́z ni'nííníł, ni'níł, nizh'níł, ni'niil, ni'nooł) **R.** ni-ná'ás-bąs (ná'íł, ná'áł, ná'jíł, ná'iil, ná'óɫ) **O.** ni'ósbąąs (ni'óół, ni'ół, n'jół, ni'ool, ni'ooł)

14. to arrive rolling; to roll.
(The forms given herewith are intransitive, and refer to an object; thus they are in 3rd person) **F.** doobąs **I.** yíbąąs **Prog.** yibąs **P.** níbą́ą́z **R.** nábąs **O.** ghóbąąs

bee, with it; by means of it. chidí bee niit'áázh, we came by car.
bee chaha'ohí, umbrella.
béégashii, cow; cattle.
béégashii bitsį', beef.
béégashii cho'ádinii, steer.
béégashii yáázh, calf.
bee hadah dah ní'diilgho'í, parachute.
bééhágod, hoe.
bee hahwiikaahí, scraper.
bee ha'al'eeɫí, strainer.
bee ha'nilchaadí, wool carders.
bee haz'áanii, law.
beehai, Jicarilla Apache.
bee 'ąąh 'ii'nihí, wringer.
bee 'ąą ńdítįhí, key.
bee 'ach'iishí, saw; file; rasp.
bee 'adéest'į́į́', telescope; binocular; field glass.
bee 'adighin, immunity.
bee 'adiltashí, slingshot.
bee 'ádílt'ɫahí, vaseline.
bee 'aditł'į́įh, sling.
bee 'adizí, spindle.
bee 'adzooí, comb (for wool).
bee 'aghádaa'a'nilí, drill; bit.
bee 'aghádadzilne'é, center punch.
bee 'aghá'níldéhí, sieve.
bee 'aghánídíldla'í, x-ray apparatus.
bee 'ahída'diiljeehí, glue.
bee 'a'nizhí, tweezers.
bee 'akalí, bat; club.
bee 'ak'e'alchíhí, pencil; chalk; steel stamp.
bee 'ak'inda'a'nilí, camera.
bee 'ałch'į' didloh, buckle.
bee 'át'é, due to it; because of it. dibé yázhí t'ah ndi 'ádaałts'íísí; t'áadoo nahałtiní yíshį 'éí bee 'át'é, the lambs are still small due to the fact that summer passed without rain. kin góne' deesk'aaz, kǫ' 'ádin 'éí bee 'át'é, the house is cold because there is no fire.
bee 'atł'įhí, sling (ib. bee 'atł'į́įh)
bee 'atsidí, hammer; mallet.
bee 'atsidítsoh, sledge hammer.
bee 'atsxis, quirt; whip.
bee 'azk'azí, refrigerator.
bee 'ééhániih biniighé 'ályaaígíí, monument; memorial.
bee 'ééhániihii, souvenir.
bee 'eldǫǫh, gun.
bee 'eldǫǫh bee 'anáháltahí, trigger (of a firearm).
bee'eldǫǫh bikǫ', gunpowder.

bee'eldǫǫh bik'a', bullet; cartridge; ammunition.
bee'ełdǫǫh bitsiin, stock (gun).
bee'ełdǫǫh bizis, holster; scabbard; gun case.
bee'ełdǫǫh nineezígíí, rifle.
bee'eldǫǫh yázhí, revolver.
bee 'ída'diiłjeehí dijé'ígíí, rubber cement; mucilage.
bee 'ída'neeł'ąąhí, measuring tape; ruler; yardstick.
bee 'ídílzoołí, whistle (instr.)
bee 'í'diiłjeehí, adhesive tape.
bee 'íí' ná'álzoołí, tire pump.
bee 'iikaałí, cold chisel.
bee 'ił 'ada'agizí, wrench.
bee 'ił 'ada'agizí tsin bighááh dé'áhígíí, screwdriver.
bee haz'ą́, allowable; permissible. hooghan góne' ná'át'oh t'áá bee haz'ą́, smoking is permissible in the hogan. sodizin bá hooghan góne' ná'át'oh doo bee haz'ąą da, smoking is not permissible in the church.
béého̧zingo, you know. (As when one starts a sentence).
bee 'íńdiidlohí, brake.
bee 'ódleehí, trap; bird snare.
bee 'ótsa'í, pliers; tongs.
bee kééh ná'át'isí, shoe horn.
bee k'éé'álchxǫǫhí, eraser.
bee nahalzhoohí, broom.
bee nahat'i'íí, transportation.
bee náhwiidzídí, rake.
bee na'adlo'í, steering wheel.
bee na'ał'eełí, oar.
bee ná'ájeehí, grease gun.
bee ná'álkadí, thread.
bee na'anishí, tool; apparatus.
bee ná'nítałí, spurs.
bee nihwiiłdlaadí, plow.
bee ni'diłdlaadí, flashlight.
bee ník'í'níltłish, batten stick.
bee łá'dígéshí, sheep shears.
bee k'éé'áldǫǫhí, flatiron.
beeldládí, blanket.
beeldléí, blanket.
beeł, bé, bį́į́', beeh, bį́į́'.

1. to bathe; to swim about.
F. ndeesh-beeł (ndíí, ndoo, nizhdoo, ndii, ndooh) **I.** naash-bé (nani, naa, nji, neii, naah **P.** nisé-bį́į́' (nisíní, naaz, njiz, nisii, nisoo) **R.** ni-násh-beeh (náni, ná, nájí, néii, náh) **O.** naoosh-bį́į́', (naóó, naoo, njoo, naoo, naooh)

2. to start to, be going to, bathe or swim about.
P. ńdii-bį́į́' (ńdini, ńdii, nízhdii, ńdii, ńdoo)

3. to pick them (berries, fruit).
F. yídéesh-beeł (yídíí, yídóo, yízhdóo, yídíi, yídóoh) (bídí'dóo-)
C-I. yínísh-bé (yíní, yó, jó, yíníi, yínóh) (bí'dó-) **P.** yí-bį́į́' (yíní, yiyíí, jíí, yii, ghoo) (bí'doo-) **R.** néinísh-beeh (néíní, náyó, ńjó, néiníi, néinóh) (nábí'dó-) **O** ghóosh-bį́į́' (ghóó, yó, jó, ghoo, ghooh) (bí'dó-)
béésh, flint; iron; metal; knife (bibéézh).
béésh 'ádaaszóólíígíí, aluminum
béésh 'adee', spoon (of metal).
béésh 'adee' ntsaaígíí, tablespoon; large spoon.

béésh 'ahédiłí, scissors; snips.
béésh 'áłts'ózí, wire.
béésh 'adishahí, barbed wire.
béésh 'ast'ogii, flint arrowhead.
béésh bee bigháda'a'nilí, drill; steel bit (for drilling metal).
béésh bee hane'é, telephone.
béésh bee 'ak'e'elchíhí, typewriter.
béésh bizis, knife sheath.
béésh bii' kǫ'í, stove.
béésh da'hólzha'í, chain.
béésh deeshzhaaí, barbed wire.
béésh dit'óódígíí, cast iron.
béésh dootł'izh, iron.
béésh hataałí, phonograph.
béésh łichíí'ii, copper.
béésh łigaii, silver.
béésh łigaii 'aniiłł'óól, silver bridle.
béésh łigaii sis, silver belt.
béésh łigaii sis ntsaaígíí, silver belt with large conchos.
béésh łigaii sis yázhí, silver belt with small conchos.
béésh łitsoii, brass.
béésh ná'ákadí, sewing machine
béésh nitł'izígíí, steel.
béésh sinil, Winslow, Arizona.
béésh tó bii' ńlínígíí, water pipe.
béésh tózháanii, mercury.
béeso, money; dollar.
béeso bá hooghan, bank.
béeso bik'é na'anishígíí, wages.
béeso bizis, purse; pocket book.
be'ek'id, pond; small lake.
be'ek'id baa 'ahoodzání, Piñon, Arizona.
be'ek'id halchíí', Red Lake, Ariz.
be'ek'id halgaii, Lake Valley, New Mexico.
be'ek'id hóteelí, Mariano Lake, New Mexico.
be'eldííłasinil, Albuquerque, New Mexico.
be'esdzą́ą́ 'ádinii, bachelor.
be'esdzą́ą́ naakii, bigamist (i.e. one with two wives).
bé'ézhóó', hairbrush; comb; hair broom.
biba', for him (waiting). biba' sédá, I'm sitting waiting for him.
bich'ą́ą́h, in his way. bich'ą́ą́h sézį́, I'm standing in his way.
bich'į', toward it. dził bich'į' 'ayóó 'ánízáád, it is far to the mtn. shicheii bich'į' délá, I am taking it to my grandfather.
bich'į' 'aznízíní, appetizer.
bidááh, toward him (to meet him). bidááh níyá, I went to meet him.
bidáahgi, in front of it (a moving thing). kǫ' na'ałbąąsii, bidáahgi béégashii sizį́, the cow is standing in front of (the moving) train.
bidáá' ha'azł'í', Grand Cañon, Arizona.
bidah, downward. bidah 'íígo', I fell down (off of something).
bidaóółtą'go, including them, counting them.
bideená, for it (in exchange for). t'ááłá'í béeso bideená 'áshłaa, I did it for one dollar.
bideiijígo, above it. tó sighínígíí

bideiijígo ch'íníyá, I passed above the body of water.

bighą́ą́h, hitched, joined, to it. łį́į́' tsinaabąąs bighą́ą́h dézį́, the horse is standing hitched in front of the wagon.

bighą́ą́'dóó 'adéest'į́'í, watch-tower

bighá, through it. 'anít'i' bighá nísh'na', I crawled through the fence.

bighi', within it; its interior; inside it. 'anít'i' bighi' béégashii naakai, the cattle are inside the fence. tsé bighi', inside the stone.

bighi' 'iilnaahí, incubator.

bíhwiidoo'áłígíí, lesson.

bíhoo'ą́ą́'ii, knowledge.

bí'ítsé, before him. shínaaí bí-'ítsé hooghandi nánísdzá, I got home before my older brother.

bííghah, beside it; proportionate to it. shimá bííghah sézį́, I am standing beside my mother. be'ek'id bííghahgi shighan, I live by the lake. doo bííghah da, it is not enough.

bííghahgóó, parallel to it; beside it. dá'ák'eh bííghahgóó 'atiin, the cornfield is parallel to the road.

bííghis, handsome; good looking (shííghis, I am ---; nííghis, you are ---; nihííghis, we are --- etc.).

biih, into it. tó biih yígo', I fell into the water.

biih nágho'í, pocket knife.

bii', in, inside it. jooł tsits'aa' bii' si'ą́, the ball is in the box.

bii 'adést'į́į́', mirror.

bii'dees'eez, stirrup.

bii' halts'aa', hollow (as a gourd)

bii' hoodzą́, hollow (as a log).

bii 'iigisí, washtub.

bii' tá'ádígisí, wash basin.

biil, Pueblo squaw dress.

biina, Ignacio, Colorado.

biiskání, on the next day. biiskání daaztsą́, on the next day he died.

biizhii, western nighthawk.

bįįh, deer; reindeer.

bįįh bidee', deer antlers.

bįįhką', buck (deer).

bįįhtsa'ii, doe.

bįįh yáázh, fawn.

bįįh yiljaa'í, bitterball.

bįįł, bį', bį', bįįh, bį', to build a hogan (not a transitive verb).

F. ho-deesh-bįįł (dííł, dooł, zh-dooł, diil, dooł) (hodoo-) **C-I.** hash-bį' (hół, hał, hojił, hwiil, hoł) (ha-) **P.** hosééł-bį' (hosíníł, has, hojis, hosiil, hosooł) (haz-) **R.** ná-hásh-bįįh (hół, háł, hojił, hwiil, hół) (há-) **O.** hósh-bį' (hóół, hół, hojół, hool, hooł) (hó-)

bííł, bin, bįįd, bííh, bin, to fill.

1. to get full of it.

The postposition -ii', inside, precedes the verb forms. The latter are in 3rd person, and the person of the postposition is altered by changing the objective pronominal prefix (shii', in me; nii', in you; bii', in him, etc.).

F. hadidoobį́įł **I.** hadibin **P.** hadéébįįd **S-P.** hadeezbin **R.** háádíbį́įh **O.** hadóbin. shikee' tsé bii' hadéébįįd, my shoes got full of stones. tó bii' hadeezbin, it is full of water.

2. to fill it with it.

F. ha-dideesh-bį́įł (didíił, ididooł, zhdidooł, didiil, didooł) **I.** ha-dish-bin (díł, idił, zhdił, diil, doł) **P.** ha-dééł-bįįd (díínił, idééł, zhdééł, diil, dooł) **R.** háá-dísh-bį́įh (díł, idił, zhdíł, diil, dół) **O.** ha-dósh-bin (dóół, idół, zhdół, dool, dooł) 'ásaa' tó yii' haidééłbįįd, he filled the pot with water.

bįįł, bįįh, bą́, bįįh, bą́ą́', to gamble.

1. to win at gambling.

F. 'ii-deesh-bįįł (díił, dooł, zhdooł, diil, dooł) **I.** 'oosh-bįįh ('iinił, 'ooł, 'ajooł, 'iiniil, 'iinoł) **P.** 'iiséł-bą́ ('iisínił, 'oos, 'ajoos, 'iisiil, 'iisooł) **R.** ná'oosh-bįįh (ná'-ooł, ná'ooł, ní'jooł, ná'ool, ná'-ooł) **O.** 'oosh-bą́ą́' ('óół, 'ooł, 'ajooł 'ool, 'ooł)

2. to win it from him.

F. *baa yi-deesh-bįįł (díił, dooł, zhdooł, diil, dooł) **I.** baa (gh)oosh-bįįh (inił, yooł, jooł, ool, ooł) **P.** baa yiséł-bą́ (yisínił, yoos, joos, yisiil, yisooł) **R.** baa náoosh-bįįh (náooł, náyooł, níjooł, náool, náooł) **O.** baa (gh)oosh-bą́ą́' (óół, yooł, jooł ool, ooł)

*These forms generally contract; baa plus yi- becomes beei- and baa plus gho- becomes baao-. baa becomes yaa in 3o.

3. to lose gambling.

A passive verb form is used, and it is conjugated for person by altering the pronominal object on the postposition (e.g. shaoozbą́, I lost; naoozbą́, you lost, etc. It is given below in the 1st person singular.)

F. sheeidoobįįł **I.** shaoobįįh **P.** shaoozbą́ **R.** shaanáoobįįh **O.** shaoobą́ą́'.

bijééhkał, his deafness; he is deaf (nijééhkał, you are --- etc.).

bíjíík'ehgo, in accord with his own customs; in his own way.

bíká, for, after, him. bíká 'ádíshní, I am calling (after) him.

bikáa'gi, on it; upon it. bikáá' 'adání bikáa'gi bááh dóó gohwééh naazką́, the bread and coffee are on the table.

bikáá'adání, table.

bikáá' dah 'anitéhí, bed.

bikáá' dah 'anitéhí 'áłts'óózíígíí, cot; narrow bed.

bikáá' dah 'asdáhí, chair.

bikéé', behind him. bikéé' yishááł, I am walking behind him.

bikooh, arroyo; gorge.

bik'ą́ąh, against it (motion against it). bichidí kin yik'ą́ąh bił yílghod, he ran into (i.e. against) the house with his car.

bik'é, for it (in exchange for).

nisníshnishę́ę́ bik'é shich'į' na'ílyá, I was paid for my work.

bik'é 'íhwiidoo'áałii, tuition.

bik'ee, on account of it. bik'ee shił hóghéé', I am frightened on account of him.

bik'eh, according to him; at his instance; by his orders. naat'áanii bik'ehgo 'ata' hashne', I interpret by the orders of the boss.

bik'eh 'adiłt'ohí, gun sight.

bik'ehgo náhidizídí, calendar.

bik'i, on it; upon it. łį́į́' bik'i dah nídaah, get up on the horse!

bik'idah'asdáhí, chair.

bik'idah'asdáhí nineezígíí, sofa; davenport; bench.

bik'i 'atsidí, anvil.

bik'i 'iigisí, washboard.

bik'inizdidlaad, shiny; lustrous.

bilą́ąjį', ahead of him. bilą́ąjį' 'oobąsgo 'atiingóó yigááł, he is walking down the road with a wagon ahead of him.

bíla' táá'ii, fork (three tined).

bilasáana, apple.

bilasáana dighozhígíí, pineapple

bílátah, its tip; its extremity; its peak.

bílátah da'íítsoii (ch'il bílátah da'íítsoii), bloom; blossom.

bił, sleepiness; drowsiness. bił nisin, I am sleepy. bił shi'niiłhį́, I am very sleepy.

bił, with him; in his company. łééchąą'í bił na'nishkaad, I am out herding with my dog.

bił 'é'él'íní, baking powder.

bił nida'alkadí, bias tape.

bił ní'diiłch'ah, yawn.

bił 'ólta'go, counting him; including him. hastiin 'ashdla' ba'áłchíní, 'awéé' 'áłts'íísígíí 'ałdó' bił 'ólta'go, the man has five children counting (or including) the little baby.

binaa, around it. shikin binaagóó hózhóní, it is pretty around my house.

bináá'ádaałts'ózí, bikéyah, Japan.

bináá'ádaałts'ózí bikéyah ntsaaígíí, China.

bináá'ádaałts'ózí dine'é, Japanese; Chinese.

binaashii, opposite it. shicheii binaashii sédá, I am sitting opposite my grandfather.

binahjį', against it. kin binahjį' sédá, I am sitting against the house.

bináká, through it. tózis bináká dínísh'į́į́', I am looking through the glass.

bine'di, behind it. dził bine'di nahałtin, it is raining behind the mountain.

bíni', let him! bíni' naaghá, let him go!

bíni'di, let him! bíni'di 'ánéídléeh, let him fix it!

bini'ant'ą́ą́tsoh, September.

bini'ant'ą́ą́ts'ózí, August.

bíni'na'ał'aashí, the thirteenth (lunar) month of the Navaho year. This month is interpolated in the calendar in order to catch up with the time which has been lost. It is not a month as such, but merely a name for the 28 days left over just before planting time (ya'iishjááshchilí). 12 months are counted in the year, beginning more or less with ya'iishjááshchilí and ending with bini'na'ał'aashí. The Navaho month contains approximately 28 days, and runs from crescent moon, to crescent moon (dah yiitą́). The calendar does not lose days in the same sense as ours would because it is too indefinite in its form. Days are not taken into account, and the months correspond to occupational periods and natural phenomena, rather than to actual lunations. If such were not the case, the period called "planting time" would soon fall in mid winter. Nowdays there is a tendency to follow the White calendar, using Navaho month names to correspond with the English system.

biniighé (or binighé), for (the purpose of) it. níká 'adeeshghoł biniighé níyá, I came for the purpose of helping you.

bíniiká, against him. bíniiká yáshti', I'm talking against him.

biniinaa, because of it. chahałheełgo biniinaa doo hoot'į́į da, there is no visibility because of the darkness.

bis, adobe.

bis deez'áhí, Nava, N. M.

bis dootł'izh, blue clay.

bish, béézh, béézh, bish, béézh, to boil.

1. to boil (3rd person).

F. doobish **C-I.** yibéézh **P.** shibéézh **R.** nábish **O.** ghóbéézh.

2. to boil it; to cook it by boiling it.

F. deesh-bish (díił, yidooł, jidooł, diil, dooł) (bidi'dool-) **C-I.** yishbéézh (nił, yił, jił, yiil, ghoł) (bi'dil-) **P.** shéł-béézh (shíníł, yish, jish, shiil, shooł) (bi'dish-) **R.** násh-bish (náníł, néíł, ńjíł, néiil, náł) (nábi'dil-) **O.** ghósh-béézh (ghóół, yół, jół, ghool, ghooł) (bi'dól-)

bish, bizh, bizh, bish, bizh, to braid.

1. to braid it (hair, rope, etc.).

F. deesh-bish (díí, yidoo, jidoo, dii, dooh) (bidi'doo-) **I.** yishbizh (ni, yi, ji, yii, ghoh) (bi'di-) **P.** shé-bizh (shíní, yizh, jizh, shii, shoo) (bi'dish-) **R.** násh-bish (nání, néí, ńjí, néii, náh) (nábi'di-) **O.** ghósh-bizh (ghóó, yó, jó, ghoo, ghooh) (bi'dó-)

bisóodi, pig.

bisóodi bitsį', pork; bacon.

bisóodi yázhí, shoat.

bitah, among them. naakaii bitah shighan, I live among the Mexicans.

bita', between them. dził bita'gi shighan, my home is between the mountains.

bitáshja, its handle.

bitis, over it. kǫ' bitis 'ahíííłhan, I threw it over the fire.

bitł'ááh bito', Beclabito, N. M.

bítsé, before him. shizhé'é bítsé taah yíyá, I got in the water before my father.

bitsee' hólóní, pear.

bitsee' yee 'adiłhałii, crocodile; alligator.

bitsiin, its handle.

bitsiji', ahead of him. bitsiji' yínááł, walk ahead of him! shideezhí bitsiji' shi'dizhchį́, I was born ahead of my sister.

bits'áda'deezdíín, gleaming.

bits'ádi'nílíid, bright; shiny (i.e. glittering with reflected light).

bits'a', its pod.

bits'ą́ą́', away from it. bits'ą́ą́' dah diishghod, I ran away from him.

bits'ą́ą́dóó, (deriving) from it; of it. tsé bits'ą́ą́dóó 'ályaa, it is made out of stone.

bits'ą́ąji', away from him. bits'ą́ąji' désh'į́į'go bíighah ch'íníyá, I passed by him looking away from him.

biyaa, under it. tsin biyaadi hoditłéé', It is damp under the tree.

biyaajígo, under it. tsin biyaajígo sédá, I am sitting under the tree.

bíyah, under it (supporting it). kin tsin bíyah danii'á, timbers support the house.

biyooch'ídí, liar.

bizaadk'ehgo, by his orders. shizhé'é bizaadk'ehgo 'íínítshta', I study by my father's orders.

bizánághah, around the corner from it.

bizhéé' hólóní, beer.

CH

chaa', beaver.

chą́ą́', fecal matter; excrement (bichaan).

chą́ą́' bá hooghan, toilet.

chą́ą́' bee yildéhí, toilet paper.

chą́ą́' 'éé'ni', constipation (chą́ą́' shéé'ni', I am constipated; chą́ą́' néé'ni', you are --- etc.)

chą́ą́neiłhizii, tumble bug.

chą́ą́sht'ezhiitsoh, carrot.

chą́ą́t'inii, canaigre (sorrel).

chách'osh, syphilis.

chaha'oh, shadow; shade; ramada; brush shelter.

chahałheeł, darkness.

chá'oł, piñon tree.

cha, cha, cha, cha, cha, to weep. **F.** deesh-cha (díí, doo, jidoo, dii, dooh) **C-I.** yish-cha (ni, yi, ji, yii, ghoh) **P.** yí-cha (yíní, yí, jíí, yii, ghoo) **R.** násh-cha (nání, ná, ńjí, néii, náh) **O.** ghósh-cha (ghóó, ghó, jó, ghoo, ghooh)

chah, chééh (cha'), cha', chah, chééh, to hop; jump.

1. to start to hop along.

F. hi-dideesh-chah (didíí, didoo, zhdidoo, didii, didooh) **I.** hi-dish-chééh (dí, di, zhdi, dii, doh) **P.** hi-désh-cha' (díní, deesh, zhdeesh, dee, disoo) **R.** náhi-dish-chah (dí, di, zhdi, dii, doh) **O.** hi-dósh-chééh (dóó, dó, zhdó, doo, dooh)

2. to be hopping along.

Prog. heesh-chah (híí, hoo, hijoo, hii, hooh)

3. to hop; arrive hopping.

F. hi-deesh-chah (díí, doo, zhdoo dii, dooh) **I.** hinish-chééh (hiní, hee, hijee, hinii, hinooh) **P.** hi-nish-cha' (híiní, hee, hijee, hinii, hinoo) **R.** ná-hásh-chah (hí, há, hiji, hii, hóh) **O.** hósh-chééh (hóó, hó, hijó, hoo, hooh)

4. to be hopping about.

C-I. nahash-cha' (nahí, naha, n-jii, nahii, nahoh)

5. to jump up (as in an effort to reach something).

F. yááhii-deesh-chah (díí, doo, zhdoo, dii, dooh) **C-I.** yáá-hiish-chah (hii, hii, hijii, hii, hooh) **P.** yáá-hiishcha' (hiini, hii, hijii, hii, hooh) **R.** yáná-hiishchah (hii, hii, hijii, hii, hooh) **O.** yáá-hoosh-chééh (hoó, hoo, hijoo, hoo, hooh) tsin bigaan bich'į' yááhiishchah, I am jumping at the tree limb.

6. to become sexually excited; to come into heat.

F. ń-di'deesh-chah (di'dííl, di'-dool, dizh'dool, di'diil, di'dooł) **I.** ń'diish-chééh (ń'diil, ń'diil, ní-zh'diil, ń'diil, ń'dooł) **P.** ń'dish-cha' (ńdini'nil, ń'diil, nízh'diil, ń'diil, ń'dooł) **R.** náá'diish-chah (náá'diil, náá'diil, náázh'diil náá'diil, náá'dooł) **O.** ń'doosh-chééh (ń'doól, ń'dool, nízh'dool, ń'dool, ń'dooł)

7. to be oversexed; to be sex crazy.

C-I. na'ash-cha' (na'íł, na'ał, n'-jił, na'iil, na'oł)

chaléėko, vest.

chał, cháád, chaad, cha', cháád, to swell.

1. to swell up.

F. dínéesh-chał (díníí, dínóo, ji-dínóo, díníi, dínóoh) **I.** niish-cháád (nii, nii, jinii, nii, nooh) **P.** nii-chaad (nini, nii, jinii, nii, nooh) **R.** ná-nísh-cha' (nii, nii, zhnii, nii, nooh) **O.** noosh-cháád noó, noo, jinoo, noo, nooh)

2. to swell up (an area).

F. hodínóochał **I.** honiicháád **P.** honiichaad **R.** náhoniicha' **O.** honoocháád

3. to be swelling up.

Prog. noochał (a definite object) honoochał (an area).

4. to become full eating (lit. to swell back up).

F. ńdínéesh- (ńdíníí, ńdínóo, ní-zhdínóo, ńdíníi, ńdínóoh) **I.** ná-niish-cháád (nii, nii, zhnii, nii, nooh) **P.** ná-nii-chaad (nini, nii, zhnii, nii, noo) **R.** níná-nish-cha' (nii, nii, zhnii, nii, nóh) **O.** ná-noosh-cháád (noó, noo, zh-noo, noo, nooh)

5. to spade; loosen it (soil).

F. dah hodi-dínéesh-chał (díníił, dínóoł, dízhnóoł, díniil, dínóoł) **I.** dah ho-díníish-cháád (díníił, díníił, dízhníił, díniil, dínóoł) **P.** dah ho-díníił-chaad (díninił, dí-níił, dízhníił, díniil, dínóoł) **R.**

dah náho-díníish-cha' (díníił, díníił,, dízhníił, díníil, dínóoł) **O.** dah ho-dínóosh-cháád (dinóół dínóoł, dízhnóoł, dínóol, dínóoł) shidá'ák'ehgi łeezh bee hahaalkaadí bee hahodíníiłchaad, I spaded my garden.

chał, chaad, chaad, cha', chaad, probably related to chał above.

1. to card it (wool).

F. ha-dínéesh-chał (díníił, idínóoł, zhdínóoł, díníil, dínóoł) (bididí'nóol-) **I.** ha-nish-chaad (níł, inił, zhnił, niil, noł) (bidi'nil-) **P.** ha-nííł-chaad (nííníł, iniił, zhnííł, niil, nooł) (bidi'nool-) **R.** ha-nánísh-cha' (nánił, néinił, názhnił, nániil, nánół) (nábidi'nil-) **O.** ha-nósh-chaad (nóół, yinół, zhnół, nool, nooł) (bidi'nól-)

2. to card (intr.).

F. ha-dí'néesh-chał (dí'nííł, dí'nóoł, zhdí'nóoł, dí'níil, dí'nóoł) **I.** ha'nish-chaad (ha'níł, ha'nił, hazh'nił, ha'niil, ha'noł) **P.** ha'nííł-chaad (hań'níł, ha'nííł, hazh'nííł, ha'niil, ha'nooł) **R.** haná'níshcha' (náń'níł, ná'níł, názh'níł, ná'niil, ná'nół) **O.** ha'nósh-chaad (nóół, nół, zh'nół, nool, nooł)

cháshk'eh (pl chádaashk'eh) arroyo; wash.

cháshk'ehats'ózí, gully.

chéch'il, oak.

chéch'il bináá', acorn.

chéch'il nitł'izí, scrub oak.

chéch'il nitł'izí yiłt'ąą'í, Oregon grape.

chéch'il łání, Cheechilgeetho, New Mexico.

chééł, chééh, chą́ą́', chééh, chééł (dual stem of to run; V. ghoł).

1. to drive it out (as a horse).

F. ch'í-dínéesh-chééł (díníił, idínóoł, zhdínóoł, díníil, dínóoł) (bididí'nóol-) **I.** ch'í-ninish-chééh (niníł, ineeł, zhneeł, niniil, ninoł) (bidi'neel-) **P.** ch'í-niníł-chą́ą́' (nííníł, ininíł, nizhníł, niniil, ninooł) (bidi'neel-) **R.** ch'í-nánísh-chééh (náníł, néinił, názhníł, nániil, nánół) (nábidi'nil-) **O.** ch'í-nósh-chééł (nóół, inół, zhnół, nool, nooł) (bidi'nól-)

2. to be driving it along.

Prog. neesh-chééł (nííł, yinooł, jinooł, niil, nooł) (bidi'nool-)

3. to drive it off of oneself (as an attacking animal).

F. 'ák'i-dínéesh-chééł (díníil, idínóol, zhdínóol, díníil, dínóoł) **I.** 'ák'i-nish-chééh (níl, inil, zhnil, niil, noł) **P.** 'ák'i-nesh-chą́ą́' (níníl, inool, zhnool, niil, nooł) **R.** 'ák'i-nánísh-chééh (nánil, néinil, názhníl, nániil, nánół) **O.** 'ák'i-nóshchééł (nóól, nól, zhnól, nool, nooł) mą'iitsoh shik'iilghod, ndi shibee'eldǫǫh bee 'ák'ineshchą́ą́', a wolf attacked me but I drove it off with my gun.

4. to corner him; to stump him with a question.

F. tsístł'a-dínéesh-chééł (díníił, idínóoł, zhdínóoł, díníil, dínóoł) (bidí'nóol-) **I.** tsístł'a-nish-chééh (níł, inił, zhnił, niil, noł) (bidi'nil-) **P.** tsístł'a-nééł-chą́ą́' (nínił, ineesh, zhneesh, neel, nooł) (bidi'neesh-) **R.** tsístł'a-nánísh-chééh (nánił, néinił, ná-zhníł, nániil, nánół) (nábidi'nil-) **O.** tsístł'a-nósh-chééł (nóół, i-nół, zhnół, nool, nooł) (bidi'nól-)

5. to be left out (as in the distribution of something which becomes exhausted before one can receive his share).

F. shí'doo-chééł (ní'doo, bí'doo, hó'doo, nihí'doo, nihí'doo) **I.** shé'é-chééh (né'é, bé'é, hó'é, ni-hé'é, nihé'é) **P.** shí'íí-chą́ą́' (ní-'íí, bí'íí, hó'íí nihí'íí, nihí'íí) **R.** shíná'á-chééh (níná'á- bíná'á, hóná'á, nihíná'á, nihíná'á) **O.** shí'ó-chééł (ní'ó, bí'ó, hó'ó, nihí-'ó, nihí'ó)

chidí, automobile.

chidí bee dah ńdiit'áhí, jack (for raising an automobile).

chidí bitoo', gasoline.

chidí diné bee naagéhí, bus.

chidí naa'na'í, tractor.

chidí naat'a'í, airplane.

chidítsoh, truck.

chih, chííh, chii' (chíí'), chih chííh, to be red.

1. to become red (3rd person).

F. yidoochih **I.** yiichííh **P.** yii-chii' **P.** néichih **O.** ghoochííh

2. to be red.

N-I. łinish-chíí' (łiní, łi, jil, łinii, łinoh) (halchíí', an area is red). binάá' łichíí', his eyes are blood-shot.

3. to redden it; dye it red.

F. yi-deesh-chih (dííł, idooł, zh-dooł, diil, dooł) (*bidi'dool-) **I.** yiish-chííh (yiił, yiyiił, jiił, yiil, ghooł) (bi'diil-) **P.** yiił-chii' (yi-nił, yiyiił, jiił, yiil, ghooł) (bi'diil-) **R.** néish-chih (néił, náyiił, ńjiił, néiil, náooł) (nábi'diil-) **O.** ghoosh-chííh (ghoół, yół, jół, ghool, ghooł) (bi'dól-)

* yi- is replaced by bi-.

4. to flash ..(with a reddish light, as lightning, flashlight, etc).

F. dah yidoochih **N.** dah łichíí' **P.** dah yiichii' **R.** dah néiichih **O.** dah ghoochííh

chxih, chxííh, chxii', chxih, chxííh, to become red (in a de-precatory sense).

1. to become rusty; to rust.

F. ńdidínóochxih **I.** ńdiniichxííh **P.** ńdiniichxii' **R.** nínádinii-chxih **O.** ńdinoochxííh

chił, chííd (chid), chid, chi', chííd to perform an action with the hand.

1. to reach for it.

F. *bíká dideesh-chił (didíí, di-doo, zhdidoo, didii, didooh) **I.** bíká dish-chííd (dí, di, zhdi, dii, doh) **P.** bíká dé-chid (díní, deezh, zhdeezh, dee, disoo) **R.** bíká ńdísh-chi' (ńdí, ńdí, nízhdí, ńdii, ńdóh) **O.** bíká dósh-chííd (dóó, dó, zhdó, doo, dooh)

*bíká becomes yíká in 3o.

2. to embrace him; to put the arms around him.

F. *biní-deesh-chił (díí, doo, zhdoo, dii, dooh) **C-I.** bi-násh-chid (nání, ná, níjí, néii, náh) **P.** bíníshé-chid (níshíní, náázh, níjízh, níshii, níshoo) **R.** biní-násh-chi' (nání, ná, nájí, néii, náh) **O.** bi-náoosh-chid (náóó, náoo, níjó, náoo, náooh)

* bi- becomes yi- in 3o.

3. to gesture; to make signs by motioning with the hands.

F. ni-deesh-chił (dííł, dooł, zhdooł, diil, dooł) **C-I.** naash-chid (nanił, naał, njił, neiil, naał) **P.** nishéł-chid (nishíníł, naash, njish, nishiil, nishooł) **R.** ninásh-chi' (ninánił, ninał, ninájíł, ninéiil, ninał) **O.** naoosh-chid (naóół, naooł, njół, naool, naooł)

naashchidgo bee yáshti', I am talking by signs.

4. to release it from the grasp; to let go of it.

F. *bi-dideesh-chił (didíí, ididoo, zhdidoo, didii, didooh) (didoo-) **I.** bi-dish-chíid (dí, idi, zhdi, dii, doh) (di-) **P.** bi-díí-chid (dííní, idíí, zhdíí, dii, dooh) (doo-) **R.** bi-ńdísh-chi' (ńdí, néidi, nízhdí, ńdii, ńdóh) (ńdí-) **O.** bi-dósh-chíid (dóó, idó, zhdó, doo, dooh) (dó-)

*bi- becomes yi- in 3o

5. to fall on him and catch self on the hands; to put one's thumb print on it.

F. *bik'i-dideesh-chił (didííl, didool, zhdidool, didiil, didooł) **I.** bik'i-diish-chíid (diil, diil, zhdiil, diil, dooł) **P.** bik'i-diish-chid (dinil, diil, zhdiil, diil, dooł) **R.** bik'i-ńdiish-chi' (ńdiil, ńdiil, nízhdiil, ńdiil, ńdooł) **O.** bik'i-doosh-chíid (doól, dool, zhdool, dool, dooł)

chin, grime; filth.

chin bąąh 'ádin, clean.

chizh, wood; firewood.

chizhts'ósí, kindling.

chíshí, Chiricahua Apache.

chį', to value it highly; cherish it; be stingy with it.

1. an object.

N-I. *baa nish-chį' (ní, ni, jí, nii, noh) shilįį' baa nishchį', I am stingy with my horse.

2. an area (as land).

N-I. *baa honish-chį' (honí, hó, hojí, honii, honoh)

* baa becomes yaa in 3o.

chííł, chí, chį, chííh, chííł, to give birth; bear offspring.

1. to give birth to it; bear it.

F. deesh-chííł (dííł, yidooł, jidooł, diil, dooł) (bidi'dool-) **I.** yish-chí (nił, yił, jił, yiil, ghoł) (bi'dil-) **P.** shéł-chį (shíníł, yish, jish, shiil, shooł) (bi'dizh-) **R.** násh-chííh (nánił, néił, ńjíł, néiil, nał) (nábi'dil-) **O.** ghósh-chííł (ghóół, yół, jół, ghool, ghooł) (bi'dól-)

2. to give birth; have a baby.

F. 'a-deesh-chííł (dííł, dooł, zhdooł, diil, dooł) **I.** 'ash-chí ('ił, 'ał, 'ajił, 'iil, 'oł) **P.** 'a-shéł-chį (shíníł, sh, jish, shiil, shoołR. ná'ásh-chííh (ná'íł, ná'áł, ń'jíł, ná'iil, ná'ół) **O.** 'ósh-chííł ('óół, 'ół, 'ajół, 'ool, 'ooł)

3. to have a nightmare.

F. shi-k'i'iidoolchííł, **P.** shi-k'i-'iilchį **R.** shi-k'iná'iilchííh **O.** shi-k'i'oolchííł (Conjugated for person by altering the pronoun prefix on the postposition -k'i-.)

4. to write (on something).

F. 'ak'e-'deesh-chííł ('dííł, 'dooł, zh'dooł, 'diil, 'dooł) **C-I** 'ak'e'-esh-chí (íł, eł, jił, iil, 'oł) **P.** 'ak'e'-shéł-chį (shíníł, eesh, jish, shiil, shooł) **R.** 'ak'e-ná'ásh-chííh (ná'íł, ná'áł, ń'jíł, ná'iil, ná'ół) **O.** 'ak'e'-ósh-chííł (óół, ół, jół, ool, ooł)

To mark, tattoo or write on **it** is rendered by changing 'ak'i- to bik'i- (or yik'i- in 3o.).

5. to beat around the bush.

F. łí-di'deesh-chííł (di'dííl, di'-dool, dizh'dool, di'diil, di'dooł) **C-I.** łí-'dísh-chí ('díl, 'díl, zh'díl, 'diil, 'doł) **P.** łí-'désh-chį ('díníl, 'deesh, zh'deesh, 'diil, 'dooł) **R.** łí-ń'dísh-chí (ń'díl, ń'díl, nízh-'díl, ń'diil, ń'dół) **O.** łí-'dósh-chííł ('dóól, 'dól, zh'dól, 'dool, 'dooł) béeso ła' sha'dooniłnisingo łí'díshchííí ńt'ę́ę́' biłbéé-hoozin, he found out that I was beating around the bush to borrow money.

chííł, chííł, chííl, chííł, chííł, to snow (a snowstorm is thought of as moving).

1. to start to snow.

F. didoochííł **I.** dichííł **P.** deezh-chííl **R.** ńdíchííł **O.** dóchííł

2. to snow (i.e. to arrive — of a snowstorm).

F. doochííł **P.** ńchííl (the perfective translates the English present)

3. to stop snowing (i.e. to move out of sight — the storm).

F. 'adoochííł **I.** 'iichííł **P.** 'ííchííl **R.** 'anáchííł **O.** 'oochííł

chįįh, to know; be aware of.

1. to know how to do it; to be good at it.

N-I. yiish-chįįh (yini, yiyii, jii, yii, ghooh) 'ak'e'elchí doo yi-yiichįįh da, he doesn't know how to write.

2. to be aware of it.

N-I. baa 'áhásh-chįįh ('áhól, 'á-hál, 'áhojil, 'áhwiil, 'áhół)

chįįł, chįįh (chį'), chąą', chįįh, chį', to defecate.

1. to defecate.

F. 'a-deesh-chįįł (díí, doo, zhdoo, dii, dooh) **C-I.** 'ash-chį' ('í, 'a, 'aji, 'ii, 'oh) **P.** 'ashé-chąą' ('a-shíní, 'azh, 'ajizh, 'ashii, 'ashoo) **R.** ná'-ásh-chįįh (í, á, ájí, ii óh) **O.** 'ósh-chį' ('óó, 'ó, 'ajó, 'oo, 'ooh)

2. to masturbate oneself.

F. 'ák'i-deesh-chįįł (dííl, idool, zhdool, diil, dooł) **I.** 'ák'eesh-chįįh ('ák'inil, 'ák'iil, 'ák'ijil, 'á-k'iil, 'ák'ioł) **C-I.** 'ák'i-násh-chįįh (náníl, néíl, ńjíl, néiil, náł) **P.** 'ák'eesh-chąą' ('ák'ííníl, 'ák'i-yool, 'ák'ijool, 'ák'iil, ák'iooł) **R.** 'ák'iní-násh-chįįh (náníl, néíl, nájíl, néiil, náł) **O.** 'ák'i-osh-chąą' (óól, yól, jól, ool, ooł)

(To obtain semen samples, as from a ram, is rendered by use of bik'i- instead of 'ák'i-. Thus, deenásts'aa' bik'ideeshchįįł I'll get a semen sample from the ram.)

3. to make him angry; cause him trouble.

F. *bá ho-deesh-chįįł (dííł, dooł, zhdooł, diil, dooł) **I.** báhaash-chįįh (hół, hał, hojił, hwiil, hoł) **P.** bá hóół-chį' (or chįįd) (hwííníł, hóół, hojííł, hwiil, hooł) **R.** ná-hásh-chįįh (hół, háł, hojíł, hwiil, hół) **O.** bá hósh-chį' (hóół, hół, hojół, hool, hooł) bá hóółchį', I made him angry. bik'iji' hóół-chį' (or -chįįd), I caused trouble for him.

*bá (and bik'iji') become yá (yik'iji') in 3o.

4. to become, be, angry.

F. shá hodoochįįł **C-I.** shá há-chį' **P.** shá hóóchįįd **R.** shá ná-háchįįh **O.** shá hóchįįh (Conjugated for person by altering the pronoun prefix on the post-position -á, for (one).

chį́į́ł, chin, cháą́', chį́į́h, cháą́', to smell.

1. to smell; have an odor.

F. hodoolchį́į́ł **C-I** halchin **P.** hashcháą́' **R.** náhálchį́į́h **O.** hólcháą́'

2. to be able to smell.

C-I. 'ash-chin ('íł, 'ał, 'ajił, 'iil, 'oł) (The 3rd person form is used in the sense of "to be wild," as łį́į́' da'ałchinígíí, wild horses.) doo hózhǫ́ 'ashchin da, I cannot smell very well.

3. to smell it.

F. deesh-chį́į́ł (dííł, yidooł, jidooł, diil, dooł (bidi'dool-) **C-I.** yish-chin (nił, yił, jił, yiil, ghoł) (bi'-dil-) **P.** shéł-cháą́' (shíníł, yish, jish, shiil, shooł) (bi'dish-) **R.** násh-chį́į́h (nánił, néíł, ńjíł, néiil, náł) (nábi'dil-) **O.** ghósh-cháą́' (ghóół, yół, jół, ghool, ghooł) (bi'dól-)

4. to scent along; follow his nose (as a dog).

Prog. doolchį́į́ł

5. to scent about; to follow his nose about (as a dog).

F. ndidoolchį́į́ł **C-I.** ndilcháą́' **P.** ndeeshcháą́' **R.** ninádílchį́į́h **O.** ndólcháą́'

cho, frost.

chooghiní, hunchback.

chooghin, menstrual discharge (chooghin nishłį́, I am menstruating).

chosh, chozh, ..chozh, chosh, chozh, to eat or chew herbs (as lettuce, grass, hay, etc.).

1. to eat it.

F. deesh-chosh (dííł, yidooł, ji-dooł, diil, dooł) (bidi'dool-) **C-I.** yish-chozh (nił, yił, jił, yiil, ghoł) (bi'dil-) **P.** yíł-chozh (yíníł, yiyííł, jííł, yiil, ghooł) (bi'dool-) **R.** násh-chosh (nánił, néíł, ńjíł, néiil, nááł) (nábi'dil-) **O.** ghósh-chozh (ghóół, yół, jół, ghool, ghooł) (bi'dól-)

2. to graze.
F. 'adoołchosh **C-I.** 'ałchozh **P.** 'ííłchozh **R.** ná'áłchosh **O.** 'ółchozh.

chǫǫh, wild rose.

chǫǫł, chǫǫh, chǫ', chǫǫh, chǫǫh, to spoil.

1. to spoil, ruin, wreck, mar, ruffle, disfigure it.
F. deesh-chǫǫł (díił, yidooł, jidooł, diil, dooł) (bidi'dool-) **I.** yish-chǫǫh (nił, yił, jił, yiil, ghoł) (bi'dil-) **P.** yíł-chǫ' (yíníł, yiyííł, jííł, yiil, ghooł) (bi'dool-) **R.** násh-chǫǫh (nánił, néíł, ńjíł, néiil, nááł) (nábi'dil-) **O.** ghósh-chǫǫh (ghóół, yół, jół, ghool, ghooł) (bi'dól-) ntsii' deesh-chǫǫł, I'll muss up your hair.

2. to spoil; to be disarranged.
F. doochǫǫł **I.** yichǫǫh **P.** yíchǫ' **R.** náchǫǫh **O.** ghóchǫǫh

3. to erase it; rub it out.
F. k'éé-'deesh-chǫǫł ('díił, 'dooł, zh'dooł, diil, dooł) (bidi'dool-) **I.** k'éé'-ésh-chǫǫh (íł, áł, jíł, iil, ołl) (bi'dil-) **P.** k'éé'-ííł-chǫ' (ííníł, íyííł, jííł, iil, ooł) (bi'dool-) **R.** k'ééní-ná'ásh-chǫǫh (ná'íł, ná'áł, ń'jíł, ná'iil, ná'ół) (nábi'-dil-) **O.** k'éé-'ósh-chǫǫh ('óół, 'ół, 'jół, 'ool, 'ooł) (bi'dól-)

Christ dayoodláanii, Christians.

chxǫ́ǫ́'í, to be ugly, filthy, worn.
N-I. nish-chxǫ́ǫ́'í (ní, ni, jí, nii, noh) (hó-, place; area is ugly)

ch'agii, blackbird.

ch'ah, ch'ééh (ch'ah), ch'ee', ch'ah, ch'ééh, to open the mouth

1. to open one's mouth.
F. dideesh-ch'ah (didíí, didoo, jididoo, didii, didooh) **I.** diish-ch'ééh (dii, dii, jidii, dii, doh) **P.** dii-ch'ee' (dini, dii, jidii, dii, doo) **R.** ńdiish-ch'ah (ńdii, ńdii, nízh-dii, ńdii, ńdóh) **O.** doosh-ch'ééh (doó, doo, jidoo, doo, dooh)

2. to hold the mouth open.
N. dínísh-ch'ah (díní, déezh, jidéezh, díníi, dínóh)

3. to yawn.

This form is rendered by prepounding bił bik'ee (on account of drowsiness) to the forms of 1. Thus, bił bik'ee diich'ee', I yawned.

ch'ah, hat; headwear.

ch'ah bináztʼi'í, hat band.

ch'ał, ch'al, ch'al, ch'ał, ch'al, to lap a liquid.

1. to lap it up.
F. deesh-ch'ał (díił, yidooł, jidooł diil, dooł) (bidi'dool-) **C-I.** yish-ch'al (nił, yił, jił, yiil, ghoł) (bi'-dil-) **P.** yíł-ch'al (yíníł, yiyííł, jííł, yiil, ghooł) (bi'dool-) **R.** násh-ch'ał (nánił, néíł, ńjíł, néiil, nááł) (nábi'dil-) **O.** ghósh-ch'al (ghóół yół, jół, ghool, ghooł) (bi'dól-)

2. to jabber; chatter.
N-I. ha'dish-ch'ał (ha'díł, ha'dił, hazh'dił, ha'diil, ha'dooł)

ch'ał, frog.
ch'ał nineezí, large frog.
ch'ałtsoh, toad.
ch'ąh, ch'ąąh, ch'ąą', ch'ąh, ch'ąąh, to decorate; embellish.

1. to decorate it.
F. ndeesh-ch'ąh (ndíí, neidoo, nizhdoo, ndii, ndooh) (nibidi'doo-) **C-I.** naash-ch'ąąh (nani, nei, nji, neii, naah) (nabi'di-) **P.** nishé-ch'ąą' (nishíní, neizh, njizh, nishii, nishoo) (nabi'dish-) **R.** nináshch'ąh (nání, néí, nájí, néii, náh) (nábi'di-) **O.** naosh-ch'ąąh (naóó, nayó, njó, naoo, naooh) (nabi'dó-)

2. to paint (a picture); (lit. to decorate).
F. n'deesh-ch'ąh (n'díí, n'doo, nizh'doo, n'dii, n'dooh) **C-I.** na'ash-ch'ąąh (na'í, na'a, n'ji, na'ii, na'oh) **P.** ni'shé-ch'ąą' (ni'shíní, na'azh, n'jizh, ni'shii ni'shoo) **R.** ni-ná'ásh-ch'ąh (ná'í, ná'á, ná'jí, ná'ii, ná'óh) **O.** na'ósh-ch'ąąh (na'óó, na'ó, n'jó, na'oo, na'ooh)

ch'ął, ch'ąął, ch'ą́ą́l, ch'ął, ch'ąął, to hang suspended.

1. to drip (as drops of water)
F. nahididoolch'ął **C-I.** nahidilch'ąął (**I.** ndilch'ą́ą́ł) **P.** náhideeshch'ą́ą́l **R.** nináhidilch'ął O. nahidólch'ąął

2. to hang suspended.
C-I. dah naash-ch'ąął (nanil, naal, njil, neiil, naał)

3. to suspend it (as by a cord).
F. dah hi-dideesh-ch'ął (didííł, diyooł, zhdiyooł, didiil, didooł) (bidi'dool-) **I.** dah hi-diish-ch'ąął (diił, diyiił, zhdiyiił, diyiil, diyooł) (bi'diil-) **P.** hi-diił-ch'ą́ą́l (dinił, diyiił, zhdiyiił, diyiil, diyooł) (bi'diil-) **R.** náhidiish-ch'ął (diił, diyiił, zhdiyiił, diil, dooł) (nábi'diil-) **O.** hidoosh-ch'ąął (doół, diyooł, zhdiyooł, dool, dooł) (bidi'yool-)

ch'ééh, in vain; futilly. ch'ééh 'íít'į́įd, I tried in vain.
ch'ééh digháhii, turtle.
ch'ééh jiyáán, watermelon.
ch'id, to manage; to handle (as livestock, car, **etc.)**

1. to manage, handle, it.
C-I. naash-ch'id (nani, nei, nji, neii, naah) chidí naa'na'íísh t'áá naach'idgi nił bééhózin, do you know how to handle a tractor? shidibé yá'át'éehgo naash-ch'id, I manage my sheep well.

2. to manage (intr.).
C-I. na'ash-ch'id (na'í, na'a, n'ji, na'ii, na'oh)

ch'idí, buffalo robe.
ch'ih, ch'ííh, ch'ih, ch'ih, ch'ííh, to blow (a breeze).

1. to come up (a breeze).
F. didooch'ih **I.** dich'ííh **P.** deezhch'ih **R.** ńdích'ih **O.** dóch'ííh

2. to be coming (a breeze or squall).
Prog. yich'ih. 'aadę́ę́' yich'ih there comes a breeze.

3. to blow (arrive) (breeze).

F. dooch'ih **P.** ńch'ih (translates the English present).

4. to stop blowing (i.e. move on into invisibility).

F. 'adooch'ih **I.** 'iich'íih **P.** 'íích'ih **R.** 'anách'ih **O.** 'ooch'íih

ch'ih, ch'íí', ch'íí', ch'ih, ch'íih, to smart (as one's feet).

F. yidoołch'ih **I.** shiłch'íí' **P.** yiiłch'íí' **R.** néiłch'ih **O.** ghoołch'íih **N.** dích'íí' (it smarts, as pepper)

ch'í'níłdįįdígíí, survivor.

ch'ikę́ę́h, maiden (pl ch'ikéí).

ch'ílághi', smokehole; chimney.

ch'il, plant; weed.

ch'il bee yildéhí, mattock.

ch'il bílástsii' dahólónígíí, cereals (bearded plants).

ch'il daadánígíí, vegetables.

ch'il deenínii, Russian thistle.

ch'il diilghésii, snakeweed.

ch'il gohwéhí, Navaho tea (thelesperma gracile).

ch'il 'abe'é, milkweed.

ch'il 'agháni, loco weed.

ch'il łichxí'í, tomato; beet.

ch'il ligaii, cabbage; cauliflower; lettuce.

ch'il łitsooí, orange.

ch'il łitsooí dík'ǫzhígíí, lemon.

ch'il na'atł'o'ii, grape (vine).

ch'il na'atł'o'iitsoh, prune.

ch'iłtaat'agii, marsh hawk.

ch'ilzhóó', sand sage.

ch'ił, ch'ił, ch'ił, ch'ił, to lighten.

F. 'adidoolch'ił **P.** 'adeeshch'ił **R.** ń'diilch'ił **O.** 'adoolch'ił

ch'ił, ch'iid (ch'id), ch'id, ch'i', **ch'iid,** to scratch.

1. to scratch it up out (as in scratching or digging with the hands for water).

F. ha-deesh-ch'ił (díí, idoo, zhdoo, dii, dooh) **I.** haash-ch'iid (hani, hai, haji, haii, haah) **P.** háá-ch'id (háíní, hayíí, hajíí, haii, haoo) **R.** ha-násh-ch'i' (náni, néí, ńjí, néii, náh) **O.** ha-osh-ch'iid (óó, yó, jó, oo, ooh)

2. to scratch it (as an insect bite).

F. deesh-ch'ił (díí, yidoo, jidoo, dii, dooh) **C-I.** yish-ch'id (ni, yi, ji, yii, ghoh) **P.** yí-ch'id (yíní, yiyíí, jíí, yii, ghooh) **R.** násh-ch'i' (náni, néí, ńjí, néii, náh) **O.** ghósh-ch'id (ghóó ,yó, jó, ghoo, ghooh)

3. to scratch oneself.

F. 'ádi-deesh-ch'ił (díí, doo, zhdoo, dii, dooh) **C-I.** 'ádísh-ch'id ('ádí, 'ádí, 'ázhdí, 'ádii, 'ádóh) **P.** 'ádeesh-ch'id ('ádiini, 'ádoo, 'ázhdoo, 'ádii, 'ádooh) **R.** 'áńdísh-ch'i' ('áńdí, 'áńdí, 'ánízhdí, 'áńdii, 'áńdóh) **O.** 'ádósh-ch'id ('ádóó, 'ádó, 'ázhdó, 'ádoo, 'ádooh)

4. to scratch it (as one's hand) until one makes an abrasion.

F. tsiih deesh-ch'ił (díí, yidoo, jidoo, dii, dooh) **I.** tsiih yish-ch'iid (ni, yi, ji, yii, ghoh) **P.** tsiih yí-ch'id (yíní, yiyíí, jíí, yii, ghooh) **R.** tsiih násh-ch'i' (náni, (néí, ńjí, néii, náh) **O.** tsiih ghósh-ch'iid (ghóó, yó, jó, ghoo, ghooh)

5. to find it groping for it among things with one's hands.
F. *bik'í-'deesh-ch'ił ('díí, 'doo, jidoo, dii, dooh) **I.** bik'í'-nísh-ch'iid (ní, í, jí, nii, noh) **P.** bik'í-'ní-ch'id ('ííní, 'ní, zh'ní, 'nii, 'nooh) **R.** bik'í-ná'ásh-ch'i' (ná-'í, ná'á, ń'jí, ná'ii, ná'óh) **O.** bi-k'í'-ósh-ch'iid (óó, ó, jó, oo, ooh) shich'ah yóó' 'eelts'id ńt'ę́ę́' 'éé' bitahgi bik'í'ních'id, my hat was lost, but I found it among the clothes (by removing them one by one). (In the above verb the pronoun ho- can replace 'a- (represented here by (') without altering the general meaning.)

ch'ił, ch'iił, ch'il, ch'ił, ch'iił, to peel; flake off (as paint or skin).

1. to peel or flake off of it.
F. bídoolch'ił **I.** bélch'iił **P.** béélch'il **R.** bínálch'ił **O.** bóol-ch'iił

ch'ił, ch'íít, ch'iil, ch'ił, ch'íít, to curl.

1. to become curly.
F. yidoolch'ił **I.** yiilch'ííł **P.** yiilch'iil **S-P.** yishch'il **R.** néil-ch'ił **O.** ghoolch'ííł
bighaa' 'áhánígo yishch'il, its wool is short crimped.

2. to curl it; make it curly.
F. yi-deesh-ch'ił (dííł, idooł, zh-dooł, diil, dooł) (*bidi'dool-) **I.** yiish-ch'ííł (yiił, yiyiił, jiił, yiil, ghooł) (bi'diil-) **P.** yiił-ch'iil (yinił, yiyiił, jiił, yiil, ghooł) (bi'-diil-) **R.** néish-ch'ił (néiił, ná-yiił, ńjiił, néiil, náoł) (nábi'diil-) **O.** ghoosh-ch'ííł (ghoółł, yooł, jooł, ghool, ghooł) (bi'dool-)
*yi- is replaced by bi-.

ch'ił, ch'ííł (ch'ił), ch'iil, ch'ił, ch'ííł, to close the eyes.

1. to close one's eyes.
F. dínéesh-ch'ił (dínííl, dínóol, ji-dínóol, díníil, dínóoł) **I.** niish-ch'ííł (niil, niil, jiniil, niil, nooł) **P.** niish-ch'iil (ninil, niil, jiniil, niil, nooł) **R.** ná-niish-ch'ił (niil, niil, zhniil, niil, nooł) **O.** noosh-ch'ííł (noól, nool, jinool, nool, nooł)

2. to blink (a continuative formed with the iterative stem).
C-I. nish-ch'ił (níl, nil, jinil, niil, noł)

ch'iníítna'ígíí, surplus.

ch'ínílį, Chinlee, Arizona.

ch'ish, ch'iish (ch'ish), ch'iizh, (ch'íízh), ch'ish, ch'iish, to roughen; be rough.

1. to file, rasp, saw, grate, sandpaper, it.
F. deesh-ch'ish (díí, yidoo, jidoo, dii, dooh) (bidi'doo-) **I.** yish-ch'iish (ni, yi, ji, yii, ghoh) (bi'-di-) **P.** yí-ch'iizh (yíní, yiyíí, jíí, yii, ghoo) (bi'doo-) **R.** násh-ch'ish (náni, néí, ńjí, néii, náh) (nábi'di-) **O.** ghósh-ch'iish (ghóó, yó, jó, ghoo, ghooh) (bi'-dó-)

2. to saw or file it in two.
F. k'í-deesh-ch'ish (díí, idoo, zh-doo, dii, dooh) (bidi'doo-) **I.** k'í-

nísh-ch'iish (ní, í, jí, nii, nóh) (bi'dee-) **P.** k'í-ní-ch'iizh (íní, iní, jí, nii, noo) (bi'dee-) **R.** k'í-násh-ch'ish (náni, néí, ńjí, néii, náh) (nábi'di-) **O.** k'í-osh-ch'iish (óó, yó, jó, oo, ooh) (bi'dó-)

3. to become rough; to get chapped.

F. didooch'ish **I.** dich'ish **P.** díích'ish **N.** dich'íízh **R.** ńdích'ish **O.** dóch'ish

ch'íshiibeezhii, chickadee.

ch'íshiisháshii, crested titmouse.

ch'iyáán, food; groceries.

ch'iyáán doo bidi'nidziníigíí, garbage; cast off food.

ch'iyáán 'íił'íní, cook; chef.

ch'iyą', food (customarily forming the diet of an animal e.g.).

ch'į́įd, to make derogatory remarks because of envy; to be envious.

1. to be envious; to be "sour grapes."

N. 'oosh-ch'į́įd ('ooł, 'ooł, 'ajooł, 'ool, 'ooł) t'óó 'oołch'į́įd, he is just envious! sour grapes!

2. to be envious of it.

N. ghoosh-ch'į́įd (ghooł, yooł, jooł, ghool, ghooł) shichidí yoołch'į́įd, he is envious of my car. chidí biniinaa shoołch'į́įd, he envies me because of my car.

ch'į́įdii, ghost; devil; malevolent spirit of the dead.

ch'į́įdiitah, hell.

ch'įįł, ch'įįh, ch'į', ch'įįh, ch'įįh.

1. to be midafternoon.

F. hiidoołch'įįł **I.** hiiłch'įįh **P.** hííłch'į' **R.** náhiiłch'įįh **O.** hiołch'įįh

ch'ó, spruce.

ch'óhojilghééh, jimson weed.

ch'óóshdą́ą́dą́ą́', originally; formerly; in the beginning.

ch'osh, maggot; worm; bug.

ch'osh bikǫ'ii, glow worm.

ch'osh ditł'ooí, caterpillar.

ch'osh doo yit'íinii, microbe.

ch'osh doo yit'íinii bee naatseedí, antiseptic; disinfectant.

ch'osh doo yit'íinii bee nił'íní, microscope.

ch'osh 'ałchozhii, clothes moth.

D

daa daolghéii, "whachamacallit," "thingamajig" (as when one cannot think of the correct word)

daa doolghíní, ib. daa daolghéii.

daał, daah (dáh), dza, dááh, dááh (dza'), (iterative stem of to walk, go; V. gááł)

1. to bypass it; go around it.

This verb has distinct stems for singular, dual and plural number, and thus the paradigms are given in three groups.

Singular.

F. bik'ee 'ąą 'ahéé-deesh-dááł (díí, doo, zhdoo) **Prog.** bik'ee 'ąą yisháął (yínááł, yigááł, joogááł) **P.** bik'ee 'ąą 'ahéé-nís-dzá (íní, ná, jí) **R.** bik'ee 'ąą 'ahé-ní-násh-dááh (náni, ná, nájí) **O.** bik'ee 'ąą 'ahé-náos-dza' (náóó, náó, éjó)

Dual.

F. bik'ee 'ąą 'ahéé-dii-t'ash (dooh, doo, zhdoo) **Prog.** bik'ee 'ąą yiit'ash (ghoh'ash, yi'ash, joo'ash) **P.** bik'ee 'ąą 'ahéé-nii-t'áázh (nooh, ná, jí) **R.** bik'ee 'ąą 'ahéní-néii-t'ash (náh, ná, nájí) **O.** bik'ee 'ąą 'ahé-náoo-t'ash (náooh, náó, ńjó)

Plural.

The prefixes are the same as for the dual, but the following stems replace the dual stem: F. kah; **Prog.** kah; **P.** kai; **R.** kah; **O.** kááh.

2. to waylay, ambush, them.

F. *baa nihi-deesh-dááł (díí, doo, zhdoo) **I.** baa ni-hinish-dááh (hiní, hee, hijiyee) **P.** **baa** ni-hinis-dzá (hííní, hee, hijiyee) **R.** baa niná-hásh-dááh (hí, haa, jiyee) **O.** baa ni-hósh-dááł (hóó, hó, jiyó)

Dual. (plural has the same prefixes, but uses the parenthetic stem).

F. baa nihi-dii-t'ash (-kah) (dooh doo, zhdoo) **I.** baa ni-hinii-t'aash (-kááh) (hinoh, hee, hijiyee) **P.** baa ni-hinii-t'áázh (-kai) (hinooh, hee, hijiyee) **R.** baa ninähii-t'ash (-kah) (náhóh, náhaa, nájiyee) **O.** baa ni-hoo-t'aash (-kááh) (hooh, hó, jiyó)

*baa becomes yaa in 3o.

3. to be lying in wait for him (the stem is here the perfective stem of to sit).

Singular. baa hínísh-dá (híní, hées, jíis) Dual. (plural) híníi-ké (-tą́) (hínóh, háas, hijíis)

4. to be an ambush (3i. subj.).

F. nihidi'yoodááł **P.** ni'heedzá **R.** niná'heedááh **O.** ni'hódza'

daał, daah, dá (dá), daah, daah, singular stem ot to sit.

keeł, keeh, ké (ké), keeh, keeh, dual stem of to sit.

bįįł, bįįh, bin (tą́), bįįh, bįįh, plural stem of to sit.

1. to sit down.

Singular.

F. dínéesh-daał (díníí, dínóo, dízhnóo) **I.** nish-daah (ní, ni, jini) **P.** né-dá (níní, neez, jineez) **R.** ná-nísh-daah (ní, ní, zhní) **O.** nósh-daah (nóó, nó, jinó)

Dual.

F. díníi-keeł (dínóoh, dínóo, dízhnóo) **I.** nii-keeh (noh, ni, jini) **P.** nee-ké (sinoo, neez, jineez) **R.** ną́-nii-keeh (nóh, ní, zhní) **O.** noo-keeh (nooh, nó, jinó)

Plural.

F. díníi-bįįł (dínóoh, dínóo, dízhnóo) **I.** dinii-bįįh (dinoh, dini, dizhni) **P.** dinee-bin (disinoo, dineez, dizhneez) **R.** ńdinii-bįįh (ńdinoh, ńdini, nízhdini) **O.** dinoo-bįįh (dinooh, dinó, dizhnó)

2. to be sitting.

Singular. **S-P.** sé-dá (síní, si, jiz) Dual sii-ké (soo, si, jis) Plural. naháa- (or nahísíi-)tą́ (nahóo or nahísóo, naháas, njíis)

daał, da', da', da', to menstruate for the first time.
F. kini-deesh-daał (díít, dool, zh-dool, diil, dooł) **I.** kiní-diish-da' dinil, diil, zhdiil, diil, doł) **P.** kin-sís-da' (síníl, aas, jis, siil, sooł) **O.** ki-naoosh-da' (naóól, naool, nijól, naool, naooł)
daa, what? how? daa gholghé, what is it called?
dáábalíí, shawl.
dáádílkał, door.
daadlánígíí, beverage.
daané'é, toy; plaything.
daats'í, possibly; maybe. doo nee náάhodidoo'naał da daats'í nisin, I do not think you are going to last much longer.
daaz, dáás, to be heavy.
1. to be heavy (absolute).
N. nisdaaz (ní, ni, jí, nii, noh)
2. to be heavy (comparative).
N. 'ánís-dáás ('áníníł, 'áníł, 'ázhníł, 'ániil, 'ánoł)
dághá, mustache (bidághaa').
dághá bee yilzhéhí, razor.
dah, up (at an elevation) nich'ah dah hidii'aah, hang your hat up!
dah 'azką́, mesa.
dahadlo', it is fluttering. shináá' dahadlo', my eye is fluttering, twitching.
dah, deeh, dee', dah, deeh, a variant plural stem of to go.
1. to be done; to be carried on (the subject it the 3i.).
F. baa n'dooldah **C-I.** baa na'aldeeh **P.** baa na'asdee' **R.** baa niná'áldah **O.** baa na'ółdeeh 'anaa' baa na'aldeeh, a war is being carried on.
2. to disperse; break up (as a gathering).
F. táá'diyooldah **I.** táá'ooldééh **P.** táá'oosdee' **R** tánínáooldah **O.** táá'ooldééh
dah, dééh, dee', dah, dééh, stem referring to the falling of plural separable objects (including animate).
1. to fall from (my) grasp (it is herewith given for the 1st person; the verb remains unchanged throughout the conjugation, person being shown by alteration of the pronoun prefix of -lák'e, hand; area of the hand).
F. shílák'e hadínóodah **I.** shílák'e hanidééh **P.** shílák'e haníídee' **R.** shílák'e hanánídah **O.** shílák'e hanódééh
2. to fall downward (as seeds, snowflakes, etc.)
F. ndínóodah **C-I.** nanidééh **P.** naníídee' **R.** ninánídah **O.** nanódééh
3. to wipe it off (adhering matter).
F. deesh-dah (díít, yidooł, jidooł, diil, dooł (bidi'dooł-) **C-I.** yishdééh (nił, yił, jił, yiil, ghoł (bi'dil-) **P.** yíł-dee' (yíníł, yiyííł, jííł, viil, ghooł) (bi'dool-) **R.** náshdah (náníł, nééł, ńjíł, nééil, náł) (nábi'dil-) **O.** ghósh-dééh (ghóół, yół, jół, ghool, ghooł) (bi'dól-)

4. to strain it; sift it.
F. *bighá-dínéesh-dah (díníił, idínóoł, zhdínóoł, díníil, dínóoł) **I.** bighá-nish-dééh (nił, inił, zhnił, niil, nół) **P.** bighá-ninił-dee' (níinił, ininił, zhninił, niniil, ninooł) **R.** bighá-nánish-dah (nánił, néinił, názhnił, nániil, nánół) **O.** bighá-nósh-dééh (nóół, inół, zhnół, nool, nooł)
*bi- becomes yi- in 3o.

5. to fall into war (in duoplural only).
F. 'anaa' biih dínii-dah (dínóoh, dínóo, dízhnóo) **I.** 'anaa' biih nii-dééh (noh, ni, jini) **P.** 'anaa' biih nii-dee' (nooh, níí, jiníí) **R.** 'anaa' biih ná-nii-dah (nóh, ní, zhní) **O.** 'anaa' biih noo-dééh (nooh, nó, jinó)

6. to fall under his power (as when a people falls under the power of a conqueror).
This stem refers only to plural objects; for the singular see the stem tłish
F. *biyaa 'adínii-dah ('adínóoh, 'adínóo, 'azhdínóo) **I.** biyaa 'anii-dééh ('anoh, 'ani, 'azhni) **P.** biyaa 'anii-dee' ('anoo, 'aníí, 'azhníí) **R.** biyaa 'aná-nii-dah (nóh, ní, zhní) **O.** biyaa 'anoo-dééh ('anooh, 'anó, 'azhnó)
* biyaa becomes yiyaa in 3o.

7. to be deeply perturbed; to become melancholy; to fall into worry (with reference to plural persons; see also tłish).
This meaning is rendered by prepounding yíní biih, into the mind, to the following forms (biih becoming yiih in 3o.).
F. dínii-dah (dínóoh, dínóo, jidínóo) **I.** nii-dééh (noh, ni, jini) **P.** nii-dee' (noo, níí, jiníí) **R.** ná-nii-dah (nóh, ní, zhní) **O.** noo-dééh (nooh, nó, jinó)

dah, dáá', daa', dah, dááh, to take place (squaw dance).
F. jidínóodah **C-I.** ndáá' **P.** jinoodaa' **R.** názhnídah **O.** jinódááh

dah díníilghaazh, fried bread.
dah 'adiidloh, pound (weight).
dah 'alzhin, dot; speck.
dah 'ats'os, conical.
dah 'iistł'ǫ́, loom.
dah 'iistł'ǫ́ bá 'íí'áhí, upright pole (of the loom).
dah na'aghizii, leather pouch (worn suspended over one shoulder).
dahsání, porcupine.
dahtoo', dew; dewdrop.
dahts'aa', mistletoe.
dah yiitą́, crescent moon.
dah yiitį́hí, humming bird.
dah yiitį́hídą́ą́', Indian paintbrush.
dá'ághálii, rattle pod.
dá'áka', playing cards.
dá'ákaz, corn stalk.
dá'ákaz bitoo', syrup.
dá'ákaz bitoo' łizhinígíí, molasses; sorghum.
dá'ákaz łikaní, sugar cane.
dá'ák'eh, cornfield; garden (pl dáda'ak'eh).

dá'ák'ehalání, Many Farms, Arizona.
dá'át'ąą', cornhusk; cigaret paper; corn leaves.
da 'át'é (with the future), might. siláago deesháałgo da 'át'é, I might have to go to the army. nich'į' 'ak'e'deeshchííłgo da 'át'é, I might write to you.
da'atsaah, sickness; illness.
dá'átsiin, corncob
dá'deestł'in, dam; reservoir.
da'iigis bá hooghan, laundry.
da'níłts'ą́ą́'góó, in several directions. da'níłts'ą́ą́'góó 'aheezhjéé', they ran off in several directions
damį́igo; daamį́igo, Sunday.
damį́igo biiskání, Monday.
dáńdítįhí, gate.
daníl'ínígíí, exhibition.
das, das, dááz, das, daas, stem referring to the falling of a mass of many plural objects, as dirt from a roof, sand, etc.).

1. to fall from (my) grasp; to fall out of (my) hand.
Conjugated by altering the pronoun prefix on -lák'e, hand.
F. shílák'e hadoołdas **I.** shílák'e haałdaas **P.** shílák'e háálł dááz **R.** shílák'e hanáłdas **O.** shílák'e haołdaas

2. to fall downward (a heavy mass of rocks, logs, dirt, water, etc. --- not a solid object).
F. ndoołdas **I.** naałdaas **P.** náá́łdááz **R.** ninάłdas **O.** naołdaas

3. to fall in; cave in (as a roof)
F. 'ahiih ńdoołdas **I.** 'ahiih náłdaas **P.** 'ahiih nááłdááz **R.** 'ahiih ninάłdas **O.** 'ahiih náołdaas
das, weight. (bidas)
dą́ą́', food.
-dą́ą́', ago; time past. 'ashdla' nááhaiídą́ą́', five years ago.
dąął, dąąh, daan, dąąh, dąąh, to become springtime.

1. to start to become spring back again.
F. ch'éédoodąął **I.** ch'ínádąąh **P.** ch'éénídaan **R.** ch'énínádąąh **O.** ch'énáoodąąh
daan, springtime (it is spring).
dá'áchaan, smut (on corn).
déé́h, tea.
deení, sharp.
déé́h bee yibézhí, teapot.
deenásts'aa', ram; buck.
deeshgizh, gapped (as anything cut forked).
deeshzha, pronged; forked.
deesk'id, hill.
deeteel, moose.
deez'á, an elongated bluff that ends abruptly.
dei, up; upward. dei 'áshłaa, I raised it up.
deigo, upward. deigo hadiit'ash, let's go up!
deiji'éé', shirt.
délí, sandhill crane.
denihootso, Denehotso, Arizona.
-déé', from. 'ólta'déé' nánísdzá, I returned from school.
dibáá', thirst. dibáá' nishłį́, I am thirsty. dibáá' shi'niiłhį́, I am dying of thirst.

-di, times. naakidi, two times.
dibé, sheep.
dibé bighan, sheep corral.
dibé biya', sheep tick.
dibé biya' dootł'izhí, sheep lice.
dibé cho'ádinii, wether.
dibé nii'í, say Phoebe.
dibé tsa'ii, ewe.
dibé yázhí, lamb.
dichin, hunger. dichin nishłį́, I am hungry. dichin shi'niiłhį́, I am starving.
dích'íí, hot; (as pepper); bitter.
dich'íízh, coarse; rough; asperate.
dichxosh, stubby.
didzé, berry; wild plum.
didzé dík'ǫ́zhii, chokecherry.
didzé dit'ódii, service berry.
didzétsoh, peach.
didzétsoh dík'ǫ́zhígíí, plum.
didzétsoh yázhí, apricot.
dighaz, taste buds; the fleshy protrusions on the inside of a sheep's cheek; squeaky (as in describing the sound produced by chewing a rubber band).
dighozh, thorny.
díghózhiiłbáí, chamizo.
díí, this; these. díísh҄ą' díkwíí bą́ą́h 'ílį́, how much does this cost? díí naaltsoos 'ádaałts'íísíígíí náájih, take these small books home with you!
diichiłí, abalone shell.
díidí, this one. díidí ni dooleeł, this one will be yours.
díigi 'át'éego, in this way; like this; in this fashion.

díí jį́, today (future portion) díí jį́ 'ayóo níyol, today it is very windy.
díík'ǫsh, spoiled; rotten.
dííl, to be large (man, animal, mountain, etc.)
N. 'ánísh-dííl ('ánínil, 'ánil, 'ázhníl, 'áníil, 'ánół)
díílid, burnt.
dííłdzid, rotten; spoiled.
díín, to shine (in sense of producing light)
N. 'adiníłdíín jóhonaa'áí 'adiníłdíín, the sun is shining.
diin, to be unable to stand him (because of some undesirable characteristic).
N. doo *bił ni'níł-diin da (ni'íínił, ni'nił, nizh'nił, ni'niil, ni'noł)
*bił becomes yił in 3o.
díísh jį́įdóó, from today (on).
díísh jį́; díísh jį́įgóó, nowdays.
dįįł, dįįh, dįįd (din), dįįd, dįįh, dįįh, to dwindle, dissipate, dissappear, become extinct.

1. to dissapear; be absent (in the neuter form).
F. 'á-deesh-dįįł (díí, doo, zhdoo, dii, dooh) **I.** 'ásh-dįįh ('ání, 'á, 'ájí, 'íi, 'áh) **P.** 'ásé-dįįd ('ásíní, 'ás, 'ájís, 'ásii, 'ásoo) **N.** 'ánísh-din ('ání, 'á, 'ájí, 'ánii, 'ánóh) **R.** 'ánásh-dįįh ('ánání, 'áná, 'áńjí, 'ánéii, 'ánáh) **O.** 'óosh-dįįh ('óó, 'óo, 'ájó, 'óo, 'óoh)
The ordinary 3rd person forms are commonly used in the sense

of to dwindle, be none, etc. Thus shibéeso 'ádin, I have no money.

2. to be progressively dwindling; becoming less.

Prog. 'áásh-dįįł ('áá, 'áá, 'ájoo, 'íi, 'ááh). shinááʼ 'áádįįł, my eyes are gradually becoming worse.

3. to get rid of it; make it disappear.

F. ádeesh-dįįł ('ádííł, 'íidooł, 'ázhdooł, 'ádiil, 'ádooł) ('ábidi'dool-) **I.** 'ásh-dįįh ('áníł, 'ííł, 'ájíł, 'íil, 'áł) ('ábi'dil-) **P.** 'ásééłdįįd ('ásíníł, 'íis, 'ájís, 'ásiil, 'ásooł) ('ábi'dis-) **R.** 'ánásh-dįįh ('ánáníł, 'ánéíł, 'áńjíł, 'ánéiil, 'ánáł) ('ánábi'dil-) **O.** 'óosh-dįįh ('óół, 'áyół, 'ájół, 'óol, 'óoł) ('ábi'dól-)

4. to cause it to progressively dwindle away.

Prog. 'áásh-dįįł ('ááł, 'áyooł, 'ájooł, 'íil, 'ááł) ('ábi'dool-)

5. to get one's fill of it; to enjoy it; to get enough of it.

F. *bee ń'deesh-dįįł (ń'díil, ń'dool, nízh'dool, ń'diil, ń'dooł) **C-I.** bee ná'ásh-dįįh (ná'íl, ná'ál, ń'jíl, ní'iil, ná'ół) **P.** bee ní'sísdįįd (ní'síníl, ná'ás, ń'jís, ní'siil, ní'sooł) **R.** bee ni-ná'ásh-dįįh (ná'íl, ná'ál, ná'jíl, ná'iil, ná'ół) **O.** bee ná'ósh-dįįh (ná'óól, ná'ól, ń'jól, ná'ool, ná'ół) tł'éédą́ą́' na'nízhoozhí bee ní'sísdįįd, I got my fill of Gallup last night; I had a good time in Gallup last night. ch'iyáán yá'át'éehii bee ní'sísdįįd, I had my fill of really good food.

6. to survive; to keep fighting for survival.

F. ch'í'deesh-dįįł (ch'í'dííł, ch'í'dooł, ch'ízh'dooł, ch'í'diil, ch'í'dooł) **I.** ch'í'-nísh-dįįh (níł, íł, jíł, niil, noł) **P.** ch'í'nííłdįįd (ch'í'íiníł, ch'í'níł, ch'ízh'níł, ch'í'niil ch'í'nooł) **R.** ch'í-ná'ásh-dįįh (ná'íł, ná'áł, ń'jíł, ná'iil, ná'ół) **O.** ch'í'-ósh-dįįh (óół, ół, jół, ool, ooł) bik'éí 'ałtso daneeznáago t'áá bí t'éiyá ch'í'nííłdįįd, his relatives all died, but he survived. tónteel 'ałníí'gi tsinaa'eeł nihił náhidéélts'idgo t'áá sáhí ch'í'nííłdįįd, the ship capsized with us in mid ocean and I alone survived.

7. to be continuously making an effort to survive.

Prog. 'eesh-dįįł ('ííł, 'ooł, 'ajooł, 'iil, 'ooł) shicheii t'ah ndi 'oołdįįł, my grandfather is still living (still fighting for life).

8. to become excited (conjugated for person by altering the pronoun prefix on the postposition -ił).

F. t'óó shił 'áhodoodįįł **I.** t'óó shił 'áhádįįh **P.** t'óó shił 'áhásdįįd **R.** t'óó shił 'ánáhádįįh **O.** t'óó shił 'áhódįįh

dįįł, dą́, dą́ą́', dįįh dą́ą́', the stem of to eat with d-classifier.

1. to overeat.

F. 'áde'a-deesh-dįįł (díí, doo, zhdoo, dii, dooh) **C-I.** 'áde-'ash-dą́ą ('í, 'a, 'aji, 'ii, 'oh) **P.** 'áde-'eesh-dą́ą' ('íínı́, 'oo, 'ajoo, 'ii, 'ooh) **R.** 'áde-ná'ásh-dį́įh (ná'í, ná'á, ń'jí, ná'ii, ná'óh) **O.** 'áde-'ósh-dą́ą' ('óó, 'ó, 'ajó, 'oo, 'ooh)

dį́į yáál, half dollar; four bits.

di'il, hairy.

di'ilí, hairy.

di'įdí, brittle; fragile.

dijool, spherical; ball like.

dikos, cough.

dikos 'azee', cough syrup.

dikostsoh 'aná'iishiłígíí, whooping cough.

dík'ǫ́ǫ́zh, sour; alkaline.

díkwíí, how much? how many?

díkwííshǫ', how much? --- many?

díkwííshį́į, several. łį́į' díkwíí shį́į naakai, there are several horses.

dilch'ił, crackling; popping.

dilchxosh, effervescent (as pop).

dildǫ', tinkling (as the sound of a thin sheet of tin).

dilghéhí, Pleiades; Seven Sisters.

dilghįhí, lead.

dilkǫǫh, smooth.

diłt'óshii, gray titmouse.

dilzhí'í, Yavapai.

dił, deeł, déél, dił, deeł.

1. to chew or eat plural separable objects, as berries, eggs sheep, snow, etc.).

F. deesh-dił (dííł, yidool, jidool, diil, dooł) (bidi'dool-) **C-I.** yish-deeł (nil, yil, jil, yiil, ghoł) (bi'-dil-) **P.** yish-déél (yínıl, yool, jool, yiil, ghooł) (bi'dool-) **R.** násh-dił (nánil, néil, ńjil, néiil, náł) (nábi'dil-) **O.** ghósh-deeł (ghóól, yól, jól, ghool, ghooł) (bi'dól-) haidą́ą' dibé t'óó 'ahayóí yiildéél, last winter we ate many sheep. yas yishdéél, I ate snow.

2. to fall downward (a slender flexible object as a rope).

F. ndoodił **I** naadeeł **P.** náádéél **R.** ninádił **O.** naoodeeł

3. to toss it away; lose it (slender flexible object as a rope).

F. yóó' 'adeesh-dił ('adííł, 'iidooł, 'azhdooł, 'adiil, 'adooł) ('abidi'-dool-) **I.** yóó' 'iish-deeł ('anił, 'iił, 'ajił, 'oł) ('abi'dil-) **P.** yóó' 'ííł-déél ('íínıł, 'ayííł, 'ajííł, 'iil, 'ooł) ('abi'dool-) **R.** yóó' 'anásh-dił ('ánáníł, 'anééł, 'ańjíł, 'anéiil, 'anáł) ('anábi'dil-) **O.** yóó' 'oosh-deeł ('oół, 'ayół, 'ajół, 'ool, 'ooł) ('abi'dól-)

4. to drop it (a slender flexible object, as a rope).

F. ndeesh-dił (ndííł, neidooł, nizhdooł, ndiil, ndooł) (nabidi'-dool-) **I.** naash-deeł (nanił, neił, njił, neiil, naał) (nabi'dil-) **P.** náál-déél (néíníł, nayííł, njííł, neiil, naooł) (nabi'dool-) **R.** ninásh-dił (nánił, nééł, ńjíł, néiil, náł) (nábi'dil-) **O.** na-osh-deeł (óół, yół, jół, ool, ooł) (bi'dól-)

5. to rape her (catch her).

F. *bił ndeesh-dił (ndíí, ndoo, nizhdoo, ndii, ndooh) (ndoo-) **I.** bił ninish-deeł (niní, nii, njí, ninii, ninoh) (nii-) **P.** bił niní-déél (nííní, niní, nizhní, ninii, ninoo) (nii-) **R.** bił ni-násh-dił (nání, ná, nájí, néii, náh) (ná-) **O.** bił noosh-deeł (noó, noo, njó, noo, nooh) (noo-)

*bił becomes yił in 3o.

6. to catch it (ball, animal).

F. *bił dideesh-dił (didíí, didoo, jididoo, didii, didooh) (didoo-) **I.** bił dish-deeł (dí, di, jidi, dii, doh) (di-) **P.** bił dé-déél (díní, deez, jideez, dee, disoo) (dees-) **R.** bił ńdísh-dił (ńdí, ńdí, nízhdí, ńdii, ńdóh) (ńdí-) **O.** bił dósh-deeł (dóó, dó, jidó, doo, dooh) (dó-)

*bił becomes yił in 3o., and alteration of the postpositional pronoun prefix alters the object of the verb.

7. to play the stick dice game.

N. 'adish-dił ('adíł, 'adił, 'azhdił 'adiil, 'adoł)

dił, blood.

dił bighi' naa'eełí, corpuscle.

dííłch'il, dense (as hair, wool).

dił dighilii, blood clot.

dííłhił, dark black.

dił 'iih nádziih, blood transfusion.

din, to be universally hated (as a wicked person, for example).

N. *doo yish-din da (nil, yil, jil, yiil, ghoł) *Used only in the negative.

diné, person; man; Navaho.

diné biya', human louse.

diné da'iigisí, laundry man.

diné daninéhígíí hasht'edeile'é, undertaker; mortician.

diné dighinii, the holy people.

dinééh, young man; youth.

dine'é, tribe; nation.

diniih, pain; ache.

dinilbá, light gray.

dinilchíí', pink.

dinilgai, cream colored.

dinoołtł'izh, greenish.

dis, diz, diz, dis, diz, to twist.

1. to twist it; to spin it (yarn).

F. dees-dis (díí, yidoo, jidoo, dii, dooh) (bidi'doo-) **C-I.** yis-diz (ni, yi, ji, yii, ghoh) (bi'di-) **P.** sé-diz (síní, yiz, jiz, sii, soo) (bi'dis-) **R.** nás-dis (nání, néí, ńjí, néii, náh) (nábi'di-) **O.** ghós-diz (ghóó, yó, jó, ghoo, ghooh) (bi'dó-)

2. to spin (intr.).

F. 'a-dees-dis (díí, doo, zhdoo, dii, dooh) **C-I.** 'as-diz ('í, 'a, 'aji, 'ii, 'oh) **P.** 'asé-diz ('asíní, 'az, 'ajiz, 'asii, 'asoo) **R.** ná'ás-dis (ná'í, ná'á, ń'jí, ná'ii, ná'óh) **O.** 'ós-diz ('óó, ó, 'ajó, 'oo, 'ooh)

3. to wrap it up with it.

F. *bił dees-dis (díí, yidoo, jidoo, dii, dooh) ('adoo-) **I.** bił yiis-dis (yii, yiyii, jii, yii, ghooh) ('ii-) **P.** bił sé-dis (síní, yiz, jiz, sii, soo) ('as-) **R.** néis-dis (néii, náyii, ńjii, néii, náooh) (ná'ii-) **O.** ghós-dis (ghóó, yó, jó, ghoo, ghooh) ('oo-). díí naaltsoos shich'ah bił deesdis, I will wrap my hat with this paper.

*bił becomes yił in 3o.

4. to wrap it up.

F. *bił 'a-dees-dis (díí, doo, zhdoo, dii, dooh) (doo-) **I.** bił 'iisdis ('ii, 'ii, 'ajii, 'ii, 'ooh) ('ii-) **P.** bił 'asé-dis ('asíní, 'az, 'ajiz, 'asii, 'asoo) ('as-) **R.** bił ná'iis-dis (ná'ii, ná'ii, ń'jii, ná'ii, ná'ooh) (ná'ii-) **O.** bił 'oos-dis ('oó, 'oo, 'ajoo, 'oo, 'ooh) ('ó-). shich'ah bił 'asédis, I wrapped up my hat.

*bił becomes yił in 3o.

disho, hairy (as one's arm).

ditą́, deep; thick.

dit'in, dense; close together (as leaves on a tree).

dit'ódí, soft; tender; fragile; pliable.

ditłéé', wet; damp.

ditłid, tremulous (as jello); shaky (as a palsied limb).

ditł'o, hairy (as a dog, sheep).

dits'id, tough; sinewy.

dits'oz, hairy (as a Rambouillet).

ditsxiz, jerky; shaky.

diyogí, rug.

diyóósh, bullsnake.

diz, a pile of trash or driftwood caught in a stream by the whirling waters.

dizéí, crumbly.

dį'įįį nda'anish, Thursday.

dłóád, mold; lichen.

dláát, dlá, dláá', dlaah, dla'.

1. to loiter; tarry on the way.

F. *na'áho-diyeesh-dlááł (diyíí, diyoo, zhdiyoo, diyii, diyooh) **C-I.** na'áho-diish-dlá (diyí, dii, zhdii, diyii, diyoh) **P.** na'áho-diyésh-dláá' (diyíní, diyees, zhdiyees, diyee, diyoo) **R.** niná'áho-diish-dlaah (diyí, dii, zhdii, diyii, diyoh) **O.** na'áho-diyósh-dla' (diyóó, diyó, zhdiyó, diyoo, diyooh) t'áadoo na'áhodiyídláhí, don't loiter about!

*This verb has two forms in the dual and plural. The form given above is used when the attention is focused on each individual, but if two or more are thought of as loitering together, the dual and plural stems of to go are used, with addition of the l-classifier. These stem forms are given herewith, the dual first, folloed by the plural.

F. -l'ash; -lkah. **C-I.** -l'aash; -lkai. **P.** -l'áázh; -lkai. **R.** -l'ash; -lkah. **O.** -l'ash; -lkah.

2. to go loitering along.

Prog. *'áho-diyeesh-dlááł (diyíí, diyoo, zhdiyoo, diyii, diyooh)

*-l'ash -lkah.

'áhodiyiidlááł, we (each of us) are loitering along. 'áhodiyiil'ash, we two are loitering along together. 'áhodiyiilkah, we plural are loitering along together. 'atiingóó t'áadoo 'áhodiyíídlááłí, don't go loitering along the way.

dlǫǫł, dlǫ́, dlǫǫd, dlǫǫh, dlǫ́ǫ́', to believe.

1. to believe him, it.

F. yideesh-dlǫǫł (yidíí, yidoo, jidoo, dii, dooh) (bidi'doo-) **C-I.** ghoosh-dlǫ́ (yíní, yoo, joo, yii, ghooh) (bi'doo-) **P.** yisis-dlǫǫd (yisíní, yoos, joos, yisii, yisooh) (bi'doos-) **R.** náoosh-dlǫǫh (néíní, náyoo, ńjoo, náoo, náooh) (nábi'doo-) **O.** ghoosh-dlą́ą́' (ghoó, yoo, joo, ghoo, ghooh) (bi'doo-)

2. to believe; be a believer.
F. 'ii-deesh-dląął (díí, doo, zhdoo, dii, dooh) **C-I.** 'iinish- (or 'oosh-) dlą́ ('iiní, 'oo, 'ajoo, 'iinii, 'iinoh) **P.** 'iisis-dląąd ('iisíní, 'oos, 'ajoos, 'iisii, 'iisooh) **O.** 'oosh-dlą́ą́' ('oó, 'oo, 'ajoo, 'oo, 'ooh)

dlał, ---, dlad, dla', dlad, to crack.

1. to crack (leaving a large, visible crack, as in a timber).
F. doodlał **Prog.** yidlał **P.** yizdlad **R.** néidla' **O.** ghódlad

dlał, dlaad, dlááď, dla', dlaad, to rip; tear.

1. to pull it in two (as rope).
F. k'í-deesh-dlał (dííł, idooł, zhdooł, diil, dooł) (bidi'dool-) **I.** k'í-nísh-dlaad (níł, inił, jíł, niil, nół) (bi'deel-) **P.** k'í-níł-dlááď (íníł, iníł, zhníł, niil, nooł) (bi'deel-) **R.** k'í-násh-dla' (náníł, néíł, ńjíł, néiil, náł) (nábi'dil-) **O.** k'í-osh-dlaad (óół, yół, jół, ool, ooł) (bi'-dól-)

2. to break in two (as rope).
F. k'ídoodlał **I.** k'édlaad **P.** k'í-nídlááď **R.** k'ínádla' **O.** k'íoo-dlaad

3. to rip it roughly apart.
F. 'ahá-deesh-dlał (dííł, idooł, zhdooł, diil, dooł) (bidi'dool-) **I.** 'ahásh-dlaad ('aháníł, 'aháíł, 'ahájíł, 'aháníil, 'ahánoł) ('ahábi'-dil-) **P.** 'ahá-níł-dlááď (íníł, yiníł, zhníł, niil, nooł) (bi'deel-) **R.** 'ahá-násh-dla' (náníł, néíł, ńjíł, néiil, nááł) (nábi'dil-) **O.** 'ahá-osh-dlaad (óół, yół, jół, ool, ooł) (bi'dól-)

4. to tear; rip.
F. 'adoodlał **I.** 'iidlaad **P.** 'íí-dlááď **R.** 'anádla' **O.** 'oodlaad

5. to become cracked (lips).
F. ńdoodlał **I.** nádlaad **P.** názdlááď **R.** nínádla' **O.** náodlaad

6. to plow (niho- about on an area).
F. niho-diyeesh-dlał (diyííł, diyooł, zhdiyooł, diyiil, diyooł) **C-I.** ni-hwiish-dlaad (hwiyíł, hwiił, hojiił, hwiil, hooł) **P.** ni-hwiyéłdlááď (hwiyíníł, hwiis, hojiis, hwiyeel, hwiyooł) **R.** niná-hwiish-dla' (hwiyíł, hwiił, hojiił, hwiil, hół) **O.** ni-hwiyósh-dlaad (hwiyóół, hwiyół, hojiyół, hwiyool, hwiyooł)

7. to come out; break through the clouds (the sun).
F. ch'ídi'doołdlał **I.** ch'í'deełdlaad **P.** ch'ídi'níłdlááď **R.** ch'íń'díłdla' **O.** ch'í'dółdlaad

8. to come back out; break back out through the clouds.
F. ch'éédi'daołdlał **I.** ch'éé'-deełdlaad **P.** ch'éédí'níłdlááď **R.** ch'íníná'díłdla' **O.** ch'éé'-dółdlaad

9. to shine upon it (sun).
F. bik'idi'doodlał **I.** bik'i'diidlaad (**N.** bik'i'diidíín) **P.** bi-

k'i'diidláád **R.** bik'iń'diidla' **O.** bik'i'doodlaad

dleeł, dleeh, dlįį', dleeh, dle', stem of to become plus d-classifier. (V. leeł also).

1. to revert to a peaceful state.

F. k'énáhodoodleeł **I.** k'énáhádleeh **P.** k'énáhásdlįį' **R.** k'énínáhádleeh **O.** k'énáhódle' k'énáhásdlįį', peace returned.

2. to regain consciousness.

(Lit. one's mind returns; conjugated for person by altering the pronoun prefix on the noun -ni'.) **F.** shíni' náhodoodleeł **I.** shíni' náhádleeh **P.** shíni' náhásdlįį' **R.** shíni' nínáhádleeh **O.** shíni' náhódle'

3. to overcome, defeat, him.

F. bik'eh-dideesh-dleeł (didíí, didoo, jididoo, didii, didooh) **I.** bik'eh-dish-dleeh (dí, di, jidi, dii, doh) **P.** bik'eh-désh-dlįį' (díní, dees, jidees, dee, disoo) **R.** bik'eh-ńdísh-dleeh (ńdí, ńdí, nízhdí, ńdii, ńdóh) **O.** bik'eh-dósh-dle' (dóó, dó, jidó, doo, dooh)

*bi- becomes yi- in 3o.

4. to be overcome, defeated (given in 1st person; other persons are obtained by altering the pronoun prefix).

F. shik'ehodidoodleeł **I.** shik'ehodidleeh **P.** shik'ehodeesdlįį' **R.** shik'ehnáhodidleeh **O.** shik'ehodódle'

5. to be overcome with joy; to cry or talk incoherently because one is so overcome with joy.

F. 'atídidí-néesh-dleeł (níí, nóo, zhnóo, níi, nóoh) **I.** 'atídi-nish-dleeh (ní, ni, zhni, nii, noh) **P.** 'atídi-nésh-dlįį' (níní, nees, zhnees, nee, nooh) **R.** 'atínídi-nish-dleeh (ní, ni, zhni, nii, noh) **O.** 'atídi-nósh-dle' (nóó, nó, zhnó, noo, nooh)

dleesh, white clay (bidleesh).

dlish, dleesh, dléézh, dlish, dleesh, to put white clay on (it).

1. to paint it.

F. deesh-dlish (díí, yidoo, jidoo, dii, dooh) (bidi'doo-) **C-I.** yish-dleesh (ni, yi, ji, yii, ghoh) (bi'-di-) **P.** shé-dléézh (shíní, yizh, jizh, shii, shoo) (bi'dish-) **R.** násh-dlish (náni, néí, ńjí, néii, náh) (nábi'di-) **O.** ghósh-dleesh (ghóó, yó, jó, ghoo, ghooh) (bi'-dó-)

2. to paint (intr.).

F. 'a-deesh-dlish (díí, doo, zhdoo, dii, dooh) **C-I.** 'ash-dleesh 'í, 'a, 'aji, 'ii, 'oh) **P.** 'ashédléézh ('ashíní, 'azh, 'ajizh 'ashii, 'ashoo) **R.** ná-'ásh-dlish ('í, 'á, 'jí, 'ii, 'óh) **O.** 'ósh-dleesh ('óó, 'ó, 'ajó, 'oo, 'ooh)

dlíí, dleeh, dlaa, 'įįh, dle', iterative stem form of to make --- with d-classifier. V. łííł.

dlįįł, dlą, dlą́ą́', dlįįh, dlą́ą́', to **drink; eat liquids.**

1. to drink it.

F. deesh-dlįįł (díí, yidoo, jidoo, dii, dooh) (bidi'doo-) **C-I.** yishdlą (ni, yi, ji, yii, ghoh) (bi'di-) **P.** yish-dląą' (yíní, yoo, joo, yii, ghooh) (bi'doo-) **R.** násh-dlį́įh (nání, néí, ńjí, néii, náh) (nábi'-di-) **O.** ghósh-dląą' (ghóó, yó, jó, ghoo, ghooh) (bi'dó-)

2. to drink; to be a drinker.

F. 'a-deesh-dlį́įł (díí, doo, zhdoo, dii, dooh) **C-I.** 'ash-dlą́ ('í, 'a, 'aji, 'ii, 'oh) **P.** 'eesh-dlą́ą' ('íiní, 'oo, 'ajoo, 'ii, 'ooh) **R.** ná'ásh-dlį́įh (ná'í, ná'á, ń'jí, ná'ii, ná'-óh) **O.** 'ósh-dlą́ą' ('óó, 'ó, 'ajó, 'oo, 'ooh)

3. to overdrink.

F. áde'a-deesh-dlį́įł (díí, doo, zh-doo, dii, dooh) **C-I.** 'áde-ash-dlą́ ('í, 'a, 'ji, 'ii, 'oh) **P.** 'áde-'eesh-dlą́ą' ('íiní, 'oo, 'ajoo, 'ii, 'ooh) **R.** 'áde-ná'ásh-dlį́įh (ná'í, ná'á, ń'jí ná'ii, ná'óh) **O.** 'áde-'ósh-dlą́ą' ('óó, 'ó, 'jó, 'oo, 'ooh)

dlįįł, dlį́, dlįįd, dlįįh, dlįįh.

1. to be interested in it.

F. *bí-dínéesh-dlįįł (díníí, dínóo, zhdínóo, díníi, dínóoh) **N.** bí-neesh-dlį́ (nini, nee, zhnee, nii, nooh) **P.** bí-néésh-dlįįd (nííní néé, zhnéé, níi, nóoh) **R.** bíná-neesh-dlįįh (nee, nee, zhnee nee, nooh) **O.** bí-nósh-dlįįh (nóó, nó, zhnó, noo, nooh)

dloh, dleeh, dlo', dloh, dleeh, to do (something) with a cord. This is the stem loh, with d-classifier.

1. to be hanged (a criminal).

F. dah shi-di'doodloh (ni, bi, ho, nihi, nihi) **I.** dah shi-'diidleeh (ni, bi, ho, nihi, nihi) **P.** dah shi-'diidlo' (ni, bi, ho, nihi, nihi) **R.** dah ná-shi-'diidloh (ni, bi, ho, nihi, nihi) **O.** dah shi-'doodleeh (ni, bi, ho, nihi, nihi)

dloh, dlóóh, dlo', dloh, dlóóh, to laugh; smile.

1. to smile.

F. ch'í-dideesh-dloh (didííl, di-dool, zhdidool, didiil, didooł) **I.** ch'í-dinish-dlóóh (diníl, deel, zh-deel, diniil, dinoł) **P.** ch'í-dinish-dlo' (dííníl, deel, zhdeel, diniil, dinooł) **R.** ch'éé-dísh-dloh (díl, díl, zhdíl, diil, dół) **O.** ch'í-dósh-dlóóh (dóól, dól, zhdól, dool, dooł) shich'į' ch'ídeeldlo', he smiled at me.

2. to laugh.

F. 'a-deesh-dloh (díí, doo, zhdoo, dii, dooh) **I.** 'iish-dlóóh ('ani, 'ii, 'aji, 'ii, 'ooh) **Prog.** yish-dloh (yí, yi, joo, yii, ghoh) **P.** 'eesh-dlo' ('íiní, 'ee, 'ajoo, 'ii, 'ooh) **R.** 'a-násh-dloh (nání, ná, ńjí, néii, náh) **O.** 'oosh-dlóóh ('oó, 'oo, 'ajó, 'oo, 'ooh)

dloh, laughter. dloh nisin, I feel like laughing. baa dloh hasin, it is funny.

dlohahinil'įįh, chuckle.

cold.

F. shi-dí'nóodlóół (ni, bi, ho, nihi nihi) **C-I.** yish-dlóóh (ni, yi, ji, yii, ghoh) **P.** shi-'niidlí (ni, bi, ho, nihi, nihi) **R.** shéé-'niidlóóh (néé, béé, hwéé, nihéé, nihéé)

dlosh, dlóósh (dloosh), dloozh, dlosh, dlóósh, to trot.

1. to start to trot along.

F. didooldlosh **I.** dildlóósh **P.** deeshdloozh **R.** ńdíldlosh **O.** dóldlóósh

dlóół, dlóóh, dlí, dlóóh ---, to be

2. to be trotting along.

Prog. yildlosh

3. to be trotting about.

C-I. naaldloosh

4. to arrive trotting.

F. dooldlosh **I.** yíldlóósh **P.** yíldloozh **R.** náldlosh **O.** ghóldlóósh

5. to go on horseback.

This meaning is rendered by prepounding łį́į́' shił to any of the above verb forms. It is conjugated by altering the person of the postposition -ił, with.

dloziłgaii, pine squirrel.

dlozishzhiin, black pine squirrel.

dlǫ'átah né'éshjaa', burrowing owl.

dlǫ'áyázhí, Thoreau, N. M.

dlǫ'ii, weasel.

dlǫ́ǫ', prairie dog.

díghózhii bii' tó, Greasewood, Arizona.

doh, dóóh, doii (doi), doh, dóóh, stem having to do with heat.

1. to start to warm up (weather).

F. ch'íhodínóodoh **I.** ch'íhonidóóh **P.** ch'íhoninídoii **R.** ch'ínáhonidoh **O.** ch'íhonódóóh

2. to become warm (weather).

F. hodínóodoh **I.** honiidóóh **P.** honiidoii **N.** deesdoi **R.** náhoniidoh **O.** honoodóóh

3 to be hot (weather)

N. deesdoi shił deesdoi, I am hot (altered for person by changing the prefixed pronoun on the postposition -ił).

4. to be overcome by heat.

F. shił ndoołdoh **I.** shił niiłdóóh **P.** shił niníłdoii **R.** shił ninááłdoh **O.** shił noołdóóh (conjugated by altering the prefixed pronoun on the postposition -ił.)

5. to waft upward (as a cloud ballon, feather, etc.).

F. dah didooldoh **I.** dah diildóóh **P.** dah diildoh **R.** dah ńdiildoh **O.** dah dooldóóh

6. to sail along (a cloud)

Prog. yildoh (moving either horizontally or vertically.)

7. to heat it; make it hot.

F. dínéesh-doh (díníił, yidínóoł. jidínóoł, díníil, dínóoł) (bididí'nóol-) **I.** niish-dóóh (niił, yiniił, jiniił, niil, nooł) (bidi'niil-) **P.** niił-doii (ninił, yinił, jinił, niil, nooł) (bidi'niil-) **R.** nániish-doh (nániił néinił, názhnił, nániil, nánooł) (nábidi'niil-) **O.** nooshdóóh (noół, yinooł, jinooł, nool, nooł) (nibidi'nool-)

8. to heat a space or area.

F. ho-dínéesh-doh (díníił, dínóoł, zhdínóoł, díníil, dínóoł) (dínóol-) **I.** ho-niish-dóóh (niił, niił, zhniił, niil, nooł) (niil-) **P.** ho-niił-doii (ninił, niił, zhniił, niil, nooł) (niil-) **R.** náho-niish-doh (niił, niił, zhniił, niil, nooł) (niil-) **O.** ho-noosh-dóóh (noół, nooł, zh-nooł, nool, nooł) (nool-) béésh bii' kǫ'í bee shighan góne' honiiłdoii, I heated my home with a stove.

9. to help one.

N. bee shich'į' nahaldoh (conjugated by altering the pronoun prefix of -ch'į') 'ííníshta'go bee shich'į' nahaldoh, my education helps me.

10 to pull (my)self together; to collect (my)self.

Conjugated for person by altering the pronoun prefixed to the postposition -ii', inside of (one). **F.** shii' hááhodiyooldoh **I.** shii' hááhwiildóóh **P.** shii' hááhwiisdoh **R.** shii' hanáhwiildoh **O.** shii' hááhwiyóldóóh. shíni' náhásdlį́į'dóó bik'iji' shii' hááhwiisdoh, when I came to I pulled myself together

doh, doh, doh, doh, doh, to get stiff muscles (from exertion). **F.** ńda-deesh-doh (díil, dool, zhdool, diil, dooł) **P.** ńda-sis-doh (síníl, as, jis, siil, sooł) **R.** nínádaash-doh (danil, daal, dajil, deiil, daał) **O.** ńda-oosh-doh (óól ool, jól, ool, ooł)

dó', too; also. shídó', I also.

dólii, mountain bluebird.

dóliiłchíí', chestnut breasted bluebird.

-dóó, from (a definite point). na'nízhoozhídóó tséhootsooíji' nízaad, it is far from Gallup to Fort Defiance.

dóó, (ib -dóó), and. bįįh dóó shash naaldlooshii gholghé, deer and bear are called quadrupeds.

doo --- ndi, not even. doo łá'í ndi naash'áa da, I haven't even one.

dóó bik'iji', after. 'íįyą́ą' dóó bik'iji' 'iiłhaazh, after I ate I went to sleep.

doo bił ntsíhákeesígi 'áhoodzaa, accident.

dooda, no; not.

doodaii', or; or else; otherwise. shíká 'anánílgho' doodaii' t'áadoo shaa nánít'íní, help me or else don't bother me!

doo deighánígóó, far off. doo deighánígóó 'ahííłhan, I threw it far away.

doo ditą́ą da, shallow; thin

doo hááji da, nowhere. doo hááji da déyáa da, I'm going nowhere.

doo 'ak'ehól'į́į da, disobedience.

doo 'ił 'ééhózin da, unconsciousness.

dóone'é, clan. (bidine'é)

dootł'izhii, turquoise.

doo yá'áshǫ́ǫ da, bad; no good.

doo yá'át'éeh da, no good; evil.

doozhǫǫhii, unbroken horse.

dǫǫł, dǫǫh (don) dǫǫh, dǫǫh, dǫǫh, to explode.

1. to explode; blow up.

F. didooldǫǫł **I.** diildǫǫh **P.** deesdǫǫh **R.** ńdiildǫǫh **O.** dooldǫǫh

2. to shoot it (with a gun; lit. to cause something to explode with it).
F. biɫ 'a-dideesh-dǫǫɫ (didííɫ, didooɫ, zhdidooɫ, didiil, didooɫ) (didool-) **I.** biɫ 'a-diish-dǫǫh (diiɫ, diiɫ, zhdiiɫ, diil, dooɫ) diil-) **P.** biɫ 'a-déɫ-dǫǫh (díníɫ, dees, zhdees, deel, disooɫ) (dees-) **R.** biɫ ń'diish-dǫǫh (ń'diiɫ, ń'diiɫ, nízh'diiɫ, ń'diil, ń'dooɫ) (ń'diil-) **O.** biɫ 'a-doosh-dǫǫh (doóɫ, dooɫ, zhdooɫ, dool, dooɫ) (dool-)
*biɫ becomes yiɫ in 3o.

3. to shoot (one shot after another); to be a shooter.
N. 'adish-don ('adíɫ, 'adiɫ, 'azhdiɫ, 'adiil, 'adoɫ) 'adishdon bééhosin, I know how to shoot.

4. to shoot at it; fire on it.
F. yídínéesh-dǫǫɫ (yídíníiɫ, yíidínóoɫ, yízhdínóoɫ, yídíníil, yídínóoɫ) (bídínóol-) **C-I.** yínísh-don (yíníɫ, yóɫ, jóɫ, yíníil, yínóɫ) (bí'dól-) **P.** yíníiɫ-don (yííníiɫ, yíiníiɫ, jííníiɫ, yíníil, yínóoɫ) (yíníil-) **R.** néí-níish-dǫǫh (níiɫ, níiɫ, zhníiɫ, níil, nóoɫ) (níil-) **O.** yínóosh-don (yínóóɫ, yíínóoɫ, jíínóoɫ, yínóol, yínóoɫ) (yínóol-)

dzǫądi, over here. dzǫądi sédá, I'm sitting over here.

dzaanéez, mule.

dzaanéez yázhí, young mule.

dzas, dzaas, dzaaz, dzas, dzaas, to snow (this stem refers to the snow itself, in contradistinction to chííɫ, which refers to the snow storm).
F. doodzas **I.** yidzaas **P.** yidzaaz **R.** nádzas **O.** ghódzaas

dzééh, elk.

dzééɫ, dzééh, dzą́, dzééh, dzééh, to dehair.

1. to remove the hair from it (hide) in tanning.
F. dees-dzééɫ (dííɫ, yidooɫ, jidooɫ, diil, dooɫ) (bidi'dool-) **C-I.** yisdzééh (niɫ, yiɫ, jiɫ, yiil, ghoɫ) (bi'dil-) **P.** yiɫ-dzą́ (yíníɫ, yiyííɫ, jííɫ, yiil, ghooɫ) (bi'dis-) **R.** násdzééh (náníɫ, néíɫ, ńjíɫ, néiil, náɫ) (nábi'dil-) **O.** ghós-dzééh (ghóóɫ, yóɫ, jóɫ, ghool, ghooɫ) (bi'dól-)

2. to dehair (intr.).
F. 'a-dees-dzééɫ (dííɫ, dooɫ, zhdooɫ, diil, dooɫ) **C-I.** 'as-dzééh ('íɫ, 'aɫ, 'ajiɫ, 'iil, 'oɫ) **P.** 'aséɫ-dzą́ ('asíníɫ, 'as, 'ajis, 'asiil, 'asooɫ) **R.** ná'ásdzééh (ná'íɫ, ná'áɫ, ń'jíɫ, ná'iil, ná'óɫ) **O.** 'ósdzééh ('óóɫ, 'óɫ, 'ajóɫ, 'ool, 'ooɫ)

dzídzi', in the fire.

dzígai, plain; flat.

dzih, dziih, dzíí', dzih, dziih, to breathe.

1. to inhale; draw in once.
F. 'a-dees-dzih (díí, doo, zhdoo, dii, dooh) **I.** 'iis-dziih ('ani, 'ii, 'aji, 'ii, 'ooh) **P.** 'ees-dzíí' ('ííní, 'ee, 'ajoo, 'ii, 'oo) **R.** 'a-nás-dzih (nání, ná, ńjí, néii, náh) **O.** 'oos-dziih ('oó, 'oo, 'ajó, 'oo, 'ooh) 'anidziih, inhale! ɫid biɫ 'anásdzih, I repeatedly inhale smoke.

2. to exhale; breathe back out
F. ha-ńdees-dzih (ńdíí, ńdoo, nízhdoo, ńdii, ńdooh) **I.** ha-nás-

dziih (nání, ná, néii, náh) **P.** hanáás-dzíí' (hanéíní, hanáá, háájoo, hanéii, hanáoo) **R.** ha-ní-nás-dzih (nání, ná, nájí, néii, náh) **O.** hanáos-dziih (hanáóó, hanáoo, háájó, hanáoo, hanáooh)

3. to breathe; respire.

F di-dees-dzih (díí, doo, zhdoo, dii, dooh) **I.** dis-dziih (dí, di, jidi, dii, doh) **P.** dés-dzíí' (díní, dees, jidees, dee, disoo) **R.** ńdís-dzih (ńdí, ńdí, nízhdí, ńdii, ńdóh) **O.** dós-dziih (dóó, dó, jidó, doo, dooh) ńdísdzih, I'm breathing.

4. to choke on it; to breathe it into the windpipe.

This meaning is rendered by prepounding bił (yił in 3o.) to the forms given in 3. Thus, tó yił deesdzíí', he choked on the water (lit. breathed in with it).

5. to exclaim; to speak out; to exhale (once).

F. ha-dees-dzih (díí, doo, zhdoo, dii, dooh) **I.** haasdziih (hani, haa, haji, haii, haah) **P.** haas-dzíí' (háíní, haa, hajoo, haii, haooh) **R.** ha-nás-dzih (nání, ná, ńjí, néii, náh) **O.** ha-os-dziih (óó, ó, jó, oo, ooh)

6. to stutter; to stammer.

N. 'ałt'a-nis-dzih (ní, ni, zhni, nii, noh)

7. to make a slip in speech; to say something one should not; to speak out of turn; talk too long.

F. hadi-dínées-dzih (díníí, dínóo, zhdínóo, díníi, dínóoh) **I.** ha-dínís-dziih (díní, díní, zhdíní, díníi dínóh) **P.** ha-dinees-dzíí' (díníní, dínées, zhdínées, díníi, dínóoh) **R.** ha-ńdinis-dzih (ńdiní, ńdini, nízhdini, ńdinii, ńdinoh) **O.** ha-dinós-dziih (dinóó, dinó, zhdinó, dinoo, dinooh). 'ahił hwiilne' ńt'ę́ę́' 'asdzání ła' binááł hadineesdzíí', I talked out of turn before a lady when we were conversing.

8. to remain; be left; survive to have left.

F. dees-dzih (díí, doo, jidoo, dii, dooh) **I.** yis-dziih (ni, yi, ji, yii, ghoh) **P.** yis-dzíí' (yíní, yi, joo, yii, ghooh) **R.** nás-dzih (nání, ná, ńjí, néii, náh) **O.** ghós-dziih (ghóó, ghó, jó, ghoo, ghooh)

shik'éí t'áá 'ałtso daneezná; shí t'éiyá yisdziih, all my relatives are dead; I alone remain. bee'-eldǫǫh bik'a' hastą́ą́h yisdziih, I have six cartridges left. díkwíí-shą' nidziih, how many do you have left?

dzi'izí, bicycle.

dzi'izí bijáád tá'ígíí, tricycle.

dzi'izítsoh, motorcycle.

dziil, strength; to be strong. bi-dziil, his strength; he is strong.

dzííł, dzid, dzííd, dzííh, dzííh, to fear.

1. to be afraid of it; to come to fear it.

F. béédees-dzííł (béédííl, yéédool béézhdool, béédiil, béédooł) **C-I.** binás-dzid (bináníl, yinál, béé-jíl, binéiil, bináł) **P.** béésís-dzííd (béésíníl, yinás, bińjís, béésiil, béésooł) **R.** binínás-dzííh (biníníl, yinínál, binínájíl, binínéiil binínáł) **O.** bináoos-dzííh (bináóól, yináool, bééjól, bináool, bináooł)

2. to be timid; to be wild, untamed (an animal).

C-I. nás-dzid (náníl, nál, ńjíl, néiil, náł)

dzį́įs, dzį́įs, dzį́įz, dzį́įs, dzį́įs, to pull, drag.

1. to start to pull or drag it along.

F. didees-dzį́įs (didíí, yididoo, jididoo, didii, didooh) **I.** dis-dzį́įs (dí, yidi, jidi, dii, doh) **P.** dédzį́įz (díní, yideez, jideez, dee, disoo) **R.** ńdís-dzį́įs (ńdí, néidi, nízhdí, ńdii, ńdóh) **O.** dós-dzį́įs (dóó, yidó, jidó, doo, dooh)

2. to be pulling or dragging it along.

Prog. yis-dzį́įs (yí, yoo, joo, yii, ghoh)

3. to arrive pulling or dragging it; to bring it.

F. dees-dzį́įs (díí, yidoo, jidoo, dii, dooh) (bidi'doo-) **I.** nisdzį́įs (ní, yí, jí, nii, noh) (bi'dee-) **P.** ní-dzį́įz (yíní, yiní, jiní, nii, noo) (bi'dee-) **R.** nás-dzį́įs (náni, néí, ńjí, néii, náh) (nábi'di-) **O.** ghós-dzį́įs (ghóó, yó, jó, ghoo, ghooh) (bi'dó-)

dził, dzid, dzid, dzi', dzid, to swallow; pour (V. ził)

1. to gargle it.

F. *-dághi' ndínées-dził (ndíníił, neidínóoł, nizhdínóoł, ndíníil, ndínóoł) **C-I.** -dághi' nanis-dzid (naníł, neinił, nazhnił, naniil, nanooł) **P.** -dághi' nanéł-dzid (nanínił, neinees, nazhnees, naneel, nanooł) **R.** -dághi' ni-nánís-dzi' (nánił, néinił, názhnił, nániil, nánół) **O.** -dághi' nanósdzid (nanóół, neinół, nazhnół, nanool, nanooł)

*A possessive pronoun, corresponding to the subject of the verb must be prefixed to -dághi', interior of the throat. Thus, shidághi' nanisdzid, I am gargling it; nidághi' naníłdzid, you are gargling it, etc.

2. to gargle (-dághi' is prepounded as in 1 above).

F. ndí'nées-dził (ndí'nííł, ndí'nóoł, nizhdí'nóoł, ndí'níil, ndí'nóoł) **C-I.** na'nis-dzid (na'nił, na'nił, nazh'nił, na'niil, na'nooł) **P.** na'néł-dzid (na'nínił, na'nees, nazh'nees, na'neel, na'nooł) **R.** ni-ná'nís-dzi' (ná'nił, ná'nił, názh'nił, ná'niil, ná'nół) **O.** na'nós-dzid (na'nóół, na'nół, nazh'nół, na'nool, na'nooł)

3. to take a swallow of it.

F. 'ádádidees-dził ('ádádidíí, 'ádéididoo, 'ádázhdidoo, 'ádádidii 'ádádidooh) **I.** 'ádádiis-dzid ('ádádii, 'ádéidii, 'ádázhdii, 'ádádii, 'ádádooh) **P.** 'ádádiis-dziid ('ádádini, 'ádéidii, 'ádázhdii, 'ádádii, 'ádádoo) **R.** 'ádáńdiis-dzi' ('ádáńdii, 'ádánéidii, 'ádánízhdii, 'ádáńdii, 'ádáńdooh) **O.** 'ádádoos-dzíí d ('ádádóó, 'ádéidoo, 'ádázhdoo, 'ádádoo, 'ádádooh)

4. **to wake (back) up; reawaken (intr.).**
F. ch'éé-dees-dził (díí, doo, zhdoo, dii, dooh) **I.** ch'éé-nís-dzíí d (ní, ná, jí, nii, nóh) **P.** ch'éé-nís-dzid (ní, ná, jí, nii, nooh) **R.** ch'éní-nás-dzi' (nání, ná, nájí, néii, náh) **O.** ch'é-náoos-dzíí d (náóó, náoo, éjó, náoo, náooh)

5. **to rot; to decay.**
F. didoołdził **I.** *diłdzíí d **P.** dííł-dzid **R.** ńdíłdzi' **O.** dółdzid
*Usually inchoative bidi'niił-dzid, it has started to rot, would be used instead of diłdzíí d.

dził, dzííł, dziil, dził, dzííł, stem having to do with strength.

1. **to make an effort; to strain (as in pulling).**
F. didees-dził (didííl, didool, jididool, didiil, didooł) **I.** dis-dzííł (díl, dil, jidil, diil, doł) **Prog.** yis-dził (yíl, yil, jool, yiil, ghoł) **P.** dés-dzil (díníl, dees, jidees, deel, disooł) **R.** ńdís-dził (ńdíl, ńdíl, nízhdíl, ńdiil, ńdół) **O.** dós-dzííł dóól, dól, jidól, dool, dooł)

2. **to have resistance against it (disease, cold weather, etc.).**
N. bínís-dzil (bíníníł, yíníł, bízhníł, bíniil, bínół)

3. **to be able to provide for (a dependent).**
There are two forms, one apparently a progressive, and the other a neuter imperfective. The meaning of the former is to go along providing for him; and in the latter, to be able to provide.
Prog. bik'iis-dził (bik'iyíl, yik'iil, bik'ijool, bik'iil, bik'ioł) **N.** bik'i-nas-dzil (nanil, naal, nijil, neiil, naał) sha'áłchíní bik'iis-dził, I provide for my family; sha'áłchíní bik'inasdzil, I can provide for my family.

4. **to be self-sufficient; able to provide for oneself.**
Prog. *t'áá shí 'ák'iis-dził ('ák'i-yíl, 'ák'iil, 'ák'ijool, 'ák'iyiil, 'á-k'ioł) **N.** t'áá shí 'ák'inas-dzil ('ák'inanil, 'ák'inaal, 'ák'i-njil, 'ák'ineiil, 'ák'inaał)
*t'áá and the appropriate subjective pronoun are repeated in each person.

5. **to get warm (to warm oneself back up).**
F. ná'ii-dees-dził (díí, doo, zhdoo, dii, dooh) **C-I.** ná'iis-dzííl (ná'ii, ná'ii, ń'jii, ná'ii, ná'ooh) **P.** ná'iis-dziil (ná'iini, ná'ii, ń'jii, ná'ii, ná'ooh) **R.** ní-ná'iis-dził (ná'ii, ná'ii, ná'jii, ná'ii, ná'ooh) **O.** ná'oos-dzííł (ná'oó, ná'oo, ń'-joo, ná'oo, ná'ooh)

6. **to be slowly pushed back; to be forced back.**
F. t'ą́ą́' nábídi'doodził **Prog** t'ą́ą́' nábí'doodził **P.** t'ą́ą́' nábí'deedzil **R.** t'ą́ą́' nínábi'didził **O.** t'ą́ą́' nábi'dódzííł. bináá'ádaałts'ózí t'ą́ą́' nábí'doodził, the Japanese are being pushed back. naabeehó bikéyah bikáá'dóó hashí'doodzil, I was pushed (forc-

ed) off of the Navaho Reservation.

dzílí, hawk (Cooper's).

dził, mountain.

dziłghą́'í, western Apache.

dzin, stem of to want (V. zį́ił) with d-classifier.

1. to gossip; exaggerate.

N. 'aseezíń nisdzin (ní, ni, jini, nii, noh)

dzoł, dzooł, dzol, dzoł, dzooł.

1. to sigh.

F. 'ádił ha-dees-dzoł (díí, doo, zhdoo, dii, dooh) **I.** 'ádił haas-dzooł (hani, haa, haji, haii, haah) **P.** 'ádił hanáás-dzol (hanéíní, hanáá, háájoo, hanéii, hanáooh) **R.** 'ádił haní-nás-dzoł (náni, ná, náji, néii, náh) **O.** 'ádił ha-oos-dzooł (óó, oo, ió, oo, ooh)

E

'ééhéestł'inígíí, parts.

'éé', clothing; garment; shirt. (be'éé')

'éé' naats'ǫǫdii, sweater.

'éí, that (remote or invisible). 'éí biniinaa doo níyáa da, because of that I didn't come.

'éí bąąh, for that reason. 'éí

'éigi 'át'éego, in that way; like that; in that fashion.

bąąh shibéeso 'ádin, for that reason I have no money.

'eii, that one; that (close at hand). 'eii hastiin bąąh dahaz-'ą́, that man is sick.

'éík'ehgo, in that manner.

'éénéez, topcoat; overcoat.

'éétsoh, coat.

'éétsoh 'áłts'íísíígíí, jacket.

'e'e'aah, west.

'e'e'aah biyaajigo, in the far west.

'e'e'aahjí, on the west side.

'e'e'aahjigo, westward.

G

gáagii, crow.

gáał (gaał), gháah (ghá), yá, dááh, gha' (gááł) singular stem of to walk, go.

'ash, 'aash ('ash), 'áázh 'ash, 'aash, dual stem of to walk, go.

kah, kááh (kai), kai, kah, kááh, plural stem of to walk, go.

The concepts of go, come, walk return, etc. are expressed by the above stems, or by that stem in conjunction with the d-classifier, in which case the singular stem form is: dááł, dááh, dzá, dááh, dza'; and the dual: t'ash, t'aash, t'áázh, t'ash, t'aash.

A separate stem is used for the singular, dual and plural numbers, and a number of irregularities will be noted in the singular forms.

The forms are given for each tense and mode in three separate paradigms numbered 1., 2., 3., and designating singular, dual and plural respectively.

1. to begin (3s. ho- is the subject).

F. hahodoogááł **I.** hahaghááh **P.** hahóóyá **R.** hanáhádááh **O.** hahóya'. nahasdzáán bikáá' hahóóyá, things began on earth.

2. to go out (horizontally, as through a door).

F. 1. ch'í-deesháááł (díínááł, doogááł, zhdoogááł) **2.** ch'í-diit'ash (dooh'ash, doo'ash, zhdoo'ash) **3.** ch'í-dii-kah (dooh, doo, zhdoo) **I. 1.** ch'ínísháá́h (ch'ínínááh, ch'égháá́h, ch'íjígháá́h) **2.** ch'í-niit'aash (nóh'aash, 'aash jí'aash) **3.** ch'ínii-kááh (ch'ínóh, ch'é, ch'íjí) **P. 1.** ch'í-ní-yá (íní, ní, zhní) **2.** ch'í-niit'áázh (noo'áázh, ní'áázh, zhní'áázh) **3** ch'ínii-kai (ch'ínooh, ch'é, ch'íjí) **U. 1.** ch'ésháá́h (ch'ínínááh, ch'égháá́h, ch'íjígháá́h) **2.** ch'íit'ash (ch'óh'ash, ch'í'ash, ch'íjí'ash) **3.** ch'íi-kah (ch'óh, ch'é, ch'íjí) **R.** ch'í-násh-dááh (náni, ná, nájí) **2.** ch'í-néii-t'ash (náh, ná, nájí) **3.** ch'í-néii-kah (náh, ná, nájí) **O.** ch'óosha' (ch'óoya', ch'óoya', ch'íjooya') **or** ch'óosháá́h (ch'óónááł, ch'óogááł, ch'íjógááł) **2.** ch'óot'aash (ch'óoh'ash, ch'óo'aash, ch'íjó'aash) **3.** ch'óo-kááh (ch'óoh, ch'óo, ch'íjó)

3. to go out again horizontally

F. 1. ch'ínáá-deesh-dááł (díí, doo, zhdoo) **2.** ch'ínáá-dii-t'ash (dooh, doo, zhdoo) **3.** ch'ínáá-dii-kah (dooh, doo, zhdoo) **I. 1.** ch'ínáá-nísh-dááh (ní, ná, jí) **2.** ch'ínáá-nii-t'aash (nóh, ná, jí) **3.** ch'ínáá-nii-kááh (nóh, ná, jí) **P. 1.** ch'ínáá-nís-dzá (íní, ná, jí) **2.** ch'ínáá-nii-t'áázh (nooh, ná, jí) **3.** ch'ínáá-nii-kai (nooh, ná, jí) **O. 1.** ch'ínáá-náos-dza' (náóó, náó, jó) **2.** ch'ínáá-náoot'aash (náooh, náoo, jó) **3.** ch'ínáá-náoo-kááh (náooh, náó, jó)

4. to go up out; to climb up (as a hill; to ascend it (with prepounded bąąh, alongside it).

F. 1. ha-deesháááł (díínááł, doogááł, zhdoogááł) **2.** ha-diit'ash dooh'ash, doo'ash, zhdoo'ash) **3.** ha-dii-kah (dooh, doo, zhdoo) **I. 1.** haasháá́h (haninááh, haagháá́h, hajigháá́h) **2.** haiit'aash (haah'aash, haa'aash, haji'aash) **3.** haii-kááh (haah, haa, haji) **P. 1.** háá-yá (háíní, haa, haji) **2.** haiit'áázh (haoo'áázh, háá'áázh haazh'áázh) **3.** haii-kai (haooh haa, hajis) **S-P. 1.** hasé-yá (hasíní, haa, haji) **2.** hashiit'áázh (hashoo'áázh, haazh'áázh, hajizh'áázh **3.** hasii-kai (hasooh, haas, hajis) **R. 1.** ha-násh-dááh (náni, ná, nájí) **2.** ha-néiit'ash (náh'ash, ná, nájí) **3.** ha-néii-kah (náh, ná, nájí) **O.** ha-oosha' (óóya', ooya' jóya') **2.** ha-ookááh (ooh, oo, jó)

5. to ascend a hill or mountain (the forms of no. 4 preceded by hók'ąą́, hill, or mountain top).

6. to start going along.

F. 1. dideesháááł (didíínááł, didoogááł, jididoogááł) **I. 1.** disháá́h (dínááh, digháá́h, jidi-ghááh) **3.** dii-kááh (doh, di, jidi) **S-P. 1.** dé-yá (díní, dee, jidee) **2.** deet'áázh (dishoo'áázh, deezh-'áázh, jideezh'áázh) **3.** dee-kai (disooh, dees, jidees) **U. 1.** di-sháah (dínááh, dighááh, jidi-ghááh) **2.** diit'ash (doh'aash, di,ash, jidi'ash) **3.** dii-kah (doh, di, jidi) **R. 1.** ńdísh-dááh (ńdí, ńdí, nízhdí) **2.** ńdiit'ash (ńdóh-'ash, ńdí'ash, nízhdí'ash) **3.** ń-dii-kah (ńdóh, ńdí, nízhdí) **O. 1.** dósha' (dóóya', dóya' jidóya') **2.** doot'aash (dooh'aash, dó'aash jidó'aash) **3.** doo-kááh (dooh dó, jidó)

7. to start going along again.

F. 1. náá-dideesh-dááł (didíí, di-doo, zhdidoo) **2.** náá-didii-t'ash (didooh, didoo, zhdidoo) **3.** náá-didii-kah (didooh, didoo, zhdi-doo) **I. 1.** náá-dísh-dááh (dí, dí, zhdí) **2.** náá-dii-t'ash (dóh, dí, zhdí) **3.** náá-dii-kááh (dóh, dí, zhdí) **P. 1.** náá-dés-dzá (díní, dees, zhdees) **2.** náá-dee-t'áázh (dishoo, deesh, zhdeesh) **2.** náá-dee-kai (disoo, dees, zhdees) **O. 1.** náá-dós-dza' (dóó, dó, zh-dó) **2.** náá-doo-t'aash (dooh, dó zhdó) **3.** náá-doo-kááh (dooh, dó, zhdó)

8. to become tired.

This meaning is rendered by prepounding ch'ééh, 'n vain, to the forms in no. 6.

9. to quit it; give it up; discontinue it.

This meaning is rendered by prefixing the postposition bik'i-, upon it, to the verb forms of no. 6. Thus, 'anáho'niiłt'į́įhgo binii-naa náháshgodę́ę bik'ińdísh-dááh, I stop hoeing again and again because it keeps starting to rain.

10. to start to walk (as a baby).

This meaning is rendered by prefixing niki- to the forms in given in no. 6, with exception of the perfective, which is formed by prefixing niki- to the perfect-ive given in no. 14. Thus, niki-diiyá, I started to walk.

11. to arise; get up.

F. 1. ńdideesh-dááł (ńdidíí, ńdi-doo, nízhdidoo) **2.** ńdidii-t'ash (ńdidooh, ńdidoo, nízhdidoo) **3.** ńdidii-jah (ńdidooh, ńdidoo, ní-zhdidoo) **I. 1.** ńdiish-dááh (ńdii, ńdii, nízhdii) **2.** ńdii-t'aash (ń-dooh, ńdii, nízhdii) **3.** ńdii-jeeh (ńdooh, ńdii, nízhdii) **P. 1.** ń-diis-dzá (ńdini, ńdii, nízhdii) **2.** ńdii-t'áázh (ńdooh, ńdii, nízhdii) **3.** ńdii-jéé' (ńdooh, ńdii, nízhdii) **R. 1.** níná-diish-dááh (dii, dii, zhdii) **2.** níná-dii-t'ash (dooh, dii, zhdii) **3.** níná-dii-jah (dooh, dii, zhdii) **O. 1.** ńdoosh-dááh (ńdoó, ńdoo, nízhdoo) **2.** ńdoo-t'aash (dooh, doo, zhdoo)

12. to meet him.

With the dual stem and the prefixes of the singular two people are involved, while with the plural stem more than two are involved.

F. bił 'ahi-dideesh-'ash (didíí, didoo, zhdidoo) **I.** bił 'ahi-diish-'aash (dii, dii, zhdii) **P.** bił 'ahi-dii-'áázh (dini, dii, zhdii) **R.** bił 'ahi-ńdiish-t'ash (ńdii, ńdii, nízhdii) **O.** bił 'ahi-doosh-'aash (doó, doo, zhdoo)

*bił becomes yił in 3o.

13. to meet them (two or more subjects or objects, or one subject meeting two objects).

F. bił 'ahi-dideesh-kah (didíí, didoo, zhdidoo, didii, didooh) **I.** bił 'ahi-dii-kai (dini, dii, zhdii, dii, dooh) **R.** bił 'ahi-ńdiish-kah (ńdii, ńdii, nízhdii, ńdii, ńdooh) **O. 1.** bił 'ahi-doosh-kááh (doó, doo, zhdoo, doo, dooh)

*bił becomes yił in 3o.

14. to start off.

F. 1. dah dideesháál (didíínáál, didoogáál, shdidoogáál) **2.** dah didiit'ash (didooh'ash, didoo'ash shdidoo'ash) **3.** didii-kah (didooh, didoo, shdidoo) **I. 1.** dah diisháah (diináah, diighaah, shdiighaah) **2.** dah diit'aash (dooh'aash, dii'aash, shdii'aash) **3.** dah dii-kááh (dooh, dooh, dii, shdii) **P. 1.** dah dii-yá (dini, dii, shdii) **2.** dah diit'áázh (doo-'áázh, dii'áázh, shdii'áázh) **3.** dah dii-kai (dooh, dii, shdii) **R. 1.** dah ńdiish-dááh (ńdii, ńdii, nízhdii) **2.** dah ńdiit'ash, (ńdooh,'ash ńdii'ash, nízhdii'ash) **3.** dah ńdii-kah (ńdooh, ńdii, nízhdii) **O. 1.** dah dósha' (dóóya' dóya', shdóya') **2.** dah doo-t'aash (dooh'aash, dó'aash, shdó'aash) **3.** dah doo-kááh (dooh, dó, shdó)

15. to go wandering about.

F. 1. tá-dideesháál (didíínáál, didoogáál, zhdidoogáál) **2.** tá-didii-t'ash (didooh'ash, didoo'ash, zhdidoo'ash) **3.** tá-didii-kah didooh, didoo, zhdidoo) **I. 1.** tádísháah (dínáah, digháah, zhdígháah) **2.** tá-diit'aash (dóh-'aash, dí'aash, zhdí'aash) **3.** tá-dii-kááh (dóh, dí, zhdí) **P. 1.** tá-díí-yá (díní, díí, zhdíí) **2.** tádiit'áázh (dooh'áázh, díí'áázh, zhdíí'áázh) **3.** tá-dii-kai (dooh, doo, zhdoo) **R. 1.** tá-ńdísh-dááh (ńdí, ńdí, nízhdí) **2.** tá-ńdiit'ash (ńdóh'ash, ńdí'ash, nízhdí'ash) **3.** tá-ńdii-kah (ńdóh, ńdí, nízhdí) **O. 1.** tá-dósha' (dóóya', dóya', zhdóya') **2.** tá-doo-t'aash (dooh'aash, dó'aash, zhdó'aash)

16. to be walking along.

Prog. 1. yisháál (yínáál, yigáál, joogáál) **2.** yiit'ash (ghoh'ash yi'ash, joo'ash) **3.** yii-kah (ghoh, yi, joo) **or** *deíníi-kááh

*yiikah, we are walking along (as a group); deíníikááh, we are walking along (in which the attention is focused on us as individuals).

17. to be walking along again.

Prog. 1. náá-násh-dáál (náá, náá, joo) **2.** náá-néii-t'ash (náh, náá, joo) **3.** náá-néii-kah (náh, náá, joo)

18a. to go; to come; to arrive; to meet him or head him off (with prepounded bidááh).

F. 1. deesháál (díínááł, doogááł, jidoogááł) **2.** diit'ash (dooh'ash, doo'ash, jidoo'ash) **3.** dii-kah (dooh, doo, jidoo) **I. 1.** nisháháh (nínááh, yígháah, jígháah) **2.** niit'aash (noh'aash, yí'aash, jí'aash) **3.** nii-kááh (noh, yí, jí) **P. 1.** ní-yá (yíní, ní, jiní) **2.** niit'áázh (noo'áázh, ní'áázh, jiní'áázh) **3.** nii-kai (nooh, yí, jí) **U. 1.** yisháah (ninááh, yigháah, jigháah) **2.** yiit'ash (ghoh'ash yi'ash, ji'ash) **3.** yii-kah (ghoh yi, ji) **R. 1.** násh-dááh (náni, ná, ńjí) **2.** néiit'ash (náh'ash, ná'ash, ńjí'ash) **3.** néii-kah (náh, ná, ńjí) **O. 1.** ghósha' (ghóóya', ghóya', jóya') **2.** ghoot'aash (ghooh'aash, ghó'aash, jó'aash) **3.** ghoo-kááh(ghooh, ghó, jó)

18b. to come upon it; to find it; to discover it.

This meaning is rendered by prefixing bik'í-, upon it, to the forms given under 18a. The future, usitative and iterative (**R.**) are not altered by prefixation of bik'í-, but certain changes occur in the imperfective, perfective and optative. These latter are herewith given:

I. 1. bik'íníshááh (bik'ínínááh, yik'égháah, bik'íjígháah) **2** bik'íniit'aash (bik'ínóh'aash, yik'é'aash, bik'íjí'aash) **3.** bik'ínii-kááh (bik'ínóh, yik'é, bik'íjí) **P. 1.** bik'íní-yá (bik'ííní, yik'íní, bik'ízhní) **2.** bik'íniit'áázh (bik'ínoo'áázh, yik'íní'áázh, bik'ízhní'áázh) **3.** bik'ínii-kai (bik'ínóoh, yik'é, bik'íjí) **O. 1.** bik'íoosha' (bik'íóóya', yik'íooya', bik'íjóya') **2.** bik'íoot'aash (bik'íooh'aash, yik'íoo'aash, bik'íjó'aash) **3.** bik'íoo-kááh (bik'íooh yik'íoo, bik'íjó)

19. to go, come, arrive again.

F. 1. náá-deesh-dááł (díí, doo, zhdoo) **2.** náá-dii-t'ash (dooh, doo, zhdoo) **3.** náá-dii-kah (dooh, doo, zhdoo) **I. 1.** náánásh-dááh (ní, ná, jí) **2.** náánii-t'aash (nóh, ná, jí) **3.** náánii-kááh (nóh, ná, jí) **P. 1.** náánís-dzá (yíní, ná, jí) **2.** náá-niit'áázh (nooh, ná, jí) **3.** náá-niikai (nooh, ná, jí) **O. 1.** náá-náosdza' (náóóya', náóya', jóya') **2.** náá-oo-t'aash (ooh, ó, jó) **3.** náá-oo-kááh (ooh, ó, jó)

20. to start back home.

This meaning is rendered by prefixing niki to the forms of no. 18. Thus, nikiníyá, I started back home.

21. to go ashore; go away from the water.

This meaning is rendered by prefixing dzíłts'á- to the forms under no. 18. Thus, dzíłts'ání-yá, I went ashore.

22. to separate from him.

This meaning is rendered by

prefixing bits'á- (yits'á- in 3o.) to the forms of no. 18. Thus, bits'áníyá, I separated from him.

23. to separate from each other; from one another.

This meaning is rendered by prefixing 'ałts'á- to the dual or plural forms under no. 18. Thus, 'ałts'ániit'áázh, we two separated from each other; 'ałts'ániikai, we (plural) separated from one another.

24. to go as far as a point (and stop); to go up to (a place, e.g.).
F. 1. ndeesháál (ndíínáál, ndoogáál, nizhdoogáál) **2.** ndiit'ash (ndooh'ash, ndoo'ash, nizhdoo'ash) **3.** ndii-kah (ndooh, ndoo, nizhdoo) **I. 1.** ninisháah (niníná áh, niigháah, njígháah) **2.** niniit'aash (ninoh'aash, nii'aash njí'aash) **3.** ninii-kááh (ninoh, nii, njí) **P. 1.** niní-yá (nííní, niní, nizhní) **2.** niniit'áázh (ninoo'áázh, niní'áázh, nizhní'áázh) **3.** ninii-kai (ninooh, nii, njí) **R. 1.** ni-násh-dááh (náni, ná, nájí) **2.** ni-néiit'ash (náh'ash, ná'ash, nájí'ash) **3.** ninéii-kah (náh, ná, nájí) **O. 1.** noosha' (noóya', nooya', njóya') **2.** noot'aash (nooh'aash, noo'aash, njó'aash) **3.** noo-kááh (nooh, noo, njó)

25. to become (physically) tired of it.

This meaning is rendered by prepounding bąąh, beside it, to the forms under no. 24. Thus, bąąh niníyá, I became tired of it.

26. to advance; progress.
F. 1. náás dideesháál (didíínáál, didoogáál, jididoogáál) **2.** náás didiit'ash (didooh'ash, didoo'ash jididoo'ash) **3.** náás didii-kah (didooh, didoo, jididoo) **Prog. 1.** náás yisháál (yínáál, yigáál, joogáál) **2.** náás yiit'ash (ghoh'ash, yi'ash, joo'ash) **3.** náás yii-kah (ghoh, yi, joo) **P. 1.** náás ní-yá (yíní, ní, jiní) **2.** náás niit'áázh (noo'áázh, ní'áázh, jiní'áázh) **3.** náás nii-kai (nooh, yí, jí) **R.** náás ńdísh-dááh (ńdí, ńdí, nízhdí) **2.** náás ńdiit'ash (ńdóh'ash, ńdí'ash, nízhdí'ash) **3.** náás ńdii-kah (ńdóh, ńdí, nízhdí) **O. 1.** náás dósha' (dóóya', dóya', jidóya') **2.** náás doot'aash (dooh'aash, dó'aash, jidó'aash) **3.** náás doo-kááh (dooh, dó, jidó)

27. to go (yi-form, used only in conjunction with prepounded particles and postpositions).

1. With prepounded kįįh, into town, the meaning is, to go into town; to enter town.

2. With prepounded taah, into water, the meaning is to enter the water; get in the water.

3. With prepounded biih, into it, the meaning is to enter something as a boat, pipe, or anything not an enclosure (in the sense of a house, hole, etc.).

4. With baa tiih prepounded the meaning is to tackle it (as a task, enemy, etc.); to go after it. This is illustrated by the following sentences: shighan t'ah doo 'áshłéeh da; yiską́ągo baa tiih deesháał, I haven't built my home yet; tomorrow I'll tackle it. shash dibé ła' sits'ą́ą' neistseed; 'éí biniinaa yiską́ągo baa tiih deesháał, a bear killed some of my sheep; therefore I'll go out after him tomorrow.

F. 1. deesháał (díínáał, doogááł, jidoogááł) **2.** diit'ash (dooh'ash doo'ash, jidoo'ash) **3.** dii-kah (dooh, doo, jidoo) **I. 1.** yisháá h (nináá h, yigháá h, jigháá h) **2.** yiit'aash (ghoh'aash, yi'aash, ji-'aash) **3.** yii-kááh (ghoh, yi, ji) **P. 1.** yí-yá (yíní, yí, jí) **2.** yii-t'áázh (ghoo'áázh, yí'áázh, jí-'áázh) **3.** yii-kai (ghooh, yí, jí) **R. 1.** násh-dááh (náni, ná, ńjí) **2.** néiit'ash (náh'ash, ná'ash, ń-jí'ash) **3.** néii-kah (náh, ná,, ńjí) **O. 1.** ghósha' (ghóóya' ghóya', jóya') **2.** ghoot'aash (ghooh-'aash, ghó'aash, jó'aash) **3.** ghoo-kááh (ghooh, ghó, jó)

28. to join it; to add oneself to it (as a party, club, etc.).

F. 1. bíi-deesháał (díínáał, doo-gááł, zhdoogááł) **2.** bíi-diit'ash (dooh'ash, doo'ash, zhdoo'ash) **3.** bíi-dii-kah (dooh, doo, zhdoo) **I. 1.** bíisháá h (bíináá h, yíigháá h bíjiigháá h) **2.** bíit'aash (bíoh-'aash, yíi'aash, bíjii'aash) **3** bíi-kááh (bíoh, yíi, bíjii) **P. 1.** bíi-yá (bíini, yíi, bíjii) **2.** bíi-t'áázh (bíoo'áázh, yíi'áázh, bí-jii'áázh) **3.** bíi-kai (bíoo, yíi, bí-jii) **R. 1.** bínéish-dááh (bínéii, yínéii, bíníji) **2.** bínéiit'ash (bí-náoh'ash, yínéii'ash) **3.** bínéii-kah (bínáoh, yínéii, bíníji) **O. 1.** bíosháá h (bíóónááh, yíóghááh, bíjooghááh) **2.** bíoot'aash (bí-ooh'aash, yíó'aash, bíjoo'aash)

*bí- becomes yí- in 3o. (This is actually a paradigm formed by conjunction of the verb forms given under no. 27 with bí-, against it; in addition to it.)

29. to go downward; to descend; to dismount (from a vehicle, horse, etc.).

This verb is composed of the forms given under no. 27, plus prefixed hada- downward.

F. 1. hada-deesháał (díínáał, doogááł, zhdoogááł) **2.** hada-diit'ash (dooh'ash, doo'ash, zh-doo'ash) **3.** hada-dii-kah (dooh, doo, zhdoo) **I. 1.** hadaasháá h (hadanináá h, hadaaghááh, ha-dajigháá h) **2.** hadeiit'aash (hadaah'aash, hadaa'aash, hadaji'aash) **3.** hadeii-kááh (hadaah, hadaa, hadaji) **P. 1.** hadáá-yá (hadéíní, hadáá, hadají) **2.** hadeiit'áázh (hada-oo'áázh, hadáá'áázh, hadajíí-'áázh) **3.** hadeii-kai (hadaooh, hadaa, hadajoo) **R. 1.** hada-násh-dááh (náni, ná, nájí) **2.** hada-néiit'ash(náh'ash, ná'ash, nájí'ash) **3.** hada-néii-kah (náh, ná, nájí) **O. 1.** hada-oosha' (óóya' ooya', jóya') **2.** hada-oot'aash (ooh'aash, oo'aash, jó'aash) **3.** hada-oo-kááh (ooh, oo, jó)

30. to go out of sight; to go in (to go in, or enter an enclosure, as a house, hole, etc., is rendered by prepounding yah, into (an enclosure) to the following verb forms); to go away or get lost (is rendered by prepounding yóó' away, to the following verbs).

F. 1. 'a-deesháál (dííínáál, doogáál, zhdoogáál) **2.** 'a-diit'ash (dooh'ash, doo'ash, zhdoo'ash) **3.** 'a-dii-kah (dooh, doo, zhdoo) **I. 1.** 'iisháah ('anináah, 'iigháah 'ajigháah) **2.** 'iit'aash ('ooh'aash, 'ii'aash, 'aji'aash) **3.** 'ii-kááh ('ooh, 'ii, 'aji) **P. 1.** 'íí-yá ('ííní, 'íí, 'ajíí) **2.** 'iit'áázh ('oo'áázh, 'íí'áázh, 'ajíí'áázh) **3.** 'ii-kai ('ooh, 'ii, 'ajii) **U. 1.** 'iisháah ('anináah, 'iigháah, 'ajigháah) **2.** 'iit'ash ('ooh'ash, 'ii'ash, 'aji'ash) **3.** 'ii-kah ('ooh, 'ii, 'aji) **R. 1.** 'a-násh-dááh (náni, ná, ńjí) **2.** 'a-néiit'ash (náh'ash, ná'ash, ńjí'ash) **3.** 'a-néii-kah (náh, ná, ńjí) **O. 1.** 'oosha' ('oóya', 'ooya', 'ajóya') **2.** 'oot'aash ('ooh'aash, 'oo'aash, 'ajó'aash) **3.** 'oo-kááh ('ooh, 'oo, 'ajó)

31. to replace him; to take his place.

This meaning is rendered by prepounding bikék'ehji', (into) his footprints, to the verb forms given under no. 30. Thus, biké-k'ehji' 'adeesháál, I'll replace him; take his place.

32. to go around; to make a round trip; to go and return.

F. 1. *ndeeshaał (ndíínaał, ndoogaał, nizhdoogaał) **2.** ndiit'ash (ndooh'ash, ndoo'ash, nizhdoo'ash) **3.** ndii-kah (ndooh, ndoo, nizhdoo) **C-I. 1.** naashá (naniná, naaghá, njighá) **2.** neiit'aash (naah'aash, naa'aash, nji'aash) **3.** neii-kai (naah, naa, nji) or neiil-deeh (naał, naal, njil) **P. 1.** nisé-yá (nisíní, naa, nji) **2.** nishiit'áázh (nishoo'áázh, naazh'áázh, njizh'áázh) **3.** nisii-kai (nisooh, naas, njis) **R. 1.** *ni-nósh-daah (náni, ná, ńjí) **2.** ni-néiit'ash (náh'ash, ná'ash, ńjí'ash) **3.** ni-néii-kah (náh, ná, ńjí) **O. 1.** na-oosha' (óóya', ooya', jóya') **2.** naoo-t'aash (naooh'aash, naoo'aash, njó'aash) **3.** naoo-kááh (naooh, naoo, njó)

*Note the low tone of the stem.

33. to do it; busy oneself with it.

This meaning is rendered by prepounding baa, about it, to the verb forms given under no. 32. Thus, ha'át'íísh baa naniná, what are you doing? A passive, to be done, is also possible (using a 3i., or indefinite, subject), and meaning it will be done, is being done, etc. It is given as follows: **F.** baa n'doodaał; **C-**

I. baa na'adáh; **P.** baa na'asdzá; **R.** baa niná'ádááh; **O.** baa na'ódza'.

34. to be sad, blue or worried. This meaning is rendered by prepounding yíníił, the mind, to the continuative imperfective form given under no. 32. Thus, yíníił naashá, I am blue, worried or sad.

35. to be sickly; to be invalid. This meaning is rendered by prepounding ká, chronically ill, to the continuative imperfective forms given under no. 32. Thus, ká naashá, I am sickly.

36. to protect him.

The following verb forms are used, with prepounded bich'ą́ą́h, in front of him, in his way.

F. 1. ndeeshaał (ndíínaał, ndoogaał, nizhdoogaał) **2.** ndiit'ash (ndooh'ash, ndoo'ash, nizhdoo'ash) **3.** ndii-kah (ndooh, ndoo, nizhdoo) **C-I. 1.** naashá (naniná naaghá, njighá) **2.** neiit'aash (naah'aash, naa'aash, nji'aash) **P. 1.** niní-yá (nííní, niní, nizhní) **2.** niniit'áázh (ninoo'áázh, niní'áázh, nizhní'áázh) **3.** ninii-kai (ninooh, nii, njí) **R. 1.** ninásh-dááh (nání, ná, nájí) **2.** ninéiit'ash (náh'ash, ná'ash, nájí'ash) **3.** ni-néii-kah (náh, ná, nájí) **O. 1.** naoosha' (naóóya' naooya' njóya') **2.** naoot'aash (naooh'aash, naoo'aash, njó'aash) **3.** naoo-kááh (naooh naoo, njó)

The sense of to be protected is rendered by the 3i. forms of the verb. These are: **F.** n'doodaał **C-I.** na'adáh; **P.** na'asdzá; **R.** niná'ádááh; **O.** na'ódza'. Thus, bich'ą́ą́h naashá, I am protecting him; shich'ą́ą́h na'adáh, I am being protected.

37. to walk or go among them.

F. 1. bitaa-deeshaał (díínaał, doogaał, zhdoogaał) **2.** bitaa-diit'ash (dooh'ash, doo'ash, zhdoo'ash) **3.** bitaa-dii-kah (dooh, doo, zhdoo) **C-I. 1.** bitaashá bitaaniná, yitaaghá, bitaajighá) **2.** bitaaiit'aash (bitaaoh'aash, yitaa'ash, bitaaji'aash) **3.** bitaaii-kai (bitaaoh, yitaa, bitaaji) **P. 1.** bitaasé-yá (bitaasíní, yitaa, bitaaji) **2.** bitaashiit'áázh (bitaashoo'áázh, yitaazh'áázh, bitaajizh'áázh) **3.** bitaasii-kai (bitaasoo, yitaas, bitaajis) **R. 1.** bitaa-násh-dááh (nání, ná, ńjí) **2.** bitaa-néiit'ash (náh'ash, ná'ash, ńjí'ash) **3.** bitaa-néii-kah (náh, ná, ńjí) **O. 1.** bitaa-oosha' (óóya', ooya', jóya') **2.** bitaa-oot'aash (ooh'aash, oo'aash, jó'aash) **3.** bitaa-oo-kááh (ooh, oo, jó)

* bitaa- becomes yitaa in 3o.

38. to go after it; go for it.

F. 1. há-deesháááł (díínááł, doogááł, zhdoogááł) **2.** há-diit'ash (dooh'ash, doo'ash, zhdoo'ash) **3.** há-dii-kah (dooh, doo, zhdoo) **I. 1.** há-díshááh (dínááh, díghááh, zhdíghááh) **2.** há-diit'aash (dóh'aash, dí'aash, zhdí'aash) **3.** há-dii-kááh (dóh, dí, zhdí) **S-P. 1.** há-dé-yá (díní, dee, zhdee) **2.** há-dee-t'áázh (dishoo, deezh, zhdeezh) **3.** há-dee-kai (disoo, dees, zhdees) ***S-P. 1.** hasé-yá (hasíní, haa, haji) **2.** hashiit'áázh (hashoo'áázh, haazh'áázh, hajizh'áázh) **3.** hasii-kai (hasooh, haas, hajis) **R. 1.** ha-násh-daah (nání, ná, nájí) **2.** ha-néiit'ash (náh'ash, ná'ash, nájí'ash) **3.** ha-néii-kah (náh, ná, nájí) **O. 1.** há-dósha' (dóóya' dóya' zhdóya') **2.** há-doot'aash (dooh'aash, dó'aash, zhdó'aash) **3.** há-doo-kááh (dooh, dó, zhdó)

*Of the two si-perfectives given above, hádéyá means to be in a state of having started after it, (i.e. I am on my way going after it; or I am going to go after it), while haséyá, I am in a state of having completed the act of going after it (i.e. I have gone after it).

39. to be going along after it (to get it).

Prog. 1. háásháál (háánáál, háágáál, hájoogáál) **2.** háiit'ash háh'ash, háá'ash, hájoo'ash) **3.** háii-kah (háh, háá, hájoo)

40. to have gone away after it (and still be gone).

P. 1. há-'íí-yá ('ííní, 'íí, 'ajíí) **2.** há-'iit'áázh ('oo'áázh, 'íí'áázh, 'ajíí'áázh) **3.** há'ii-kai ('ooh, 'ee 'ajoo)

41. to come after it; come for it.

F. 1. há-deesháál (díínáál, doogáál, zhdoogáál) **2.** há-diit'ash dooh'ash, doo'ash, zhdoo'ash) **3.** há-dii-kah (dooh, doo, zhdoo) **P. 1.** há-ní-yá (íní, ní, zhní) **2.** há-niit'áázh (noo'áázh, ní'áázh, zhní'áázh) **3.** hánii-kai (hánooh, há, hájí) **R. 1.** há-násh-dááh (náni ná, níjí) **2.** há-néii-t'ash (náh'ash, ná'ash, nájí'ash) **3.** há-néii-kah (náh, ná, nájí) **O. 1.** há-oosha' (óóya', ooya', jóya') **2.** há-oot'aash (ooh'aash, oo'aash jó'aash)

42. to tour; to travel; to go to the country.

F. 1. ch'aa deesháál (díínáál, doogáál, jidoogáál) **2.** ch'aa diit'ash (dooh'ash, doo'ash, jidoo'ash) **3.** ch'aa dii-kah (dooh, doo, jidoo) ***S-P. 1.** ch'aa dé-yá (díní, dee, jidee) **2.** ch'aa dee-t'áázh (dishoo'áázh deezh'áázh, jideezh'áázh) **3.** ch'aa dee-kai (disoo, dees, jidees) **C-I. 1.** ch'aa naashá (naniná, naaghá, njighá) **2.** ch'aa neiit'aash (naah'aash, naa'aash, nji'aash) **3.** ch'aa neii-kai (naah, naa, nji) **P. 1.** *ch'aa nisé-yá (nisíní, naa, njii) **2.** ch'aa nishiit'áázh (nishoo'áázh, naazh'áázh, njizh'áázh) **3.** nisii-kai (nisooh, naas, njis) **O. 1.** ch'aa dósha' (dóóya', dóya' jidóya') **2.** ch'aa doot'aash (dooh'aash, dó'aash, jidó'aash) **3.** ch'aa doo-kááh

(dooh, dó, jidó)

* The si-perfective ch'aa déyá means I am going to the country, I am going to go on a trip; while the si-perfective ch'aa niséyá means I have been to the country, I have made a trip (and now am back from whence I started).

43. to return; to come back; to go back.

F. 1. ńdeesh-dááł (ńdíí, ńdoo, nízhdoo) **2.** ńdii-t'ash (ńdooh, ńdoo, nízhdoo) **3.** ńdii-kah (ńdooh, ńdoo, nízhdoo) **I. 1.** nánísh-dááh (nání, ná, níjí) **2.** nánii-t'aash (nánóh, ná, ńjí) **3.** nánii-kááh (nánóh, ná, nájí) **Prog. 1.** náásh-dááł (náá, náá, ńjoo) **2.** néii-t'ash (náh, náá, ńjoo) **3.** néii-kah (náh, náá, ńjoo) ***S-P. 1.** ńdés-dzá (ńdíní, ńdees, nízhdees) **2.** ńdee-t'áázh (ńdishoo, ńdeesh, nízhdeesh) **3.** ńdee-kai (ńdisoo, ńdees, nízhdees) **P. 1.** nánís-dzá (néíní, ná, ńjí) **2.** nánii-t'áázh (nánoo, ná, ńjí) **3.** nánii-kai (nánooh, ná, ńjí) **R. 1.** násh-dááh (nání, ná, ńjí) **2.** néii-t'ash (náh, ná, ńjí) **3.** néii-kah (náh, ná, ńjí) **O. 1.** náoos-dza' (náóó, náoo, ńdzó) **2.** náoo-t'aash (náooh, náoo, ńjó) **3.** náoo-kááh (náooh, náoo, ńjó)

*The si-perfective ńdésdzá means I am going to go back, I am on my way back.

44. to dress; to get back into ones garments.

This meaning is rendered by prepounding -'éé' biih, into --- clothing (--- stands for the proper possessive pronoun prefix) to the verb forms that follow. Thus she'éé' biih náásdzá, I dressed; I got back into my clothing.

F. 1. ńdeesh-dááł (ńdíí, ńdoo, nízhdoo) **2.** ńdii-t'ash (ńdooh, ńdoo, nízhdoo) **3.** ńdii-kah (ńdooh, ńdoo, nízhdoo) **I. 1.** náshdááh (nání, ná, ńjí) **2.** néiit'aash (náh, ná, ńjí) **3.** néii-kááh (náh, ná, ńjí) **P. 1.** náás-dzá (néíní, ná, nájí) **2.** néii-t'áázh (náoo, ná, nájí) **3.** néii-kai (náooh, ná, ńjí) **R. 1.** ní-násh-dááh (nání, ná, nájí) **2.** ní-néii-t'ash (náh ná, nájí) **3.** néii-kah (náh, ná, nájí) **O. 1.** náoos-dza' (náóó, náoo, ńdzó) **2.** náoo-t'aash (náooh, náoo, ńjó) **3.** náoo-kááh (náooh, náoo, ńjó)

45. to divorce her; to separate back from her.

This meaning is rendered by prefixing bits'á- away from her, to the forms of no. 43 (except in the imperfective where the form is bits'ánínáshdááh, and is conjugated like the iterative (i.e. the **R.** form of no. 44). Thus, bits'ánánísdzá, I divorced her.

46. to get divorced from each other. ('ałts'á-, away from each other.)

F. 'ałts'á-ńdii-t'ash (ńdooh, ńdoo, nízhdoo) **I.** 'ałts'á-nánii-t'aash (nánóh, ná, nájí) **P.** 'ałts'á-nánii-t'áá zh (nánooh, ná, ńjí) **R.** 'ałts'ání-néii-t'ash (náh, ná, nájí) **O.** 'ałts'á-náoo-t'aash (náooh, náoo, nájó)

47. to take turns; to alternate.

This verb is given in the progressive mode only, and is altered for tense by use of dooleeł for future, and ńt'ę́ę́' for past.

Prog. 2. 'ałnáá-hii-t'ash (hooh, hoo, hijiyoo) **3.** 'ałnáá-hii-kah (hooh, hoo, hijiyoo)

48. to become dizzy.

This meaning is rendered by prepounding the postposition -ił, with the proper pronoun prefix, to the verb forms that follow. Thus, shił nahodééyá, I'm dizzy, nił nahodééyá, you're dizzy, etc. **F.** náhodidoogááł **I.** náhodigháah **S-P.** náhodééyá **R.** nínáhodigháah **O.** náhodóya'

49. to turn up, warp (as wet shoes when dried); to shrink up (as burning flesh).

F. 1. deindoogááł **2.** deindoo'ash **3.** dein(da)dookah **I. 1** deiniigháah **2.** deinii'aash **3.** deindaakááh **P.** deininíyá **2.** deininí'áázh **3.** deindaayá or deindaaskai **R. 1.** deininádááh **2.** deininát'ash **3.** deininádaakah **O. 1.** deinooya' **2.** deinoo'aash **3.** deindaookááh

50. to go on horseback (at a walk)

This meaning is rendered by prepounding łį́į́' -ił (with the proper pronoun prefix), with horse, to the verb forms that follow. For example łį́į́' shił naaghá, I am going about (riding) horseback; łį́į́' nił naaghá, you are going about (riding) horseback, etc. **F.** doogááł **I.** digháah **C-I.** naaghá **Prog.** yigááł **P.** níyá **R.** nádááh **O.** dóya'

51. to accompany; go with.

When the subject of the verb accompanies someone, this is expressed by the prepounded postposition -ił, with, (with the pronoun prefix corresponding to the one accompanying) plus the proper form of the verb to go, which uses the singular paradigmatic prefixes with the dual stem if the total number of subject and companion does not exceed 2, or the singular or duoplural paradigmatic prefixes plus the plural stem if the subject with companions total more than 2. Thus, nił deesh'ash (instead of deeshááł), I will go with you; nił diikah (instead of diit'ash), we (two or more) will go with you; nihił deeshkah (instead of deeshááł), I will go with you (two or more).

52. to be homeless.

This meaning is rendered by prepounding t'áá bita'ígi, just between them (at), to the forms given under no. 32. Thus, t'áá bita'ígi naashá, I am homeless.

gáamalii, Mormon.

gą́ą́ł, gą́, gą́ą́' (gą́), gą́ą́h, gą́ą́', to kill plural objects (V. ghą́ą́ł)

1. to commit suicide (plural subjects).

F. 'ádidii-gą́ą́ł ('ádidooh, 'ádidoo, 'ádizhdoo) **I.** 'ádii-gą́ ('ádóh, 'ádí, 'ázhdí) ***P.** 'ádi'niigą́ ('ádi'nooh, 'ádi'nii, 'ádizh'nii) **P.** 'ádii-gą́ą́' ('ádooh, 'ádoo, 'ázhdoo) **R.** 'áńdii-gą́ą́h ('áńdóh, 'áńdí, 'ánízhdí) **O.** 'ádoogą́ą́' ('ádooh, 'ádó, 'ázhdó)

*This is the inchoative perfective, translated as a present in English. Thus, 'ádi'niigą́, we are killing ourselves (i.e. have started to kill ourselves).

2. to fight with each other; to kill each other.

F. *bił 'ahi-deesh-gą́ą́ł (díí, doo, zhdoo, dii, dooh) **C-I.** 'ahishgą́h ('ahí, 'ahi, 'ahiji, 'ahii, 'ahoh) **P.** 'aheesh-gą́ą́' ('ahííní, 'ahoo, 'ahijoo, 'ahii, 'ahooh) **R.** ná-'ahish-gą́ą́h ('ahí, 'ahi, 'ahiji, 'ahii, 'ahoh) **O.** 'ahósh-gą́ą́' ('ahóó, 'ahó, 'ahijó, 'ahoo, 'ahooh)

* bił, with him, becomes yił in 3o. The pronoun object of the verb is represented by the pronoun prefixed as object of the postposition -ił, with.

gą́ą́ł, gan, gan, gą́ą́h, gan, to dry up; mummify.

1. to dry up; to mummify.

F. deesh-gą́ą́ł (díí, doo, jidoo, dii, dooh) **C-I.** yish-gan (ni, yi, ii, yii, ghoh) **P.** sé-gan (síní, si, jis, sii, soo) **R.** nāsh-gą́ą́h (nání, ná, ńjí, néii, náh) **O.** ghósh-gan (ghóó, ghó, jó, ghoo, ghooh)

2. to dry it; to dessicate it.

F. deesh-gą́ą́ł (dííł, yidooł, jidooł, diil, dooł) (bidi'dool-) **C-I.** yishgan (nił, yił, jił, yiil, ghoł) (bi'dil-) **P.** séł-gan (síníł, yis, jis, siil, sooł) (bi'dis-) **R.** násh-gą́ą́h (náníł, néił, ńjíł, néiil, náł) (nábi'dil-) **O.** ghósh-gan (ghóół, yół, jół, ghool, ghooł) (bi'dól-)

gad, juniper.

gad ni'eełí, red juniper.

gah, rabbit.

gałbáhí, cottontail rabbit.

gahtsoh, jackrabbit.

gah, gááh, gaii (gai), gah, gááh, to be white; hot.

1. to become white.

F. yi-deesh-gah (díí, doo, zhdoo, dii, dooh) **I.** yiish-gááh (yii, yii, jii, yii, ghooh) **P.** yii-gaii (yini, yii, jii, yii, ghooh) **R.** néish-gah néii, néii, ńjii, néii, náoh) **O.** ghoosh-gááh (ghóó, ghoo, joo, ghoo, ghooh)

2. to be white.

N. łinish-gai (łiní, łi, jil, łinii, łinoh)

3. to frost.

F sho yidoogah **I.** sho yiigááh **P.** sho yiigaii **R.** sho néiigah **O.** sho ghoogááh

4. to whiten it; make it white.

F. yi-deesh-gah (dííł, idooł, zhdooł, diil, dooł) (*bidi'dool-) **I.** yiish-gááh (yiił, yiyiił, jiił, yiil, ghooł) (bi'diil-) **P.** yiił-gaii (yinił, yiyiił, jiił, yiil, ghooł) (bi'diil-) **R.** néish-gah (néił, náyiił, ńjiił, néiil, náooł) (nábi'diil-) **O.** ghoosh-gááh (ghóół, yooł, jooł, ghool, ghooł) (bi'dool-)

5. to warm up; to become hot (weather, or an area, room, etc.). **F.** hodínóogah **I.** honiigááh **P.** honiigaii ***S-P.** honeezgai **R.** náhoniigah **O.** honoogááh

*honeezgai, it is hot.

6. to suffer pain; be in pain. This meaning is rendered by prepounding the postposition -ił, with, to the forms of no. 5. Thus, shił honeezgai, I am in pain; nił honeezgai, you ---, etc.

7. to cause one to be in pain (a definite object as a tooth). **F.** shił hodínóołgah **P.** shił honiiłgaii **S-P.** shił honeesgai **R.** shił náhoniiłgah **O.** shił honoołgááh

8. to be heated, hot (as iron). **F.** dínóogah **I.** niigááh **P.** niigaii ***S-P.** neezgai **R.** nániigah **O.** noogááh

*The S-P. is a neuter form, signifying "it is hot."

9. to heat it (an object as a piece of iron). **F.** dínéesh-gah (díníił, yidínóoł, jidínóoł, díníil, dínóoł) (bididí'nóol-) **I.** niish-gááh (niił, yiniił, jiniił, niil, nooł) (bidi'niil-) **P.** niił-gaii (ninił, yiniił, jiniił, niil, nooł) (bidi'niil-) **R.** nániish-gah (nániił, néiniił, názhniił, nániil, nánooł) (nábidi'niil-) **O.** nooshgááh (noół, yinooł, jinooł, nool, nooł) (bidi'nool-)

gąsh, gąsh, gąsh, gąsh, gąsh, to bewitch; shoot with magic.

1. to bewitch him. **F.** deesh-gąsh (díił, yidooł, jidooł, diil, dooł) (bidi'dool-) **I.** yiishgąsh (yiił, yiyiił, jiił, yiil, ghooł) (bi'diil-) **P.** shéł-gąsh (shíníł, yish, jish, shiil, shooł) (bi'dish-) **R.** néish-gąsh (néił, náyiił, ńjiił, néiil, náooł) (nábi'diil-) **O.** ghoosh-gąsh (ghóół, yół, jół, ghool, ghooł) (bi'dól-)

2. to be a witch or wizard. **N.** 'adish-gąsh ('adíł, 'adił, 'azhdił, 'adiil, 'adoł)

géeso, cheese.

ge', hark! listen! ge', 'íísíníłts'ą́ą́', hark! listen!

gęsh, gę́ę́sh (gę́ę́zh), gęęzh gęsh, gę́ę́sh, to stare.

1. to stare at it. **F.** didínéesh-gęsh (didíníił, yididínóol, jididínóol, didíníil, didínóoł) **I.** diniish-gę́ę́sh (diniil, yidiniil, jidiniil, diniil, dinooł) **P.** diniish-gęęzh (dininil, yidiniil, jidiniil, diniil, dinooł) **C-I.** yínísh-gę́ę́zh (yíníl, yól, jól, yíníil, yínół) **R.** ńdiniish-gęsh (ńdiniil néidiniil, nízhdiniil, ńdiniil, ńdinooł) **O.** dinoosh-gę́ę́sh (dinoól yidinool, jidinool, dinool, dinooł)

2. to stare off into space. This has the same form as no. 1 except that there is no yi- (3o.)

in the 3rd person. Thus diniilgęęzh, he stared into space; but yidiniilgęęzh, he stared at it.

In the following paradigms it must be kept in mind that gh becomes h after sh, h, and ł, and that the stem exchanges initial gh for g in the 1st person duo-plural, and in the passive.

gháásh, gháásh, gháázh, gháásh, gháásh, to nibble.

1. to start nibbling it.

F. dideesh-háásh (didíí, yididoo, jididoo, didii, didooh) (bidi'doogáásh) **I.** dish-háásh (dí, yidi, jidi, dii, doh) (bi'digáásh) **P.** dé-gháázh (díní, yideezh, jideezh, dee, dishoo) (bi'deeshgáázh) **R.** ńdísh-háásh (ńdí, néidi, nízhdí, ńdii, ńdóh) (nábi'digáásh) **O.** dósh-háásh (dóó yidó, jidó, doo, dooh) (bi'dógáásh)

2. to be nibbling it along.

Prog. yish-háásh (yí, yoo, joo, yii, ghoh) (bi'doogáásh)

ghą́ą́'ask'idii, camel.

ghąąji', October.

ghą́ą́ł, ghą́h, ghą́ą́', gą́ą́h, ghą́ą́' to kill them (plural objects).

1. to kill them.

F. deesh-hą́ą́ł (díí, yidoo, jidoo, dii, dooh) (bidi'doogą́ą́ł) **I.** yish-hą́h (ni, yi, ji, yii, ghoh) (bi'digą́h) **P.** yí-ghą́ą́' (yíní, yiyíí, jíí, yii, ghoo) (bi'doogą́ą́') **R.** náshgą́ą́h (nání, néí, ńjí, néii, náh) (nábi'digą́ą́h) **O.** ghósh-hą́ą́' (ghóó, yó, jó, ghoo, ghooh) (bi'dógą́ą́')

2. to die of melancholy; pine away (plural persons).

This meaning is rendered by use of the noun ch'íínáíí, melancholy, as the subject of the verb. Thus it is inflected for person by altering the prefixed pronoun object. It is herewith given for the ordinary 3rd person.

F. ch'íínáíí bidooghą́ą́ł ***P.** ch'íínáíí bi'niighą́ą́' **P.** ch'íínáíí bííghą́ą́' **R.** ch'íínáíí nábígą́ą́h **O.** ch'íínáíí bóghą́ą́'

*This is the inchoative perfective, which is translated as a present in English. Thus, ch'íínáíí bi'niighą́ą́', they are pining away (i.e. melancholy has started to kill them).

3. to drown (plural).

Water is used as the subject of the verb, and the verb forms of no. 2 are used. Thus, tó bííghą́ą́', they drowned; tó nihi'niighą́ą́' we are drowning (i.e. water has started to kill us).

4. to starve to death; to be very hungry.

dichin, hunger, is used as the subject of the verb. Thus, dichin nihi'niighą́ą́', we are starving to death; we are very hungry (i.e. hunger is killing us).

ghał, ghaał, ghal, ghał, ghaał, stem apparently referring to a twisting motion.

1. to throw oneself down on the ground.

F. dínéesh-ghał (díníil, dínóol, ji-dínóol, díniil, dínóoł) **I.** nish-ghaał (níl, nil, jinil, niil, noł) **P.** nésh-ghal (níníl, nees, jinees, neel, nooł) **R.** ná-nísh-ghał (níl, níl, zhníl, niil, nół) **O.** nósh-ghaoł (nóól, nól, jinól, nool, nooł)

2. to wriggle along on one's belly.
F. hi-deesh-ghoł (díil, dool, zh-dool, diil, dooł) **Prog.** heesh-ghał (híil, hool, hijool, hiil, hooł) **P.** hinish-ghol (hííníl, heel, hiji-yeel, hiniil, hinooł) **R.** náhi-dish-ghoł (díl, dil, zhdil, diil, doł) **O.** hi-dósh-ghaał (dóól, dól, zh-dól, dool, dooł) bį́įh t'áá 'áhá-nídę́ę́' bich'į' nihinishghal dóó séłhį́, I wriggled up near the deer and killed it.

3. to commence to turn or roll the eyes (in order to look).
F. ho-deesh-hał (díí, doo, zhdoo, dii, dooh) **I.** haash-haał (hani, hoo, hoji, haii, haoh) **P.** háá-ghol (háíní, háá, hajíí, haii, ho-oo) **R.** ho-násh-hoł (nání, ná, ń-jí, néii, náh) **O.** ha-oosh-haoł (óó, oo, jó, oo, ooh)

4. to open the eyes.
F. dideesh-hoł (didíí, didoo, jidi-doo, didii, didooh) **P.** dé-ghol (díní, deez, jideez, dee, doo) **U.** dish-hał (dí, di, jidi, dii, doh) **R.** ńdísh-hał (ńdí, ńdí, nízhdí, ńdii, ńdóh) **O.** dósh-haał (dóó, jidó, doo, dooh)

5. to look about; to roll the eyes about (looking).
F. ndeesh-hał (ndíí, ndoo, nizh-doo, ndii, ndooh) **C-I.** naash-haał (nani, naa, nji, neii, naah) **P.** nisé-ghal (nisíní, naaz, njiz, nisii, nisoo) **R.** ni-násh-gał (ná-ní, ná, nájí, néii, náh) **O.** na-oosh-haoł (noóó, naoo, njó, na-oo, noooh)

1. to turn over.
ghał, ghał, ghał, ghał, ghał (probobly related to the preceding stem.
F. náhi-dideesh-ghał (didíil, di-dool, zhdidool, didiil, didooł) **I.** náhi-deesh-ghał (deel, deel, zh-deel, deel, dooł) **P.** náhi-désh-ghał (díníl, dees, zhdees, deel, disooł) **R.** nínáhi-deesh-ghoł (deel, deel, zhdeel, deel, dooł) **O.** náhi-dósh-ghał (dóól, dól, zh-dól, dool, dooł)

2. to writhe (a snake)
Prog. náhoolghoł

ghał, ghał, ghal, ghał, ghał, to chew, eat (meat); probably relo-ted to the preceding stems.
F. deesh-ghoł (díil, yidool, jidool, diil, dooł) (bidi'dool-) **C-I.** yish-ghał (nil, yil, jil, yiil, ghoł) (bi'-dil-) **P.** yish-ghal (yíníl, yool, jool, yiil, ghooł) (bi'dool-) **R.** násh-ghoł (nánil, néíl, ńjíl, néiil, náł) (nábi'dil-) **O.** ghósh-ghał (ghóól, yól, jól, ghool, ghooł) (bi'dól-)

Stem initial gh remains gh even ofter sh and ł in this verb.

ghał, gháád, ghóód, gha', ghóód to shake.

gh becomes h after sh and h, and becomes g in 1st person dpl and passive.

1. to shake it.

F. deesh-hał (díí, yidoo, jidoo, dii dooh) (bidi'doogał) **C-I.** yish-háád (ni, yi, ji, yii, ghoh) (bi'di-gáád) **P.** yí-gháád (yíní, yiyíí, jíí, yii, ghoo) (bi'doogáád) **R.** násh-ha' (náni, néí, ńjí, néii, náh) (nábi'diga') **O.** ghósh-háád (ghóó yó, jó, ghoo, ghooh) (bi'dógáád)

ghas, ghas, ghas, gas, ghas, to scratch, claw.

1. to scratch or claw it (once).

F. dees-xas (díí, yidoo, jidoo, dii, dooh) (bidi'doogas) **I.** yiis-xas yii, yiyii, jii, yii, ghooh) (bi'dii-gas) **P.** sé-ghas (síní, yiz, jiz, sii, soo) (bi'disgas) **R.** néis-gas (né-ii, náyii, ńjii, néii, náooh) (nábi'-diigas) **O.** ghoos-xas (ghóó, yó, jó, ghoo, ghooh) **(bi'dógas)**

2. to rip it (with a blow of the claws).

F. tsiih dees-xas (díí, yidoo, ji-doo, dii, dooh) **I.** tsiih yis-xaas (ni, yi, ji, yii, ghoh) **P.** tsiih yí-ghaz (yíní, yiyíí, jíí, yii, ghoo) **R.** tsiih nás-gas (náni, néí, ńjí, néii náh) **O.** tsiih ghós-xaas (ghóó yó, jó, ghoo, ghooh). náshdóí-tsoh tsiih shíígház, the mountain lion ripped me (with a blow of his claws).

3. to scratch or claw it (repeatedly; one scratch after another)

F. ńdínées-xas (ńdíníí, néidínóo, nízhdínóo, ńdíníi, ńdínóoh) (ná-bidí'nóogas) **C-I.** nánís-xas (ná-ní, néiní, názhní, nánii, nánóh) (nábidi'nigas) **P.** náné-ghaz náníní, néineez, názhneez, ná-nee, nánoo) (nábidi'neesgaz) **R.** nínánís-xas (nínání, nínéiní, ní-názhní, nínánii, nínánóh) (níná-bidi'nigas) **O.** nánós-xas (ná-nóó, néinó, názhnó, nánoo, ná-nooh) (nábidi'nógas)

ghęsh, to think that one saw it.

P. *bí-dínésh-ghęsh **(díníl, dí-**néesh, zhdínéesh, bídínéel, dí-nóoł)

*bí- becomes yí- in 3o.

ghééł, gheeh (ghé), ghį, gééh, ghééł, to handle a pack, burden or load; anything bundled or loaded together and transported or hauled whether by hand or by vehicle (as a load of sheep, etc.). V. 'ááł for the derivational prefixes.

Stem initial gh becomes h after sh or h and becomes g in the 1st person dpl, and in the passive.

1. to bring, take, get or pull it down (as from a shelf, limb, etc).

F. ndi'deesh-hééł (ndi'díí, na'ii-didoo, ndizh'doo, ndi'dii, ndi'-dooh) (nibidi'doogééł) **I.** n'-diish-heeh (n'dii, na'iidii, nizh'-dii, n'dii, n'dooh) (nibi'digeeh) **P.** n'diighį (ndi'ni, na'iidii, nizh-'dii, n'dii, n'doo) (nabi'doogį) **R** niná'diish-gééh (niná'dii, niná' iidii, nínázh'dii, niná'dii, niná' dooh) (ninábi'digééh) **O.** n' doosh-hééł (n'doó, na'iidoo, nizh'doo, n'doo, n'dooh) (nibi'dógééł)

2. to knock it over (a load).

F. naa-'adeesh-hééł (adíí, 'iidoo, 'azhdoo, 'adii, 'adooh) **I.** naa-'iish-heeh ('ani, 'ii, 'aji, 'ii, 'ooh) **P.** naa-'íí-ghį ('íiní, 'ayíí, 'ajíí, 'ii, 'ooh) **R.** naa-'anásh-gééh ('anání, 'anéí, 'ańjí, 'anéii, 'anáh) **O.** naa-'oosh-heeh ('oó, 'ayó, 'ajó, 'oo, 'ooh)

3. to blow the nose (lit. to haul out the mucus).

-né'éshtiił, nasal mucus, is prepounded (with a possessive pronoun prefix corresponding to the subject of the verb) to the following verb forms. Thus, shiné'éshtiił háághį, I blew my nose

F. ha-deesh-hééł (díí, idoo, zhdoo, dii, dooh) **I.** haash-heeh (hani, hai, haji, haii, haah) **P.** háá-ghį (háíní, hayíí, hajíí, haii, haoo) **R.** ha-násh-gééh (nání, néí, ńjí, néii, náh) **O.** haosh-hééł (haóó, hayó, hajó, haoo, haooh)

ghééł, ghé, ghį, ghééh, ghééł, to kill oneself; commit suicide (V. hééł, to kill one object).

F. 'ádiyeesh-ghééł ('ádiyííl, 'ádiyool, 'ázhdiyool) **I.** 'ádiish-ghé ('ádiyíl, 'ádiil, 'ázhdiil) ***P.** 'ádi'niish-ghį ('ádin'nil, 'ádi'niil, 'ádizh'niil) **P.** 'ádiyésh-ghį ('ádiyíníl, 'ádiis, 'ázhdiis) **R.** 'áńdiish-ghééh ('áńdiil, 'áńdiil 'áńízhdiil) **O.** 'ádiyósh-ghééł ('ádiyóól, 'ádiyól, 'ádizhyól)

*This is the inchoative perfective, translated as a present in English. Thus, 'ádi'niishghį, I am killing myself (i.e. I have started to kill myself).

gheeł, ghé, ghe', to be called or named (these stems correspond to the future, neuter, and perfective).

1. to be called; to be named; to have the name of.

The parenthetic forms refer to place or area.

F. yideesh-gheeł (yidííl, yidool, jiidool, yidiil, yidooł) (hwiidool-) **N.** yinish-ghé (yiníl, ghol, jool, yiniil, yinoł) (hool-) **P.** yisis-ghe' (yisíníl, ghoos, joos, yisiil, yisooł) (hoos-)

2. to mean; to signify.

N. 'óolghé. "stone" "tsé" 'óolghé, "stone" means "tsé."

ghéé', to be awful.

1. to be terrified.

This meaning is rendered by prepounding t'óó -ił (with the proper pronoun prefix on the postposition -ił, with) to the verb form hóóghéé'. Thus t'óó bił hóóghéé', they became terrified.

2. to be lazy.

This meaning is rendered as in no. 1, except that t'óó -ił is prepounded to the verb hóghéé'. Thus, bił hóghéé', he or they is (are) lazy.

3. to be scarce.
N. bídin hóghéé' (it is scarce) **P.** bídin hóóghéé' (it became ---)
gheh, gheh, gheh, geh, gheh, to marry.
1. to get married.
F. 'a-deesh-heh (díí, doo, zhdoo, dii, dooh) **I.** 'iish-heh ('ii, 'ii, 'a-jii, 'ii, 'ooh) **P.** 'asé-gheh ('asíní, 'az, 'ajiz, 'asii, 'asoo) **R.** ná-iish-geh ('ii, 'ii, 'jii, 'ii, 'ooh) **O.** 'oosh-heh ('oó, 'oo, 'ajoo, 'oo 'ooh
2. to take place (a wedding).
This meaning is rendered by use of the 3i. subject.
F. 'adoogeh **I.** 'iigeh **P.** 'asgeh **R.** ná'iigeh **O.** 'oogeh
3. to marry her.
This meaning is rendered by prepounding bá- (yá- in 3o.) to the forms in no. 1. Thus bá'sé-gheh I married her; bá'deesh-heh, I'll marry her.
ghih, to puff, pant (from being out of breath.
N. dish-hih (dí, di, jidi, dii, doh)
ghił, gheeł, gheel, ghił, gheeł, to dream.
F. nei-deesh-hił (díí, doo zhdoo, dii, dooh) **C-I.** neish-heeł (neí, nei, njii, neii, naoh) **P.** naisé-gheel (naisíní, naiz, njiiz, naisii, naisoo) **R.** ni-nash-hił (náni, néí, nájíí, néii, náh) **O.** naoosh-heeł (naóó, naoo, njó, naoo, na-ooh). naa naiségheel, I dream-ed about you.
ghił, ghííł (ghil), ghil, gił, ghil, to push.
1. to push it about.
F. na-bídeesh-hił (bídíí, yíidoo, bízhdoo, bídii, bídooh) (bídi'-doogił) **C-I.** na-bésh-hil (bíní, yíí, bíjíí, bíi, bóh) (bí'dígil) **P.** na-bíséghil (bísíní, yíiz, bíjííz, bísii, bísoo) (bí'dísgil) **R.** ni-bí-nash-gił (bínání, yínéí, bíńjíí, bí-néii, bínáh) (bínábi'digił) **O.** na-bóosh-hil (bóó, yíyó, bíjó, bóo bóoh) (bí'dógil)
2. to push it as far as a point (and stop).
F. ni-bídeesh-hił (bídíí, yíidoo, bízhdoo, bídii, bídooh) (bídi'doo-gił) **I.** ni-bínísh-hííł (bíní, yíí, bíjí, bínii, bínoh) (bí'deegííł) **P.** ni-bíní-ghil (bííní, yíiní, bízhní, bínii, bínooh) (bí'deegil) **R.** ni-bínásh-gił (bínání, yínéí, bíńjíí, bínéii, bínáh) (bínábi'digił) **O.** ni-bóosh-hííł (bóó, yíyó, bíjó, bóo, bóoh) (bí'dógííł) koji' ni-bíníghííł, push it over here! shi-ch'į' nibíníghííł, push it to me!
The ni- prefix can also be omit-ted on no. 2, with the resultant meaning of "to arrive pushing it." Thus, shaa bíníghííł, push it to me!
3. to be pushing it along.
Prog. béésh-hił (bíí, yíyoo, bíjoo, bíi, bóoh) (bí'doogił)
4. to doze; to nearly sleep.
F. 'a-dínéesh-ghił (dínííl, dínóol, zhdínóol, díníil, **dínóoł) I. 'a-**nish-ghííł (níl, nil, zhnil, niil, noł) **P.** 'a-neesh-ghil (níínil nool, zhnool, niil, nooł) **R.** 'a-

nánísh-ghił (náníl, náníl, názhníl, nániil, nánół) **O.** 'a-nóshghííł (nóól, nól, zhnól, nool, noołł)

ghis, ghees, ghiz, ghis, ghis, to turn.

1. to turn around.

F. ńdees-xis (ńdíí, ńdoo, nízhdoo, ńdii, ńdooh) **C-I.** nás-xéés (náni, ná, ńjí, néii, náh) **P.** ńséghiz (ńsíní, náz, ńjíz, ńsii, ńsoo) **R.** ní-nás-xis (nání, ná, nájí, néii, nah) **O.** náoos-xis (náóó, náoo, ńjó, náoo, náooh)

2. to be turning around.

Prog. náás-xis (náá, náá, ńjoo, néii, náh)

3. to dodge (a missile, blow).

F. didees-ghis (didííl, didool, jididool, didiil, didooł) **I.** disghéés (díl, dil, jidil, diil, doł) **P.** dés-ghiz (díníl, dees, jidees, deel, disooł) **R.** ńdís-ghis (ńdíl, ńdíl, nízhdíl, ńdiil, ńdół) **O.** dósghéés (dóól, dól, jidól, dool, dooł)

tsé yee shííníiłne'go désghiz, 'áko sisiih, I dodged when he threw the stone at me, so he missed me.

4. to be startled; astonished.

This meaning is rendered by prepounding the postposition bik'ee, on account of it, to the forms in no. 3. Thus, bik'ee désghiz, I was startled by it; na'nízhoozhídi naninálago niiłtsą́ą́ ńt'ę́ę́', t'óó nik'ee désghiz, I saw you in town, and I was astonished (by you).

ghįh, ghį́į́h, ghį́į́', ghįh, ghį́į́h, to melt.

1. to melt (an object, as a piece of ice).

F. dooghįh **I.** yighį́į́h **P.** yííghį́į́' **R.** nághįh **O.** ghóghį́į́h

2. to thaw (as ice or snow on an area).

F. náhodoolghį **C-I.** náhálghį́į́h **P.** náhoolghį́į́' **R.** nínáhálghį **O.** náhólghį́į́h

ghį́į́h, ghį́į́h, ghį́į́', ghįh, ghį́į́h, to rest.

3. to rest.

F. háá-deesh-ghįh (dííl, dool, zhdool, diil, dooł) **C-I.** hanáshghį́į́h (hááníl, hanál, háájíl hanéiil, hanáł) **P.** hanáásh-ghį́į́' (háíníl, hanáál, háájool, hanéiil, hanáooł) **R.** haní-násh-ghįh (náníl, nál, nájíl, néiil, náł) **O.** ha-náoosh-ghį́į́h (náóól, náool, nájól, náool, náooł)

ghįįł, ghįįh (ghin), ghįįd, ghįįh, ghįįh, to be holy; supernatural.

1. to become holy; to be sanctified.

F. dideesh-hįįł (didíí, didoo, jididoo, didii, didooh) **I.** dinishhįįh (diní, dii, jidii, dii, doh) **P.** díí-ghįįd (dííní, díí, jidíí, dii, doo) **R.** ńdísh-hįįh (ńdí, ńdí, nízhdí, ńdii, ńdóh) **O.** dósh-hįįh (dóó, dó, jidó, doo, dooh). bee dideeshhįįł, I'll be sanctified by it.

2. to be holy; to be supernatural.

N. dinish-ghin (diní, di, jidi, dii, dinoh)

ghį́į́ł (dį́į́ł), yą́ (dą́), yą́ą́'
ghį́į́ł, yą́, yą́ą́', dį́į́h, yą́ą́', to eat. This verb is irregular and the full stem is therefore given in the paradigms.

1. to eat (intr.).

F. 'a-deeshį́į́ł (díígh į́į́ł, dooghį́į́ł, zhdooghį́į́ł, diidį́į́ł, doohsį́į́ł) **C-I.** 'ashą́ ('íyą́, 'ayą́, 'ajiyą́, 'iidą́, 'ohsą́) **P.** 'íí-yą́ą́' ('íiní, 'íí, 'ajíí, 'iidą́ą́, 'ooyą́ą́') **R.** ná'ásh-dį́į́h (ná'í, ná'á, ń'jí, ná'ii, ná'óh) **O.** 'óshą́ą́' ('óóyą́ą́', 'óyą́ą́', 'ajóyą́ą́' 'oodą́ą́', 'oohsą́ą́')

łóó' bił 'íiyą́ą́', I had fish to eat (also ambiguously, I ate with a fish).

2. to eat it.

F. deeshį́į́ł (dííghį́į́ł, yidooghį́į́ł, jidooghį́į́ł (diidį́į́ł, doohsį́į́ł) (bidi'doodį́į́ł) **C-I.** yishą́ (niyą́, yiyą́, jiyą́, yiidą́, ghohsą́) (bi'didą́) **P.** yí-yą́ą́' (yíni, yiyíí, jíí, yiidą́ą́', ghooyą́ą́') (bi'doodą́ą́') **R.** násh-dį́į́h(nání, néí, ńjí, néii, náh) (nábi'didį́į́h) **O.** ghóshą́ą́' (ghóóyą́ą́', yóyą́ą́', jóyą́ą́', ghoodą́ą́', ghoohsą́ą́') (bi'dódą́ą́')

ghódah, up above. ni'éé' ghódahdi dah sitłtsooz, your shirt is up above.

ghódahgo, up (high). k'os ghódahgo deílzhood, clouds are sailing along up (in the sky).

ghoł, gheed (gho'), ghod, gho' gheed, singular stem of to run.

chééł, chééh, chą́ą́', chééh, chééł dual stem of to run.

jah, jeeh, jéé', jah, jeeh, plural stem of to run.

This verb is highly irregular, not only because three distinct stems are used, corresponding to singular, dual and plural number, but also because in the dual a distinct set of prefixes is used.

The singular is indicated by the numeral 1, the dual by 2, and the plural by 3.

1. to run up out; to start to run (as in a race).

F. 1. ha-deesh-ghoł (dííl, dool, zhdool) **2.** hahi-dí'níil-chééł (dí'nóoł, dí'nóol, zhdí'nóol) **3.** ha-dii-jah (dooh, doo, zhdoo) **I. 1.** haash-gheed (hanil, haal, hajil) **2.** hahi-'niilchééh ('noł, 'nil, zh'nil) **3.** haii-jeeh (haoh, haa, haji) **P. 1.** haash-ghod (háínil, haal, hajool) **2.** hahi-'niil-chą́ą́' ('nooł, 'neel, zh'neel) **3.** haii-jéé' (haoo, háá, hajíí) **U. 1.** haash-gho' (hanil, haal, hajil) **2.** hahi-'niil-chééh ('noł, 'nil, zh-'nil) **3.** haii-jah (haah, haa, haji) **R. 1.** ha-násh-gho' (nánil, nál, ńjíl) **2.** hanáhi-'niil-chééh ('noł, 'nil, zh'nil) **3.** hanéii-jah (hanáh, haná, hańjí) **O. 1.** haoosh-gheed (óól, ool, jól) **2.** hahi-'nool-chééh ('nooł, 'nól, zh-'nól) **3.** ha-oo-jeeh (ooh, oo, jó)

2. to run out (horizontally, as from a house).

F. 1. ch'í-deesh-ghoł (dííl, dool, zhdool) **2.** ch'íhi-dí'níil-chééł (dí'nóoł, dí'nóol, zhdí'nóol) **3.**

ch'í-dii-jah (dooh, doo, zhdoo) **I. 1.** ch'ínísh-gheed (ch'íníl, ch'él, ch'íjíl) **2.** ch'íhi-'niil-chééh ('noł, nil, zh'nil) **3.** ch'í-nii-jeeh (ch'íoh, ch'é, ch'íjí) **P. 1.** ch'ínísh-ghod (ch'ííníl, ch'él, ch'íjíl) **2.** ch'íhi-'niil-chą́ą́' ('nooł 'neel, zh'neel) **3.** ch'í-nii-jéé' (noo, ní, zhní) **U. 1.** ch'éesh-gho' (ch'íníl, ch'él, ch'íjíl) **2.** ch'íhi-'niil-chééh ('noł, 'nil, zh-'nil) **3.** ch'íi-jah (ch'íoh, ch'é, ch'íjí) **R. 1.** ch'í-násh-gho' (ná-níl, nál, ńjíl) **2.** ch'ínáhi-'niil-chééh ('noł, 'nil, zh'nil) **3.** ch'í-néii-jah (náh, ná, ńjí) **O. 1.** ch'óosh-gheed (ch'óól, ch'óol, ch'íjól) **2.** ch'íhi-'nool-chééł ('nooł, 'nól, zh'nól) **3.** ch'óo-jeeh (ch'óoh, ch'óo, ch'íjó)

3. to pass him or it (running).

This meaning is rendered by prepounding the postposition bíighah for a moving object, or bíighahgóó for a stationary object. Thus, bíighah ch'iníshghod, I passed him (he also is running); bíighahgóó ch'íníshghod, I passed it (a stationary object).

4. to start running along.

F. 1. dideesh-ghoł (didíil, didool, jididool) **2.** 'ahi-dí'níil-chééł (dí'nóoł, dí'nóol, zhdí'nóol) **3.** didii-jah (didooh, didoo, jididoo) **I. 1.** dish-gheed (díl, dil, jidil) **2.** 'ahi-dí'níil-chééh (dí'nół, dí'níl, zhdí'níl) **3.** dii-jeeh (doh, dii, ji-dii) **S-P. 1.** désh-ghod (díníl, dees, jidees) **2.** 'ahidí-'néel-chą́ą́' ('nóoł, 'néel, zh'néel) **3.** dee-jéé' (dishoo, deezh, jideezh) **P. 1.** diish-ghod (dinil, diil, jidiil) **2.** 'ahi-dí'níil-chą́ą́' (dí'nóoł, dí'-níil, zhdí'níil) **3.** dii-jéé' (doo, dii, jidii) **U. 1.** dish-gho' (díl, dil, jidil) **2.** 'ahi-dí'níil-chééh (dí'nół, dí'níl, zhdí'níil) **3.** dii-jah (dooh, dii, ji-dii) **R. 1.** ńdísh-gho' (ńdíl, ńdíl, nízhdíl) **2.** náhi-dí'níil-chééh (dí'nóoł, dí'níil, zhdí'níil) **3.** ńdii-jah (ńdooh, ńdii, nízhdii) **O. 1.** dósh-gheed (dóól, dól, jidól) **2.** 'ahi-dí'nóol-chééł (dí'nóoł, dí-'nóol, zhdí'nóol) **3.** doo-jeeh (dooh, dó, jidó)

5. to beat him (in a race).

This meaning is rendered by prepounding baa (yaa in 3o.) to the forms in no. 4, using the perfective **P.**, not the **S-P.**

6. to start off running.

F. 1. dah dideesh-ghoł (didíil, di-dool, shdidool) **2.** dah 'ahi-dí'-níil-chééł (dí'nóoł, dí'nóol, zhdí'-nóol) **3.** dah didii-jah (didooh, didoo, jididoo) **I. 1.** dah diish-gheed (diil, diil, shdiil) **2.** dah 'ahidí-'níil,-chééh ('nóoł, 'níil, zh'níil) **3.** dah dii-jeeh (dooh, dii, shdii) **P. 1.** dah diish-ghod (dinil, diil, shdiil) **2.** dah 'ahi-dí'níil-chą́ą́' (dí'nóoł, dí'níil, zh-dí'níil) **3.** dii-jéé' (doo, dii, sh-dii) **R. 1.** dah ńdiish-gho' (ńdiil, ńdiil, nízhdiil) **2.** dah náhi-dí'-níil-chééh (dí'nóoł, dí'níil, zhdí'-níil) **3.** dah dii-jah (dooh, dii, shdii) **O. 1.** dah doosh-gheed (doól, dool, shdool) **2.** dah 'ahi-dí'nóol-chééł (dí'nóoł, dí'nóol, zhdí'nóol) **3.** dah doo-jeeh (dooh, doo, shdó)

7. to jump on it; to attack it.

This meaning is rendered by prepounding bik'iji', upon it, to the forms in no. 6. Thus, bik'iji' dah dideeshghoł, I'll attack him. gah baa ninishna' dóó bik'iji' dah diishghod, I sneaked up on the rabbit and jumped on him.

8. to be running along.

Prog. 1. yish-ghoł (yíl, yil, jool) **2.** 'ahi-niil-chééł (nooł, nool, zh-nool) **3.** yii-jah (ghoh, yi, joo)

9. to arrive running; to run to (a place).

F. 1. deesh-ghoł (díil, dool, ji-dool) **2.** 'ahi-díníil-chééł (dínóoł, dínóol, zhdínóol) **3.** dii-jah (dooh, doo, jidoo) **I. 1.** nish-gheed (níl, yíl, jíl) **2.** 'ahi-niil-chééh (noł, neel, zhneel) **3.** nii-jeeh (noh, yí, jí) **P. 1.** nish-ghod (yíníl, yíl, jíl) **2.** 'ahi-niil-chą́ą́' (nooł, neel, zhneel) **3.** nii-jéé' (noo, ní, jiní) **R. 1.** násh-gho' (nániil, nál, ńjíl) **2.** ná'ahi-niil-chééh (noł, nil, zhnil) **3.** néii-jah (náh, ná, ńjí) **O. 1.** ghoosh-gheed (ghóól, ghól, jól) **2.** 'ahi-nool-chééh (nooł, nól, zhnól) **3.** ghoo-jeeh (ghooh, ghó, jó)

10. to run out of sight; to run into an enclosure (with prepounded yah, into an enclosure); to run away ,run and get lost (with prepounded yóó', away).

F. 1. 'a-deesh-ghoł (díil, dool, zh-dool) **2.** 'ahi-dí'níil-chééł (dí'-nóoł, dí'nóol, zhdí'nóol) **3.** dii-jah (dooh, doo, jidoo) **I. 1.** 'iish-gheed ('anil, 'iil, 'ajil) **2.** 'ahi-'niil-chééh ('noł, 'nil, zh'nil) **3.** 'ii-jeeh ('ooh, 'ii, 'aji) **P. 1.** 'eesh-ghod ('íínil, 'eel, 'ajool) **2.** 'ahi-'niil-chą́ą́' ('nooł, 'nool, zh-'nool) **3.** 'ii-jéé' ('oo, 'íí, 'ajíí) **U. 1.** 'iish-gho' ('anil, 'iil, 'ajil) **2.** 'ahi-'niil-chééh ('noł, 'nil, zh-'nil) **3.** 'ii-jah ('ooh, 'ii, 'aji) **R. 1.** 'a-násh-gho' (nánil, nál, ńjíl) **2.** 'anáhi-'niil-chééh ('noł, 'nil, zh'nil) **3.** 'a-néii-jah (náh, ná, ńjí) **O. 1.** 'oosh-gheed ('oól, 'ool, 'ajól) **2.** 'ahi-'nool-chééł ('nooł, 'nool, zh'nool) **3.** 'oo-jeeh ('ooh, 'oo, 'ajó)

11. to help him.

This meaning is rendered by prepounding the postposition -ká, for, after (with pronoun prefix corresponding to the pronoun object of the verb) to the forms of no. 10. The iterative forms (i. e. those given under **R.**) are used for a continuative imperfective or present tense meaning. Thus bíká 'adeeshghoł, I'll help him (lit. I'll run after him); bíká 'a-náshgho', I'm helping him. bíká becomes yíká in 3o.

To be helped, or to have help, is rendered by use of the 3i. person. Thus, **F.** bíká 'i'doolghoł **C-**

I. bíká 'aná'álgho' **P.** bíká 'o-'oolghod **O.** bíká 'o'ólgheed.

12. to get stuck in the mud (a car, wagon, etc.).

nahodits'ǫ', a soggy area, is prepounded to the verb forms that follow. Thus, chidí nahodits'ǫ' 'adidínóolghoł, the car will get stuck in the mud.

F. 'adidínóolghoł **I.** 'adinilgheed **P.** 'adinoolghod **R.** 'ańdinilgho' **O.** 'adinólgheed

13. to get stuck in sand or in snow (a car or wagon).

séí, sand, or yas, snow are prepounded to the following verbs. Thus, chidí séí yiih dinoolghod, the car got stuck in the sand.

F. yiih didínóolghoł **I.** yiih dinilgheed **P.** yiih dinoolghod **R.** yiih ńdinilgho' **O.** yiih dinólgheed

14. to be a fast runner.

N. dinish-gho' (diníl, dil, jidil, diniil, dinoł)

15. to run back; return (running).

F. 1. ńdeesh-ghoł (ńdíil, ńdool, nízhdool) **2.** náhi-dí'níil-chééł (dí'nóoł, dí'nóol, zhdí'nóol) **3** ńdii-jah (ńdooh, ńdoo, nízhdoo) **I. 1.** násh-gheed (náníl, nál, ńjíl) **2.** náhi-'niil-chééh ('noł, 'nil, zh-'nil) **3.** néii-jeeh (náh, ná, ńjí) **P. 1.** nánísh-ghod (néíníl, nál, ń-jíl) **2.** náhi-ni'niil-chą́ą́' (ni'-nooł, ni'neel, nizh'neel) or (ná'a-hi-niilchą́ą́' (ná'ahinòoł, ná'ahi-neel, ná'ahizh'neel) **3.** nániijéé' (nánoo, nání, názh-ní) **R. 1.** ní-násh-gho' (náníl, nál, nájíl) **2.** nínáhi-'niil-chééh 'noł, 'nil, zh'nil) **3.** ní-néii-jah (náh, ná, nájí) **O. 1.** ná-oosh-gheed (óól, ool, jól) **2.** náhi-'nool, 'nooł, zh'nool) **3.** ná-oo-jeeh (ooh, oo, jó)

16. to be running along back.

Prog. 1. náásh-ghoł (náál, náál, ńjool) **2.** náhi-'niil-chééł ('nooł, 'nool, zh'nool) **3.** néii-jah (náh, náá, ńjoo)

17. to turn around running; to run to a place and turn around (and run back).

F. 1. naaní-deesh-ghoł (díil, dool zhdool) **2.** naanáhi-dí'níil-chééł (dí'nóoł, dí'nóol, zhdí'nóol) **3.** naaní-dii-jah (dooh, doo, zh-doo) **I. 1.** naa-násh-gheed (náníl, nál, ńjíl) **2.** naanáhi-'niil-chééh 'noł, 'nil, zh'nil) **3.** naa-néii-jeeh (náh, ná, nájí) **P. 1.** naa-nísís-ghod (nísíníl, nás, níjís) **2.** naanáhi-'niil-chą́ą́' ('nooł, 'nee-sh, zh'neesh) **3.** naa-níshii-jéé' (níshoo, náazh, nájízh) **R. 1.** naaní-násh-gho' (náníl, nál, ná-jíl) **2.** naanínáhi-'niil-chééh ('noł, 'nil, zh'nil) **3.** naaní-néii-jah (náh, ná, nájí) **O. 1.** naaná-oosh-gheed (óól, ool, jól) **2.** naa-náhi-'nool-chééł ('nooł, 'nool, zh'nool) **3.** naaná-oo-jeeh (ooh, oo, jó) na'nízhoozhídi naańdeeshghoł, I'll run in to Gallup and turn around (and run back).

18. to attack him.

F. 1. *bik'ii-deesh-ghoł (díil,

dool, zhdool) **2.** bik'ihi-dí'níil-chééł (dí'nóoł, dí'nóol, zhdí'nóol) **3.** bik'ii-dii-jah (dooh, doo, zh-doo) **I. 1.** bi-k'iish-gheed (k'iil, k'iil, k'ijiil) **2.** bik'ihi-'niil-chééh ('noł, 'niil, zh'niil) **3.** bi-k'ii-jeeh (k'ioh, k'ii, k'ijii) **P. 1.** bi-k'iish-ghod (k'iinil, k'iil, k'ijiil) **2.** bi-k'ihi-'niil-chą́ą́' ('nooł, 'niil, zh-'niil) **3.** bi-k'ii-jéé' (k'ioo, k'ii, k'ijii) **3.** bik'i-néish-gho' (néiil, néiil, ńjiil) **2.** bik'ináhi-'niil-chééh ('nooł, 'niil, zh'niil) **3.** bi-k'i-néii-jah (náooh, néii, ńjii) **O. 1.** bik'i-oosh-gheed (óól, ool, jool) **2.** bik'ihi-'nool-chééł ('nooł, 'nool, zh'nool) **3.** bik'i-oo-jeeh (ooh, oo, jó)

To be attacked is rendered by use of the 3i. forms. Thus, **F.** bi-k'i'iidoolghoł **I.** bik'i'iilgheed **P.** bik'i'iilghod **R.** bik'iná'iilgho' **O.** bik'i'oolgheed

19. to fight with him, them.

This meaning is rendered by substitution of bił 'ałk'i-, instead of bik'i-, in the forms of number 18. Thus, bił 'ałk'iideeshghoł, I will fight with him; bił 'ałk'iidii-jah, we (pl) will fight with him; bił 'ałk'iideeshjah, I will fight with them (pl). The dual forms are not used in this instance.

20. to attack each other; to fight with each other.

F. 2. 'ałk'ii-diil-ghoł (dooł, dool, zhdool) **3.** 'ałk'ii-dii-jah (dooh, doo, zhdoo) **I. 2.** 'ał-k'iil-gheed (k'ioł, k'iil, k'ijiil) **3.** 'ał-k'ii-jeeh (k'ioh, k'ii, k'ijii) **P. 2.** 'ał-k'iil-ghod (k'iooł, k'iil, k'ijiil) **3.** 'ał-k'ii-jéé' (k'ioo, k'ii, k'ijii) **R. 2.**' ałk'i-néiil-gho' (náooł, náal ńjiil) **3.** 'ałk'i-néii-jah (náooh, náa, ńjii) **O. 2.** 'ałk'i-ool-gheed (ooł, ool, jool) **3.** 'ałk'i-oo-jeeh (ooh, oo, joo)

21. to move against it; to attack it; to tackle it (as an army moving against the enemy, a group of men tackling a task).

F. yaa tiih doojah **I.** yaa tiih yi-jeeh **P.** yaa tiih yíjéé' **R.** yaa tiih nájah **O.** yaa tiih ghójeeh

22. to ride (on a horse or in a car); to go by horse or car.

This meaning is rendered by prepounding łį́į́' -ił, horse with (one); chidí -ił, car with (one) to an appropriate 3rd person verb form, the meaning being literally that the horse or car runs with one. Thus, chidí shił yílghod, I went by car; łį́į́' shił yilghoł, I'm riding along on horseback (at a run).

ghónaaní-, the other side. (Usually with one of the postpositional enclitics suffixed.) ghónaaní-jí 'atiin, there is a road on the other side.

ghónáásdóó, finally, after that. ghónáásdóó lą́ 'asłį́į́' he finally agreed.

ghóne'é, ghóne', inside (an enclosure). shimá ghóne'é sidá, my mother is sitting inside.

ghóniid, the area between the fire and the back wall of the hogan; rear part of a room.

ghóshch'ishídi, farther this way; closer. ghóshch'ishídi ninínááh, come closer; come farther this way!

ghóshdę́ę́', here; this way. ghóshdę́ę́' shaa ní'aah, here, give it to me. ghóshdę́ę́'go dínááh come this way (direction)!

ghosh, gháásh (ghosh), ghaazh, ghosh, gháásh, to boil; bubble.

1. to boil or bubble up.

F. hadínóolghosh **I.** hanilgháásh **P.** hanoolghaazh **R.** háánílghosh **O.** hanólgháásh

2. to shout or yell out.

F. ha-dideesh-ghosh (didíil, didool, zhdidool, didiil, didooł) **I.** ha-dish-gháásh (díl, dil, zhdil, diil, doł) **P.** ha-deesh-ghaazh (díínil, dool, zhdool, diil, dooł) **R.** ha-ńdísh-ghosh (ńdíl, ńdíl, nízhdíl, ńdiil, ńdół) **O.** ha-dósh-gháásh (dóól, dól, zhdól, dool, dooł)

3. to shout or yell.

F. dideesh-ghosh (didíil, didool, jididool, didiil, didooł) **C-I.** dish-ghosh (díl, dil, jidil, diil, doł) **P.** diish-ghaazh (dinil, diil, jidiil, diil, dooł) **R.** ńdiish-ghosh (ńdiil, ńdiil, nízhdiil, ńdiil, ńdooł) **O.** doosh-gháásh (doól, dool, jidool, dool, dooł)

ghozh, to be ticklish.

N. yish-hozh (ní, yi, ji, yii, ghoh)

ghóyah, low. chidí naat'a'í ghóyahgo naat'a', the airplane is flying low.

-gi 'át'éego, like. bimá 'át'éhígi 'át'éego dilgho', he is a fast runner like his mother.

gíinisi, fifteen cents (Sp. quince, fifteen).

giníłbáhí, western goshawk.

ginítsoh, desert sparrow hawk.

gis, gées, giz, gis, gées, to turn.

1. to turn it up out (a screw); to turn it on (a faucet).

F. ha-dees-gis (díí, idoo, zhdoo, dii, dooh) **I.** haas-gées (hani, hai, haji, haii, haah) **P.** háá-giz (háíní, hayíí, hajíí, haii, haoo) **R.** ha-nás-gis (nání, néí, ńjí, néii, náh) **O.** ha-oos-gées (óó, yó, jó, oo, ooh) 'ił 'adaasgizí hanigées, unscrew the screw! tó hanigées, turn on the water!

2. to screw it in.

F. bił 'adees-gis ('adíí, 'iidoo, 'azhdoo, 'adii, 'adooh) **I.** bił 'iis-gées ('ani, 'ii, 'aji, 'ii, 'ooh) **P.** bił 'íí-giz ('ííní, 'ayíí, 'ajíí, 'ii, 'ooh) **R.** bił 'a-nás-gis (nání, néí ńjí, néii, náh) **O.** bił 'oos-gées ('oó, 'ayó, 'ajó, 'oo, 'ooh) yéigo bił 'íígiz, I screwed it in tight; I tightened it (as a nut).

bił becomes yił in 3o.

3. to become crooked.

F. didoogis **I.** diigées **P.** diigee **R.** ńdiigis **O.** doogées ***N.** digi: shilį́į́' bighéél shił diigeez, my saddle slumped to one side with me.

*The neuter means "it is crooked." bináá' digiz, he is cross-eyed.

4. to be lazy; to be crazy, clumsy or "dopey" (with prepounded t'óó).

N. diis-gis (dini, dii, jidii, dii, dooh) 'ayóo dinigis, you do not do (your work) well (because you are lazy, stupid or too young).

5. to be slow witted; stupid.

N. shi-tádazdínóozgis (ni, bi, ha nihi, nihi)

gis, gis, gis (giz), gis, gis, probably related to the preceding stem.

1. to wash it (anything permeable as cloth, wool, etc.).

F. dees-gis (díí, yidoo, jidoo, dii, dooh) (bidi'doo-) **C-I.** yiis-gis (yii, yiyii, jii, yii, ghooh) (bi'dii-) **P.** sé-gis (síní, yiz, jiz, sii, soo) (bi'dis-) **R.** néis-gis (néii, náyii, ńjii, néii, náooh) (nábi'dii-) **O.** ghós-gis (ghóó, yó, jó, ghoo, ghooh (bi'dó-)

2. to wash it (anything impermeable as glass, table, floor); to scrub it.

F. táá-dees-gis (díí, idoo, zhdoo, dii, dooh) (bi'doo-) **C-I.** tánás-gis (táání, tánéí, táájí, tánéii tánáh) (tánábi'di-) **P.** táásé-giz (táásíní, tánéíz, táájíz, táá-sii, táásoo) (táábi'dis-) **R.** táníná́s-gis (náni, néí, nájí, néii, náh) (nábi'di-) **O.** tánáos-gis (tánáóó, tááyó, táájó, tánáoo, tánáooh) (táábi'dó-)

3. to wash oneself.

F. tá'ádi-dees-gis (díí, doo, zhdoo, dii, dooh) **C-I.** tá'á-dís-gis (dí, dí, zhdí, dii, dóh) **P.** tá'á-dés-giz (díní, dees, zhdees, disii, disoo) **R.** tá'á-ńdís-gis (ńdí, ńdí, nízhdí, ńdii, ńdóh) **O.** tá'á-dós-gis (dóó, dó, zhdó, doo, dooh)

gish, géésh, gish (gizh), gish, géésh, to cut.

1. to cut it; make an incision in it.

F. deesh-gish (díí, yidoo, jidoo, dii, dooh) (bidi'doo-) **I.** yiish-gish (yii, yiyii, jii, yii, ghooh) (bi'dii-) **P.** shé-gish (shíní, yizh, jizh, shii, shoo) (bi'dish-) **R.** néish-gish (néii, náyii, ńjii, néii, náooh (nábi'dii-) **O.** ghósh-gish (ghóó, yó, jó, ghoo ghooh) (bi'dó-)

2. to cut it in pieces; to slice it.

F. nihideesh-gish (nihidííł, niidiyooł, nizhdiyooł, nihidiił, nihidooł) (nibidi'yool-) **I.** nihesh-géésh (nihíł, niyiił, njiił, nihiil, nihoł) (nibi'diil-) **P.** nihéł-gizh (nihíníł, niyiish, njiish, nihiil, nihooł) (nibi'diish-) **R.** niná-hásh-gish (híł, yiił, jiił, hiil, hół) (bi'diil-) **O.** nihósh-géésh (nihóół, niiyół, nijiyół, nihool, nihooł) (nibi'diyól-)

3. to cut it in two.

F. 'ahá-deesh-gish (díí, idoo zhdoo, dii, dooh) (bidi'dool-) **I.** 'ahá-nísh-géésh (ní, yí, jí, nii, nóh) (bi'deel-) **P.** 'ahá-ní-gizh (íní, yiní, zhní, nii, noo) (bi'deel-) **R.**

'ahá-násh-gish (nání, néí, nájí, néii, náh) (nábi'dil-) **O.** 'ahá-osh-géésh (óó, yó, jó, oo, ooh) (bi'dól-)

4. to shear it (as a sheep).

F. tá-dideesh-gish (didíí, ididoo, zhdidoo, didii, didooh (bidi'-doo-) **C-I.** tá-dísh-géésh (dí, idi, zhdi, dii, dóh) (bi'di-) **P.** tá-díí-gizh (dííní, idíí, zhdíí, dii, doo) (bi'doo-) **R.** tá-ńdísh-gish (ńdí, néidi, nízhdí, ńdii, ńdóh) (nábi'-di-) **O.** tá-dósh-géésh (dóó, idó, zhdó, doo, dooh) (bi'dó-)

gish, digging stick; walking cane.

gódei, up; upward. bikooh gó-dei yisháál, I am walking up a-long the wash.

goh, geeh, go' (goh), goh, geeh, to flow; fall.

1. to start falling; to trip.

F. dideesh-goh (didíí, didoo, jidi-doo, didii, didooh) **I.** dish-geeh (dí, di, jidi, dii, doh) **P.** dé-go' (díní, deez, jideez, dee, disoo) **R.** ńdísh-goh (ńdí, ńdí, nízhdí, ń-dii, ńdóh) **O.** dósh-geeh (dóó, dó, jidó, doo, dooh)

2. to be falling.

Prog. yish-goh (yí, yi, joo, yii, ghoh)

3. to fall down.

F. hada-deesh-goh (díí, doo, zh-doo, dii, dooh) **I.** ha-daash-geeh (dani, daa, daji, daii, daah) **P.** ha-dáá-go' (déíní, dáá, dajíí, de-ii, daoo) **R.** hada-násh-goh (ná-ní, ná, ńjí, néii, náh) **O.** hada-oosh-geeh (óó, oo, jó, oo, ooh)

4. to make him fall down (as from a cliff).

F. hada-deesh-goh (díí, idooł, zhdooł, diil, dooł) **I.** hada-ash-geeh (nił, ił, jił, iil, ół) **P.** ha-dááł-go', déíníł, dayííł, dajííł, deiil, daooł) **R.** hada-násh-goh (nááníł, nééł, ńjíł, néiil, nááł) **O.** hada-oosh-geeh (óół, yół, jół, ool, ooł) tsékooh góyaa ha-dááłgo', I pushed him into the cañon.

5. to fall into the water (with prepounded tó biih, or taah, into the water).

F. deesh-goh (díí, doo, jidoo, dii, dooh) **I.** yish-geeh (ni, yi, ji, yii ghoh) **P.** yí-go' (yíní, yí, jíí, yii, ghoo) **R.** násh-goh (nání, ná, ń-jí, néii, náh) **O.** ghosh-geeh (ghóó, ghó, jó, ghoo, ghooh)

6. to fall down and hit the ground.

F. nikí-dideesh-goh (didíí, didoo zhdidoo, didii, didooh) **I.** nikí-diish-geeh (dii, dii, zhdii, dii, dooh) **P.** nikí-dégoh (díní, deez, zhdeez, dee, disoo) **R.** nikí-ń-diish-goh (ńdii, ńdii, nízhdii, ń-dii, ńdóh) **O.** nikí-doosh-geeh (doó, doo, zhdoo, doo, dooh)

7. to knock it over (one animate object).

F. naa-'adeesh-goh ('adííł, 'ii-dooł, 'azhdooł, 'adiil, 'adooł) **I.** naa-'iishgeeh ('anił, 'iił, 'ajił, 'iil, 'ooł) **P.** naa-'ííł-go' ('ííníł, 'ayííł, 'ajíił, 'iil, 'ooł) **R.** naa-'anáshgoh ('ananíł, 'anéíł, 'ańjíł, 'anéiil, 'anáł) **O.** naa-'oosh-geeh ('oół, 'ayół, 'ajół, 'ool, 'ooł

8. to kneel; to genuflect.

This verb is given with zero classifier, although it is possible to insert the l-classifier.

F. ntsi-dideesh-goh (didíí, didoo, zhdidoo, didii, didooh) **I.** ntsi-dinish-geeh (diní, dee, zhdee, dinii, dinoh) **P.** ntsi-diní-go' (dííní, diní, zhdiní, dinii, dinoo) **R.** ntsi-ńdísh-goh (ńdí, ńdí, nízhdí, ńdii, ńdóh) **O.** ntsi-dósh-geeh (dóó, dó, zhdó, doo, dooh)

9. to be in a kneeling position.

N. ntsi-díínísh-go' (dííníl, dées, zhdées, díínííl, díínół)

The l-classifier may be omitted or included.

10. to flow up out.

F. hadoogoh **I.** haageeh **P.** háágo' **R.** hanágoh **O.** haogeeh

11. to start flowing along.

F. didoogoh **I.** digeeh **P.** deezgo' **R.** ńdígoh **O.** dógeeh

12. to be flowing along.

Prog. yigoh

13. to flow; to arrive flowing.

F. doogoh **I.** yígeeh **P.** nígo' **R.** nágoh **O.** ghógeeh

14. to flow as far as a point (and stop).

F. ndoogoh **I.** niigeeh **P.** ninígo' **R.** ninágoh **O.** noogeeh

15. to flow out of sight; flow into a hole or enclosure (with prepounded yah); to flow away (with prepounded yóó').

F. 'adoogoh **I.** 'iigeeh **P.** 'íígo' **R.** 'anágoh **O.** 'oogeeh

16. to overflow; run over.

F. ghó'ądoogoh **C-I.** ghó'ą́ą́lį **P.** ghó'ą́ą́go' **R.** ghó'ąnágoh **O.** ghó'ąoogeeh

17. to ram (with the head); to tackle (in football).

F. 'azdeesh-goh ('azdíí, 'azdoo, 'iizhdoo, 'azdii, 'azdooh) **I.** 'ajish-geeh ('adzí, 'adzi, 'iiji, 'adzii, 'adzoh) **P.** 'adzíí-go' ('adzííní, 'adzíí, 'iijíí, 'adzii, 'adzooh) **R.** 'ańjísh-goh ('ańdzí, 'ańdzí, 'anéiji, 'ańdzii, 'ańdzóh) **O.** 'ajósh-geeh ('adzóó, 'adzó, 'iijó, 'adzoo, 'adzooh)

18. to ram or butt him; to tackle him (in football).

F. deesh-goh (díí, yidoo, jidoo, dii, dooh) **I.** yiish-goh (yii, yiyii, jii, yii, ghooh) **P.** sé-goh (síní, yiz, jiz, sii, soo) **R.** néish-goh (néii, náyii, ńjii, néii, náooh) **O.** ghoosh-goh (ghóó, yó, jó, ghoo, ghooh)

19. to bump into it; to collide with it.

F. bí-dideesh-goh (didíí, didoo zhdidoo, didii, didooh) **I.** bí-diishgeeh (dii, dii, zhdii, dii dooh) **P.** bí-dé-goh (díní, deez zhdeez, dee, disoo) **R.** bí-nídiish-goh (nídii, nídii, nízhdii, nídii, nídooh) **O.** bí-doosh-goh (doó doo, zhdoo doo, dooh)

*bí- becomes yí- in 3o.

20. to collide (two 3rd person objects, as cars).
F. 'ahídidoogoh **I.** 'ahídiigeeh **P.** 'ahídeezgoh **R.** 'ahínídiigoh **O.** 'ahídoogoh

góhníinii, Coconino.

gohwééh, coffee.

gohwééh bee yibézhí, percolator, coffee pot.

gohwééh hashtł'ishí, cocoa.

golchóón, comforter; quilt.

gólízhii (or ghólízhii), skunk.

goł, gééd (god), geed, go', gééd, to dig.

1. to dig it up out; to mine it.
F. ha-deesh-goł (díí, idoo, zhdoo, dii, dooh) (bidi'doo-) **I.** haash-gééd (hani, hai, haji, haii, haah) (bi'di-) **P.** háá-geed (háíní, hayíí, hajíí haii, haoo) (bi'doo-) **R.** ha-násh-go' (nání, néí, ńjí, néii, náh) (nábi'di-) **O.** ha-osh-gééd (óó, yó, jó, oo, ooh) (bi'dó-)

2. to dig it back up; to disinter it.
F. ha-ńdeesh-goł (ńdíí, néidoo, nízhdoo, ńdii, ńdooh) (nábidi'doo-) **I.** ha-násh-gééd (nání, néí, ńjí, néii, náh) (nábi'di-) **P.** ha-náá-geed (néíní, náyoo, ńjoo, néii, náoo) (nábi'doo-) **R.** ha-ní-násh-go' (nání, néí, nájí, néii, náh) (nábi'di-) **O.** haná-osh gééd (óó, yó, jó, oo, ooh) (bi'dó-)

3. to dig a hole.
F. haho-diyeesh-goł (diyíí, diyoo, zhdiyoo, diyii, diyooh) (diyoo-) **C-I.** ha-hash-gééd (hó, hwii, hoji hwii, hoh) (hwii-) **P.** ha-hóó-geed (hwííní, hwiiz, hojíí, hwii, hooh) (hwiis-) **R.** haná-hásh-go' (hó, hwii, hoji, hwii, hóh) (hwii-) **O.** ha-hósh-gééd (hóó, hwiyó, hojó, hoo, hooh) (hwiyó-)

4. to drain off water.
F. dideesh-goł (didíí, yididoo, jididoo, didii, didooh) (didoo-) **I.** dish-gééd (dí, yidi, jidi, dii, doh) (di-) **P.** déé-geed (díiní, yidéé, jidéé, dee, disoo) (dees-) **R.** ń-dísh-go' (ńdí, néidi, nízhdí, ńdii, ńdóh) (ńdí-) **O.** dósh-gééd (dóó, yidó, jidó, doo, dooh) (dó-) shikéyah bikáá'dóó tó dideeshgoł, I'll drain the water off of my land (by digging a ditch).

5. to be digging along on it; to be spading it along; to be bucking along (a horse).
Prog. yish-goł (yí, yoo, joo, yii, ghooh) (bi'doo-)

6. to be digging (intr.)
Prog. 'eesh-goł ('íí, 'oo, 'ajoo, 'ii, 'oh)

7. to dig or spade it in a line; to dig a ditch.
F. deesh-goł (díí, yidoo, jidoo, dii dooh) (bidi'doo-) **P.** ní-geed (yíní, yiní, jiní, nii, noo, (bi'dee-) **R.** násh-go' (nání, néí, ńjí, néii, náh) (nábi'di-) **O.** ghósh-gééd (ghóó, yó, jó, ghoo, ghooh) (bi'dó-) tó nígeed, I dug a ditch for the water.

8. to stab him; stick into him (as a knife or thorn).
F. *baa 'adeesh-goł ('adííł, 'iidooł, 'adiil, 'adooł) ('i'dool-) **I.**

baa 'iish-gééd ('anił, 'ił, 'ajił, 'iił, 'ooł) ('e'el-) **P.** baa 'ííł-geed ('íínił, 'ayííł, 'ajííł, 'iil, 'ooł) ('o-'ol-) **R.** baa 'anásh-go' ('anánił, 'anéíł, 'ańjił, 'anéiil, 'anáł) ('a-ná'ál-) **O.** baa 'oosh-gééd ('oół, 'ayół, 'ajół, 'ool, 'ooł) ('o'ól-)

bibéézh shaa 'ayííłgeed, he ran his knife into me.

*baa becomes yaa in 3o.

9. to cover it (with dirt).

F. *bik'ii-deesh-goł (díí, doo, zh-doo, dii, dooh) (bik'ihwiidoo-) **I.** bi-k'iish-géééd (k'ii, k'iyii, k'ijii, k'ii, k'ioh) (k'ihoo-) **P.** bi-k'ii-geed (k'iini, k'iyii, k'ijii, k'ii, k'i-oo) (k'ihoo-) **R.** bik'i-néish-go' (néii, náyii, ńjii, néii, náooh) (ná-hoo-) **O.** bik'i-oosh-géééd (óó yoo, joo, oo, ooh) (hoo-)

*bi- becomes yi- in 3o.

10. to hoe (intr.).

F. náho-deesh-goł (díí, doo, zh-doo, dii, dooh) **C-I.** ná-hásh-god (hó, há, hojí, hwii, hóh) **P.** ná-hóó-geed (hwííní, hóó, hojíí, hwii, hoo) **R.** níná-hásh-go' (hó, há, hoji, hwii, hóh) **O.** ná-hósh-géééd (hóó, hó, hojó, hoo, hooh)

11. to start bucking (a horse).

F. didoolgoł **I.** dilgééd **P.** dees-geed **R.** ńdílgo' **O.** dólgééd

12. to buck around (horse).

F. ndoolgoł **C-I.** naalgeed **P** nasgeed **R.** ninálgo' **O.** naool-géééd łįį' shił naalgeed, the horse is bucking with me.

13. to stick it out (as one's tongue).

F. ha-deesh-goł (dííł, idooł, zh-dooł, diil, dooł) **I.** haash-géééd (hanił, haił, hajił, haiil, haał) **P.** háááł-geed (háíníł, hayííł, ha-jííł, haiil, haooł) **R.** ha-násh-go' (nánił, néíł, níjíł, néiil, náł) **O.** ha-osh-géééd (óół, yół, jół, ool, ooł) sitsoo' háááłgeed, I stuck out my tongue.

gónaa, across. dá'ák'eh 'ałníí' gónaa tó nílį, water is flowing a-cross the middle of the field.

góne', inside (an enclosure). kin góne' hózhóní, it is nice inside the house.

-góó, to; along the extension of. naalghéhé bá hooghangóó déyá, I'm going to the store. tábąąh-góó, along the shore.

ghoolk'ą́ąh, tinder box

ghóózhch'įįd, March.

gǫsh, gǫzh, gǫzh, gǫsh, gǫsh, to turn intestines inside out.

1. to make sausage.

F. ńdeesh-gǫsh (ńdííł, néidooł, nízhdooł, ńdiil, ńdooł) **C-I.** násh-gǫzh (nánił, néíł, ńjíł, néiil, náł) **P.** nísééł-gǫzh (nísíníł, néísh ńjísh, níshiil, níshooł) **R.** ní-násh-gǫsh (nánił, néíł, nájíł, né-iil, náł) **O.** náosh-gǫsh (náóół, náyół, níjół, náool, náooł)

H

Many of the h-initial stems are actually gh-initial, but change gh to h after ł. Thus, many of these same stems will also be found under gh. It should be kept in mind that the ł-classifier becomes l in the 1st person duo-plural, and in the passive, and that h then becomes gh.

haa, what? how? dinéshą' haa gholghé, what is "man" called?

háadi, where? háadishą' niké-yah, where is your land? háadi-shą' n'dizhchį, where were you born?

haah, here! (as in asking one to hand something here)

hááhgóóshįį, diligently; hard. hááhgóóshįį nishíshnish, I work-ed diligently.

hááhideeneez, tapering to c point.

haa'í, where. haa'í(shą') nííní'ą where did you leave it?

haa'íshą', let me. haa'íshą' nísh'į, let me see it. It is used like colloquial "let's see," as when one expresses his desire to examine something held by an-other person.

haa'í yee', let's see now ---.

háájída, (to) somewhere. háájí-da łįį' shił dooldlosh, I'll go some where on horseback.

háájíshįį, somewhere. háájíshįį 'ííyá, he went somewhere.

háaji'shįį, (as far as) somewhere. díí tó háaji'shįį ndoogoh, this water will flow somewhere.

haak'oh, Acoma, N. M.

háálá, because; for. doo ńdeesh-dáał da, háálá doo shił yá'áhoo-t'éeh da, I won't go back, for I don't like the place.

haa néelt'e', how many? how much (in number)? haa néelt'e' go nínízin, how much do you want (as sacks of grain)?

haaz'éí, ladder.

hąął, han, han, hąąh, han, to throw one object.

1. to throw it up in the air.

F. yéi-deesh-hąął (dííł, diyooł, zhdiyooł, diil, dooł) (yáábi'di-yoolghąął) **I.** yáá-hiish-han (hiił yiyiił, jiił, hiil, hooł) (bi'diil-) **P.** yáá-hiił-han (hiinił, yiyiił, jiił, hiil, hooł) (bi'diil-) **R.** yáná-hiish-hąąh (hiił, yiyiił, jiił, hiil, hooł) (bi'diil-) **O.** yáá-hoosh-han (hoół, yiyół, jiyół, hool, hooł) (bidi'yól-)

2. to throw it; to slam it (a door); to throw it away (with pre-pounded yóó', away).

F. 'ahideesh-hąął ('ahidííł, 'iidi-yooł, 'ahizhdiyooł, 'ahidiil, 'ahi-dooł) ('abidi'yool-) **I.** 'ahish-han ('ahíł, 'ayiił, 'ajiił, 'ahiil, 'a-hoł) ('abi'diil-) **P.** 'ahííł-han ('ahíínił, 'iiyííł, 'ajiyííł, 'ahiil, 'a-hooł) ('abidi'yool-) **R.** 'aná-hásh-hąąh (híł, yiił, jiił, hiil, háł) (bi'diil-) **O.** 'ahósh-han ('ahóół, 'iiyół, 'ajiyół, 'ahool, 'ahooł) ('a-bidi'yól-)

hąął, hąą', hąą', hąąh, hąą', to snore.

F. 'idí'néesh-hąął ('idí'nííł, nóoł, 'izhdí'nóoł, idí'níil, nóoł) **C-I.** 'ash-hąą' ('ił, 'a-jił, 'iil, 'oł) **P.** 'ííł-hąą' ('íínił 'ajííł, 'iil, 'ooł) **R.** ná'ásh-ł (ná'íł, ná'áł, ń'jíł, ná'iil, ná'ół) **O.** 'ósh-hą́ą́' ('óół, 'ół, 'ajół, 'ool, 'ooł)

hadah, down; downward. hadah 'ahííłhan, I threw it down.

hadahiilį, waterfall.

hadahoneeyánígíí, mirage.

hadahonighe', banded calcareous aragonite.

hádą́ą́', when (in the past)? hádą́ą́' lá noo'áázh, when did you two come?

hádą́ąshą', how long ago? when? hádą́ąshą' kwii yíníyá, how long ago did you come here.

hado, heat.

hágo, come here!

hágoshį́į́, all right; OK.

hah, hááh, hai, hah, háàh, to be winter.

1. to start to become winter.
F. ch'ídoohah **I.** ch'éháàh **P.** ch'ééhai **R.** ch'ínáhah **O.** ch'óoháàh

Also the inchoatives: **F.** 'idí'nóohah **P.** 'i'niihai.

2. to be passing (a winter or a year).
Prog. yihah

3. to become winter; to pass (a winter or year).
F. doohah **I.** yiháàh **P.** yíhai **R.** náhah **O.** ghóháàh

4. to become winter (back).
F. ńdoohah **I.** náháàh **P.** nááhai **R.** nínáhah **O.** náooháàh

5. to spend the winter; to pass the year.
F. shi-doohah (ni, bi, ho, nihi, nihi) **C-I.** shee-háàh (nee, bee, hwee, nihee, nihee) **P.** shéé-hai (néé, béé, hwéé, nihéé, nihéé) **R.** ná-shee-hah (nee, bee, hwee, nihee, nihee) **O.** she-oháàh (ne, be, hwe, nihe, nihe)

6. to be (years) old.
F. shéé-doohah (néé, béé, hwéé, nihéé, nihéé) **I.** shi-náháàh (ni, bi,ho, nihi, nihi) **P.** shi-náàhai (ni, bi, ho, nihi, nihi) **O.** she-oháàh (ne, be, hwe, nihe, nihe)

naadiin shináàhai, I am twenty years old. díkwíishą' nináàhai, how old are you?

hah, quickly; rapidly. 'ayóo hah naaghá, he walks rapidly.

háhaashchíí', sharp pointed.

hahí, quickly. hahí **néínídzá,** you returned quickly.

hahgoshą', when (in the future)? hahgoshą' shaa díínááł, when will you come (to see) me?

hahóó'á, noise.

ha'a'aah, east.

ha'a'aahdę́ę́'go, from the east.

ha'a'ahjí, easterly.

ha'a'aahjígo, on the east side.

ha'a'aahjigo, eastward.

ha'altsédii, walnut.

ha'asidí, watchman.

ha'át'éegi, where? (specific location) ha'át'éegishą' nííní'ą, where did you leave it? (ha'át'éegi is practically synonymous with háadi).

ha'át'éegi da, wheresoever.

ha'át'éego, how; why. ha'át'éego shį́į́ nihikéyah bikáa'gi ch'il ńdahodoodleeł, I don't see how there will be grass on our land again. ha'át'éego shįį ch'il 'ádin, I don't know why there is no grass.

ha'át'éegoshą', why? ha'át'éegoshą' náníldzid, why are you afraid?

ha'át'íishą', what (is it)? ha'át'íishą' nínízin, what do you want?

ha'át'íishą' biniighé, why? what for? ha'át'íishą' biniighé 'ánít'į, why did you do it?

ha'át'íishįį, something. ha'át'íishįį yiyííyáą', he ate something.

ha'naa, across. halgai ha'naa hooltįįł, the rain is moving across the plain.

háí bi-, whose? dííshą' háí bilįį', whose horse is this?

háidísh, which? háidísh nínízin, which do you want?

háidíshą', (ib. háidísh), which?

háíshą', who? háíshą' 'ánít'į, who are you?

haait'áo (= haait'éego), how? haait'áo sido, how hot is it?

haait'éegoshą' (or hait'éegoshą') how? why? hait'éegoshą' 'ál'į, how is it done? hait'éegoshą' doo shich'į' yáníłti' da, why do you not talk to me?

hak'az, coldness; chill.

halchíítah, Painted Desert.

halgai, prairie; plain.

hał, haał, haal, hał, haał, to club

1. **to beat it (as a drum); to shell it (corn, clubbing the ears).**
F. deesh-hał (dííł, yidooł, jidooł, diil, dooł) (bidi'dool-) **I.** yish-haał (nił, yił, jił, yiil, ghoł) (bi'-dil-) **P.** yíł-haal (yíníł, yiyííł, jííł, yiil, ghooł) (bi'dool-) **R.** násh-hał (náníł, néíł, ńjíł, néiil, náł) (nábi'dil-) **O.** ghósh-haał (ghóół, yół, jół, ghool, ghooł) (bi'dól-) 'ásaa' yishhaał, I'm beating the drum.

2. **to shell (corn) (intr.).**
'a-deesh-hał (dííł, dooł, zhdooł, diil, dooł) **C-I.** 'ash-haał ('íł, 'ał, 'ajił, 'iil, 'ołl) **P.** 'ííł-haal ('ííníł, 'ííł, 'ajííł, 'iil, 'ooł) **R.** ná'ásh-hał (ná'íł, ná'áł, ń'jíł, ná'iil, ná'-ół) **O.** 'ósh-haał ('óół, 'ół, 'ajół, 'ool, 'ooł)

3. **to strike him a blow with a club.**
F. ńdideesh-hał (ńdidííł, néididooł, nízhdidooł, ńdidiil, ńdidooł) (nábidi'dool-) **I.** ńdiish-haał (ńdiił, néidiił, nízhdiił, ńdiil ńdooł) (nábi'diil-) **P.** ńdííł-haal (ńdííníł, néidiił, nízhdiił, ńdiil, ńdooł) (nábi'dool-) **R.** ní-nádiish-hał (nádiił, néidiił, názhdiił, nádiil, nádooł) (nábi'diil-) **O.** ńdoosh-haał (ńdóół, néidooł nízhdooł, ńdool, ńdooł) (nábi'-dool-)

4. **to beat him with a club.**
C-I. nánísh-hał (nááníł, néinił, názhníł, náníil, nánół) (nábidi'-nil-)

5. **to bat it off into space (as a baseball).**

F. 'abízhdeesh-hał ('abízdííł, 'ayízdooł, 'abíizhdooł, 'abízdiil, 'abízdooł) **I.** 'abíjísh-haał ('abídzíł, 'ayídzíł, 'abíijił, 'abídziil, 'abídzóół) **P.** 'abídzííł-haal ('abídzííníníł, 'ayídzííł, 'abíijííł, 'abídziil, 'abídzooł) **R.** 'abíńjísh-hał ('abíńdzíł, 'ayíńdzíł, 'abínéijił, 'abíńdziil, 'abíńdzół) **O.** 'abíjósh-haał ('abídzóół, 'ayídzół, 'abíijół, 'abídzool, 'abídzooł)

6. to wrap it (with paper, cloth

F. *bił deesh-hał (díił, yidooł, jidooł, diil, dooł) ('adool-) **I.** bił yiish-hał (yiił, yiyiił, jiił, yiil, ghooł) ('iil-) **P.** bił séł-hał (síníł, yis, jis, siil, sooł) ('as-) **R.** bił néish-hał (néiił, náyiił, ńjiił, néiil, náooł) (ná'iil-) **O.** bił ghósh-hał (ghóół, yół, jół, ghool, ghooł) ('ól-)

*bił becomes yił in 3o.

hałgizh, forked (as a tree); V-shaped.

hanáádlį, Huérfano, N. M.

hane', story; tale (bahane').

hanii, a particle difficult of translation. doo hanii kót'éego 'áníléeh da, why don't you make it this way? doo hanii ni 'ałdó' nilįį' bik'i dah 'íníił da, why don't you saddle your horse too? shí hanii t'éiyá bilagáanaa bizaad shił bééhózin, I'm not the only one who understands English.

haníibą́ą́z, full moon.

haoh, yes.

hasbídí, mourning dove.

hash, hash, hash, hash, hash, to bite.

1. to bite it (once).

F. deesh-hash (díił, yidooł, jidooł, diil, dooł) (bidi'dool-) **I.** yiish-hash (yiił, yiyiił, jiił, yiil, ghooł) (bi'diil-) **P.** shéł-hash (shíníł, yish, jish, shiil, shooł) (bi'dish-) **R.** néish-hash (néiił, náyiił, ńjiił, néiil, náooł) (nábi'diil-) **O.** ghosh-hash (ghóół, yół, jół, ghool, ghooł) (bi'dól-)

hash, háásh, hazh, hash, háásh, to bite.

1. to take a bite of it.

F. bi-dideesh-hash (didííł, didooł zhdidooł, didiil, didooł) (di'dool-) **I.** bi-dish-háásh (díł, dił, zhdił, diil, dołt) ('dil-) **P.** bi-dííł-hazh (dííníł, dííł, zhdííł. diil, dooł) ('dool-) **R.** bi-nídísh-hash (nídíł, néidił, nízhdíł, nídiil, nídół) (nídíl-) **O.** bi-dósh-háásh (dóół, dół, zhdół, dool, dooł) ('dól-)

hashch'ééh, gods.

hashkééjí naat'áah, war chief.

hashk'aan, yucca fruit; fig; banana; date.

hashtł'ish, mud.

hashtł'ish tsé nádleehí, cement.

hastą́ą́yáál, six bits; 75 cents.

hastiin, man; husband (bahastiin, her husband).

hastóí, elders; menfolk.

hastóí dahóyáanii, scientists, wise men; savants.

hataalii, chanter; shaman.

háts'íhyaa, sneeze; "ker-choo."

haza'aleehtsoh, wild celery.

hazéítsoh, small squirrel.
hazéísts'ósii, chipmunk.
hazhó'ógo, carefully. hazhó'ógo bits'áhíláh, separate them carefully!
hazhóó'ógo, slowly; with care. hazhóó'ógo yáálti', I talked slowly.
haz'ą́, can (with the future). tsé bee kin 'ádeeshłííłgo haz'ą́, I can make a stone house. chidí niinahji' ch'ééh 'ádoot'įįłgo haz'ą́, it is possible that the car cannot make the grade.
hééł, hé, hį́, ghééh, hééł, to kill (one object).

1. to start to kill it.

F. bidí'néesh-hééł (bidí'nííł, yidí'nóoł, bizhdí'nóoł, bidí'níil, bidí'nóoł) **P.** bi'niił-hį́ (bin'nił, yi'niił, bizh'niił, bi'niil, bi'nooł)

2. to kill him, it.

F. diyeesh-hééł (diyííł, yidiyooł, jidiyooł, diyiil, diyooł) (bidi'-yool-) **I.** sis-xé (síł, yiyiił, jiił, siil, sołl) (bi'diil-) **P.** séł-hį́ (síníł, yiyiis, jiis, siil, soołl) (bi'dīīs-) **O.** sós-xééł (sóół, yiyół, jiyół, sool, sooł) (bi'diyól-)

3. to worry.

I. yíní shii-łhé (nii, bii, hwii, nihii, nihii) yíní biiłhé, he is worrying (his mind is killing him).

4. to drown.

This verb is conjugated by altering the object pronoun prefix on the verb, which is here given with 3rd person bi-, him. E.g. tó biisxį́, he drowned (lit. water killed him). The inchoative perfective (it has started to kill him) translates the English present. **F.** tó bidiyoołhééł **(Inchoative)** **P.** tó bi'niiłhį́ **P.** tó biisxį́ **R.** tó nábiilghééh **O.** tó biyółhééł k'asdą́ą́' tó nábiilghééh, he often nearly drowns.

5. to be starving to death; to be very hungry (one person).

This meaning is rendered by substituting the word dichin, hunger, for tó, in no. 4. Thus, dichin shi'niiłhį́, I am starving; I am very hungry.

6. to be pining away; to be dying of melancholy.

This meaning is rendered by prepounding ch'ííná́íí, melancholy, to the verb forms of no. 4. Thus, ch'íínáíí bi'niiłhį́, he is pining away.

7. to be full of mischief.

This meaning is rendered by prepounding 'ádílááh, mischief to the verb forms in no. 4. Thus, 'ádílááh shi'niiłhį́, I am full of mischief.

8. to be killed by lightning.

'ii'ni', lightening is prepounded to the forms given under no. 4. Thus, 'ii'ni' biisxį́, he was killed by lightning.

9. to die of old age.

są́, old age, is prepounded to the verbs given under no. 4. są́ biisxį́, he died of old age.

hééł, pack; burden (bighééł).
heeneez, tapering; heart shaped

heets'óóz, tapering; conical.

hęsh, hęęsh, hęęzh, hęsh, hęęsh, a stem having to do with the slow movement of liquid (as the slow flowing of molasses; or of water flowing slowly here and there).

1. to fall (mushy matter).

F. ndooɫhęsh **I.** naaɫhę́ęsh **P.** náálhęęzh **R.** ninálhęsh **O.** naoolhę́ęsh

2. to irrigate (lit. to cause it to flow meandering among them).

F. bitah ndí'néesh-hęsh (ndí'níił, ndí'nóoł, nizhdí'nóoł, ndí'níil, ndí'nóoł) **C-I.** bitah na'nish-hęęsh (na'níł, na'nił, nazh'nił, na'niil, na'noł) **P.** na'nél-hęęzh (naní'níł, na'neesh, nazh'neesh, na'niil, na'nooł) **R.** ni-ná'nísh-hęsh (ná'níł, ná'níł, názh'níł ná'niil, ná'nół) **O.** na'nósh-hęęsh (na'nóół, na'nół, nazh'nół, na'nool, na'nooł) shinaadą́ą́' bitah ndí'néeshhęsh, I shall irrigate my corn.

hęs, hęęs, hęęz, hęs, hęęs, to itch (no doubt related to hęsh).

F. doohęs **C-I.** yihę́ęs, **P.** yíhęęz **R.** náhęs **O.** ghóhęęs

hił, heeł, heel, hił, heeł, to quiet.

1. to become quiet; to quiet down; to be calm.

The parenthetic forms refer to impersonal "it."

F. dideesh-hił (didííł, didooł, jididooł, didiil, didooł) (hodidooghił) **I.** diish-heeł (diił, diił, jidiił, diil, dooł) (hodiigheeł) **P.** diił-heel (díníł, diił, jidiił, diil, dooł) (hodiigheel) **R.** ńdiish-hił (ńdiił, ńdiił, nízhdiił, ńdiil, ńdół) (náhodiighił) **O.** doosh-heeł (dóół, dooł, jidooł, dool, dooł) (hodoogheeł)

2. to be quiet, still, or calm.

N. dínísh-héél (díníł, dées, jidées díníi, dínóo) (hodéezghéél)

3. to appease him with it; to quiet him with it.

This meaning is rendered by prepounding the postposition bee, with it (yee in 3o.) to the verb forms of no. 1. Thus, béeso naa ní'ą bee didííłhił biniighé, I gave you money so you would be quiet. béeso bee nidiiłheel, I appeased (quieted) you with money.

4. to get dark.

F. chahodoołhił ***P.** chaho'niił-héél **P.** chahóółhéél **N.** chahał-heeł **R.** chanáháłhił **O.** chahół-heeł

*The inchoative perfective, rendering "it has started to get dark; it is getting dark."

hinááh bijéí, cell (of the body).

his, hées, hiz, his, his (hées), to turn, gyrate.

1. to turn it around.

F. nídees-xis (nídííł, néidooł, nízhdooł, nídiil, nídooł) (nábidi'-dool-) **I.** nás-xéés (náníł, néíł, ńjíł, néiil, nát) (nábi'dil-) **P.** nísét-hiz (nísíníł, néís, ńjís, nísiil, nísooł) (nábi'dis-) **R.** nínás-xis (náníł, néíł, nájíł, néiil, nát) (nábi'dil-) **O.** náos-xis (náóół, náyół, ńjół, náool, náooł) (nábi'dól-)

2. to be turning it around.

Prog. náás-xis (nááł, náyooł, ń-jooł, néiil, nááł)

3. to scare him; frighten him.

F. tsíbididees-xis (tsíbididííł, tsí-ididooł, tsíbidizhdooł, tsíbididiil, tsíbididooł) (tsíbidi'dool-) **I.** tsíbidis-xéés (tsíbidíł, tsíidił, tsí-bizhdił, tsíbidiil, tsíbidoł) (tsíbi'-dił-) **P.** tsíbidííł-hiz (tsíbidííníł, tsíidees, tsíbizhdees, tsíbideel, tsíbidooł) (tsíbi'dool-) **R.** tsíbi-nídís-xis (tsíbinídíł, tsínéidił, tsí-binízhdíł, tsíbinídiil, tsíbinídół) (tsíbinábi'dil-) **O.** tsíbidós-xéés (tsíbidóół, tsíidół, tsíbizhdół, tsí-bidool, tsíbidooł) (tsíbi'dól-)

his, pus. (bihis)

hį, hį́į́h, hį́į́', hį, hį́į́', to melt.

1. to melt it.

F. deesh-hį (díił, yidooł, jidooł, diil, dooł) (bidi'dool-) **I.** yish-hį́į́h (nił, yił, jił, yiil, ghoł) (bi'-dil-) **P.** yíł-hį́į́' (yíníł, yiyííł, jííł, yiil, ghooł) (bi'dool-) **R.** násh-hį (náníł, néíł, ńjíł, néiil, náł) (ná-bi'diil-) **O.** ghósh-hį́į́h (ghóół, yół, jół, ghool, ghooł) (bi'dól-)

2. to thaw it (back) out.

F. ńdeesh-hį (ńdííł, néidooł, ní-zhdooł, ńdiil, ńdooł) **I.** násh-hį́į́h (náníł, néíł, ńjíł, néiil, nááł) **P.** nááł-hį́į́' (néíníł, náyííł, ńjííł néiil, náooł) **R.** ní-násh-hį (ná-níł, néíł, nájíł, néiil, nááł) **O.** ná-osh-hį́į́' (náóół, náyół, ńjół, ná-ool, náooł)

hódah, up; high. tsídii hódah-go tsin yąąh dah sidá, the bird is sitting up high in the tree.

hodighoł, bumpy; rutted (area).

hodíina'go, after while; soon. hodíina'go 'índa shich'į' ch'íní-yá, after a while he came out to me.

hóghéé', awful; dreadful.

hóghéé', Steamboat Cañon, Ariz

ho'dizhchį́įgi, birthplace. (shi'-dizhchį́įgi)

hóla; hólahéi, I don't know.

hoł, hóód (hod), hod, ho', hóód, to rock; limp.

1. to rock it back and forth.

F. ndidí'néesh-hoł (ndidí'nííł, ne-ididínóoł, ndidí'niil, ndidí'nóoł) **C-I.** ndí'nísh-hóód (ndí'níł, nei-dí'níł, nizhdí'níł, ndí'níil, ndí'-nóoł) **P.** ndí'néł-hod (ndíń'níł, neidí'nées, nizhdí'nées, ndí'néel, ndí'nóoł) **R.** ni-nádí'nísh-ho' (nádí'níł, néidi'nił, názhdí'níł, nádí'níil, nádí'nóoł) **O.** ndí'-nósh-hóód (ndí'nóół, neidí'nół, nizhdí'nół, ndí'nóol, ndí'nóoł)

2. to limp about; to be lame (the C-I).

F. ndí'néesh-hoł (ndí'nííł, n-dí'nóoł, nizhdí'nóoł, ndí'niil, n-dí'nóoł) **C-I.** na'nish-hod (na'níł na'nił, nazh'nił, na'niil, na'noł) **P.** na'néł-hod (na'níníł, na'nees, nazh'nees, na'neel, na'nooł) **R.** ni-ná'nísh-ho' (ná'níł, ná'níł, ná-zh'níł, ná'niil, ná'nół) **O.** na'-

nósh-hod (na'nóół, na'nół, nazh-'nół, na'nool, na'nooł)

hónáásii', finally; at last.

honibąąh, fireside.

honishgish, fire poker.

honoojí, rugged (area).

hoodzo, zone (marked off area).

hooghan, home; dwelling (bighan).

hool'áágóó, forever; always. hool'áágóó jóhonaa'éí 'adiníłdíín dooleeł, the sun will always shine.

hooshdódii, whip-poor-will.

hootso, meadow.

hosh, háásh (hosh), haazh, hosh, háásh, to boil or bubble.

1. to make it boil or bubble; to bring it to a boil.

F. ha-dínéesh-hosh (díníił, idínóoł, zhdínóoł, díníil, dínóoł) (bididí'nóol-) **I.** ha-nish-háásh (nił, inił, zhnił, niil, noł) (bidi'-nil-) **P.** ha-nííł-haazh (nííníł, i-rííł, zhnííł, niil, nooł) (bidi'nool-) **R.** háá-nísh-hosh (níł, inił, zhníł, niil, nół) (bidi'nil-) **O.** ha-nósh-háásh (nóół, inół, zhnół, nool, nooł) (bidi'nól-). gohwééh hanííłhaazh, I made the coffee.

2. to spurt or gush out (as water from a fountain).

F. hadadi'noołhosh **I.** hada'niłháásh **C-I.** hada'niłhosh **P.** hada'neeshhaazh **R.** hańda'niłhosh **O.** hada'nółháásh

3. to go to sleep; to sleep.

F. 'ii-deesh-hosh (dííł, dooł, zhdooł, diil, dooł) **I.** 'iish-háásh ('iił, 'iił, 'ajiił, 'iil, 'ooł) **C-I.** 'ash-hosh ('íł, 'ał, 'ajił, 'iil, 'oł) **P.** 'iiłhaazh ('iinił, 'iił, 'ajiił, 'iil, 'ooł) **R.** ná'iish-hosh (ná'iił, ná'iił, ń'-jiił, ná'iil, ná'ół) **O.** 'oosh-háásh ('oół, 'ooł, 'ajooł, 'ool, 'ooł)

4. to go back to sleep.

F. ná'ii-deesh-ghosh (díil, dool, zhdool, diil, dooł) **I.** ná-'iish-gháásh ('iil, 'iil, 'jiil, 'iil, 'ooł) **P.** ná-'iil-ghaazh ('iinil, 'iil, 'jiil, 'iil 'ooł) **R.** níná-'iish-hosh ('iil, 'iil, ('jiil, 'iil, 'ooł) **O.** ná'-oosh-gháásh ('oól, 'ool, 'jool, 'ool, 'ooł)

5. to put him to sleep.

This meaning is rendered by simply prefixing the pronoun object to the forms of no. 3. Thus, bi'iideeshhosh, I shall put him to sleep; yi'iiłhaazh, he put him to sleep (3o. yi-); shi'iiłhaazh, he put me to sleep.

hosh, hozh, hozh, hosh, hozh, to tickle.

1. to tickle him.

F. deesh-hosh (dííł, yidooł, jidooł diil, dooł) **C-I.** yish-hozh (nił, yił, jił, yiil, ghoł) **P.** yíł-hozh (yíníł, yiyííł, jííł, yiil, ghooł) **R.** násh-hosh (náníł, néíł, ńjíł, néiil, nááł) **O.** ghósh-hozh (ghóół, yół, jół, ghool, ghooł)

hosh, thorn; cactus (bighosh).

hosh bineest'ą', cactus fruit.

hosh niteelí, prickly pear.

hózhó, well. hózhǫ́ bik'ihoogééd, cover it well with dirt!

hwééldi, Fort Sumner, N. M.

hwíídéeltǫ', slippery (place).

I

It must be kept in mind that in the 1st person duoplural and in the passive the stem becomes t'-initial (from the 1st person duoplural d, and from the d-classifier respectively) in verbs where the d-classifier is inserted, so many of these same stems will be found under t'-.

'idadii'a', branch (bidadii'a').

'ih, to be dirty or filthy. A defective verb conjugated as follows: t'óó shaa-'ih (naa, baa, haa, nihaa, nihaa) (t'óó baa hoo'ih, the place or area is dirty)

'íhoo'aah, education; learning.

'í'dílzool, whistling sound.

'i'íí'ą, sunset.

'í'neel'ą́ąh, measurement (the act of measuring).

'í'niiyą́ą́', infection; contamination (lit. it has started to eat).

'iich'ah, meatus.

'iich'ąhii, Gypsy moth; moth.

'íídą́ą́', at that time; then (in the past). 'íídą́ą́' chidí 'ádin, at that time there were no cars.

'íídéetą́ą́', deep; thick (as water, soap suds, etc.).

'íígąsh, semen (bíígąsh).

'iigeh, wedding.

'íígháán, backbone; vertebra (bíígháán).

'íígháátsiighaq', spinal cord.

'ii'ałt'ood, injection.

'ii'ni', thunder.

'ii'sinil, heald sticks.

'iikááh, sand painting.

'iiná, life. be'iina', his living; his livelihood.

'iiná bá siláii, resources (from which a living can be made).

'iishch'id, womb; uterus (biishch'id).

'įįh, a stem used with dloh, laughter, to render "chuckle."
C-I. dloh hahinish-'įįh (hahiníł, haiiniił, hahizhnił, hahiniil, hahinoł)

'įįł, 'į́į́' ('į), 'į́į́', 'įįh, 'į́į́', to look; to see.

1. to look.

F. dídéesh-'įįł (dídíí, dídóo, jidídóo, dídíi, dídóoh) **C-I.** désh- (or dínísh-) 'į́į́' (díní, déez, jidéez dée, dísóo) **P.** déé-'į́į́' (dííní, dée, jidée, díi, dóo) **U.** désh-'įįh (dí, dí, jidí, díi, dóh) **R.** ńdísh-t'įįh (ńdí, ńdí, nízhdí, ńdii, ńdóh) **O.** dósh-'į́į́' (dóó, dó, jidó, dóo, dóoh). bee 'adéest'į́į́' bee dínísh-'į́į́', I am looking through a telescope. díní'į́į́', look! shiníchxooshtł'ah bee déé'į́į́', I looked out of the corner of my eye.

2. to look for it, or for him.

F. há-dídéesh-'įįł (dídíí, idídóo, zhdídóo, dídíi, dídóoh) **C-I.** hádésh-'į́į́' (díní, idéez, zhdéez, dée, dísóo) **P.** há-déé-'į́į́' (dííní, idée, zhdée, díi, dóo) **R.** há-ńdísh-t'įįh (ńdí, néidí, nízhdí, ńdii ńdóh) **O.** há-dósh-'į́į́' (dóó, idó, zhdó, dóo, dóoh) ch'ééh háidée'į́į́', he looked for it in vain.

3. to look at it or him.

F. dínéesh-'į́į́ł (díníił, yidínóoł, jidínóoł, díníil, dínóoł) (bidí'nóol-) **I.** nísh-'į́ (níníł, yiníł, jiníł, níil, nółł) (bidi'níl-) **P.** nééł-'į́į́' (nííníł, yinééł, jinééł, níil, nóoł) (bidi'néél-) **U.** nísh-'į́įh (níł, yiníł, jiníł, níil, nół) (bidi'níl-) **R.** nánísh-'į́įh (nániíł, néiníł, názhníł, nániil, nánół) (nábidi'níl-) **O.** nóosh-'į́į́' (nóół, yinóoł, jinóoł, nóol, nóoł) (bidi'nól-)

4. to see it.

Prog. yish-'į́ (yíní, yoo, joo, yii, ghoh) (bi'doo-)

5. to be able to see.

Prog. 'eesh-'į́ ('ííní, 'oo, 'ajoo, 'ii, 'oh) doo hózhǫ́ 'eesh'į́į́ da, I cannot see well.

6. to guide him (lit. to see a place or an area for him).

Prog. *bá hweesh-'į́ (hwííní, hoo, hojoo, hwii, hooh)

* bá becomes yá in 3o.

7. to obey him (lit. see things according to him, or his way).

N. *bik'eh honish-'į́ (honíł, hoł, hojíł, honiil, honoł) bik'eh honish'į́į́ dooleeł, I will obey him.

The passive is bik'eh hól'į́, he is obeyed.

*bi- becomes yi- in 3o.

8. to look at each other.

F. 'ahi-díníil-'į́įł (dínóoł, dínóol, zhdínóol) **C-I.** 'ahi-níil-'į́ (nół, níl, zhníl) **P.** 'ahi-néel-'į́į́' (nóoł, nééł, zhnééł) **R.** ná'ahi-níil-'į́įh (nół, níl, zhníl) **O.** 'ahi-nóol-'į́į́' (nóoł, nóol, zhnóol)

9. to see each other.

Prog. 'ahii-(t)'į́ ('ahooh, 'ahoo, 'ahijoo)

10. to become gray dawn; to be daylight.

F. 'ałtso hwiidool'į́įł **I.** 'ałtso hool'į́įh **N.** hool'in **P.** 'ałtso hoos'į́įd **R.** 'ałtso náhool'į́įh **O.** 'ałtso hool'į́įh

'į́įł, 'į́įh ('in), 'į́į, 'į́įh, 'į́įł, to hide or be invisible.

1. to steal it.

F. dínéesh-'į́įł (díníí, yidínóo, jidínóo, díníi, dínóoh) (bidí'nóo-) **I.** nish-'į́įh (ní, yini, jini, nii, noh) (bidi'ni-) **P.** né-'į́į́' (níní, yineez, jineez, nee, noo) (bidi'nees-) **R.** nánísh-'į́įh (náni, néini, názhní, nánii, nánóh) (nábidi'ni-) **O.** nósh-'į́įł (nóó, yinó, jinó, noo, nooh) (bidi'nó-) bee né'į́į́', I stole it from him.

2. to steal; to be a thief.

F. 'a-dínéesh-'į́įł (díníí, dínóo, zhdínóo, díníi, dínóoh) **I.** 'a-nish-'į́įh ('aní, 'ani, zhni, nii, noh) **P.** 'a-né-'į́į́' (níní, neez, zhneez, nee, noo) **R.** ná'nísh-'į́įh (ná'ní, ná'ní, názh'ní, ná'nii, ná'nóh) **O.** 'a-nósh-'į́įł (nóó, nó, zhnó, noo, nooh)

3. to hide it.

F. ńdidínéesh-'į́įł (ńdidíníił, néididínóoł, ńdizhdínóoł, ńdidíníil, ńdidínóoł) (nábididí'nóol-) **I.** ńdínísh-'į́įh (ńdíníł néidíníł, nízhdíníł, ńdíniil, ńdínóoł) (nábidí'níl-) **N** nanish-'in (naníł, neinił, nazhnił, naniil, nanoł) (nabidi'nil-)

įįł

P. ńdínééł-'įį' (ńdíníníł, néidínées, nízhdínées, ńdínée, ńdínóo) (nábidí'nées-) **R.** ní-nádínísh-'į́įh (nádíníł, néidíníł, názhdíníł, nádíníil, nádínóoł) (nábidí'níl-) **O.** ńdínósh-'į́įh (ńdínóół néidínół, nízhdínół, ńdínóol, ńdínóoł) (nábidí'nól-)

4. to give it to him unobserved; to "slip" it him.

F. baa dínéesh-'įįł (díníił, yidínóoł, zhdínóoł, díníil, dínóoł) **I.** baa nish-'įįh (níł, yinił, jinił, niil, noł) **P.** baa niníł-'įį' (nííníł, yininíł, jininíł, niniil, ninooł) **R.** baa nánísh-'į́įh (nánił, néinił, názhníł, nániil, nánół) **O.** baa nósh-'į́įł (nóół, yinół, jinół, nool, nooł) naakaii tódiłhił naabeehó yaa néinil'į́įh, the Mexican repeatedly "slips" whiskey to the Navaho.

*baa becomes yaa in 3o.

5. to find him out; to discover him; to catch him in the act.

F. ha-dideesh-'į́įł (didííl, ididool, zhdidool, didiil, didooł) (bidi'dool-) **I.** ha-dinish-'įįh (diníl, ideel, zhdeel, diniil, dinooł) (bi'deel-) **P.** ha-dinish-'į́į' (díníníl, ideel, zhdeel, diniil, dinooł) (bi'deel-) **R.** ha-ńdísh-'į́įh (ńdíl, néidil, nízhdíl, ńdiil, ńdół) (nábi'dil-) **O.** ha-dósh-'į́įł (dóól, idól, zhdól, dool, dooł) (bi'dól-)

bilį́į' bee né'į́į' ńt'ę́ę' hashideel'į́į', I stole his horse but he found me out. bighanji' yisháałgo bilééchąą'í 'átsé hashideel'į́į', as I was approaching his home his dog discovered me first.

'įįł, 'į, 'įįd, 'įįh, 'įįh, to act, do.

1. to be nauseated by it; to have one's stomach turned by it.

F. deesh-'įįł (díí, yidoo, jidoo, dii, dooh) **S-P.** sé-'įįd (síní, yiz, jiz, sii, soo) **R.** násh-'įįh (nání, néí, ńjí, néii, náh) **O.** ghósh-'įįh (ghóó, yó, jó, ghoo, ghooh) tódiłhił 'ayóo yishdlą́ą́' ńt'ę́ę' t'áadoo hooyání sé'įįd, I used to drink a lot of whiskey, but suddenly I couldn't stand it any more.

2. to act upon it futilely; to fail at it.

The following verb forms are preceded by ch'ééh, in vain.

F. 'ádeesh-'įįł ('ádííł, 'íidooł, 'ázhdooł, 'ádiil, 'ádooł) **C-I.** 'ásh-'į ('áníł, 'ííł, 'ájíł, 'íil, 'ół) **P.** 'ííł-'įįd ('ííníł, 'áyííł, 'ájííł, 'íil, 'óoł) **R.** 'ánásh-'įįh ('ánáníł, 'ánéíł, 'áńjíł, 'ánéiil, 'ánáł) **O.** 'óosh-'į́į' ('óół, 'áyół, 'ájół, 'óol, 'óoł)

3. to use it.

F. choi-deesh-'įįł (dííł, dooł, zhdooł, diil, dooł) (chobidi'dool-) **C-I.** choinish-'į (choinił, choyooł choijooł, choiniil, choinooł) (chobi'dool-) **P.** choiséł-'įįd (choisíníł, choyoos, chojoos, choisiil choisooł) (chobi'doos-) **R.** chonáosh-'įįh (náóół, náyooł, níjooł, náool, náooł) (nábi'dool-) **O.** choosh-'į́į' (choół, choyół, chojół, chool, chooł) (chobi'dól-) 'ak'e'eshchíigo bee 'ak'e'elchíhí chonáosh'įįh łeh, I use a pencil to write.

4. to be useful; to be of use.

F. choidoo'įįł **C-I.** choo'į **P.** chooz'įįd **R.** chonáoot'įįh **O.** choo'íí'. łįį' naabeehó yá chodaoo'į, horses are useful to the Navaho.

5. to be good for nothing; to be useless (a person or thing).

This verb is used in the negative sense, and is preceded by t'áadoo and followed by da. The postposition bee, with it, also precedes the verb.

N. t'áadoo bee choosh-'íní da (chííní, choo, chijoo, choo, chooh)

6. to be in excess of one; to be too much for one; to be beyond one's stamina or ability.

This verb is used in the negative sense, so doo precedes and da follows the forms. The postposition bee, with it, is often employed. (The verb can be used in the positive sense of to be able to stand it.)

F. doo bee soh-deesh-'įįł da (dííl, dool, jidool, diil, dooł) **P.** doo bee soh-désh-įįd da (díníl, dees, jidees, deel, disooł) doo sohdésh'įįd da, I couldn't stand it any longer. deesk'aaz doo bee sohdeesh'įįł da, I don't want to face the cold. 'ashdla' béeso doo bee sohdeesh'įįł da, five dollars is beyond my means.

7. to bark (a dog).

F. nahodooł'įįł **I.** náhodiił'įįh **C-I.** nahał'in **P.** nahóół'įįd **R.** ninááhááł'įįh **O.** nahół'íí'

8. to imitate it.

N. beesh-'į (binil, yeil, bijil, biil, booł) tsídii beesh'į, I am imitating the bird.

'ílíinii, genuine; valuable.

'ił, conifer needle; evergreen branch (bi'iil).

'ił dah nát'áhí, padlock.

'ił hózhǫ́, joy; happiness. (shił hózhǫ́, I am happy.)

'ił 'adaagizí, screw.

'ił 'adaalkaalí, nail.

'ił 'adaalkaalí 'áłts'íísígíí, tack.

'ił naa'aash, cousin (son of one's paternal aunt, or of one's maternal uncle) (shił naa'aash, my cousin (lit. he goes about with me.)

'ił náhodighááh, dizziness.

'ił náshjingo hatáál, corral dance.

'ina'adlo', trick; cheating; fraud (shina'adlo', my trick; I am tricky).

'inchxǫ́'í, property (binchxǫ́'í).

'índa, then; and then. chizh 'ahidííníłkaalgo 'índa yah 'ahidííjih, when you have chopped the wood, then carry it in.

'įł, 'įįł, 'ił, 'įł, 'įł, to breed (animals).

F. da'iídóo'įł **C-I.** da'ó'įįł **P.** da'íí'įł **R.** ńda'ó'įł **O.** da'ó'įł

k'ad dibé da'ó'įįł, the sheep are breeding now.

'is, 'éés ('iz), 'eez, 'is, 'éés, to step

1. to step down on to a surface (as on to the floor).

F. niki-didees-'is (didííl, didool, zhdidool, didiil) **I.** niki-dinis-'éés (diníl, deel, zhdeel, diniil, dinoł) **P.** niki-dinis-'eez (dííníl, deel, zhdeel, diniil, dinooł) **R.** niki-ńdís-'is (ńdíl, ńdíl, nízhdíl, ńdiil, ńdół) **O.** niki-dós-'éés (dóól, dól, zhdól, dool, dooł)

2. to walk around quietly.

C-I. naas-'iz (nanil, naal, njil, neiil, naał)

3. to take a step; to step off distance.

F. ndidees-'is (ndidííl, ndidool, nizhdidool, ndidiil, ndidooł) **I** ndinis-'éés (ndiníl, ndeel, nizhdeel, ndiniil, ndinoł) **P.** ndinis-'eez (ndííníl, ndeel, nizhdeel, ndiniil, ndinooł) **R.** ni-nádís-'is (nádíl, nádíl, názhdíl, nádiil, nádół) **O.** ndós-'éés (ndóól, ndól, nizhdól, ndool, ndooł)

4. to step lightly along.

Prog. yis-'is (yíl, yil, jool, yiil, ghoł)

5. to stand on him or it.

N. *bik'i-dínís-'eez (díníl, dées, jidées, díníil, dínół)

*bi- becomes yi- in 3o.

'ish, 'éésh, 'eezh, 'ish, 'éésh, to lead them (2 or more objects).

1. to start leading them along.

F. dideesh-'ish (didíí, yididoo, jididoo, didii, didooh) **I.** dish-'éésh (dí, yidi, jidi, dii, doh) **P.** dé-'eezh (díní, yideezh, jideezh, dee, dishoo) **R.** ńdísh-'ish (ńdí, néidi, nízhdí, ńdii, ńdóh) **O.** dósh-'éésh (dóó, yidó, jidó, doo, dooh)

2. to start off leading them.

F. dah dideesh-'ish (didíí, yididoo, didii, didooh) **I.** dah diish-'éésh (dii, yidii, jidii, dii, dooh) **P.** dah dii-'eezh (dini, yidii, jidii, dii, doo) **R.** dah ńdiish-'ish (ńdii, néidii, nízhdii, ńdii, ńdooh) **O.** dah dósh-'éésh (doó, yidó, jidó, doo, dooh)

3. to be leading them along.

Prog. yish-'ish (yí, yoo, joo, yii, ghoh)

4. to lead them; to bring them (leading them).

F. deesh-'ish (díí, yidoo, jidoo, dii, dooh) (bidi'doo-) **I.** nish-'éésh (ní, yí, jí, nii, noh) (bi'dee-) **P.** ní-'eezh (yíní, yiní, jiní, nii, noo) (bi'dee-) **R.** násh-'ish (náni, néí, ńjí, néii, náh) (nábi'di-) **O.** ghósh-'éésh (ghóó, yó, jó, ghoo, ghooh) (bi'dó-) shaa ní'éésh, lead them to me!

5. to string them (beads).

F. deesh-'ish (díí, yidoo, jidoo, dii, dooh) (bidi'doo-) **I.** yish-'eesh (ní, yi, ji, yii, ghoh) (bi'di-) **P.** shé-'eezh (shíní, yizh, jizh, shii, shoo) (bi'dish-) **R.** násh-'ish (náni, néí, ńjí, néii, náh) (nábi'di-) **O.** ghósh-'eesh (ghóó yó, jó, ghoo, ghooh) (bi'dó-)

'íshíshjįįzh, poison ivy.

J

Since the d-classifier combines with zh to give j, many of the stems listed here will also be found under zh.

jáád bąąh niná'nilí, leggings.

jáád łánii, centipede.

jaa'abaní, bat.

jaa'í, coffee pot.

jaatł'óół, earring (bijaatł'óól).

jádí, antelope.

jádíshdlǫ́'ii, prairie wren.

jah, jeeh, jéé' jah, jeeh, plural stem of to run (V. ghoł) and to lie down (V. tééł). The same stem is used in the following unrelated meanings.

1. to grease it (car, wagon).

F. deesh-jah (díí, yidoo, jidoo, dii, dooh) (bidi'doo-) **C-I.** yish-jeeh (ni, yi, ji, yii, ghoh) (bi'di-) **S-P.** shé-jéé' (shíní, yizh, jizh, shii, shoo) (bi'dish-) **R.** násh-jah (nání, néí, ńjí, néii, náh) (ná-bi'di-) **O.** ghósh-jeeh (ghóó, yó, jó, ghoo, ghooh) (bi'dó-)

2. to glue them together; to weld or solder them together.

To solder, weld or glue it to it is rendered by substituting bí- (yí- in 3o.) for 'ahí- in the following forms.

F. 'ahí-dideesh-jah (didíít, ididooł, zhdidooł, didiil, didooł) (bi-di'dool-) **I.** 'ahídiishjeeh (diił idiił, zhdiił, diil, dooł) (bi'diil-) **P.** 'ahí-diił-jéé' (dinił, idiił, zh-diił, diil, dooł) (bi'diil-) **R.** 'ahí-nídiish-jah (nídiił, néidiił, nídiil nídooł) (nábi'diil-) **O.** 'ahí-doosh-jeeh (doół, idooł, zhdooł dool, dooł) (bi'dool-)

3. to make, build, start it (fire)

F. di-dideesh-jah (didííł, ididooł, zhdidooł, didiil, didooł) (didool-) **I.** di-dish-jeeh (díł, idił, zhdił, diil, doł) (dil-) **P.** di-dííł-jéé' (díínił, idííł, zhdííł, diil, dooł) (dool-) **R.** déé-dísh-jah (díł, idił, zhdíł, diil, dół) (déédíl) **O.** di-dósh-jeeh (dóół, idół, zhdół dool, dooł) (dól-)

4. to rekindle it; to build it back up (a fire).

F. déé-dideesh-jah (didííł, ididooł, zhdidooł, didiil, didooł) (di-dool-) **I.** déé-dísh-jeeh (díł, idił, zhdíł, diil, dół) (díl-) **P.** déé-dííł-jéé' (díínił, idííł, zhdííł, diil, dooł) (dool-) **R.** dínáá-dísh-jah (díł, idił, zhdíł, diil, dół) (díl-) **O.** déé-dósh-jeeh (dóół, idół, zhdół, dool, dooł) (dól-)

jánézhí, sash garter (a band about 2 inches wide and 2 feet in length used to fasten leggings).

ją', to have the legs drawn back (as when one sits with his arms on his knees, or lies on his side with his legs drawn back).

N. 'aha-dííních-ją' (dííníl, dées, zhdées, dííníil, dííńół)

jeeh, resin; pitch; chewing gum.

jeeh dígházii, rubber.

jeełid, soot.

jeesáá', dried pitch.

jeeshóó', turkey buzzard.

jéí'ádįįh, tuberculosis.
jéí'ádįįh bá hooghan, tuberculosis sanatorium.
-jí, on the side. 'e'e'aahjí, on the west side.
-ji', as far as; up to. tséji' niníyá, I went up to the rock.
-jígo, in the direction; on the --- side. 'e'e'aahjígo shikéyah, my land is on the west side.
-jigo, toward; -ward. 'e'e'aahjigo, westward; toward the west.
jih, jááh (jaah), jaa', jih, jááh, to handle plural separable objects of small size, as grains of sand, shot, pebbles, bugs, seeds, several strands of beads, strings, or larger objects as bottles, puppies etc. if there is a large number of them bundled together, as an armful, for example. For the derivational prefixes V. 'ááł.

1. to undress.

F. ha-di'deesh-jih (di'díí, di'doo, dizh'doo, di'dii, di'dooh) **I.** ha'diish-jááh (ha'dii, ha'dii, hazh'dii, ha'dii, ha'dooh) **P.** ha'diish-jaa' (ha'dini, ha'dii, hazh'dii, ha'dii, ha'dooh) **R.** háá'diish-jih (háá'dii, háá'dii, háázh'dii, háá'dii, 'dooh) **O.** ha'doosh-jááh (ha'doó, ha'doo, hazh'doo, ha'doo, ha'dooh)

jih, jih (ji'), jih, jih, jih, to grasp.

1. to grab, grasp or take hold of it (to have ahold of it in the neuter (N.) form.

F. deesh-jih (díí, yidoo, jidoo, dii, dooh) (bidi'doo-) **I.** yiish-jih (yii, yiyii, jii, yii, ghooh) (bi'dii-) **P.** shé-jih (shíní, yizh, jizh, shii, shoo) (bi'dish-) **R.** néish-jih (néii, náyii, ńjii, néii, náooh) (nábi'dii-) **O.** ghósh-jih (ghóó, yó, jó, ghoo, ghooh) (bi'dó-) **N.** yínísji' (yíní, yó, jó, yíníi, yínóh) (bi'dó-)

jił, jiid (jid), jid, ji', jiid, to handle anything by means of one's back. For the derivational prefixes V. 'ááł.

1. to be a prostitute.

N. 'ash-jił ('ił, 'ał, 'ajił, 'iil, 'oł)
jiłhazhí, hackberry.
jish, medicine pouch.
jishcháá', grave; graveyard.
jį, day.
jį'ani'įįhí (lit. day thief), a type of mouse that comes out during the day.
jį'ólta', day school.
jįįdą́ą́', today (the part already past). jįįdą́ą́' naashnishgo 'i'íí'ą́, today I worked until sunset.
jįįł, jįįh (zhin), jįį', jįįh, jįįh, to be black.

1. to become black.

F. yideesh-jįįł (yidíí, yidoo, jiidoo, yidii, yidooh) **I.** yiish-jįįh (yini, yii, jii, yii, ghooh) **P.** yiish-jįį' (yini, yii, jii, yii, ghooh) **R.** néish-jįįh (néini, néii, ńjii, néii, náooh) **O.** ghoosh-jįįh (ghoó ghoo, joo, ghoo, ghooh)

2. to be dark brown.

N. di-nish-zhin (níl, nil, zhnil, niil, noł)

3. to be black.

N. łinish-zhin (łiní, łi, jil, łinii, łinoh) (3s. halzhin)

4. to become dusk.

F. hiłidoojį́į́ł **I.** hiłiijį́į́h **P.** hiłiijį́į́' **R.** náhiłiijį́į́h **O.** hiłoojį́į́h

5. to become early twilight.

F. ni' hwiidoojį́į́ł **Prog.** ni' hoojį́į́ł **P.** ni' hoojį́į́' **R.** ni' náhoojį́į́h **O.** ni' hoojį́į́h

6. to move along as a speck in the distance.

Prog. yish-jį́į́ł (yí, yi, joo, yii, ghooh) (3i. 'oojį́į́ł)

jį́į́ł, jį́į́d, jį́į́d, jį́į́h, jį́į́d, to jump.

1. to jump.

F. dah dínéesh-jį́į́ł (díníí́l, dínóol, shdinóol, díníil, dínóoł) **I.** dah nish-jį́į́d (níl, nil, shnil, niil, noł) **P.** dah nésh-jį́į́d (níníl, neesh, jineesh, neel, nooł) **R.** dah nánísh-jį́į́h (níl, níl, zhníl, niil, nół) **O.** dah nósh-jį́į́d (nóól, nól, jinól, nool, nooł) tł'óó'góó dah dínéeshjį́į́ł, I'll jump out. tsin bitis dah néshjį́į́d, I jumped over the stick.

2. to jump back.

This meaning is rendered by prepounding t'ą́ą́ji', back, to the forms in no. 1.

3. to sit on one's haunches; to squat.

S-P. dah shish-jį́į́d (shíníl, yish, jish, shiil, shooł)

jįsh, jįsh, jįsh, jįsh, jįsh.

1. to turn over.

F. náhi-dideesh-jįsh (didíí, didoo, zhdidoo, didii, didooh) **I.** náhideesh-jįsh (dí, dee, zhdee, dee, dooh) **P.** náhi-désh-jįsh (díní, deesh, zhdeesh, dee, dishoo) **R.** nínáhi-deesh-jįsh (dee, dee, zhdee, dee, dooh) **O.** náhi-dósh-jįsh (dóó, dó, zhdó, doo, dooh)

2. to be turning over.

Prog. ná-heesh-jįsh (híí, hoo, hijoo, hii, hooh)

jįsh, jįzh, jįzh, jįsh, jįzh, to crush

1. to crush it.

F. deesh-jįsh (dííł, yidooł, jidooł, diil, dooł) (bidi'dool-) **I.** yishjįzh (nił, yił, jił, yiil, ghoł) (bi'dil-) **P.** shéł-jįzh (shíníł, yish, jish, shiil, shooł) (bi'dish-) **R.** násh-jįsh (náníł, néíł, ńjíł, néiil, náł) (nábi'dil-) **O.** ghósh-jįzh (ghóół, yół, jół, ghool, ghooł) (bi'dól-)

jó, you know; you see; well. jó tódiłhił biniinaa doo yá'áhoot'éeh da, you know, it is because of whiskey that things aren't going right.

jó 'akon; jó 'akonee'. see! see there! (as when one's expectations are born out) jó 'akonee' 'ayóo nidaaz, see there, it is very heavy! jó 'akon 'aadę́ę́' yigááł, see, there he comes!

jó nił béého̱zingo, well, you see -

jóhonaa'éí, sun-bearer; sun; watch; clock.

jóhonaa'éí biná'ástł'éé', ring around the sun.

jóhonaa'éí bitł'óól, sunbeam; watch fob.

jóhonaa'éí daaztsą́, eclipse of the sun (lit. the sun is dead).

jóhonaa'éí 'áłts'íísíígíí, watch.
jóhonaa'éí 'iił'íní, watchmaker
jóhonaa'éí ntsaaígíí, clock.
joł, jooł (jooł), jool, joł, jooł, to handle non-compact matter, as wool, tangled cord, hair, brush, etc. For the derivational prefixes V. 'áát.

1. to cover it (with brush, or other similar matter).
F. *bik'ii-deesh-joł (dííł, dooł, zhdooł, diil, dooł) (bidi'dool-) **I.** bi-k'iish-jooł (k'iił, k'iyiił, k'ijiił, k'iil, k'ioł) (k'ibi'diil-) **P.** bi-k'iił-jool (k'iinił, k'iyiił, k'ijiił, k'iil, k'ooł) (k'ibi'diil-) **R.** bik'inéish-joł (néiił, náyiił, ńjiił, néiil náooł) (nábi'diil-) **O.** bik'ioosh-jooł (óół, yooł, jooł, ool, ooł) (bi'dool-)
*bi- becomes yi- in 3o.

2. to fall (non-compact matter).
F. ndoojoł **I.** naajooł **P.** náájool **R.** ninájoł **O.** naoojooł

3. to drop it (wool, etc.).
F. ndeesh-joł (ndííł, neidooł, nizhdooł, ndiil, ndooł) (nabidi'dool-) **I.** naash-jooł (nanił, neił, njił, neiil, naał) (nabi'dil-) **P.** náát-jool (néíníł, nayííł, njííł, neiil, naooł) (nabi'dool-) **R.** ninásh-joł (nánił, néíł, nájíł, néiil, nát) (nábi'dil-) **O.** na-osh-jooł (óół, yół, jół, ool, ooł) (bi'dól-)

4. to mix it with it (as one wool with another).
F. *bił 'ałtaa-ńdeesh-joł (ńdííł, néidooł, nízhdooł, ńdiil, ńdooł) **I.** bił 'ałtaa-násh-jooł (nánił, néił, ńjíł, néiil, nát) **S-P.** bił 'ałtaaníshéł-jool (níshíníł, néísh, ńjísh, níshiil, níshooł) **R.** bił 'ałtaanínásh-joł (nánił, néíł, nájíł, néiil, nát) **O.** bił 'ałtaa-náosh-jooł náóół, náyół, ńjół, náool, náooł)
*bił becomes yił in 3o.

5. to be mixed together (wool).
F. 'ałtaańdooljoł **I.** 'ałtaanáljooł **P.** 'ałtaanáshjool **R.** 'ałtaanínáljoł **O.** 'ałtaanáoljooł

6. to move in or out of sight (as gas, fog, cloud, etc.); to be moving along (the progressive).
F. 'i'doojoł **I.** 'adijooł **Prog.** 'oojoł **P.** 'i'ííjool **R.** 'aná'ájoł **O.** 'o'ójooł. k'os jóhonaa'éí yich'ą́ą́h 'i'ííjool, a cloud obscured the sun.

7. to be round like a ball; to be "chunky."
N. dinish-jool (diní, di, jidi, dinii, dinoh)

joogii, crested bluejay.
jooł, ball.
jǫǫł, ---, jǫǫd, jǫǫh, jǫǫh, to regain one's good humor; to get back into a good humor (V. zhǫ́) This verb is conjugated for person by merely altering the pronoun prefix on the postposition -ił, with.
F. shił náhodoojǫǫł **Prog.** shił náhoojǫǫł **P.** shił náhoojǫǫd **R.** shił nínáhoojǫǫh **O.** shił náhójǫǫh

K

káál, kaah (ká), ką, kááh, káál, to handle anything in a vessel (as in a pail, box, basket, pan).

The derivational prefixes that are added to this stem will be found under 'ááł.

1. to dip it out (as water).

F. ha-deesh-kááł (díí, idoo, zh-doo, dii, dooh) **I.** haash-kaah (hani, hai, haji, haii, haoh) **P.** háá-ką (háíní, hayíí, hajíí, haii, haoo) **R.** ha-násh-kaah (nání, néí, ńjí, néii, náh) **O.** ha-osh-kááł (óó, yó, jó, oo, ooh) 'ásaa' bighi'dę́ę́' tó hááką, I dipped the water out of the pot.

2. to spill it.

F. yei-deesh-kááł (díí, doo, zh-doo, dii, dooh) (yabidi'doo-) **I.** yaash-kaah (yaa, yayii, yajii, yeii, yaah) (yabidi'dii-) **P.** yaa-ką (yeini, yayii, yajii, yeii, yaoo) (yabi'dii-) **R.** yanáash-kááh (yanáa, yááyii, yáájii, yanéii, yanáah) (yanábi'dii-) **O.** ya-ooshkááł (óó, yoo, joo, oo, ooh) (bi'doo-)

káál, kaah, ką, kááh, káál, to dawn.

1. to dawn (a faint light in the east, but still dark).

F. hayidoołkááł **I.** haiiłkaah **P.** hayííłką **R.** hanéílkááh **O.** ha-yółkááł

2. to spend the night.

F. shii-doołkááł (nii, bii, hwii, ni-hii, nihii) **I.** shii-łkaah (nii, bii, hwii, nihii, níhii) **P.** shii-ską (nii, bii, hwii, nihii, nihii) **R.** ná-shii-łkááh (nii, bii, hwii, nihii, nihii) **O.** shi-yółkááh (ni, bi, ho, nihi, nihi)

3. to become day.

F. yidoołkááł **I.** yiiłkaah **Prog.** yoołkááł **P.** yiską **R.** néílkááh **O.** yółkááł

káál, kááh, káá', kááh, kááh, to make a sandpainting.

F. 'ii-deesh-kááł (díí, doo, zhdoo, dii, dooh) **C-I.** 'iish-kááh ('iini, 'ii, 'ajii, 'ii, 'ooh) **P.** 'iisé-káá' ('iisíní, 'iiz, 'ajiz, 'iisii, 'iisoo) **R.** ná'iish-kááh (ná'iini, ná'ii, ń'jii, ná'ii, ná'ooh) **O.** 'oosh-kááh ('oó, 'oo, 'ajoo, 'oo, 'ooh)

káál, káál, káál, káál, káál, to set slender objects (as posts) in a series or in a line)

1. to set them in a line.

F. dínéesh-kááł (díníił, yidínóoł, jidínóoł, díníil, dínóoł) (bidí'-nóol-) **Prog.** neesh-kááł (nííł, yi-nooł, jinooł, niil, nooł) (bidi'-nool-) **P.** níł-káál (nííníł, yiníł, jiníł, niil, nooł) (bidi'neel) **R.** nánísh-kááł (nánił, néinił, názh-nił, nániil, nánół) (nábidi'nil-) **O.** dínósh-kááł (dínóół, yidínół, jidínół, dínóol, dínóoł) (bidí'nól-)

2. to set them in a circle.

F. ńdínéesh-kááł (ńdíníił, néidí-nóoł, nízhdínóoł, ńdíníil, ńdí-nóoł) (nábidí'nóol-) **I.** nánísh-kááł (nánił, néinił, názhnił, ná-niil, nánół) (nábidi'nil-) **P.** ná-néł-káál (nánínił, néinees, názhnees, nániil, nánooł) (nábidi'nees-) **R.** ní-nánísh-kááł (nánił, néinił, názhnił, nániil, nánół) (nábidi'nil-) **O.** nánósh-kááł (nánóół, néinół, názhnół, nánool nánooł) (nábidi'nól-)

kaawa, Kiowa.

kąął, ką, kan, kąąh, kąąh, to beseech.

1. to beseech, beg, it of him.

F. néi-deesh-kąął (díí, doo, zhdoo, dii, dooh) (nábidi'doo-) **I.** náosh-ką (néini, náyoo, nájoo, néii, náoh) (nábi'doo-) **P.** néisiskan (néisíní, náyoos, ńjoos, néisii, néisoo) (nábi'doos-) **R.** níná-osh-kąąh (néini, náyoo, nájoo, néii, náooh) (nábi'doo-) **O.** ná-osh-kąąh (óó, yó, jó, oo, ooh) (bi'doo-) t'áadoo yánílti'í bidishníigo néisiskan, I begged him not to talk. shaa ní'aah bidishníigo néisiskan, I begged him to give it to me.

2. to offer it; advertise it.

C-I. bó'oosh-kąąh (bí'ooł, yí'ooł bí'jooł, bí'iil, bí'ooł) shinaadą́ą́' łaji' bó'ooshkąąh, I am advertising (or offering) part of my corn.

kanaagháii, sickly person.

kah, kah, kah, kah, kah, to shoot (with an arrow).

1. to shoot it with an arrow.

F. deesh-kah (díił, yidooł, jidooł diil, dooł) (bidi'dool-) **I.** yiish-kah (yiił, yiyiił, jiił, yiil, ghooł) (bi'diil-) **P.** sét-kah (sínił, yis, jis, siil, sooł) (bi'dis-) **R.** néish-kah (néiił, náyiił, ńjiił, néiil, náooł) (nábi'diil-) **O.** ghosh-kah (ghóół, yół, jół, ghool, ghooł) (bi'dól-)

kah, kááh (kai), kai, kah, kááh, the plural stem of to walk or go (V. gááł).

1. to be crowded (lit. they are walking about on one another).

F. 'ałk'indookah **C-I.** 'ałk'inaakai **P.** 'ałk'inaaskai **R.** 'ałk'ininákah **O.** 'ałk'inaookai

2. to get confused; to get mixed up with one another.

This verb is altered for person by changing the pronoun object of the postposition -ił, with.

F. shił 'ałtaańdookah **I.** shił 'ałtaanákááh **P.** shił 'ałtaanáskai **R.** shił 'ałtaanínákah **O.** shił 'ałtaanáookááh. łą'í yee nashineeztą́ą́' ńt'ę́ę́' 'ałtso shił 'ałtaanáskai, he taught me so many things that I got confused. dibé shił 'ałtaanáskai, the sheep got mixed up for me (as when my flock merges with another).

kah, kááh, káá', kah, kááh, to trail.

1. to trail it down; catch up to it by trailing; apprehend or run down (a criminal).

F. bídeesh-kah (bídííł, yiidooł, bízhdooł, bídiil, bídooł) (bídool-) **C-I.** bínísh-kááh (bíníł, yííł, bíjíł, bíniil, bínoł) (bél-) **P.** bíníł-káá' (bíínít, yíinít, bízhnít, bíniil, bínooł) (béel-) **R.** bínásh-kah (bínáníł, yínéíł, bíńjíł, bínéiil, bí-nááł) (bínál-) **O.** bóosh-kááh (bóół, yíyół, bíjół, bóol, bóoł) bóoł-)

2. to investigate it; find out about it.

F. ndeesh-kah (ndííł, neidooł, nizhdooł, ndiił, ndooł) (nabidi'dool-) **C-I.** naash-kaah (nanił, neił, njił, neiil, naał) (nabi'dil-) **P.** nisét-káá' (nísíníł, neis, njis, nisiil, nisooł) (nabi'dis-) **R.** ninásh-kah (nánił, néił, nájíł, néiił, nááł) (nábi'dil-) **O.** naosh-kaah (naóó, nayó, njó, naoo, naooł) (nabi'dól-)

sǫ' nisétkáá', I investigated the stars; studied the stars.

3. to convict him.

F. béédeesh-kah (béédííł, yééyidooł, béézhdooł, béédiil, béédooł) (béédool-) **I.** béénísh-kááh (béénił, yénéíł, bééjíł, bééniil, béénół) (bénál-) **P.** béénít-káá' (bééyíníł, yééyiníł, béézhníł, bééniil, béénooł) (bénál-) **R.** béninásh-kah (béninánił, yinínéíł, bíníjíł, béninéiil, bénínááł) (bínínál-) **O.** bénáosh-kááh (bénáóół, yínáyół, bínájół, bénáool, bénáooł) (bénáool-)

ka', to sway.

N. naaní-dínísh-ka' (díní, díní, zhdíní, díníi, dínóh)

kał, kaad (kad), kaad (kad), ka', kaad, a stem having to do with motion or handling of a flat object.

1. to slap him (once).

F. ńdideesh-kał (ńdidíí, néididoo, nízhdidoo, ńdidii, ńdidooh) (nábidi'doo-) **I.** ńdiish-kaad (ńdii, néidii, nízhdii, ńdii, ńdóh) (nábi'dii-) **P.** ńdíí-kaad (ńdííní, néidíí, nízhdíí, ńdii, ńdoo) (nábi'doo-) **R.** ní-nádiish-ka' (nádii, néidii, názhdii, nádii, nádóh) (nábi'dii-) **O.** ńdoos-kaad (ńdoó, néidoo, názhdoo, ńdoo, ńdooh) (nábi'doo-)

2. to slap him one time after another.

C-I. ná-nísh-kad (nání, néini, názhní, nánii, nánóh)

3. to clap the hands.

F. 'ahí-deesh-kał (díí, doo, zhdoo, dii, dooh) **C-I.** 'ahésh-kad ('ahíní, 'ahé, 'ahíjí, 'ahíi, 'ahóh) **P.** 'ahísé-kad ('ahísíní, 'ahéz, 'ahíjíz, 'ahísii, 'ahísoo) **R.** 'ahínásh-ka' (nání, ná, ńjí, néii, náh) **O.** 'ahí-oosh-kad (óó, oo, jó, oo, ooh) shá 'ahídaazkad, they clapped for me.

4. to drop it (a vessel in which one is carrying things, or a large number of plural separable objects, animate or inanimate).

F. ndeesh-kał (ndííł, neidooł, nizhdooł, ndiil, ndooł) (nabidi'dool-) **I.** naash-kaad (nanił, neił, njił, neiil, naał) (nabi'dil-) **P.** náát-kaad (néíníł, nayííł, njííł, neiil, naooł) (nabi'dool-) **R.** ninásh-ka' (nánił, néił, nájíł, néiil, nááł) (nábi'dil-) **O.** na-osh-kaad (óół, yół, jół, ool, ooł) (nabi'dól-)

5. to knock it over (a wall, hay stack, stack of dishes, house).

F. naa-'adeesh-kał ('adíił, 'iidooł 'azhdooł, 'adiil, 'adooł) **I.** naa-'iish-kaad ('anił, 'iił, 'ajiił, 'iil, 'ooł) **P.** naa-'ííł-kaad ('íínił, 'ayííł, 'ajííł, 'iil, 'ooł) **R.** naa-'anásh-ka' ('anánił, 'anéíł, 'ańjíł, 'anéiil, 'anáł) **O.** naa-'oosh-kaad ('oół, 'ayół, 'ajół, 'ool, 'ooł)

6. to be disappointed; to sigh. This verb is conjugated by altering the pronoun prefix on the postposition -ąąh, beside. It is given herewith for the 3rd pers. **F.** bąąh nahodookał **I.** bąąh nahakaad **P.** bąąh nahóókaad **R.** bąąh ninááháka' **O.** bąąh nahókaad

7. to sew it.

F. ńdeesh-kał (ńdííł, néidooł, nízhdooł, ńdiil, ńdooł) (nábidi'dool-) **C-I.** násh-kad (nánił, néíł, ńjíł, néiil, nááł) (nábi'dil-) **P.** nísééł-kad (nísíníł, néís, ńjís, nísiil, nísooł) (nábi'dis-) **R.** nínásh-ka' (nánił, néíł, nájíł, néiil, nááł) (nábi'dil-) **O.** ná-osh-kad (óół, yół, jół, ool, ooł) (bi'dól-)

'ałní'ní'ą́ą́dóó bik'iji' ni'éé' ńdeeshkał, I'll sew your shirt this afternoon.

8. to sew (intr.).

F. ń'deesh-kał (ń'dííł, ń'dooł, nízh'dooł, ń'diil, ń'dooł) **C-I.** ná'ásh-kad (ná'íł, ná'áł, ń'jíł, ná'iil, ná'ół) **P.** ń'sééł-kad (ń'síníł, ná'ás, ń'jís, ń'siil, ń'sooł) **R.** ní-ná'ásh-ka' (ná'íł, ná'áł, ná'jíł, ná'iil, ná'ół) **O.** ná'ósh-kad (ná'óół ná'ół, ń'jół, ná'ool, ná'ooł)

9. to sew them together.

F. 'ahí-dideesh-kał (didííł, didooł, zhdidooł, didiil, didooł) (bi di'dool-) **I.** 'ahí-diish-kaad (diił idiił, zhdiił, diil, dooł) (bi'diil-) **P.** 'ahí-diił-kad (dinił, idiił, zhdiił, diil, dooł) (bi'diil-) **R.** 'ahí-ńdiish-ka' (ńdiił, néidiił, nízhdiił ńdiil, ńdooł) (nábi'diil-) **O.** 'ahí-doosh-kaad (doół, idooł, zhdooł, dool, dooł) (bi'dool-)

10. to herd them out (horizontally, as from a cañon or corral).

F. ch'í-dínéesh-kał (díníít, idínóoł, zhdínóoł, díníil, dínóoł) (bidí'nóol-) **I.** ch'í-ninish-kaad (ninít, ineeł, zhneeł, niniil, ninoł) (bidi'neel-) **P.** ch'í-ninít-kaad (nííníł, ininíł, nizhníł, niniil, ninooł) (bidi'neel-) **R.** ch'í-nánísh-ka' (nánít, néinił, názhnít, nániil, nánół) (nábidi'nil-) **O.** ch'í-nósh-kaad (nóół, inół, zhnół, nool, nooł) (bidi'nól-)

11. to be herding them along.

Prog. neesh-kał (nííł, yinooł, jinooł, niil, nooł) (bidi'nool-)

12. to herd them back; to return herding them.

F. ńdínéesh-kał (ńdíníít, néidínóoł, nízhdínóoł, ńdíníil, ńdínóoł) (nábidí'nóol-) **I.** ńdínísh-kaad (ńdínít, néidínít, nízhdíníł, ńdíníil, ńdínół) (nábidí'níl-) **P.** ńdínéł-kaad (ńdíníníł, néidínées, nízhdínées, ńdínéel, ńdínóoł) (nábidí'nées-) **R.** ní-nánísh-ka' (nánít, néinił, názhnít, nániil, nánół) (nábidí'níl-) **O.** ná-nósh-kaad (nánóół, néinół, názhnół, nánóol, nánooł) (nábidi'nól-)

13. to be herding them along back.

Prog. náneesh-kał (nániíł, néinooł, názhnooł, nániil, nánooł) (nábidi'nool-)

14. to herd them about.

C-I. nanish-kaad (nanił, neinił, nazhnił, naniil, nanooł) (nabidi'nil-)

15. to herd (intr.).

C-I. na'nish-kaad (na'níł, na'nił, nazh'nił, na'niil, na'nooł)

16. to drive them off of oneself (attackers); to counterattack them.

F. 'ák'i-dínéesh-kał (díníil, idínóol, zhdínóol, díníil, dínóoł) **I.** 'ák'i-nish-kaad (níl, inil, zhnil, niil, noł) **P.** 'ák'i-neesh-kaad (nííníl, inool, zhnool, niil, nooł) **R.** 'ák'i-nánísh-ka' (náníl, néinil, názhníl, nániil, nánół) **O.** 'ák'i-nósh-kaad (nóól, inól, zhnól, nool, nooł)

17. to corner or stump them.

(V. the stem chééł, to corner or stump him. The same prefixes are used but the classifier and stems: łkał, łkaad, łkaad, łka', and łkaad are used).

18. to pet it; to caress it.

F. nídínéesh-kał (nídíníí, néidínóo, nízhdínóo, nídíníi, nídínóoh) **C-I.** nánísh-kad (nání néini, názhní, nánii, nánóh) **P** náné-kaad (nánííní, néineez, názhneez, nánee, nánoo) **R.** nínánísh-ka' (nání, néini, názhní, nánii, nánóh) **O.** nánósh-kad (nánóó, néinó, názhnó, nánoo nánooh)

kał, kaał, kaal, kał, kaał, to act on or with a flat object (?)

1. to chop it apart (kindling).

F. 'ahi-dideesh-kał (didííł, ididooł, zhdidooł, didiil, didooł) (bidi'dool-) **C-I.** 'ahi-dish-kaał (díł idił, zhdił, diil, doł) (bi'dil-) **P.** 'ahi-dííł-kaal (díínił, idííł, zhdííł, diil, dooł) (bi'dool-) **R.** 'ahi-ńdísh-kał (ńdíł, néidił, nízhdíł, ńdiil, ńdół) (nábi'diil-) **O.** 'ahidósh-kaał (doół, idół, zhdół, dool dooł) (bi'dól-)

2. to drive it (a nail).

F. 'adeesh-kał ('adííł, 'iidooł, 'azhdooł, 'adiil, 'adooł) **I.** 'iish-kaał ('anił, 'iił, 'ajił, 'iil, 'ooł) **P.** 'ííł-kaal ('íínił, 'ayííł, 'ajííł, 'iil, 'ooł) **R.** 'anásh-kał ('ananíł, 'anéíł, 'anjíł, 'anéiil, 'anáł) **O.** 'oosh-kaał ('oół, 'ayół, 'ajół, 'ool, 'ooł)

3. to close it (a door).

F. dá-di'deesh-kał (di'dííł, di'dooł, zhdi'dooł, di'diil, di'dooł) (bidi'dool-) **I.** dá-di'nish-kaał (di'níł, 'deeł, zh'deeł, di'niil, di'noł) (bidi'nil-) **P.** dá-di'níł-kaal ('díínił, di'níł, zhdi'níł, di'niil, di'nooł) (bi'deel-) **R.** dá-ń'dísh-kał (ń'díł, ń'díł, nízh'díł, ń'diil, ń'dół) (nábí'díl-) **O.** dá-'dósh-kaał ('dóół, 'dół, zh'dół, 'dool, 'dooł) (bí'dól-)

ké, to be mean.

1. to be mean; to scold.
The verb used alone has the meaning of "to be mean," but in conjunction with what is apparently the prepounded postposition -ch'ah (perhaps meaning toward) the meaning is "to scold." **S-P.** hashish-ké (hashíní, hash, hojish, hoshii, hoshoo) shich'ah hashké, he is scolding me.
ké, footwear; shoe (bikee').
kébąąh ntł'izgo dah naaznilígíí, corn (on foot); callous (on foot).
ké bee néilchíhí, shoepolish (red)
ké bee néilzhįhí, black shoepolish.
ké bikétal danineezígíí, cowboy boots.
ké bił 'adaalkaałí, cobbler's nail.
ké deigo danineezí, boots (high).
kégiizhí, Papago.
ké'achogii, galoshes.
kéjeehí, tennis shoes.
kék'eh, footprint.
kélą́ą́d, tips of the toes.
kélchí, moccasin.
kéndoots'osii bikétal nineezí, cowboy boot shoes.
kénitsaaígíí, high moccasin (women's).
késhjéé', moccasin game.
késhmish, Christmas.
késhgolii, club-footed.
kétł'áhí, Pima.
kétł'óól, shoe lace.
kéts'iiní, oxford (shoes).
kéyah, land (plural kédaayah).
k'aabéésh, arrowhead.
k'aabizhii, Cove, Arizona.
k'aaghéél, quiver (for arrows).
k'aa', arrow (bik'a' or bik'aa').
k'aalógii, butterfly.
k'ááł, k'á, k'ą́, k'ááh, k'ááł, to grind.
1. to grind it (grain, etc.).
F. deesh-k'ááł (díí, yidoo, jidoo, dii, dooh) (bidi'doo-) **C-I.** yish-k'á (ni, yi, ji, yii, ghoh) (bi'di-) **P.** yí-k'ą́ (yíní, yiyíí, jíí, yii, ghooh) (bi'doo-) **R.** násh-k'ááh (nání, néí, ńjí, néii, náh) (nábi'-di-) **O.** ghósh-k'ááł (ghóó, yó, jó, ghoo, ghooh) (bi'dó-)
k'aasdá, arrow poison.
k'ąął, k'ąąh, k'ąąd, k'ąąh, k'ąąh to tip or slant it; put it on edge.
1. to tip or raise it to a slant.
F. dideesh-k'ąął (didííł, yididooł, jididooł, didiil, didooł) **I.** diish-k'ąąh (diił, yidiił, jidiił, diil, dooł) **P.** diił-k'ąąd (dinił, yidiił, jidiił, diil, dooł) **R.** ńdiish-k'ąąh (ńdiił, néidiił, nízhdiił, ńdiil, ńdooł) **O.** doosh-k'ąąh (doół, yidooł, jidooł, dool, dooł)
2. to have cramps.
F. dah dideeshk'ąął (didíí, didoo, shdidoo, didii, didooh) **I.** dah diish-k'ąąh (dii, dii, shdii, dii, dooh) **P.** dah dii-k'ąąd (dini, dii, shdii, dii, doo) **R.** dah ńdiish-k'ąąh (ńdii, ńdii, nízhdii, ńdii, ń-dooh) **O.** dah doosh-k'ąąh (doó, doo, shdoo, doo, dooh) shijáád dah diik'ąąd, I have a cramp in the leg.
k'ą́ął, k'ą́ąh, k'ą́, k'ą́ąh, k'ą́ąh, to burn.

1. to make fire (with firedrill). **F.** 'ii-deesh-k'ą́ął (díił, dooł, zhdooł, diil, dooł) **I.** 'oosh-k'ą́ąh ('iił, 'ooł, 'ajooł, 'iil, 'ooł) **P.** 'asééł-k'ą ('asíníł, 'as, 'ajis, 'asiil, 'asooł) **R.** ná'oosh-k'ą́ąh (ná'iił, ná'ooł, ń'jooł, ná'iil, ná'ooł) **O.** 'óshk'ą́ąh ('óół, 'ół, 'ajół, 'ool, 'ooł)

2. to start burning.
F. didook'ą́ął **I.** dik'ą́ąh **P.** deezk'ą́ą' **R.** ńdík'ą́ąh **O.** dók'ą́ął

3. to be burning along.
Prog. dook'ą́ął

4. to burn as far as a point and stop; to stop burning.
F. ndidook'ą́ął **I.** ndeek'ą́ąh **P.** ndiník'ą́ą' **R.** ninádík'ą́ąh **O** ndók'ą́ął

5. to burn up.
F. 'adidook'ą́ął **I.** 'adik'ą́ąh **P.** 'adíík'ą́ą' **R.** 'ańdík'ą́ąh **O.** 'adók'ą́ął

k'ad, now. k'ad shił hólne', tell me now!

k'adę́ę, nearly; almost; about to (with imperfective mode). k'adę́ę bi'niitsą́, he is almost dying. k'adę́ę dah diishááh, I am about to start off.

k'ah, k'ah, k'ah (k'aii), k'ah, k'ah, to be fat.

1. to become fat.
F. dínéesh-k'ah (díníił, dínóol, jidínóol, díníil, dínóoł) **Prog** neesh-k'ah (níil, nool, jinool, niil, nooł) **P.** nésh-k'ah (nínil, nees, jinees, neel, nooł) **R.** náníshk'ah (níl, níl, zhníl, niil, nół) **O.** nósh-k'ah (nóól, nól, jinól, nool, nooł)

2. to be gaining weight.
This is expressed by an inchoative perfective, meaning literally "(I) have started to become fat." **P.** shi-'niilk'aii (ni, bi, ho, nihi, nihi)

3. to fatten it.
F. dínéesh-k'ah (díníił, yidínóoł, dízhnóoł, díniil, dínóoł) (bididí'nóol-) **C-I.** nish-k'ah (níł, yinił, jinił, niil, nołl) (bidi'nil-) **P.** nélk'ah (níníł, yinees, jinees, neel, nooł) (bidi'nees-) **R.** nánishk'ah (náníł, néinił, názhníł, náníil, nánół) (nábidi'nil-) **O.** nósh-k'ah (nóół, yinół, jinół, nool, nooł) (bidi'nól-)

k'ai, k'ai, k'ai', k'ai, k'ai, to fork.

1. to spread the legs apart.
F. deesh-k'ai (díí, doo, jidoo, dii, dooh) **I.** yiish-k'ai (yii, yii, jii, yii, ghooh) **S-P.** sé-k'ai' (síní, yiz, jiz, sii, soo) **R.** néish-k'ai (néii, néii, ńjii, néii, náooh) **O.** ghoosh-k'ai (ghóó, ghoo, joo, ghoo, ghooh)

2. to walk about spread-legged (as after riding horseback for the first time).
C-I. na'ash-k'ai' (na'íł, na'ał, n'jił, na'iil, na'oł)

3. to straddle it.
F. *biní-deesh-k'ai (díí, doo, zhdoo, dii, dooh) **S-P.** biní-sé-k'ai' (síní, náz, jíz, sii, soo) **R.** biní-

násh-k'ai (nání, ná, nájí, néii, náh) **O.** bi-náoosh-k'aih (náóó, náoo, níjó, náoo, náooh). nás-táán binísék'ai'go shił yi'oł, the log is floating along with me (astraddle of it).

*bi- becomes yi- in 3o.

k'ai', willow.

k'ai' bii' tó, Kaibito, Arizona.

k'as, k'áás, k'aaz (k'az), k'as, k'áás, to be cold.

1. to be(come) cold weather.

F. didoołk'as **I.** diłk'áás **S-P.** deesk'aaz **R.** ńdíłk'as **O.** dółk'áás

2. to be(come) cold (either in regard to the weather, or with respect to an interior area as inside a house).

F. hodínóok'as **I.** honiik'áás **P.** honiik'aaz **R.** náhoniik'as **O** honook'áás

The following si-perfective neuters also occur: honeezk'az, cold; honeezk'ází, it is cool; and hoozk'az, it is cold (as a refrigerator. bii' hoozk'az, it is cold on the inside. shibee'azk'azí bii' hoozk'az, my refrigerator is cold inside.

3. to catch a cold.

This verb is herewith given for the 1st person. It is conjugated by altering the pronoun prefix on the postposition -iih, inside.

F. shiih doołk'as **I.** shiih yiłk'áás **P.** shiih yíłk'aaz **R.** shiih náłk'as **O.** shiih ghółk'áás. k'ad biih yíłk'aaz, he has a cold now.

k'asdą́ą́', nearly; almost. k'asdą́ą́' dasétsą́, I almost died.

k'ash, k'aash, k'aazh, k'ash, k'aash, to grind.

1. to grind it (an axe); to grind it very fine (meal); to sing at the top of one's voice.

F. deesh-k'ash (díí, yidoo, jidoo, dii, dooh) (bidi'doo-) **I.** yish-k'aash (ni, yi, ji, yii, ghoh) (bi'-di-) **P.** yí-k'aazh (yíní, yiyíí, jíí, yii, ghoo) (bi'doo-) **R.** násh-k'ash (nání, néí, ńjí, néii, náh) (nábi'di-) sitséníł yík'aazh, I ground my axe. tł'éédą́ą́' 'atah yík'aazh, last night I sang at the top of my voice with the group (as a chorus at a Squaw Dance).

2. to be cramped (from sitting too long in one position).

S-P. ndashish-k'aazh (ndashíníl, ndaash, ndajish, ndashiil, ndashooł) kót'éego nízaadgóó sédáago biniinaa ndashishk'aazh, I am cramped from sitting this way a long time.

k'ąs, k'ąąs, k'ą́ą́z, k'ąs, k'ąąs, to straighten.

1. to straighten it.

F. deesh-k'ąs (díí, yidoo, jidoo, dii, dooh) (bidi'doo-) **I.** yish-k'ąąs (ni, yi, ji, yii, ghoh) (bi'di-) **P.** yí-k'ą́ą́z (yíní, yiyíí, jíí, yii, ghoo) (bi'doo-) **S-P.** sé-k'ą́ą́z (síní, yiz, jiz, sii, soo) (bi'dis-) **R.** násh-k'ąs (nání, néí, ńjí, néii, náh) (nábi'di-) **O.** ghósh-k'ąąs (ghóó, yó, jó, ghoo, ghooh) (bi'-dó-)

k'é (k'é-), friendship; peace. ni ch'į' k'énísdzin, I am friendly with you. k'énáhásdlį́į́', peace returned.

k'éé'dílghééh, agriculture.

k'eelghéíí, seeds (for planting).

k'eeł, k'e', k'e', k'eeh, k'e', to cool.

1. to cool it (an object).

F. dínéesh-k'eeł (dínííł, yidínóoł, jidínóoł, díníil, dínóoł) (bidí'-nóol-) **I.** nish-k'e' (níł, yinił, ji-nił, niil, noł) (bidi'nil-) **P.** néł-k'e' (níníł, yinees, jinees, neel nooł) (bidi'nees-) **R.** nánísh-k'eeh (nánił, néinił, názhnił, ná-niil, nánół) (nábidi'nil-) **O** nósh-k'e' (nóół, yinół, jinół, nool nooł) (bidi'nól-)

2. to cool it (an area or space, as a house).

This meaning is rendered by using ho- as the object prefixed to the forms in no. 1. Thus ho-dínéeshk'eeł, I'll cool it; hodí-nóołk'eeł, he'll cool it.

3. to cool off (an object); to stop hurting.

F. dínóok'eeł **I.** nik'e' **P.** neez-k'e' **R.** náník'eeh **O.** nók'e'

k'eet'áán, prayerstick.

k'eet'oh, bowguard.

k'é'éltǫ', fractured (as a bone).

k'ęs, k'ęęs, k'ęęz, k'ęs, k'ęęs, to travel rapidly.

1. to travel along rapidly; to go along in a hurry.

F. 'adi-dínées-k'ęs (díníí, dínóo, zhdínóo, díníi, dínóoh) **Prog.** 'a-nees-k'ęs (níí, noo, zhnoo, nii, noh) **P.** 'ani-ní-k'ęęz (níní, ní, zhní, nii, nooh) ***S-P.** 'adí-né-k'ęęz (ní, néez, zhnéez, née, nóo) ****R.** 'ałnáá-'nís-k'ęs ('ní, 'ní, zh'ní, 'nii, 'nóh) **O.** 'adí-nósh-k'ęęs (nóó, nó, zhnó, noo, nooh)

halgai tsé'naa gáagi 'anook'ęs, the crow is flying rapidly over the plain.

*The si-perfective means "to be on one's way," or "to be going to go," whereas the ni-perfective form means "to go, arrive."

**This form means to go back and forth hurriedly.

k'id, to be humped.

The concept of hill is variously expressed, depending upon the shape and other characteristics of the hump. Thus: dah yis-k'id, a mounded hill; dah daas-k'id, a series of mounded hills rising here and there; deesk'id, an elongated hill or ridge; 'ahi-deelk'id, two hills that merge; 'ałch'į' niilk'id, to hills that al-most run together; ch'élk'id, a hill running horizontally out, as from a mountain; yílk'id, a hill or ridge that extends along (with out reference to its beginning or end; 'ahénálk'id, a curved or circular hill; binásk'id, it is rin-ged by a hill; niilk'id, a hill runs to a point where it stops; yanáal-k'id, a mound.

k'idi'nídéél, fracture (of a brittle bone or other object).

k'ídi'nídéél dóó binaa tídílyaa, compound fracture.
k'iiłtsoii, big rabbit brush
k'iiłtsoii dijoolí, small rabbit brush.
k'iiłtsoiitah, Cornfield, Arizona.
k'ił, k'eed, k'ééd, k'i', k'eed, to copulate.

1. to copulate (intr.).
F. 'a-deesh-k'ił (díí, doo, zhdoo, dii, dooh) **C-I.** 'ash-k'eed ('í, 'a, 'aji, 'ii, 'oh) **P.** 'asé-k'ééd ('asíní 'az, 'ajiz, 'asii, 'asoo) **R.** ná'ásh-k'i' (ná'í, ná'á, ń'jí, ná'ii, ná'óh) **O.** 'ósh-k'eed ('óó, 'ó, 'ajó, 'oo, 'ooh)

2. to copulate with her (tr.).
F. deesh-k'ił (díí, yidoo, jidoo, dii, dooh) (bidi'doo-) **C-I.** yish-k'eed (ni, yi, ji, yii, ghoh) (bi'di-) **S-P.** sé-k'ééd (síní, yiz, jiz, sii, soo) (bi'dis-) **R.** násh-k'i' (náni, néí, ńjí, néii, náh) (nábi'di-) **O.** ghósh-k'eed (ghóó, yó, jó, ghoo, ghooh) (bi'dó-)

k'is, k'is, k'is, k'is, k'is, to crack (a very fine, barely visible crack as that in turquoise).
F. doolk'is **I.** yiilk'is **P.** yisk'is **R.** néilk'is **O.** ghólk'is

k'įh, k'įįh, k'įį', k'įh, k'įįh, to peel.

1. to peel it.
F. bídeesh-k'įh (bídíił, yiidooł bízhdooł, bídiil, bídooł) (bídool-) **C-I.** bésh-k'įįh (bíníł, yííł, bíjíł, bíil, bół) (bél-) **P.** bííł-k'įį' (bííníł, yíyííł, bíjííł, bíil, bóoł) (béél-) **R.** bínásh-k'įh (bínáníł, yínéíł, bińjíł, bínéiil, bínáł) (bínál-) **O.** bóosh-k'įįh (bóół, yíyół, bíjół, bóol, bóoł) (bóol-) shibéézh bee nímasiitsoh bídeeshk'įh, I'll peel the potato with my knife.
k'ínídláád, broken (as a string).
k'íníjíł'ahí, currant.
k'íneedlíshii, stink beetle.
k'íneeshbízhii, dumpling.
k'ish, alder.
k'íshíshjíįzh, poison ivy.
k'ool, to be undulating, wavy (as wool, terrain, etc.).
N. doolk'ool (in reference to a definite object; hodoolk'ool (in reference to an area).
k'oł, k'oł, k'oł, k'oł, k'oł, to blink.

1. to blink.
F. dínéesh-k'oł (díníił, dínóol, jidínóol, díníil, dínóoł) **I.** niish-k'oł (niil, niil, jiniil, niil, nooł) ***C-I.** nish-k'oł (níl, nil, jinil, niil, noł) **P.** nésh-k'oł (nínil, nees, jinees, neel, nooł) **R.** ná-niish-k'oł (niil, niil, zhniil, niil, nooł) **O** nósh-k'oł (nóól, nól, jinól, nool, nooł)

*This form means to blink the eyelids several times, whereas the ordinary imperfective means to perform the act once.

2. to lap against it (as waves).
N. bídílk'oł. tsinaa'eeł tó bídílk'oł, the water is lapping against the boat.
k'os, cloud.
k'ǫsh, k'ǫsh, k'ǫsh, k'ǫsh, k'ǫsh, to sour; spoil.

1. to start to spoil; to sour.

F. didook'ǫsh **I.** dik'ǫsh **P.** díík'ǫsh **R.** ńdík'ǫsh **O.** dók'ǫsh **N.** dík'ǫ́ǫ́zh (it is sour).

k'ǫ́ǫ́zh, body odor.

kiis'áanii, Pueblo Indian.

kił, kid (keed) kid, ki', kid (keed) to move or act in a slow manner.

1. to ask for it; request it; beg for it.

F. yidéesh-kił (yidíí, yíidóo, yízhdóo, yidíi, yidóoh) (bidí'dóo-) **I.** yínísh-keed (yíní, yó, jó, yíníi, yínóh) (bi'dó-) **P.** yí-keed (yíní, yiyíí, jíí, yíníi, yínóo) (bi'déé-) **R.** náyínísh-ki' (náyíní, náyó, ńjó, náyíníi, náyínóh) (nábí'dó-) **O.** yínósh-keed (yínóó, yó, jó, yínóo, yínóoh) (bi'dó-) nilįį' níí-keed, I asked you for your horse.

2. to ask (a question).

F. na'í-dídéesh-kił (dídíił, dídóoł, zhdídóoł, dídíil, dídóoł) **I.** na'í-dísh-kid (dííł, dííł, zhdííł, dííl, dółł) **P.** na'í-déél-kid (dííníł, dééł, zhdééł, diil, dóoł) **R.** niná-'í-dísh-ki' (dííł, dííł, zhdííł, dííl, dółł) **O.** na'í-dósh-kid (dóół, dół, zhdół, dóol, dóoł)

3. to ask him; to inquire of him.

F. nabídídéesh-kił (nabídídííł nayídídóoł, nabízhdídóoł, nabídídíil, nabídídóoł) (nabídí'dóo-) **I.** nabídísh-kid (nabídííł, nayídííł nabízhdííł, nabídíil, nabídółł) (nabí'dí-) **P.** nabídéél-kid (nabídííníł, nayídééł, nabízhdééł, nabídiil, nabídóoł) (nabí'déé-) **R** ni-nábídísh-ki' (nábídííł, náyídííł nábízhdííł, nábídíil, nábídółł) (nábí'dí-) **O.** nabídósh-kid (nabídóół, nayídół, nabízhdół, nabídóol, nabídóoł) (nabí'dó-)

4. to start moving (slowly as the hands of a clock).

F. didoolkił **I.** dilkeed **P.** deeskid **R.** ńdílki' **O.** dólkeed

5. to be moving along slowly (as the hands of a clock).

Prog. yilkił

6. to move; make a complete move (clock hands).

F. doolkił **I.** yílkeed **P.** yílkid **R.** nálki' **O.** ghólkeed

7. to make a complete circuit; to pass (an hour) (referring to clock hands making a complete circuit around the clock).

F. 'ahéé'doolkił **I.** 'ahéé'ílkeed **P.** 'ahéé'ílkid **R.** 'ahéníná'álki' **O.** 'ahéé'ólkeed

8. to pass (time by the clock).

Prog. 'oolkił díkwíígóólá 'oolkił, what time is it?

9. to chew or eat it (a bulky, roundish object, as an apple, loaf of bread, sheep head, etc.).

F. deesh-kił (dííł, yidool, jidool, diil, dooł) (bidi'dool-) **C-I.** yish-keed (nił, yił, jił, yiil, ghoł) (bi'-dił-) **P.** yish-kid (yíníł, yool, jool yiil, ghooł) (bi'dool-) **R.** násh-ki' (nánił, néił, ńjił, néiil, nááł) (nábi'dił-) **O.** ghósh-keed (ghóół, yół, jół, ghool, ghooł) (bi'dół-)

10. to get skinned (as one's hand).

F. tsiih doolkił **P.** tsiih yilkid **R.** tsiih nálki' **O.** tsiih ghólkeed

kin, house.

kin bii' nii'oh ńda'adáhígíí, outside toilet.

kin dah łichí'í, Kinlichee, Ariz.

kin dootł'izhí, Towaoc, Colo.

kíniizhoozh, (slender objects as planks or logs, are) leaning side by side (against something). tsin niheshjíí' kíniizhoozh, the lumber is leaning (against something).

kin łání, city; town.

kin łání, Flagstaff, Arizona.

kin łichíí'nii, San Juan (people of the Pueblo of San Juan).

kin łigaaí, Baca, N. M.

kin łigaaí, Moenave, Arizona.

kinteel, Pueblo Pintada, N. M.

kinteel, Wide Ruins, Arizona.

kinteel, Aztec, N. M.

kits'iil (or 'ásaats'iil), potsherds.

kódei, up this way. kódei hasí'-néeh, climb up this way!

kodi, here. kodi shighan, my home is here.

koh, kóóh, kwih, kwih, kóóh, to vomit.

1. to vomit; to regurgitate.

F. dideesh-koh (didíí, didoo, jididoo, didii, didooh) **I.** dishkóóh (dí, di, jidi, dii, doh) **P.** dékwih (díní, deez, jideez, dee, disoo) **R.** násh-kwih (nání, ná, ńjí, néii, náh) **O.** dósh-kóóh (dóó, dó, jidó, doo, dooh)

kónaa, across here. kónaa dibé ha'naa ninájah, the sheep run across here.

kóne', here inside. kóne' hoozdo, it is warm here inside.

kónísheíí, that small (kónísheíí is used instead of *kóníłts'íísí; V. the stem shéíí).

kóoní, here about. kóoní tó t'óó 'ahayóí, there is a lot of water here about.

kos, kees, kééz, kos, kees.

1. to cough; start coughing.

F. ha-didees-kos (didííl, didool, zhdidool, didiil, didooł) **I.** ha-dis-kees (díl, dil, zhdil, diil, doł) **P.** ha-dees-kééz (dííníl, dool, zhdool, diil, dooł) **R.** ha-ńdís-kos (ńdíl, ńdíl, nízhdíl, ńdiil, ńdół) **O.** ha-dós-kees (dóól, dól, zhdól, dool, dooł)

2. to cough; to have a cough.

N. dis-kos (díl, dil, jidil, diil, doł) (This verb is formed by prefixing the prefixes of the imperfective mode to the stem of the iterative.)

3. to have the whooping cough (i.e to cough spasmodically).

N. 'a-ńdís-kos (ńdíl, ńdíl, nízhdíl, ńdiil, ńdół)

4. to start to think about it.

Prepound baa, about it, to the following verb forms.

F. ńtsí-didees-kos (didíí, didoo, zhdidoo, didii, didooh) (hodidoo-) **I.** ńtsí-diis-kees (dii, dii, zhdii, dii, doh) (hodii-) **P.** ńtsí-dii-kééz (dini, dii, zhdii, dii, dooh) (hodii-) **R.** ńtsí-ńdiis-kos (ńdii, ńdii, nízhdii, ńdii, ńdóh) (náhodoo-) **O.** ńtsí-doos-kees (dóó, doo, zhdoo, doo, dooh) (hodoo-)

5. to think about it.

baa, about it, is prepounded.

F. ntsí-dees-kos (díí, doo, zhdoo, dii, dooh) (hodoo-) **C-I.** ntsés-kees (ntsíní, ntsé, ntsíjí, ntsíi, ntsóh) (ntsáhá-) **P.** ntsí-sé-kéez (síní, z, jíz, sii, soo) (hás-) **R.** ntsí-nás-kos (náni, ná, ńjí, néii, náh) (náhá-) **O.** ntsóos-kees (ntsóó, ntsóo, ntsíjó, ntsóo, ntsóoh) (ntsóhó-)

koshdę́ę́', toward one from nearby. t'áadoo baa 'áhonisiní t'ah ńt'ę́ę́' koshdę́ę́' kǫ' na'ałbąąsii yilghoł, before I was aware of it the train was bearing down on me (was nearly upon me).

kóyaa, down this way. kóyaa hadaninááh, come down this way!

kǫ', fire.

kǫ' bee niltsésí, fire extinguisher

kǫ'k'eh, fireplace.

kǫ' na'ałbąąsii, train.

kǫ' na'ałbąąsii bitiin, railroad.

kǫ' yiniłtsésí, fire engine.

kǫ́ǫ́, here about; through here. kǫ́ǫ́ tł'oh 'ádin, there's no grass here.

kǫǫł, kǫǫh, kǫ', kǫǫh, kǫǫh, to smooth.

1. to make it smooth.

F. dideesh-kǫǫł (didííł, yididooł, jididooł, didiil, didooł) (bidi'dool-) **I.** diish-kǫǫh (diił, yidiił, jidiił, diil, dooł) (bi'diil-) **P.** diił-kǫ' (dinił, yidiił, jidiił, diil, dooł) (bi'dool-) **R.** ńdiish-kǫǫh (ńdiił, néidiił, nízhdiił, ńdiil, ńdooł) nábi'dool-) **O.** doosh-kǫǫh (doół, yidooł, jidooł, dool, dooł) (bi'dool-)

2. to iron it (i.e. to smooth it back to its former state).

F. ńdideesh-kǫǫł (ńdidííł, néididooł, nízhdidooł, ńdidiil, ńdidooł) (nábidi'dool-) **I.** ńdiish-kǫǫh (ńdiił, néidiił, nízhdiił, ńdiil, ńdooł) (nábi'diil-) **P.** ńdiił-kǫ' (ńdinił, néidiił, nízhdiił, ńdiil, ńdooł) nábi'dool-) **R.** ní-ná-diish-kǫǫh (nádiił, néidiił, názhdiił, nádiil, nádooł) (nábi'diil-) **O.** ńdoosh-kǫǫh (ńdoół, néidooł nízhdooł, ńdool, ńdooł) (nábi'-dool-)

3. to be ice capped; to be covered with a layer of ice.

(The verb form itself means to be covered with a layer, and other nouns can replace "ice.")

F. tin bik'ididoolkǫǫł **I.** tin bik'idilkǫǫh **P.** tin bik'idiilkǫ' **R.** tin bik'ińdiilkǫǫh **O.** tin bik'idoolkǫǫh

kǫ́ǫ́ł, kǫ́ǫ́h (kǫ́ǫ́'), kǫ́ǫ́h, kǫ́ǫ́h (kǫ́ǫ́'), to swim.

1. to swim (to a point and stop).

F. n'-deesh-kǫ́ǫ́ł (n'dííł, n'dooł, nizh'dooł, n'diil, n'dooł) **I.** ni'-nish-kǫ́ǫ́h (ni'níł, ni'íł, n'jíł, ni'niil, ni'noł) **P.** ni'níł-kǫ́ǫ́' (ni'íínít, ni'níł, nizh'níł, ni'niil, ni'-

nooł) **R.** ni-ná'ásh-kǫ́ǫ́h (ná'íł, ná'áł, ná'jíł, ná'iil, ná'ół) **O.** ni-'ósh-kǫ́ǫ́h (ni'óół, ni'ół, n'jół, ni'-ool, ni'ooł)

2. to swim about; to go swimming.

F. n'deesh-kǫ́ǫ́ł (n'díít, n'dooł, nizh'dooł, n'diil, n'dooł) **C-I.** na'ash-kǫ́ǫ́' (na'íł, na'ał, n'jił, na'iil, na'oł) **P.** ni'séł-kǫ́ǫ́' (ni'-sínít, na'as, n'jis, ni'siil, ni'sooł) **R.** ni-ná'ásh-kǫ́ǫ́h (ná'íł, ná'áł, ná'jíł, ná'iil, ná'áł) **O.** na'ósh-kǫ́ǫ́' (na'óół, na'ół, n'jół, na'ool, na'ooł)

The prefixes ni-, to a point, and na- about, converge in form. ni'-séłkǫ́ǫ́' can also mean "I swam to a point." The two following sentences will illustrate: tooh tsé'naa ni'séłkǫ́ǫ́', I have swum across the river (at some time or another); tooh bii' ni'séłkǫ́ǫ́', I have been swimming in the river.

kǫs, kęęs, kę́ę́z, kǫs, kęęs, refers to the falling or turning of a slender stiff object.

1. to fall downward (a slender stiff object).

F. ndookǫs **I.** naakęęs **P.** nááké̜é̜z **R.** ninákǫs **O.** naokęęs

2. to fall over sideways (as a tree, pole, etc.).

F. naa'adookǫs **I.** naa'iikęęs **P.** naa'ííké̜é̜z **R.** naa'anákǫs **O.** naa'ookęęs

3. to fall from (my) grasp (a slender stiff object).

This verb is conjugated for person by merely altering the pronoun prefix on the noun -lák'e, the (area of the) hand. It is given herewith in the 1st person.

F. shílák'e hadookǫs **I.** shílák'e haakęęs **P.** shílák'e hááké̜é̜z ..**R.** shílák'e hanákǫs **O.** shilák'e haokęęs

4. to revolve; to turn over (a slender stiff object).

North is called náhookǫs, because the Big Dipper appears to revolve.

F. náhidookǫs **I.** náhookǫs **P.** náhazké̜é̜z **R.** nínáhákǫs **O.** náhókęęs

kwe'é, right here. kwe'é shił yá-'áhoot'ééh, I like it here.

kwii, here (less closely defined area than that denoted by kwe'é). kwii dlǫ́ǫ́' t'óó 'ahayóí, there are lots of prairie dogs here.

L

Due to the fact that verbs with l-initial stems become dl-initial with the addition of the d-classifier, many of the same stems will be found under dl. A few l-initials take the ł-classifier, becoming ł-initial, and some of the same stems will again be found under ł.

Stem initial l becomes ł after sh and ł.

lą́ął, ---, lą́ąd, dlą́ąh, lą́ąh, to increase; become many.

1. to increase; become many.

This verb is conjugated in the duoplural only.

F. dii(d)lą́ął (dooh, doo, jidoo) **Prog.** yii-(d)lą́ął (ghoh, yi, joo) **P.** yii-(d)lą́ąd (ghooh, yí, jíí) **R.** néii-dlą́ąh (náh, ná, ńjí) **O.** ghoo-(d)lą́ąh (ghooh, ghó, jó)

lá, lááh, láá', dla, lááh, to gather; pick up.

1. to gather them; pick them up; to choose them.

F. náhideesh-ła (náhidíí, néidiyoo, náhizhdoo, náhidii, náhidooh) (nábidi'yoo-) **C-I.** náhásh-łááh (náhí, náyii, ńjii, náhii, náhoh) (nábi'dii-) **P.** náhálą́ą' (náhíní, náyiiz, ńjiiz, náhii, náhoo) nábi'diis-) **R.** ní-náhásh-dla (náhí, náyii, nájii, náhii, náhóh) (nábi'dii-) **O.** náhósh-łááh (náhóó, néiyó, ńjiyó, náhoo, náhooh) (nábi'diyó-)

2. to separate it from it (as wool, for example).

F. *bits'á-hideesh-łah (hidíí, idiyoo, hizhdiyoo, hidii, hidooh) (bidi'yoodlah) **C-I.** bits'á-hásh-łááh (hí, yii, jii, hii, hóh) (bi'diidlah) **P.** bits'á-há-láá' (híní, yiiz, jiiz, hii, hoo) (bi'diisdláá') **R.** bits'á-náhásh-dla (náhí, náyii nájii, náhii, náhóh) (nábi'diidla) **O.** bits'á-hósh-łááh (hóó, iyó, jiyó, hoo, hooh) (bidi'yódlááh)

*bi- becomes yi- in 3o.

3. to be full of mischief.

N. she-'ádíláá h (ne, be, hwe, nihe, nihe)

lá, it is; it occurred to me. t'áá 'íídą́ą' łįį' bił dah diiildloozh lá, it just occurred to me that he has already started off on horseback. díí hastiin 'ayóo bidziil lá, it occurs to me that this man is very strong.

ládą́ą', if; in case. t'ą́adoo le'é biniinaa nétł'ah ládą́ą' doo hah 'áadi deeshááł da, If I am delayed by something I'll arrive there late.

lájish, glove; mitten.

lashdóón, ribbon.

látah 'adijoolí, flax.

látsíín, wrist.

látsíín názt'i'í, wrist-band.

látsíní, bracelet.

látsíní bináá', set (in bracelet).

lą́'ąą', uh huh; I see; yeah.

lą'í, many; much. (Also used as a verb stem in niidlą́'í, we are many; nohłą'í, you are many; lą'í, they are many; jilą'í, they are many). lą'í 'ałtah 'ádaat'éii, many kinds.

lą'ídi, many times. lą'ídi naalghéhé bá hooghangóó niséyá, I have gone to the store many times.

leeł, leeh (lį, lǫ), lįį', dleeh, le', to become; be.

1. to start to become; to start to come into existence.

F. hodidooleeł **I.** hodileeh **P.** hodeezlįį' **R.** náhodidleeh **O.** hodóle'

2. to become.

F. deesh-leeł (díí, doo, jidoo, dii,

dooh) **I.** yish-łeeh (ni, yi, ji, yii, ghoh) **P.** sé-lįį' (síní, si, jiz, sii, soo) **R.** násh-dleeh (nání, ná, ń-jí, néii, náh) **O.** ghósh-łe' (ghóó, ghó ,jó, ghoo, ghooh)

3. to be progressively becoming.

Prog. yish-łeeł (yí, yi, joo, yii, ghoh) sání yishłeeł, I am becoming older (day by day).

4. to be.

N. nish-łį (ní, ni, jí, nii, noh) diné nishłį, I am a man.

5. to be healthy.

shánah, health (?) is prepounded to the forms under no. 4. Thus shánah nishłį, I am healthy.

6. to hesitate; to waiver; to be culturally backward.

The words (bi)ch'į' ni' are prepounded to the forms under no. 4, the pronoun object of the post position -ch'į', toward, representing the object of the verb. Thus, bich'į' ni' nishłį, I am hesitant with regard to him; t'áadoo bich'į' ni' nílíní, bich'į' yáníłti', don't hesitate to talk to her! naabeehó ła' ni' danilį, some of the Navaho are backward.

7. to exist.

This verb, in 3rd person, also translates impersonal there is, there are, as tó hólǫ́, there is water.

N. honish-łǫ́ (honí, hó, hojí, honii, honoh)

8. to become again.

F. náá-deesh-dleeł (díí, doo, zhdoo, dii, dooh) **I.** náá-náshdleeh (ní, ná, jí, néii, náh) **P.** náá-sís-dlįį (síní, nás, jís, sii, soo) **O.** náá-náoosh-dleeł (náóó, náoo, ńjó, náoo, náooh) **Prog.** náánáásh-dleeł (náá, náá, joo, néii, náoh)

9. to become back (again); to revert to one's former state.

F. ńdeesh-dleeł (ńdíí, ńdoo, nízhdoo, ńdii, ńdooh) **I.** násh-dleeh (nání, ná, ńjí, néii, náh) **Prog.** náásh-dleeł (náá náá, ńjoo, néii, nááh) **P.** nísís-dlįį' (nísíní, nás, ńjís, nísii, nísooh) **R.** ní-náshdleeh (nání, ná, nájí, néii, náh) **O.** ná-oosh-dle' (óó, oo, jó, oo, ooh)

10. to become involved in it; to get into it; take part in it.

This meaning is rendered by prepounding bee 'atah to the forms given under nos. 2, 4, 8, or 9. Thus, bee 'atah deeshłeeł, I'll become involved in it; get in it; bee 'atah náádeeshdleeł, I'll again become involved in it.

11. to become or be hungry, or thirsty.

These meanings are rendered by prepounding dichin, hunger, or dibáá' thirst, to the forms under nos. 2, 3, 4, 8, or 9. Thus, dichin sélįį', I became hungry. dibáá' sélįį', I became thirsty. dichin nishłį, I am hungry.

12. to get out of breath.

This meaning is rendered by prepounding yisdah, out of

breath (?), to the forms given under nos. 2, 4, 8 or 9. Thus, yisdah sélį́į́', I got out of breath.

13. to crave it; need it; want it badly.

This meaning is rendered by prepounding bídin to the forms given under nos. 2, 4, and 8. For example, bídin nishłį́, I crave it. (In 3o. bí- becomes yí-)

14. to be with one; to stick to or with one.

This meaning is rendered by prepounding the postposition -ił, with, to the forms given under nos. 2 and 4. Thus nił nishłį́, I am with you. t'áá 'íídzaagi t'áá nił nishłį́į́ dooleeł, whatever happens I'll stick with you.

15. to assemble; meet; convene.

This meaning is rendered by prepounding 'ałah, together, to the (duoplural or dist. pl) forms given under nos. 2, 3, 4, 8 or 9. Thus, 'áłah yileeł, they are gathering; 'áłah siidlį́į́', we met; 'áłah ńdiidleeł, we will get back together (meet again).

16. to become united.

This meaning is rendered by prepounding łá'í, one, unison, to the forms (dpl and dist. pl) given under nos. 2, 3, 4, 8, 9. For, example, łá'í siidlį́į́', we became united; łá'í niidlį́, we are united; łá'í nísiidlį́į́', we reunited.

17. to rank amongst them.

This meaning is rendered by prepounding bee 'atah to the forms given under nos. 2, 4, 8, or 9. Thus, táá góne' yee 'atah silį́į́, it ranked 3rd among them.

18. to become overwhelming in amount; to become too much for.

This meaning is rendered by prepounding bide'ánéelą́ą́', the number (or amount) is above him, to the 3rd person forms given under nos. 2, 3, 8, or 9. For example, bide'ánéelą́ą́' silį́į́', it overwhelmed him.

19. to come into existence; to become (area or place); to be born.

F. hodooleeł **I.** haleeh **P.** hazlį́į́' **R.** náhádleeh **O.** hóle' **(Prog.** hooleeł) jį́ (tł'éé') hodooleeł, it will become day (night). 'anaa' hazlį́į́', war broke out. deesk'aaz hodooleeł, it (weather) will become cold. 'awéé' hazlį́į́', the baby was born.

20. to become again (area or place; to again come into existence; to be born again (another).

With **ła', one, an, another,** some, the meaning is for another one to become or come into being. Thus, 'awéé' hazlį́į́' dóó bik'iji' ła' náąhásdlį́į́', a baby was born, and afterward another was born.

F. náąhodoodleeł **I.** náąhádleeh **Prog.** náąhoodleeł **P.** náąhásdlį́į́' **O.** náąhódle'

21. to revert (to a former state or condition; to become (back) (place or area).
F. náhodoodleeł **I.** náhádleeh **P.** náhásdlį́į́' **R.** nináhádleeh **O.** náhódle' nahasdzáán bikáá tł'oh bee hodootł'izh náhásdlį́į́' the earth again became green with grass (i.e. reverted to a state of being green with grass)

22. to break out (war).
This meaning is rendered by prepounding 'anaa', war, to the forms given under nos. 19, 20, or 21. (Also 'anaa' hóló̜, there is war.)

23. to come into possession of it; to have it.
This meaning is rendered by prepounding the postposition -ee, by means of, to the following verb forms. It is altered for person by changing the pronoun object of the postposition, and is given herewith in the 1st person.
F. shee hodooleeł **I.** shee haleeh **P.** shee hazlį́į́' **N.** shee hóló̜ **R.** shee náhádleeh **O.** shee hóle'

24. to be bluffed or scared out.
This meaning is rendered by prepounding bił ghéé', terror with him, to the forms given under nos. 19, 20, or 21 Thus, bił ghéé' hodooleeł, he will be scared out. Hitler bisiláago t'óó 'ahayóí biniinaa Checoslovakia bił ghéé' dahazlį́į́' because Hitler's soldiers were many Checoslovakia was scared out.

25. to recover one's health.
This meaning is rendered by prepounding shánah, health (?), to the forms given under no. 9. Thus, shánah nísísdlį́į́', I recovered my health.

26. to get well (from illness).
This meaning is rendered by prepounding yá'át'ééh, well, to the forms given under no. 9. As yá'át'ééh nísísdlį́į́', I got well.

27. to occur; to be (an event).
F. 'adooleeł **I.** 'aleeh **P.** 'azlį́į́' **R.** ná'ádleeh **O.** 'ó̜le'. naa'ahóóhai 'adooleeł, there will be a chicken pull. díkwíishą' 'azlį́į́', what time is it? naakidi 'azlį́į́', it is 2 o'clock. késhmish 'azlį́į́', it became Christmas.

28. to be held (a meeting).
This meaning is rendered by prepounding 'áłah, together, to the forms given under no. 27. Thus, 'áłah 'azlį́į́', there was a meeting.

29. to pass away; to die.
This meaning is rendered by prepounding bizéé', his mouth to the forms given under no. 19. Thus, bizéé' hazlį́į́', he died.

30. to be worth; to be of value; to cost.
This meaning is rendered by prepounding bą́ą́h to the forms given under no. 27, with the addition of a neuter verb form 'ílí. Thus, díkwíishą' bą́ą́h 'azlį́į́'

how much did it cost? díkwíishǫ' bááh 'ílį, how much is it worth? doo 'ílįį da, it is cheap, worthless. doo bááh 'ílíní da, it is of no value, worthless.

31. to perspire.

This meaning is rendered by prepounding tó -ąąh, water beside (on), to the forms given under no. 19. Thus, tó shąąh hazlį́į', I am perspiring.

32. to have a close call; to have a narrow escape.

This meaning is rendered by prepounding -káa'ji', upon, tc the forms given under no. 19. Thus, shikáa'ji' hazlį́į', I had a close call.

33. to be a complaint about it.

This meaning is rendered by prepounding baa saad, words about it, to the forms given in no. 19. Thus, baa saad hazlį́į', a complaint arose about it. Also the neuter, baa saad hólǫ́, there is a complaint about it.

34. to be agreement about it.

This meaning is rendered by prepounding bee łą́, ok with it, to the forms given under no. 27. Thus, bee łą́ 'azlį́į', there came to be agreement about it.

leeł, le', le', dleeh, le', probably related to the above stem.

1. to appear; to move or roam about.

F. naho-deesh-łeeł (díí, doo, zhdoo, dii, dooh) **C-I.** na-hash-łe' (hó, ha, hoji, hwii, hoh) **P.** nahosé-le' (hosíní, haz, hojiz, hosii, hosoo) **R.** niná-hásh-dleeh (hó, há, hoji, hwii, hóh) **O.** nahósh-łe' (hóó, hó, hojó, hoo, hooh) naatsis'áądi nahashłe'go shééhai, I spent the winter roaming the Navajo Mountain country.

łééł, łé (łé), łá, dlééh, łééł, to handle a slender flexible object, or an object the characteristics of which are unknown (such as what would be represented by indefinite something, anything). This stem refers to such objects as a rope, cable, snake, strand of hair, strip of bark, sapling, flexible green branch, etc. For the derivational prefixes V. 'ááł.

1. to commit adultery.

F. 'a-dideesh-łééł (didíí, didoo, zhdidoo, didii, didooh) **I.** 'a-dish-łé (dí, di, zhdi, dii, doh) **P.** 'a-díí-łá (dííní, díí, zhdíí, dii, doo) **R.** 'a-ńdísh-dlééh (ńdí, ńdí, nízhdí, ńdii, ńdóh) **O.** 'a-dósh-łééł (dóó, dó, zhdó, doo, dooh)

2. to fold it (blanket, etc.).

F. 'ahą́ąh dínéesh-łééł (díníí, yidínóo, jidínóo, díníi, dínóoh) (bidí'nóodlééł) **I.** 'ahą́ąh niish-łé (nii, yinii, jinii, nii, nooh) (bidi'niidlé) **P.** 'ahą́ąh nii-łá (nini, yinii, jinii, nii, nooh) (bidi'niidlá) **R.** nániish-dlééh (nánii, néinii, názhnii, nánii, nánooh) (nábidi'niidlééh) **O.** noosh-łééł (noó, yinoo, jinoo, noo, nooh) (bidi'noodléél) beeldléí 'ahą́ą́h niilá, I folded the blanket. beeldléí 'ahą́ą́h niiláago siłtsooz, the blanket lies folded.

3. to pay him.

* Instead of inserting d in the 1st person duoplural, and in the passive, the following verbs insert the l-classifier and change the stem initial to gh before e, and to y before a.

F. **bich'į' n'deesh-łéél (n'díí, n'doo, nizh'doo, n'diil, n'dooh) (n'doolghéél) **I.** bich'į' na'nish-łé (na'ní, na'í, n'jí, na'niil, na'noh) (na'ílghé) **P.** bich'į' na'ní-lá (na'íiní, na'ní, nazh'ní, na'niil, na'noo) (na'ílyá) **R.** bich'į' ni-ná'ásh-dlééh (ná'í, ná'á, ná'jí, ná'iil, ná'áh) (ná'álghééh) **O** bich'į' na'ósh-łéél (na'óó, na'ó, n'jó, na'ool, na'ooh) (na'ólghéél)

bik'éh bich'į' n'deeshłéél, I'll pay him for it.

**bi- becomes yi- in 3o.

4. to repay him; pay him back

In this paradigm the d-classifier is inserted, and the verb is regular in the 1st person duopl, but in the passive l-classifier is inserted with the stem changes noted in no. 3 above.

F. ***bich'į' ni-ná'deesh-dléél** (ná'díí, ná'doo, názh'doo, ná'diil, ná'dooh) (ná'doolghéél) **I.** bich'į' ni-ná'nísh-dlé (ná'ní, ná'í, ná'jí, ná'niil, ná'nóh) (ná'ílghé) **P.** bich'į' ni-ná'nísh-dlá (ná'ííní, ná'ní, ná'jí, ná'nii, ná'nooh) (ná'ílyá) **R.** bich'į' ni-ná'ásh-dlééh (ná'í, ná'á, ná'jí, ná'iil, ná'óh) (ná'alghééh) **O.** bich'į' ni-ná'ósh-dléél (ná'óó, ná'ó, ná'jó, ná'ool, ná'ooh) (ná'ólghéél)

*bi- becomes yi- in 3o.

5. to plant it.

V. no. 3 for explanation of the stem and classifier changes.

F. k'i-dideesh-łéél (didíí, ididoo, zhdidoo, didiil, didooh) **I.** k'i-dish-łé (dí, idi, zhdi, diil, doh) **P.** k'i-díí-lá (dííní, idíí, zhdíí, diil, doo) **R.** k'éé-dísh-dlééh (dí, idi, zhdí, diil, dóh) **O.** k'i-dósh-łéél (dóó, idó, zhdó, dool, dooh)

6. to plant; to farm; to engage in agriculture.

F. k'i-di'deesh-łéél (di'díí, di'doo, dizh'doo, di'diil, di'dooh) **C-I.** k'i'dish-łé (k'i'dí, k'i'di, k'izh'di, k'i'diil, k'i'doh) **P.** k'i'díí-lá (k'i'dííní, k'i'díí, k'izh'díí, k'i'diil, k'i'doo) **R.** k'éé'dísh-dlééh (k'éé'dí, k'éé'dí, k'éézh'dí, k'éé'diil, k'éé'dóh) **O.** k'i'dósh-łéél (k'i'dóó, k'i'dó, k'izh'dó, k'i'dool, k'i'dooh)

7. to roll a cigaret.

F. diih deesh-łéél (díí, yidoo, jidoo, diil, dooh) **I.** diih yish-łé (ni, yi, ji, yiil, ghoh) **P.** diih yílá (yíní, yiyíí, jíí, yiil, ghoo) **R.** diih násh-dlééh (nání, néí, ńjí néiil, náh) **O.** diih ghósh-łéél (ghóó, yó, jó, ghool, ghooh)

léi', a certain one; an unfamiliar one; one that; the fact that. łį́į́' léi' yiiłtsą́, I saw an unfamiliar horse. 'íłhosh léi' nich'į' yáshti', it just occurred to me that I am talking to you and you are asleep.

łííł, łééh, łaa, 'į ('įįh), łe', to create, make.

This verb has several irregular features which must be born in mind. In the 1st person dpl and the passive forms of all the modes except the usitative **(U)** and the iterative **(R)**, stem initial l is replaced by n (or y in the perfective), and the l-classifier is inserted.

Note that with the addition of the prefixes náá-, again, and ná, back, the d-classifier is added, except in the 1st person dpl and in the passive forms which insert the l-classifier, with the alterations of the stem initial vowel described above.

1. to make it.

F. 'ádeesh-łííł ('ádíí, 'íidoo, 'ázhdoo, 'ádiil, 'ádooh) ('ábidi'doolnííł) **I.** 'ásh-łééh ('ání, 'íi, 'ájí, 'íil, 'óh) ('ábi'dilnééh) **P.** 'ásh- (or 'íish-) łaa ('íini, 'áyii, 'ájii, 'íil, 'óoh) ('ábi'diilyaa)) **U.** 'ásh-'į ('áníł, 'ííł, 'ájíł, 'íil, 'ół) ('ábi'dil'į) **R.** 'ánásh- (or 'ánéish-) 'įįh ('ánéiil, 'ánáyiil, 'áńjiil, 'ánéiil, 'ánáooł) ('ánábi'diil'įįh) **O** 'óosh-łe' ('óó, 'áyó, 'ájó, 'óol, 'óoh) ('ábi'dólne')

(The regular, or Passive A is **F.** 'ádoolnííł **I.** 'álnééh **P.** 'ályaa **U.** 'ál'į **R.** 'ánál'įįh **O.** 'óolne')

2. to make it again; to make another one (with prepounded ła', one, an, some).

F. 'ánáá-deeshdlííł ('ánáádíí, 'ánéidoo, 'ánáázhdoo, 'ánáádiil, 'ánáádooh) **I.** 'ánáá-násh-dlééh (ní, néí, jí, néiil, náh) **P.** 'ánáá-násh-dlaa (néíní, yii, jii, néiil, náooh) **O.** 'ánáá-náosh-dle' náóó, yó, jó, náool, náooh)

3. to repair it; make it back to its former state; remake it.

F. 'áńdeesh-dlííł ('áńdíí, 'ánéidoo, 'ánízhdoo, 'áńdiil, 'áńdooh) ('ánábidi'doolnííł) **I.** 'ánásh-dlééh ('ánání, 'ánéí, 'áńjí, 'ánéiil, 'ánáh) ('ánábi'dilnééh) **P.** 'ánásh-dlaa ('ánéini, 'ánáyii, 'áńjii, 'ánéiil, 'ánáoo) ('ánábi'diilyaa) **R.** 'ání-néish-'įįh (néiil, náyiil, nájiil, néiil, náooł) (nábi'diil-) **O.** 'áná-osh-dle' (óó, yó, jó, ool, ooh) (bi'dólne')

The prefix náá- can, of course, be inserted after ní- (ń-) to give the meaning "repair it again," as 'ánínáádeeshdlííł, I shall repair it again.

4. to do or make it thus; to make it correctly.

F. 'ákódeesh-łííł ('ákódíí, 'ákwiidoo, 'ákózhdoo, 'ákódiil, 'ákódooh) ('ákóbidi'doolnííł) **I.** 'ákósh-łééh ('ákóní, 'ákwíi, 'ákójí, 'ákwíil, 'ákóh) ('ákóbi'dilnééh) **P.** 'ákwíish-łaa ('ákwíini, 'ákwíyii, 'ákójii, 'ákwíil, 'ákóoh) ('ákóbi'diilyaa) **R.** 'ákónéish-'įįh ('ákónéiil, 'ákónáyiil, 'ákóńjiil 'ákónéííł, 'ákónáooł) ('ákóbi'diił-) O. 'ákóosh-łe' ('ákóó, 'ákóyó, 'ákójó, 'ákóół, 'ákóoh) ('ákóbi'dólne')

5. to change or alter it.

This meaning is rendered by prepounding łahgo, otherwise, to the forms given under nos. 1 and 2. Thus, łahgo 'ádeeshłííł, I will change it.

6. to clench the fist; to push things together in a pile; to fold it (as paper); to close it (book).

These meanings are rendered by prepounding 'ałch'į', toward each other, to the forms given under nos. 1, 2 and 3. Thus 'ałch'į' 'ádeeshłííł, I'll push them together in a pile; shíla' 'ałch'į' 'ádeeshłííł, I'll clench my fist.

7. to encourage one.

This meaning is rendered by prepounding t'áá -ił hasihgo, just hope with (one), to the forms given under nos. 1, 2 and 3. For example, t'áá nił hasihgo 'ániishłaa, I encouraged you. It will be noted that the pronoun prefixed to the postposition -ił, with, corresponds to the objective personal pronoun infixed in the verb

8. to make a ditch.

This meaning is rendered by prepounding tó yígeed, a ditch for water, to the forms given under nos. 1 and 2. Thus, shidá'ák'eh bibąąhgi tó yígeed 'áshłaa, I made a ditch on the edge of my cornfield.

9. to make it shiny; to shine it (as shoes, car, etc.).

This meaning is rendered by prepounding bízdílidgo, shiny, to the forms given under nos 1 and 2. Thus, bízdílidgo 'áshłaa, I shined it.

10. to make it by hand.

This meaning is rendered by prepounding t'áá yílá bee, just by means of the hands, to the forms given under no. 1. Thus, t'áá yílá bee 'áshłaa, I made it by hand; t'áá yílá bee 'ályaa, it was made by hand.

11. to make it clear; to clarify it; to leave no doubt about it.

This meaning is rendered by prepounding t'áá 'íishjání, clear, to the forms given under nos. 1, 2 and 3. Thus, t'áá 'íishjání 'íishłaa, I made it clear.

12. to pack them into it (as in packing things into a car).

This meaning is rendered by prepounding bii' hééł, into it a pack, to the forms given under nos. 1, 2 and 3. Thus, bii' hééł 'áshłaa, I packed them in it.

13. to raise it, or lift it up.

This meaning is rendered by prefixing dei-, up, to the forms given under nos. 1, 2 and 3. As, 'eii dibé bitsii' dei'áníléého, lift up that sheep's head!

14. to gather or bundle them together.

This meaning is rendered by prepounding 'áłah, together, to the forms given under nos. 1, 2 or 3. Thus, 'áłah 'ádeeshłííł, I'll bundle them together.

15. to open it (as a window). This meaning is rendered by prepounding 'ąą, open, to the forms given under nos. 1, 2 or 3. Thus, 'ąą 'íishłaa, I opened it.

16. to fertilize a field. This meaning is rendered by prepounding nanise' bich'iyą dá'ák'eh bąąh, plant food on the field, to the forms given under nos. 1, 2 or 3. Thus, nanise' bich'iyą' dá'ák'eh bąąh 'áshłaa, I fertilized (put fertilizer on) the field.

17. to set them (slender objects as poles) side by side. This meaning is rendered by prepounding naaniigo shizhoozh go, lying crosswise side by side, to the forms given under nos. 1, 2 or 3. Thus, naaniigo shizhoozh go 'ádeeshłííł, I'll set them side by side.

18. to terminate it; halt it. This meaning is rendered by prepounding ni', earth (termination), to the forms given under nos. 1 and 2. Thus, yiską́ągo shinaanish ni' 'ádeeshłííł, I'll terminate my work tomorrow; k'ad chidí ni' 'ádeeshłííł, now I'll halt the car.

19. to make it (a place, area). **F.** 'áho-deesh-łííł (díí, doo, zhdoo diil, dooh) **I.** 'áhásh-łééh ('áhó, 'áhá, 'áhoji, 'áhwiil, 'áhóh) **P.** 'áhoosh-łaa ('áhwiini, 'áhoo, 'áhojii, 'áhwiil, 'áhooh) **R.** 'ánáhoosh-'įįh (hool, hool, hojiil, hwiil, hooł) **O.** 'áhósh-łééh ('áhóó, 'áhó, 'áhojó, 'áhool, 'áhooł)

20. to open a way for it (as for navigation, an army, etc.). This meaning is rendered by prepounding bá 'ąą, open for it, to the forms under no. 19. Thus, siláago bá 'ąą 'áhwiilyaa, we opened a way for the soldiers.

21. to bluff or scare him out. This meaning is rendered by prepounding -ił ghéé', with (one) fear, to the forms of no. 19, the pronoun prefixed to the postposition -ił, with, representing the object of the verb, and the infixed ho- in the verb standing for impersonal it, things (lit. to make things fearful for, or with, him). Thus, bił ghéé' 'áhooshłaa, I bluffed him out.

22. to change tires (as when one has had a puncture). This meaning is rendered by prepounding chidí bikee', tire (i.e. car's shoe), to the forms given under no. 3. Thus, chidí bikee' 'áńdeeshdlííł, I'll change the tire.

23. to be successful (at it); to succeed (in it); to accomplish it. **F.** ła' deesh-łííł (díí, yidoo, jidoo, diil, dooh) **I.** ła' yish-łééh (ni, yi, ji, yiil, ghoh) **P.** ła' yish-łaa (yini, yiyii, jii, yiil, ghooh) **U.** ła' yish-'į (nił, yił, jił, yiil, ghoł) **R.** ła' násh-'įįh (náníł, náyiił, ńjiił, néiil, náł) **O.** ła' ghósh-łe' (ghóó yó, jó, ghoo, ghooh)

24. to fix it; to correct it.

F. hasht'éé-deesh-dlííł (díí, yidoo zhdoo, diil, dooh) (doolnííł) **I.** hasht'e-násh-dléé h (nání, néí, ńjí, néiil, náh) (nálnééh) **P.** hasht'e-násh-dlaa (néíní, náyii, ńjii, néiil, náooh) (nályaa) **R.** hasht'ení-násh-'įįh (néíl, náyiil, nájiil, néiil, náł) (nál-) **O.** hasht'e-náosh-dle' (náóó, náyó, ńjó, náool, náooh) (náolne')

25. to prepare it; to make it ready.

F. hasht'e-deesh-łííł (díí, idoo, zhdoo, diil, dooh) (bidi'doolnííł) **I.** hasht'e-esh-łééh (ni, i, ji, iil, oh) (bi'dilnééh) **P.** hasht'e-esh-łaa (ini, iyii, jii, iil, ooh) (bi'diilyaa) **R.** hasht'e-néish-'įįh (néiil náyiil, ńjiil, néiil, náooł) (nábi'-diil-) **O.** hasht'e-osh-łe' (óó, yó, jó, ool, ooh) (bi'dólne')

k'ad sitsásk'eh hasht'edeesh-łííł, I'll make my bed ready now.

26. to order it (as from a catalog).

F. *bíká 'í'deesh-łííł ('í'díí, 'í'doo 'ízh'doo, 'í'diil, 'í'dooh) ('í'doolnííł) **I.** bíká 'é'ésh-łééh ('í'í, 'é'é, 'í'jí, 'í'iil, 'í'óh) ('é'élnééh) **P.** bíká 'í'iish-łaa ('í'iini, 'í'ii, 'í'jí, 'í'iil, 'í'ooh) ('í'iilyaa) **R.** bíká 'áná'iish-'įįh ('áná'iil, 'áná'iil, 'íń'jiil, 'áná'iil, 'áná'ooł) ('áná'-iil-) **O.** 'ó'ósh-łe' ('ó'óó, 'ó'ó, 'í'-jó, 'í'ool, 'í'óoh) ('ó'ólne')

*bí- becomes yí- in 3o.

27. to halt; to discontinue.

This meaning is rendered by prepounding ni', earth (termination), to the verb forms given under no. 26 (without the postposition bíká, of course). Thus, níléí tsin 'íí'áhádi ni' 'í'deeshłííł, I will stop over there at that tree (as when one is traveling in a car).

28. to copy it; to make a facsimile of it; to take his picture.

F. bi'deesh-łííł (bi'díí, yi'doo, bi-zh'doo, bi'diil, bi'dooh) (bi'doolnííł) **I.** be'esh-łééh (be'í, yi'i, bi'ji, bi'iil, bi'oh) (be'elnééh) **P.** bi'iish-łaa (bi'iini, yi'ii, bi'jii, bi-'iil, bi'ooh) (bi'iilyaa) **U.** be'-esh-'į (be'íł, yi'ił, bi'jił, bi'iil, bi'-oł) (be'el-) **R.** biná'iish-'įįh (biná'iil, yiná'iil, biná'iil, biná'ooł) (biná'iil-) **O.** bi'ósh-łe' (bi'óó, yi'ó, bi'jó, bi'ool, bi'ooh) (bi'ól-ne') ne'eshłééh ya', I'll take your picture huh? t'óó be'elyaa, it's merely a copy of it; it is artificial.

29. to give him a chance or an opportunity.

F. *bá 'ashja' deesh-łííł (díí, doo, jidoo, diil, dooh) (doolnííł) **I.** bá 'ashja' 'ashłééh ('í, 'a, 'aji, 'iil, 'oh) ('alnééh) **P.** bá 'ashja' 'iish-łaa ('iini, 'ii, 'ajii, 'iil, 'ooh) ('iilyaa) **R.** bá 'ashja ná'iish-įįh (ná'iil, ná'iil, ń'jiil, ná'iil, ná'ooł)

(ná'iil-) **O.** 'ósh-łe' ('óó, 'ó, 'ajó, 'ool, 'ooh) ('ólne') 'ashja'ał'íinii t'ááłáhádi 'ashja' 'iił'įįh, opportunity knocks but once (lit. portunity only one time).
portunitty only one time).

The meaning of "to give him another chance" is rendered by prefixing the element náá-, again. It is herewith given in the 1st person singular: **F.** bá 'ashja náá'deeshdlííł **I.** bá 'ashja náá'áshdléeh **P.** bá 'ashja náá'iishdlaa **R.** bá 'ashja ná'iish'įįh **O.** bá 'ashja náá'óshdle'

*bá becomes yá in 3o.

30. to injure him; punish him.

F. 'atí-deesh-łííł (díí, idoo, zhdoo diil, dooh) (bidi'doolnííł) **I.** 'atísh-łéeh ('atíní, 'atíí, 'atíjí, 'atíil, 'atíoh) ('atíbi'dilnéeh) **P.** 'atíish-łaa ('atíini, 'atíyii, 'atíjii, 'atíil, 'atíooh) ('atíbi'diilyaa) **R.** 'atí-néish-'įįh (néiil, náyiil, ńjiil, néiil, náooł) (nábi'diil-) **O.** 'atíosh-łe' (óó, yó, jó, ool, ooh) (bi'dólne') doo 'ákwii 'áníł'įį dago biniinaa 'atíniishłaa, you did not behave, so I punished you. tódiłhił 'até'éł'íinii 'át'é, whiskey is injurious.

31. to harm one by magic.

This meaning is rendered by prepounding -'álííl bee, by (one's) magic, to the forms of no. 30. Thus, she'álííl bee 'atídeeshłííł, I'll harm him with my magic (hex him).

32. to be harmful, injurious.

F. 'atí'doolííł **I.** 'atí'íléeh **P.** 'atí'iilaa **U.** 'atí'éł'į **R.** 'atíná'iil'įįh **O.** 'atí'óle' tódiłhił 'atí'éł'íinii (or 'até'éł'íinii) 'át'é, whiskey is harmful.

33. to wink at him.

This meaning is rendered by prepounding -ch'į' -náák'is, toward (one) one of (one's) eyes, to the forms under no. 1. Thus, bich'į' shináák'is 'áshłaa, I winked at him.

liił, li (lí), líí' dliih, líí' (liih), has to do with sentiments of suspicion, trust, confidence, etc.

It will be noted that the passive forms are irregular, taking an l-classifier, and changing the initial vowel of the stem to n, although the 1st person dpl is regular and inserts d before the stem.

1. to be suspicious of him.

F. *baa 'ayahwii-deesh-łiił (díí, doo, zhdoo, dii, dooh) (doolniił) **N.** baa 'aya-hoosh-łi (hwiini, hoo hojoo, hwii, hoh) (hoolni) **P.** baa 'aya-hwiisé-líí' (hwiisíní, hooz, hojooz, hwiisii, hwiisoo) (hoosníí') **R.** baa 'ayaná-hooshdliih (náhwiini, hoo, hojoo, hwii, hoh) (hoolniih) **O.** baa 'ayahoosh-łíí' (hoó, hoo, hojoo, hoo, hooh) (hoolníí')

*baa becomes yaa in 3o.

2. to trust him; to have confidence in him.

F. *baa jiideesh-łiił (dziidíí, dziidoo, dziizhdoo, dziidii, dziidooh)

N. baa jósh-łí (dzííní, dzó, ijó, dzííníi, dzíínóh) **P.** baa dziisé-li' (dziisíní, dzooz, dzijooz, dzii-sii, dziisoo) **R.** baa níjósh-dliih (nídzí, nídzó, néiji, nídzii, ní-dzóh) **O.** baa jósh-łiih (dzóó, dzó, ijó, dzoo, dzooh) łįį' łi-zhinígíí baa jóshłí, I have confi-dence in the black horse. Hitler doo baaijóliih 'át'ée da, Hitler cannot be trusted.

*baa becomes yaa in 3o.

3. to be expectant (not in the sense of birth, but of someone or something).

N. na'íínísh-łí (na'ííní, na'ó, n'-jó, na'ííníi, na'íínóh) na'íínísh-łíigo biniinaa tł'óó'góó ńdísh-t'įįh, I keep looking out because I am expecting someone.

4. to expect him.

N. neínísh-łí (neíní, nayó, njó, neíníi, neínóh) (nabi'dóólní) nanííníshłí, I'm expecting you.

5. to depend on him; to rely on him.

N. ba'íínísh-łí (ba'ííní, ya'ó, ba'-jó, ba'ííníi, ba'íínóh) ya'ólí, he is depending on him. na'ólí, he is depending on you. ch'ééh na-'ííníshłí, I cannot depend on you.

6. to be undependable; un-trustworthy.

This meaning is rendered by the following optative form: doo sha'jóolíí' 'át'ée da, I am unde-pendable. sha'jóolíí' (that I might be depended upon; that one might depend on me) is al-tered for person thus: sha-'jóo-líí' (na, ba, ha, niha, niha)

lił, lid, lid, li', lid, to smoke; to burn.

It is to be noted that when the ł-classifier is added to an l-initi-al stem, the stem becomes ł-init-ial.

1. to burn; to smoulder; to is-sue forth (smoke).

F. didoolił **I.** dilid **P.** díílid **R.** ńdíli' **U.** díli' **O.** dólid

2. to make it burn; to cause it to smoke.

The following verb contains the ł-classifier which causes the initial l of the stem to drop out. However, ł does not change to l in the 1st person dpl and in the passive as would be expected, but drops out entirely. Thus, di-diidlił, not didiilił; and bidi'doo-dlił, not bidi'doolił.

F. dideesh-łił (didíí, yididoo, ji-didoo, didii, didooh) (bidi'doo-dlił) **I.** dish-łid (dí, yidi, jidi, dii, doh) (bi'didlid) **P.** díí-łid (dííní, yidíí, jidíí, dii, doo) (bi'-doodlid) **U.** dish-łi' (dí, yidi, ji-di, dii, doh) (bi'didli') **R.** ńdísh-łi' (ńdí, néidi, nízhdí, ńdii, ndóh) (nábi'didli') **O.** dósh-łid (dóó, yidó, jidó, doo, dooh) (bi'dódlid)

lin, to appear; to be in appear-ance; to look like. This stem is probably related to lį (V. leeł).

1. to look like (it); to be like (it) in appearance; to ressemble

N. nahonish-łin (nahoní, naha

nahojí, nahonii, nahonoh). díí łééchąą'í mą'iitsoh nahalin, this dog looks like a wolf. ch'ééh díníyá nahonílin, you look tired.

2. to ressemble each other; to be similar in appearance.

N. 'ahinii(d)-lin ('ahinooh, 'ahi noo, 'ahizhnoo). 'ahiniidlin, we ressemble each other. dzééh 'éí bįįhtsoh yił 'ahinoolin, the elk and a big deer are similar in appearance.

3. to appear or look thus; to look like this; to look this way.

N. kó-neesh-łin (nííní, noo, zhnoo, nii, nooh). shilįį' kónoolin ńt'ę́ę́', my horse used to look this way (as in showing a photo, for example).

lish, lizh, lizh, dlish, lizh, to urinate.

1. to urinate.

F. 'a-deesh-łish (díí, doo, zhdoo, dii, dooh) **C-I.** 'ash-łizh ('í, 'a, 'aji, 'ii, 'oh) **P.** 'ashé-lizh ('ashíní, 'azh, 'ajizh, 'ashii, 'ashoo) **R.** ná'ásh-dlish (ná'í ná'á, ń'jí, ná'ii, ná'áh) **O.** 'ósh-łizh ('óó, 'ó, 'ajó, 'oo, 'oh)

2. to urinate (tr.).

This verb can be transitivized by inserting the ł-classifier. With addition of ł-classifier, the stem is, to all intents and purposes, ł-initial. However, in the 1st per. dpl, and in the passive forms ł does not change to l but drops out entirely, and d is inserted. Compare lił, to burn or smoke.

F. bídeesh-łish (bídííł, yídooł, bízhdooł, bídii, bídooł) **C-I.** béshłizh (bíníł, yéł, bíjíł, bíi, bóoł) **P.** bíshé-łizh (shíníł, yésh, bíjísh, bíshii, bíshooł) **R.** bínásh-łish (bínáníł, yínáł, bíńjíł, bínéii, bínáł) **O.** bóosh-łizh (bóół, yóoł, bíjół, bóo, bóoł)

dił bíshéłizh, I urinated blood; dił bíshiidlizh, we urinated blood

łįh, łįh (łįįh), łįh, dlįh, łįh, to taste

1. to be able to taste; to have a sense of taste.

N. 'ash-łįįh ('í, 'a, 'aji, 'ii, 'oh)

2. to taste it.

F. deesh-łįh (díí, yidoo, jidoo, dii, dooh) (bidi'doodlįh) **I.** yiish-łįh (yii, yiyii, jii, yii, ghooh) (bi'diidlįh) **S-P.** sé-lįh (síní, yiz, jiz, sii, soo) (bi'disdlįh) **R.** néish-dlįh (néii, náyii, ńjii, néii, náooh) (nábi'diidlį) **O.** ghoosh-łįh (ghóó, yó, jó, ghoo, ghooh (bi'doodlį)

lį, to flow.

This stem is herewith given in conjunction with a number of prefixes which derive various meanings.

1. to flow.

'ałts'ánílį, they flow apart from each other; 'ałts'ádaazlį, they (dist. pl) flow apart from one another; 'ahidiilį, they flow together (are confluent); 'ahidadiilį, they (dist. pl) flow together; binázlį, it flows around it; 'ahéénílį, it flows in a circle; ch'ínílį, it flows horizontally out; háálį, it flows up and out (a spring);

yah 'íílį, it flows in (as into a hole; biih nílį, it flows into it (as a river flowing into the sea); biih daazlį, they flow into it (rivers); yóó' 'íílį, it flows away; nílį, it is flowing (or flows) along. náálį, it drips down (as water from a leaky roof).

2. to cause it to flow.

Insertion of the ł-classifier can render transitive verbs with the stem lį, but the l-initial of the stem is dropped, and in the 1st person dpl and in the passive, ł does not become l, as would be expected, but drops out and d is inserted.

to make it flow up out.

N. háál-(ł)į (háíníł, hayííł, hajííł, hayíníi, hayínół)

to make it flow along.

N. yínísh-łį (yíníł, yiníł, jiníł, yíníi, yínół)

to make it flow to a point; to make it stop flowing.

N. niníł-(ł)į (ninííníł, niiníł, nizhníł, ninii, ninoł)

to make it flow (in, with prepounded yah; away, with prepounded yóó').

N. 'ííł-(ł)į ('ííníł, 'ayííł, 'ajííł, 'ííníi, 'íínół)

to make it flow in a circle.

N. 'ahéé-nísh-łį (níł, iníł, zhníł, níi, nół)

3. to bleed.

dił shąąh háálį (blood is flowing up out on me). Altered for person by changing the pronoun prefix on the postposition -ąąh, alongside, on.

loh, leeh (loh) lo' (loh), dloh, leeh (loh), to act with a rope or cord.

1. to lasso it; to trap, snare it.

F. deesh-łoh (díí, yidoo, jidoo, dii, dooh) (bidi'doodloh) **I.** yiish-łoh (yii, yiyii, jii, yii, ghooh) (bi'diidloh) **P.** sé-loh (síní, yiz, jiz, sii, soo) (bi'disdloh) **R.** néish-dloh (néii, néii, ńjii, néii, náooh) (nábi'diidloh) **O.** ghoosh-łoh (ghóó, yó, jó, ghoo, ghooh) (bi'dódloh)

2. to catch them one after the other (as fish, or animals in trapping).

F. 'ahi-hideesh-łoh (hidíí, idiyoo, zhdiyoo, hidii, hidooh) (bidi'yoodloh) **I.** 'ahi-hesh-łeeh (hí, iyi, jii, hii, hoh) (bi'diidleeh) **P.** 'ahi-hé-lo' (híní, yiiz, jiiz, hee, hoo) (bi'diisdlo') **R.** 'ahináhásh-dloh (náhí, náyii, ńjii, náhii, náhóh) (nábi'diidlo) **O.** 'ahi-hósh-łeeh (hóó, iyó, jiyó, hoo, hooh) (bidi'yódleeh)

3. to defraud or "gyp" him.

F. bidi'deesh-łoh (bidi'díí, yidi'doo, bizhdi'doo, bidi'dii, bidi'dooh) (bidi'doodloh) **I.** bi'dish-łeeh (bi'dí, yi'di, bizh'di, bi'dii, bi'doh) (bi'didleeh) **P.** bi'dé-lo' (bi'díní, yi'deez, bizh'deez, bi'dee, bi'disoo) (bi'deesdlo') **R.** biń'dísh-dloh (biń'dí, yiń'dí, binízh'dí, biń'dii, biń'dóh) (biná'-

dídloh) **O.** bi'dósh-łeeh (bi'dóó, yi'dó, bizh'dó, bi'doo, bi'dooh) (bi'dódleeh)

4. to cheat, defraud or "gyp". This meaning is rendered by changing definite objective bi- in no. 3 to indefinte 'i-. Thus 'idi'deeshłoh, I'll cheat.

5. to strangle him with a cord. **F.** *bizák'í-dideesh-łoh (didíí, ididoo, zhdidoo, didii, didooh) **I.** bizák'í-diish-łeeh (dii, idii, zhdii, dii, dooh) **P.** bizák'í-dii-lo' (dini, idii, zhdii, dii, doo) **R.** bizák'í-ńdiish-dloh (ńdii néidii, nízhdii, ńdii, ńdooh) **O.** bizák'í-doosh-łeeh (doó, idoo, zhdoo, doo, dooh) ****N.** bizák'í-dííníshło' (dííní, dées, zhdées, dííníi, dííńóh)

*bi- becomes yi- in 3o.

**The neuter means to be in a state of strangling him; i.e. to be actively engaged in compressing his throat with a cord.

6. to apply the brake to it. **F.** bídideesh-łoh (bídidíí, yíididoo, bízhdidoo, bídidii, bídidooh) **I.** bídiish-łeeh (bídii, yíidii, bízhdii, bídii, bídooh) **P.** bídii-lo' (bídini, yíidii, bízhdii, bídii, bídoo) **R.** bíńdiish-dloh (bíńdii, yínéidii, bínízhdii, bíńdii, bíńdooh) **O.** bídoosh-łeeh (bídoó yíidoo, bízhdoo, bídoo, bídooh)

7. to put on the brakes. This meaning is rendered by changing definite objective bi- in no. 6, to indefinite 'í-. Thus, 'ídideeshłoh, I'll put on the brake.

8. to guide it; to drive it (a car or wagon). **F.** deesh-łoh (díí, yidoo, jidoo, dii, dooh) (bidi'doodloh) **I.** dish-łeeh (dí, yidi, jidi, dii, doh) (bi'didleeh) **P.** ń-lo' (yíní, yiní, jiní, nii, noo) (bi'deedlo') **R.** násh-dloh (náni, néí, ńjí, néii, náh) (nábi'didloh) **O.** ghósh-łeeh (ghóó, yó, jó, ghoo, ghooh) (bi'dódleeh)

9. to be driving it along. **Prog.** yish-łoh (yí, yoo, joo, yii, ghoh) (bi'doodloh)

10. to drive (intr.). **F.** 'a-deesh-łoh (díí, doo, zhdoo, dii, dooh) **I.** 'a-dish-łeeh (dí, di, zhdi, dii, doh) **P.** 'aní-lo' ('ííní, 'aní, 'azhní, 'anii, 'anoo) **R.** ná'-ásh-dloh (ná'í, ná'á, ń'jí, ná'ii, ná'óh) **O.** 'ósh-łeeh ('óó, 'ó, 'ajó, 'oo, 'ooh)

11. to be driving along (intr.). **Prog.** 'eesh-łoh ('íí, 'oo, 'ajoo, 'ii, 'ooh)

12. to weigh. **N.** dah hi-dínísh-dlo' (díní, dé zhdé, díníi. dínóh). 'ashdla' dah hidédlo', it weighs five pounds.

13. to weigh it. **F.** dah hidideesh-łoh (hididíí, yidiyoo, hizhdiyoo, hididii, hididooh) (bi'diyoodloh) **I.** dah hidiish-łeeh (hidii, yidii, hizhdii hidii, hidooh) (bi'diidleeh) **P.** dah hidii-lo' (hidini, yidiyii, hizhdii hidii, hidoo) (bi'diidlo') **R.** dah náhidiish-dloh (náhidii, néidiyii náhizhdii, náhidii, náhidooh) (nábi'diidloh) **O.** dah hidoosh-łeeh (hidoó, yidiyoo, hizhdiyoo, hidoo, hidooh) (bi'doodleeh)

lók'aach'égai, Lukachukai, Ariz and The S. W. Range and Sheep Breeding Laboratory near Fort Wingate, N. M.

lók'aadeeshjin, Keams Cañon, Arizona.

lók'aahniteel, Ganado, Ariz.

lók'aa', reed.

lók'aatsoh, cane reed.

lóós, lóós, lóóz, lóós, lóós, to lead (one object).

1. to start off leading it.

F. dah didees-łóós (didíí, yididoo, shdidoo, didii, didoo) **I.** dah diis-łóós (dii, yidii, shdii, dii, dooh) **P.** dah dii-lóóz (dini, yidii, shdii, dii, doo) **R.** dah ńdiis-łóós (ńdii, néidii, nízhdii, ńdii, ńdooh) **O.** dah doos-łóós (doó, yidoo, jidoo, doo, dooh)

2. to be on one's way leading it; to be going to lead it.

S-P. dé-lóóz (díní, yideez, jideez, dee, disoo)

3. to be leading it along.

Prog. yish-łóós (yí, yoo, joo, yii, ghoh) (bi'doodlóós)

4. to bring it (leading it); to arrive leading it.

F. dees-łóós (díí, yidoo, jidoo, dii, dooh) (bidi'doodlóós) **I.** nis-łóós (ní, yí, jí, nii, noh) (bi'deedlóós) **P.** ní-lóóz (yíní, yiní, jiní, nii, noo) (bi'deedlóóz) **R.** nás-dlóós (nání, néí, ńjí, néii, náh) (nábi'didlóós) **O.** ghós-łóós (ghóó, yó, jó, ghoo, ghooh) (bi'dódlóós)

5. to lead him to safety.

This meaning is rendered by prepounding yisdá, safety, to the forms given under no. 4. Thus, yisdá nílóóz, I saved him; yisdá shííńílóóz, you saved me.

Ł

The stems given as ł-initial are quite probably l-initials with the ł-classifier inserted. In the 1st person dpl, and in the passive forms l (ł) is dropped, and d is inserted.

łaał, łá, łáá', to hate.

1. to come to hate him; to hate him (in the neuter).

F. jiideesh-łaał (jiidíí, yijiidoo, jijiidoo, jiidii, jiidooh) (bijiidi'doodlaał) **N.** joosh-łá (jiiní, yijoo, jijoo, jiinii, jiinoh) (biji'doodlá) **P.** jiisé-łáá' (jiisíní, yijoos, jijoos, jiisii, jiisoo) (biji'doosdláá')

łaał, łá, sá, łaah, ła'.

This stem has s-initial in the perfective stem. In order to avoid insertion of d, with resulting dz, l is inserted and the stem initial becomes z. Thus, nabísiilzá, not *nabísiidzá, we destroyed it.

Use of stems of the verb meaning "to walk, go," (V. gááł) seem to indicate that this stem is related to gááł. In fact it is quite probable that łáál is the causative form of gáál, and that low-toned łaał is related to gaał as łáál is to gáál.

1. to destroy it.

F. na-bídeesh-łaał (bídíí, yídoo, bízhdoo, bídii, bídoo) (bí'dooldah) **I.** na-bésh-łá (bíní, yé, bíjí, bíi, bíó) (bé'éldeeh) **P.** nabísé-sá (bísíní, yé, bíjí, bísiil, bísooh) (bé'ésdee') **R.** na-bínásh-łaah (bínání, yíná, bíńjí, bínéii, bínáh) (bíná'áldaah) **O.** nabóosh-ła' (bíóó, yíoo, bíjó, bíoo, bóo) (bó'óldeeh)

2. to perform a ceremony.

F. naho-deesh-łaał (díí, doo, zhdoo, dii, dooh) (di'doodlaał) **I.** náho-diis-sá (dini, dii, zhdii, diil, dooh) ('diilzá) **C-I.** na-hash-łá (hó, ha, hoji, hwii, hoh) (haghá) **P.** na-hosé-sá (hosíní, ha, hoji, hosiil, hosoo) (haayá) **R.** niná-hásh-łaah (hó, há, hójí, hwii, háh) (hádaah) **O.** na-hósh-łáá' (hóó, hó, hojó, hoo, hooh) (hóya')

łáál, łááh, sá, łááh, łáál.

1. to disturb the peace; to "raise hell."

F. tsi'haho-deesh-łáál (díí, doo, zhdoo, dii, dooh) **Prog.** tsi'-hweesh-łáál (hwíí, hoo, hojoo, hwii, hoh) **P.** tsi'ha-hóó-sá (hwííní, hóó, hojíí, hwiil, hooh) **R.** tsi'haná-hásh-łááh (hó, yii, jii, yii, oh) **O.** tsi'ha-hósh-łáál (hóó, hó, hojó, hoo, hooh)

2. to cure him; to restore him to life.

F. ní-náábidideesh-łáál (náábididíí, néididoo, náábidizhdoo, náábididii, náábididooh) (náábididi'doodłáál) **I.** ní-náábidiish-łááh (náábidii, néidii, náábizhdii, náábidii, náábidooh) (náábidi'diidlááh) **P.** ní-náábidii-sá (náábidini, néidii, náábizhdii, náábidiil, náábidooh) (náábi'diilzá) **O.** ní-náábidoos-sa' (náábidoó, néidoo, náábizhdoo, náábidool, náábidooh) (náábi'doolza')

3. to make (me) drunk.

These forms are altered to show person by changing the pronoun (shi-, me).

F. tsí'shididoołáál **I.** tsí'shidiiłááh **P.** tsí'shideesá **R.** tsí'náshidiiłááh **O.** tsí'shidółááh. tó-diłhił tsí'náshidiiłááh, whiskey makes me drunk.

łąął, łąąh, łąąd, łąąh, łąąh, to increase (V. ląął).

This is the stem ląął with the ł-classifier added. In the 1st person dpl and in the passive d is inserted, and l (ł) drops out)

1. to make it increase (in number).

F. deesh-łąął (díí, yidoo, jidoo, dii, dooh) (bidi'doodląął) **C-I.** yish-łąąh (ni, yi, ji, yii, ghoh) (bi'didląąh) **P.** yí-łąąd (yíní, yi, yíí, jíí, yii, ghooh) (bi'doodląąd) **R.** násh-łąąh (nání, néí, ńjí, néii, náh) (nábi'didląąh) **O.** ghósh-łąąh (ghóó, yó, jó, ghoo, ghooh) (bi'dódłąąh)

łah, once. łah béeso bik'íníyá, once I found a dollar.

łáháda, seldom; rarely. łáháda bił ná'ahiistséeh, I seldom see him.

łahda, sometimes. łahda kwii deesk'aaz łeh, sometimes it gets cold here.

łahdi, elsewhere. łahdi naashááago dibé yázhí yizhchį́į́ łá, the lamb was born when I was elsewhere.

łahgo, otherwise; changed. łahgo 'ádeeshłííł, I'll change it (or make it otherwise).

łahgóó, elsewhere; in some places; in other places. łahgóó ch'il t'óó 'adahayóí, in some places there is much vegetation (of various kinds).

łahjí, on the other side. łahjí dlǫ́ǫ́' t'óó 'ahayóí, there are lots of prairie dogs on the other side.

łahji', part (of). łahji' t'ah doo bíhoosh'aah da, I still haven't learned part of it. łahji' shaa ní'aah, give me part of it!

ła'. one, an, some, other. ła' shaa níjááh, give me some of them!

ła' binááhaaí, yearling.

ła'ígíí, the other one. ła'ígíí shaa ní'aah, give me the other one!

łá'í 'ídlį́, cooperation.

ła'índi, not one; not even one.

ła' nááná, another; some more. ła' nááná nisin, I want another one (or some more).

łání, much; many. kwe'é kin łání hoolghé, this place is called "many houses."

łą́, much; many. tó doo łą́ yidziih da, there is not much water left.

łééchąą'í, dog (biłééchąą'í).

łééchąą'í bighan, kennel.

łééchąą'í biya', dog lice.

łééchąąyázhí, puppy.

łeeł, łeeh, łį́į́', łeeh, łe', to become. (V. leeł)

This is the stem leeł, become, with the stem classifier ł inserted to form a causative. In the 1st person dpl, and in the passive, l (ł) drops out, and d is inserted.

1. to cause it to come into existence.

F. deesh-łeeł (díí, yidoo, jidoo, dii, dooh) (bidi'doodleeł) **I.** yish-łeeh (ni, yi, ji, yii, ghoh) (bi'didleeh) **Prog.** yish-łeeł (yí, yoo, joo, yii, ghoh) (bi'doodleeł) **P.** sé-łį́į́' (síní, yis, jis, sii, soo) (bi'disdlį́į́') **R.** násh-łeeh (nání, néí, ńjí, néii, náh) (nábi'didleeh) **O.** ghósh-łeeh (ghóó, yó, jó, ghoo, ghooh) (bi'dódleeh)

2. to declare war on them.

This meaning is rendered by prepounding bił 'anaa', war with them, to the following verbs.

F. ho-deesh-łeeł (díí, doo, zhdoo, dii, dooh) **I.** hash-łeeh (hó, ha, hoji, hwii, hoh) **P.** hosé-łį́į́' (hosíní, has, hojis, hosii, hosoo) **R.**

ná-hásh-łeeh (hó, há, hoji, hwii, hóh) **O.** hósh-łe' (hóó, hó, hojó, hoo, hooh)

3. to complain about it.

This meaning is rendered by prepounding baa saad, words about it, to the verb forms in no. 2. Thus, baa saad hosétłį́į́', I complained about it. A neuter is also used. Thus, **N.** baa saad honish-łǫ́ (honí, hó, hojí, honii, honoh). baa saad honishłǫ́, I have a complaint going about it.

4. to agree to it; to arrive at an agreement on it.

This meaning is rendered by prepounding bee łą́, ok with it, to the following verb forms.

F. 'a-deesh-łeeł (díí, doo, zhdoo, dii, dooh) **I.** 'ash-łeeh ('í, 'a, 'aji, 'ii, 'oh) **P.** 'asé-łį́į́' ('asíní, 'as, 'ajis, 'asii, 'asoo) **R.** ná'ásh-łeeh (ná'í, ná'á, ń'jí, ná'ii, ná'óh) **O.** 'ósh-łe' ('óó, 'ó, 'ajó, 'oo, 'ooh)

łeeghi', within the soil.

łeeghi'ígeed, trench.

łeeghi'tó, Klagetoh, N. M.

łeeh, into the soil or ashes.

łeehdool'eez, cancer root.

łee', in the soil; in the ashes.

łee'shibéézh, chicos (biłee'shibéézh)

łeejin, coal (biłeejin).

łeejin haagééd, coal mine.

łeejin haigédí, coal miner.

łeeshch'ih, ashes (bileeshch'ih).

łees'áán, bread (of the type baked in ashes, or in an outdoor oven).

łees'áán yílzhódí, Milky Way.

łeets'aa', earthenware dish (biłeets'aa').

łeetsoii, yellow ochre (biłeetsoii).

łeeyáán, alkali.

łeezh, soil; dirt; dust (bileezh).

łeezh bee hahalkaadí, shovel (biłeezh bee hahalkaadí).

łeh, usually. 'aak'eedgo dibé yázhí daneesk'ah łeh, the lambs are usually fat in the fall.

łé'étsoh, rat.

łé'éyázhí, colt (bilé'éyázhí).

łe' hasin, jealousy.

łe'oogeed, cellar; storage pit (biłe'oogeed).

łibá, gray.

łichíí', red.

łichíí' deez'áhí, Sanders, Ariz.

łichíí'go 'ąąhadaajeéhígíí, measles.

łid, smoke (bilid).

łikan, sweet; tasty; good. shił łikan, I like it.

łikizh, spotted.

łikon, inflammable.

łił, łíid, łid, łi', łíid, to burn.

This is the stem lił, plus the ł-classifier. (V. lił).

1. to brand it (lit. burn it against it).

F. bídi'deesh-łił (bídi'díí, yídi'doo, bízhdi'doo, bídi'dii, bídi'dooh) (bídi'doodlił) **I.** bí'diish-łíid (bí'dii,, yí'dii, bízh'dii, bí'dii, bí'dooh) (bí'diidlíid) **P.** bí'diiłid (bí'dini, yí'dii, bízh'dii, bí'dii, bí'doo) (bí'diidlid) **R.** bíń'diish-łi' (bíń'dii, yíń'dii, bínízh'dii, bíń'dii, bíń'dooh) (bíń'diidli') **O.** bí'doosh-łííd (bí'doó, yí'doo, bí·zh'doo, bí'doo, bí'dooh) (bí'doo-dlííd)

łitso, yellow; nickle coin (biłitso)

łitsoii, bile; acidity of the stomach (biłitsoii).

łizh, urine (bilizh).

łizh bee dah sighínígíí, bladder (urinary) (bilizh bee dah ---)

łizhin, black.

łį́įchogii, stud horse (bilį́įchogii).

łį́į', pet; livestock; horse (bilį́į'). dibé bilį́į', his sheep. bilį́į' łį́į'ígíí, his horses. The various types of horses are described thus: łį́į' dootł'izhii, blue (gray) horse; łį́į' łichíí'ii, bay; łį́įłgai, white; łį́į' łitsoii, sorrel; łį́į' łibáí, roan; łį́įshzhiin, black; (łį́į' bi-) tsiigha' łichíí'ii, roan horse with red mane and tail; łį́įstł'inii, spotted; łį́įłkiizh, paint; łį́įshtłizhii, brown; łį́įłhinii, mouse colored; (łį́į' bi-) tsiigha' łizhinii, buckskin; (łį́į' bi-) tsiigha' łigaii, palomino; łį́į' dinilzhinii, dark bay.

łį́į' bee yilzhóhí, curry comb.

łį́į' bihéłł'óól, hobbles.

łį́į' bighan, horse corral.

łį́į' bighéél, saddle.

łį́į' bighéél bidááhdę́ę́' háá'áhígíí, saddle tree or horn.

łį́į' bighéél bikéédę́ę́' háá'áhígíí, cantle (of the saddle).

łį́į' bikq'ii, gelding.

łį́į' bikee', horseshoe.

łį́į' bita'góó ní'áhígíí, wagon tongue.

łį́į' bitsís'ná, horsefly.

łį́į' da'ałchíní, wild horses (lit. horses that can scent).

łį́į' na'aghéhé, saddle horse.

łį́į' na'ałbąąsii, work horse; team of horses.

łį́įtsa'ii, mare (bilį́įtsa'ii) .

łį́į' yii'a'ałí, feed bag.

łoh, noose (biloh).

łóód, sore (bilóód).

łóód na'aghązhígíí, ulcer.

łóó', fish (biłóó').

łóó' bik'ah, cod liver oil.

łóó'tsoh, large fish; whale.

łǫ́, to exist (V. leeł, łeeł)

łxaał, łxá, łxáá', łaah, łxáá', (V. łaał).

A depreciative sense is injected by inserting gh after an unaspirated, or x after an aspirated, consonant. Thus, sǫ', star; sxǫ', that such and such star; dził, mountain; dzghił, that such and such mountain; dząądi, here; dzghąądi, here (with an intonation of disgust or displeasure).

1. to get tired of it.

F. 'ádadideesh-łxaał ('ádadidíí, 'ádeididoo, 'ádazhdidoo, 'ádadidii, 'ádadidooh) **I.** 'ádadeesh-łxá ('ádadini, 'ádeidee, 'ádazhdee, 'ádadii, 'ádadoh) **P.** 'ádadésh-łxáá' ('ádadíní, 'ádeidees, 'ádazhdees, 'ádadee, 'ádadisoo) **R.** 'áda-ńdísh-łaah (ńdí, néidi, nízhdí, ńdii, ńdóh) **O.** 'ádadósh-łxáá' ('ádadóó, 'ádeidó, 'ádazhdó, 'ádadoo, 'ádadooh) **shinaanish** 'ádadéshłxáá', I got tired of my work. t'áá 'áłaji' dibé t'áadoo yóó' 'ánání'niłí ndishníigo 'ádandéshłxáá', I'm tired of telling you all the time not to lose your sheep (lit. I'm tired of **you**).

2. to get tired or bored with things.

This meaning is rendered by inserting -ho- as the pronominal object, corresponding to impersonal **it**, in the verb given in no. 1 above. Thus, 'ádahodéshłxáá' I got bored; niba' sédáago 'ádahodéshłxáá', I got bored waiting for you.

M

This sound is not very common in Navaho, although in other languages of the same family, as Sarcee, m replaces Navaho b. The d-classifier, as well as the d inserted in the 1st person dpl, become ' before m. We have written this ' in the 1st person dpl forms.

magítsoh, gorilla; ape.

magí monkey.

mał, maał, mal, mał, maał, to bolt food (as a coyote or dog).

Given in the 3rd person only.

1. to gulp it down (one piece).
F. 'iidoomał **I.** 'iimááł **P.** 'ayíímal **R.** 'anéímał **O.** 'iiyómaał.

łééchąą'í 'atsį' 'ałtso 'ayíímal, the dog bolted the meat at one gulp

2. to gobble them down (several pieces one after another).
F. 'iidiyoomał **I.** 'ayiimaał **P.** 'ayiizmal **R.** 'anáyiimał **O.** 'iiyómaał

mandagíiya, butter; oleomargerine.

mas, máás, mááz, mas, máás, to roll (a spherical or animate obj.).

1. to arrive rolling (intr.).
F. dees-mas (díí, doo, jidoo, dii', dooh) **I.** nis-máás (ní, yí, jí, nii', noh) **P.** ní-mááz (yíní, ní, jiní, nii', noo) **R.** nás-mas (nání, ná, ńjí, néii', náh) **O.** ghós-máás (ghóó, ghó, jó, ghoo', ghooh)

2. to be rolling along.
Prog. yis-mas (yí, yi, joo, yii', ghoh)

3. to roll in (with prepounded yah, into an enclosure); away (with prepounded yóó', away).
F. 'a-dees-mas (díí, doo, zhdoo, dii', dooh) **I.** 'iis-máás ('ani, 'ii, 'aji, 'ii', 'ooh) **P.** 'íí-mááz ('ííní, 'íí, 'ajíí, 'ii', 'oo) **R.** 'a-nás-mas (nání, ná, ńjí, néii', náh) **O.** 'oos-máás ('oó, 'oo, 'ajó, 'oo', 'ooh)

4. to roll it; to bring it (rolling it).
F. dees-mas (dííł, yidooł, jidooł, diil, dooł) (bidi'dool-) **I.** nis-máás (níł, yíł, jíł, niil, nołł) (bi'-deel-) **P.** níł-mááz (yíníł, yiníł, jiníł, niil, nooł) (bi'deel-) **R.** nás-mas (nááł, néíł, ńjíł, néiil, nááł) (nábi'dil-) **O.** ghós-máás (ghóół, yół, jół, ghool, ghooł) (bi'dól-)

5. to be rolling it along.

Prog. yis-mas (yíł, yooł, jooł, yiil, ghoł) (bi'dool-)

Other transitive forms are made up just as in the case of the related stem bąs, to roll a circular object. V. bąs.

masdéél, pie.

mą'ii, coyote.

The noun mą'ii, is also used as a verb stem in the following instances:

1. **to be going along like a coyote; to be "coyote-ing" along.**

Prog. neesh-mą'ii (níí, noo, jinoo nii', nooh)

2. **to be "coyote-ing" back; to be returning like a coyote.**

Prog. ná-neesh-mą'ii (níí, noo, zhnoo, nii', nooh)

3. **to look for it (like a coyote).**

C-I. ha-nish-mą'ii (ní, ni, zhni, nii', noh)

mą'iidą́ą́', ironwood or wild privet (lit. coyote-food).

mą'iideshgiizh, Jemez Pueblo, N. M. (coyote-pass); mą'iideshgiizhnii, Jemez people.

mą'ii dootł'izhí, kit fox.

mą'ii tééh yítłizhí, Coyote Cañon, N. M.

mą'iitsoh, wolf.

mą'iitsoh bee yigą́, strychnine.

mogí, monkey.

mogítsoh, gorilla; ape.

mósí, cat.

mósíką', tom-cat.

N

The d-classifier, as well as the d inserted in the 1st person dpl, become ' before n. We shall write this ' wherever it occurs.

naabaahii, warrior.

naabeehó, Navaho.

naadą́ą́', corn.

naadą́ą́' bighoo', corn kernels.

naadą́ą́' bitsiigha', corn silk.

naadlo'í, pail; bucket.

naadooboo'íinii, small ground squirrel (lit. the one that his enemies do not see).

naaghízí, pumpkin; squash.

naa'ahóóhai, chicken.

naa'ahóóhai bi'áadii, hen.

naa'ahóóhai biką'ii, rooster.

naa'ahóóhai biya', chicken lice.

naa'ahóóhai biyázhí, chicks.

naa'ołí, bean.

naa'ołí nímazí, peas.

naakaii, Mexican (lit. one that goes, wanders or lives about).

naakaii bito', Mexican Springs, N. M.

naakaii łizhinii, negro.

naaki dootł'izh, twenty cents (lit two dimes).

naaki jį́ nda'anish, Tuesday.

naakishchíín, twins.

naakits'áadahgo, dozen.

naakits'áadah yáál, twelve bits ($1.50).

naaki yáál, two bits ($.25).

naak'a'at'ąhí, cotton cloth.

naak'a'at'ąhí dishooígíí, velvet.

naak'a'at'ąhí disǫsígíí, silk.

naaldloosh, quadruped (bina'aldloosh).

naaldlooshii, quadruped.

naalchi'í, agent; ambassador.

naalghé, property (binaalghe')
naalghéhé, goods; merchandise.
naalghéhé bá hooghan, trading post; store.
naalghéhé yá sidáhí, store keeper; trader; clerk.
naal'eelí, duck; goose.
naalnoodí, fleet lizard; (a) swift.
naalté, slave (binaalte').
naaltsoos, book; paper.
naaltsoos bee 'ach'iishí, sandpaper; carborundum paper.
naaltsoos bikáá' 'e'elyaaígíí, picture.
naaltsoos dadildonígíí, firecracker.
naaltsoos neighéhé, mail carrier
naaltsoos ntł'izígíí, cardboard.
naaltsoos tsits'aa', carton; paper box.
nááł, nááł, nááł, 'nááł, nááł, a semi-postpositional used as a verb.

1. to witness it; to be present.
F. shi-doonááł (ni, bi, ho, nihi, nihi) **N.** shi-nááł (ni, bi, ha, nihi, nihi) **P.** shíí-nááł (níí, bíí, hwíí, nihíí, nihíí) **R.** ná-shí-'nááł (ní, bí, há, nihi, nihi) **O.** shónááł (nó, bó, hó, nihó, nihó)

na'akaidi shidoonááł, I'll see a Yei Bichei dance. shinááł na'akai, I'm witnessing a Yei Bichei.

naał, naah, na', naah, naah, a stem which has to do with movement, life and duration.

This stem may take either the zero, ł- or d-classifiers. It will be kept in mind that the d-classifier becomes ' before n.

1. to generate it (electricity) (lit. to make it have life).
F. hiideesh-naał (hiidííł, yidiyooł yizhdiyooł, hiidiil, hiidooł) (bidi'dool-) **I.** hiish-naah (hiił yiyiił, hijiił, hiil, hooł) (bi'diil-) **P.** hiił-na' (hiinił, yiyiił, jiił, hiil, hooł) (bi'dis-) **R.** náhiish-naah (náhiił, náyiił, ńjiił, náhiil, náhooł) (nábi'diil-) **O.** hooshnaah (hoół, yiyół, jiyół, hool, hooł) (bidi'yól-) tó bee 'atsiniltł'ish dahiilnaah, we make electricity by means of water.

2. to be alive.
N. hinish-ná (hiní, hii, jii, hinii', hinoh) shizhé'é hiináhą́ą́dą́ą́' when my father used to be alive.

3. to resuscitate; to come back to life.

This verb uses the d-classifier.
F. náhi-deesh-'naał (díí, idoo, zhdoo, dii, dooh) **Prog.** náheesh-'naał (híí, hoo, hijoo, hii, hooh) **I.** ná-hiish-'naah (híí, hii, hijii, hii, hooh) **P.** ná-hiish-na' (híiní, hii, hijii, hii, hoo) **R.** nínáhiish-'naah (hii, hii, hijii, hii, hooh) **O.** ná-hoosh-'naah (hoó, hoo, hojoo, hoo, hooh)

4. to endure; to last.
F. didoonaał **C-I.** dina' **P.** díína' **R.** ńdí'naah **O.** dóna'. tó didoonaał, the water will last; tó doo dina' da, the water isn't lasting; tó t'áadoo díína' da, the water did not last.

5. to endure; to last.

ho-, impersonal "it, things," is here used as the subject. The postposition -ee, with, by means of indicates what is, in English, the subject by altering the pronoun prefixed thereto. It is herewith given for the 1st person sgl. **F.** shee hodidoonaał **P.** shee hodíína' **R.** shee náhodi'naah **O.** shee hodóna'. doo shee hodidoonaał da, I won't last long (as on a job). t'áadoo shee hodíina'í, I didn't last long. doo shee náá-hodidoo'naał da, I won't last much longer (with respect to life) (semeliterative náá-, again, requires the d-classifier, which becomes ' before n).

6. to be fast (at thinking, or in actions).

This verb is used always in the negative sense, so doo, is always prepounded, and da, is postpounded.

N. ndish-na' (ndíl, ndil, nizhdil, ndiil, ndoł) doo ndilna'góó nitsékees, he is a fast thinker (lit. he doesn't take long to think).

'naał, 'ná, 'náá', 'naah, 'náá', to move.

1. to move (any part of body).

F. nahi-deesh-'naał (díí, doo, zhdoo, dii, dooh) **C-I.** na-hash-'ná (hí, ha, įii, hii, hoh) **P.** nahisís-'náá' (nahisíní, nahaas, njiis, nahisii, nahisoo) **R.** niná-hásh-'naah (hí, há, jii, hii, hóh) **O.** na-hósh-'náá' (hóó, hó, hijó, hoo, hooh). t'áadoo nahí'nání sínízį, stand still (without moving)!

náál, nááh, ná, nááh, náá', to capture.

1. to capture it or him.

F. deesh-náál (díił, yidooł, jidooł, diil, dooł) (bidi'dool-) **I.** yish-nááh (nił, yił, jił, yiil, ghoł) bi'-dil-) **P.** séł-ná (síníł, yis, jis, siil, sooł) (bi'dis-) **R.** násh-nááh (nááníł, nééł, ńjíł, néiil, nááł) (ná-bi'dil-) **O.** ghásh-náá' (ghóół, yół, jół, ghool, ghooł) (bi'dól-)

2. to have trouble.

The following forms are given for the 3rd person. They are altered for person by merely changing the pronominal prefix on the postposition -ch'į', toward.

F. bich'į' nahodiyoo'naał **I.** bich'į' nahwii'ná **P.** bich'į' nahwiis'náá' **R.** bich'į' ninádhwii'-naah **O.** bich'į' nahwiiyó'náá'

naałání, Comanche.

naałdzid, cancer.

naał'aashii, tarantula.

náánáłahdęę', from elsewnere.

náánáłahgo, elsewhere.

náánáłahgóó, (to) elsewhere.

náánáłahjí, on the other hand; in another direction.

náánáła', another; some more. náánáła' shaa nááni'aah, give me another one!

naanii, sideways. naaniigo yí-náál, walk sideways!

naanii dínée'ą, it is leaning (as a house).

naanii dínéetį, it is leaning (as a tree).

naaniigo k'é'éltǫ', transverse fracture.

naanish, work; job; business.

náás, forward. náás níyá, I went forward; advanced.

náásee ts'in 'ałk'íniizhoozh longitudinal fracture.

náase, náásee, lengthwise.

náásgóó, farther along; in the future.

naashch'ąą', decorated.

naashgali, Mescalero Apache.

naasht'ézhí, Zuñi, N. M. (both the pueblo and the people).

naatoohó, Isleta, N. M.

naat'áanii, boss; superintendent; chief; leader.

naat'áaniinéez, Shiprock, N. M.

naat'ood, flexible; pliable.

naatsédlózii, road-runner.

naatsis'áán, Navaho Mountain Utah.

náátsʼíilid, rainbow.

náátsʼóʼoołdísii, whirlwind.

naatsʼǫǫd, resilient (as a sweater or rubber).

nabégilí, wheelbarrow.

nagháí, that. nagháí 'ashkii 'ayóo be'ádílááh, that boy is full of mischief.

nah, ---- nah 'nah, neeh, to forget.

1. to forget about him, it.

F. *baa yidiyeesh-nah (yidiyíí, yidiyoo, zhdiyoo, yidiyii', yidiyooh) (hodiyoo'-) **P.** baa yisénah (yisíní, yooz, jiyooz, yisii, yisoo) (hoyoos'-) **U.** baa yooshnah (yoo, yoo, jiyoo, yoo, yooh) (hoyoo'-) **R.** baa náyoosh-'nah (náyoo, náyoo, ńjiyoo, náyoo, náyooh) (náhoyoo-) **O.** baa yoosh-nééh (yóó, yoo, jiyoo, yoo, yooh) (hoyoo'-)

t'áá ká baa yóónééh, don't forget about it!

*baa becomes yaa in 3o.

'nah, 'nééh, 'na', 'nah, 'nééh, to crawl.

1. to crawl up out; to climb up (as up a tree).

In the sense of to climb up, as in climbing a tree the postposition bąąh, alongside it, is prepounded to the verb. Thus bąąh hasis'na', I climbed it.

F. ha-deesh-'nah (díí, doo, zhdoo, dii, dooh) **C-I.** haash-'nééh (hani, .haa, haji, haii, haah) **P** hasis-'na' (hasíní, haas, hajis, hasii, hasoo) **U.** haash-'nah (hani, haa, haji, haii, haah) **R.** ha-násh-'nah (náni, ná, ńjí, néii, náh) **O.** ha-osh-'nééh (óó, ó, jó, oo, ooh) tsin bąąh hasis'na', I climbed the tree.

2. to be creeping along.

Prog. yish-'nah (yí, yi, joo, yii, ghoh)

3. to start crawling along.

F. dideesh-'nah (didíí, didoo, jididoo, didii, didooh) **I.** dish-'nééh (dí, di, jidi, dii, doh) **S-P.** désh-'na' (díní, dees, jidees, dee, disooh) **R.** ńdísh-'nah (ńdí, ńdí, nízhdí, ńdii, ńdóh) **O.** dósh-'nééh (dóó, dó, jidó, doo, dooh)

4. to get up; to arise; to spring up.

F. ńdideesh-'nah (ńdidíí, ńdidoo, nízhdidoo, ńdidii, ńdidooh) **I.** ńdiish-'nééh (ńdii, ńdii, nízhdii, ńdii, ńdooh) **P.** ńdiish-'na' (ńdini, ńdii, nízhdii, ńdii, ńdooh) **R.** níná-diish-'nah (dii, dii, zhdii, dii, dooh) **O.** ńdoosh-'nééh (ńdoó, ńdoo, nízhdoo, ńdoo, ńdooh)

5. to arrive crawling.

F. deesh-'nah (díí, doo, jidoo, dii, dooh) **I.** nish-'nééh (ní, yí, jí, nii, noh) **P.** nish-'na' (yíní, yí, jí, nii, nooh) **R.** násh-'nah (nání, ná, ńjí, néii, náh) **O.** ghósh-'nééh (ghóó, ghó, jó, ghoo, ghooh)

6. to take a sweat bath.

This meaning is rendered by prepounding táchééh, sweat-house to the following forms.

F. deesh-'nah (díí, doo, jidoo, dii, dooh) **N.** *sé-tį́ (síní, si, jiz, shii-téézh, shoo, shi, jizh, shii-jéé', shoo, shi, jizh) **P.** yish-'na' (yíní, yi, joo, yii, ghooh) **R.** násh-'nah (nání, ná, ńjí, néii, náh) **O.** ghósh-'nééh (ghóó, ghó, jó, ghoo ghooh)

*The neuter is rendered by the neuter (si-perfective static) of tééł, to lie (down); to be lying. This verb has three separate stem forms, corresponding to the sgl, d, and pl number; thus the three distinct stems. táchééh yish'na', **I took a sweat bath; tá**chééh sétį́, I'm taking a sweat bath.

7. to climb over it.

This meaning is rendered by prepounding báátis, over it, to the forms given under no. 6, with the addition of the following imperfective: **I.** yish-'nééh (ni, yi, ji yii, ghoh). Thus, báátis yish-'na', I climbed up over it.

8. to crawl as far as a point; to crawl up on or stalk it (game) (with prepounded baa).

F. ni-deesh-'nah (díí, doo, zhdoo, dii, dooh) **I.** ni-nish-'nééh (ní, i, jí, nii, noh) **P.** ni-nish-'na' (nííní, nii, nijí, ninii, ninooh) **R.** ni-násh-'nah (nání, ná, nájí, né-ii, náh) **O.** noosh-'nééh (noó, noo, nijó, noo, nooh) tsédáa'ji' nii'na', he crawled up to the brink (of a precipice). bįįh yaa nii'na', he crept up on (stalked) the deer.

9. to crawl in (an enclosure or hole, with prepound yah, in); to crawl away (with prepounded yóó', away).

F. 'a-deesh-'nah (díí, doo, zhdoo, dii, dooh) **I.** 'iish-'nééh ('ani, 'ii, 'aji, 'ii, 'ooh) **P.** 'eesh-'na' ('ííní, 'ee, 'ajoo, 'ii, 'oo) **R.** 'a-násh-'nah (nání, ná, ńjí, néii, náh) **U.** 'iish-'nah ('ani, 'ii, 'aji, 'ii, 'ooh) **O.** 'oosh-'nééh ('oó, 'oo, 'ajó, 'oo, 'ooh)

10. to crawl or creep about.

C-I. naash-'na' (nani, naa, nji, neii, naah)

11. to run off (as water from a watershed).

The following verbs use the same stems as the foregoing, but without the d-classifier (').

F. yóó' 'adoonah **I.** yóó' 'iinééh **N.** yóó' 'íílį **P.** yóó' 'íína' **R.** yóó' 'anánah **O.** yóó' 'oonééh. kodóó tó yóó' 'anánah, the water (repeatedly) runs off from here.

12. to contract, have, or be suffering from it (a disease).

F. shi-didoolnah (ni, bi, ho, nihi, nihi) **I.** shi-dilnééh (ni, bi, ho, nihi, nihi) **P.** shi-doolna' (ni, bi, ho, nihi, nihi) **R.** shi-ńdílnah (ni, bi, ho, nihi, nihi) **O.** shi-dólnééh (ni, bi, ho, nihi, nihi). dikos shididoolnah I'll contract a cough; dikos shidilnééh, I'm contracting a cough; dikos shidoolna', I have a cough.

13. to give it to him (a disease).

Replacement of definite objective bi- (béé-) with indefinite 'i- ('éé-) renders **to spread it (a disease).**

F. *bi-di'deesh-nah (di'díił, di'dooł, zhdi'dooł, di'diil, di'dooł) **I.** bi-'dish-nééh ('dííł, 'diił, zh'diił, 'diil, 'dooł) **P.** bi-'dííł-na' ('díníł, 'dííł, zh'dííł, 'diil, 'dooł) **R.** béé-'dish-nah ('dííł, 'dííł, zh'dííł, 'diil 'dóół) **O.** bi-'dósh-nééh ('dóół, 'dóół, zh'dóół, 'dool, 'dooł). jéí'ádįįh 'éé'dííłnah, he spreads the tuberculosis. jéí'ádįįh bi'dííłna', I gave him the tuberculosis.

*bi- becomes yi- in 3o.

14. to fall from (my) grasp (a flat flexible object).

F. shílák'e hadoonah **I.** shílák'e haanééh **P.** shílák'e háána' **R.** shílák'e hanánah **O.** shílák'e haonééh

15. to be left over.

F. ch'ídínóołnah **I.** ch'íníłnééh **P.** ch'ínííłna' **R.** ch'ínáníłnah **O.** ch'ínółnééh

nah, neeh, na', nah, neeh, (probably related to, or identical with the preceding stem).

1. to swallow it.

F. 'adeesh-nah ('adííł, 'iidooł, 'azhdooł, 'adiil, 'adooł) ('abidi'dool-) **I.** 'iish-neeh ('anił, 'iił, 'ajił, 'iil, 'ooł) ('abi'dil-) **P.** 'ííł-na' ('íínił, 'ayííł, 'ajííł, 'iil, 'ooł) ('abi'dool-) **R.** 'anásh-nah ('anáníł, 'anéíł, 'ańjíł, 'anéiil, 'anáł) ('anábi'dil-) **O.** 'oosh-neeh ('oół, 'ayół, 'ajół, 'ool, 'ooł) ('abi'dól-) tó 'adeeshnah, I'll swallow the water.

2. to choke (as in swallowing a large chunk of meat).

F. 'adínéesh-nah ('adínííl, 'adínóol, 'azhdínóol, 'adíníil, 'adínóoł) **P.** 'anésh-na' ('aníníl, 'anees, 'azhnees, 'aneel, 'anooł) **O.** 'anósh-neeh ('anóól, 'anool, 'azhnool, 'anool, 'anooł)

3. to hiccough.

This is the iterative of no. 2.

R. ná'nísh-nah (ná'níníl, ná'níl, názh'níl, ná'niil, ná'nół)

4. to choke on it (as on a swallow of water, food, etc.). F. dínéesh-nah (díníil, yidínóol, jidínóol, díníil, dínóoł) P. néshna' (níníl, yinees, jinees, nee, noo) R. nánísh-nah (náníl, néinil, názhnil, nániil, nánół) O. nósh-neeh (nóól, yinól, jinól nool, nooł). tó néshna', I choked on the water.

nahachagii, grasshopper.

nahaghá, profession; religior (binahagha').

nahak'ízii, cricket.

nahasdzáán, world.

náhásdzo hayázhí, acre.

nahashch'id, badger.

nahashch'idí, Naschiti, N. M.

nahashkáá', close to the ground chidí naat'a'í nahashkáá' yit'ah the airplane is flying close to the ground.

nahasht'e'ii, kangaroo rat.

nahasht'e'ii 'áłts'íísíígíí, kangaroo mouse.

nahateeł, slippery (area).

nahat'á, plan (binahat'a').

nahat'i', jest.

náházbąs, circular (area); circle.

nahgóó, to one side; aside. nahgóó ni' niní'ą́, I set it to one side.

nahji', to one side; aside. nahji' 'ahíłhan, throw it aside!

náhidizídígíí, month.

nahodits'ǫ', bog hole; boggy (area or place).

náhookǫs, north; Big Dipper.

nahóóyéí, sweet potato.

na', here (in handing something to a person).

na'ahíníłtaah, wrestling.

na'aldoní, oil drum.

na'alkaah, trial (at law).

ná'álkadgo hála' bąąh naaz'ánígíí, thimble.

na'alkid, temperature; time (by the clock).

ná'áł'ahí, butcher.

na'ał'eełí, sailor.

na'ałt'a'í, aviator.

na'atł'o', cat's cradle.

na'ashjé'ii, spider.

na'ashjé'ii bitł'óół, spider web.

na'ashjé'ii bijáád danineezí, grandaddy longlegs (spider).

na'ashjé'ii diłhiłí, black widow.

na'ashjé'ii nahacha'ígíí, jumping spider.

na'ashjé'iitsoh, wolf spider.

na'ashǫ́'ii, lizard; reptile (a term often used to designate any animal or reptile that creeps, but refers more specifically to lizards).

na'ashǫ́'ii dootł'izhí, green lizard.

na'ashǫ́'iiłbáhí, gray lizard.

na'ashǫ́'ii dich'ízhii, horned toad (also na'ashǫ́'ii dishch'ízhii)

na'ats'ǫǫsí, mouse.

na'ázhdiilghé, suicide.

na'azheeh, hunting.

na'azísí, gopher.

na'iidzeeł (or na'iigeeł), dream.

na'iigeeł (or na'iidzeeł), dream.

na'iini', trading; trade; sale.

na'nitin, advice; teaching (bina'nitin).
na'nízhoozhí, Gallup, N. M.
nák'ee; nák'eed, area of the eye; eye socket.
nák'eedzi' łizhinígíí, argyrol.
nák'eeshchąą', "sleepers" (the matter that usually collects in the corners of the eyes during sleep).
nák'eeshto', tear.
nák'eesinilí, eye glasses.
nał, naad, nááď, na', naad, to lick.

1. to lick it.

F. deesh-nał (díił, yidooł, jidooł, diil, dooł) (bidi'dool-) **C-I.** yish-naad (nił, yił, jił, yiil, ghoł) (bi'dil-) **P.** yíł-nááď (yíníł, yiyííł, jííł, yiil, ghooł) (bi'dool-) **R.** násh-na' (náníł, néíł, ńjíł, néiil, náł) (nábi'dil-) **O.** ghósh-naad (ghóół, yół, jół, ghool, ghooł) (bi'dól-) łeets'aa' yíłnááď, I licked the plate. sizábąąh yíł-nááď, I licked my "chops" (the area around the mouth).

2. to pass (a long time)

F. ná'ahodoonał **I.** ná'ahanaad **P.** ná'ahóónááď **R.** níná'ahana' **O.** ná'ahónaad. bináá'ádaał-ts'ózí bił da'ahiigą́ągo ná'ahóó-nááď, we fought the Japanese for a long time. Columbus bił 'oo'ołgo ná'ahóónáadgo 'índc kéyah nihił dah si'ánígíí yaa'nił-'ééł, Columbus sailed for a long time to reach our land.

3. to do better than one expected.

F. ní-'deesh-nał ('dííl, dool, zh'-dool, 'diil, 'dooł) **C-I.** ná'ásh-naad (ná'íl, ná'ál, ní'jíl, ná'iil, ná'ół) **P.** ná'aash-nááď (ná'íí-níl, ná'ool, ní'jool, ná'iil, ná'ooł) **R.** ní-ná'ásh-na' (ná'íl, ná'ál, ná'jíl, ná'iil, ná'ół) **O.** ná'ósh-naad (ná'óól, ná'ól, ní'jól, ná'ool ná'ooł). shilį́į' ná'oolnááď, my horse did better than I thought he would do. ('éí łį́į' nánihi'iyííł-nááď, that horse had us worried.)

nanise', plant; vegetation (also dist. pl ndanise').
nanise' bich'iyą', fertilizer.
naneeshtł'iizh, serpentine; zig-zag; crooked; tortuous.
náneeskaadí, griddle bread; tortilla.
nanoolzhee', warp (in weaving).
náshdóí, wildcat.
náshdóiłbáí, wildcat.
náshdóítsoh, mountain lion.
náshdóítsoh bitsiiji' dadiitł'ooígíí (African) lion.
náshdóítsoh danoodǫ́zígíí, tiger.
náshdóítsoh łikizhí, leopard; jaguar.
náshgǫzh, sausage.
nástłéé', wet.
náhástł'ah, corner.
nástł'ah, corner (binástł'ah).
nát'ą́ą', back (returning). na'-nízhoozhígóó nát'ą́ą' ńdésdzá, I am going back to Gallup.
nát'oh, tobacco; cigaret.
nát'oh bił da'asdisígíí, cigaret.

nát'oh ntł'izí, (plug) chewing tobacco.
nát'ostse', (smoking) pipe.
názbąs, circular.
názhah, bent (horseshoe-like).
názhahí, pendant (of silver, used on jewelry).
nda, no.
ndi, but. ch'iyáán t'óó 'ahayóí ndi tó 'ádin, there is lots of food, but no water.
ndíghílii, sunflower.
ndóstázii, top (toy).
needzíį', game corral.
ń'deeshchid, thick (as in bidaa' ń'deeshchid, he has thick lips; is "liver-lipped").
nééł, nééh, ná, nééh, nééł, to move with the household goods.

This stem inserts the d-classifier in some forms, and omits it in others. In the 1st person dpl, d unites with the stem initial to give (').

1. to start moving.

F. ńdideesh-'nééł (ńdidíí, ńdidoo nízhdidoo, ńdidii, ńdidooh) **I.** ńdiish-'nééh (ńdii, ńdii, nízhdii, ńdii, ńdooh) **P.** ńdish-'ná (ńdini, ńdii, nízhdii, ńdii, ńdoo) **R.** níná-diish-'neeh (dii, dii, zhdii, dii, dooh) **O.** ńdoosh-'nééł (ńdoó, ńdoo, nízhdoo, ńdoo, ńdooh)

2. to be going to move; to be on one's way moving.

S-P. dé-ná (díní, deez, jideez, dee', disoo)

3. to be going along (moving).

Prog. yish-nééł (yí, yi, joo, yii', ghoh)

4. to move; arrive moving.

F. deesh-nééł (díí, doo, jidoo, dii' dooh) **I.** nish-nééh (ní, yí, nii', noh) **P.** ní-ná (yíní, ní, jiní, nii', noo) **R.** násh-'nééh (nání, ná, ńjí, néii, náh) **O.** ghósh-nééł (ghóó, ghó, jó, ghoo, ghooh)

na'nízhoozhígóó deeshnééł, I'll move to Gallup.

5. to move as far as a point; to terminate (the act of) moving.

F. ndeesh-nééł (ndíí, ndoo, nizhdoo, ndii', ndooh) **I.** ninish-nééh (niní, nii, njí, ninii', ninoh) **P.** niní-ná (nííní, niní, nizhní, ninii', ninoo) **R.** ni-násh-'nééh (nání, ná, nájí, néii, náh) **O.** noosh-nééł (noó, noo, njó, noo', nooh)

nééł, nééł, ná, 'nééh, nééł, to lose. (Cp. dpl stem of tsaał).

1. to lose (in any kind of competition, as in gambling, races, games, war, etc.).

F. baa hodínóonééł **C-I.** baa honéenééł **P.** baa honeezná **R.** baa náhoni'nééh **O.** baa honónééł.

It is given herewith for the 3rd person; and is altered for the other persons by changing the pronominal prefix on -aa, to or about him.

neeł, né, ne', 'neeh, ne', to play.

1. to play.

F. ndeesh-neeł (ndíí, ndoo, nizh, doo, ndii', ndooh) **C-I.** naash-né (nani, naa, nji, neii', naah)

P. nisé-ne' (nisíní, naaz, njiz, nisii', nisoo) **R.** ni-násh-'neeh (náni, ná, nájí, néii', náh) **O.** naoosh-ne' (óó, oo, jó, oo', ooh)

2. to play it (a musical instrument).

This meaning is rendered by prepounding bee, with it, to the forms given under no. 1. Thus, dilní bee naashné, I am playing a trumpet.

3. to harm, hurt, him; to make him cry.

This meaning is also rendered by prepounding bee, with him, to the forms given under no. 1. As in, bee ndeeshneeł, I'll hurt him; I'll make him cry. shee nisíníne', you have hurt me. t'áadoo shee naninéhí, don't hurt me!

neesdog, jelly cake (made of yucca fruit).

neeshch'íits'iil, pine cone.

neeshch'íí', piñon nut.

neez, long.

Also as a verb stem (neez, nééz) to be tall or long.

1. to be long or tall.

N. nis-neez (ní, ni, jí, nii', noh)

2. to be comparatively long or tall.

N. 'ánís-nééz ('ánínít, 'ánít, 'ázhnít, 'ániil, 'ánół)

neeznáá yáál, ten bits ($1.25).

né'édił, blood (from the nose). (shiné'édił yistał, I have a nosebleed).

né'éshjaa', owl.

né'éshjaayáázh, owlet.

né'éshjaa' yilkee'é, rubber plant.

né'éshtił, snot.

né'éshto', watery mucus from the nose. shiné'éshto' háálį, my nose is watering.

né'étsah, pimple.

ní, to be highly susceptible to it (as a disease).

N. shi-hodééłní (ni, bi, ho, nihi, nihi) naabeehó jéí'ádįįh 'ayóo bidadééłní, the Navaho are very susceptible to tuberculosis. 'éí doo shidééłníi da, that has no effect on me (as a scolding). bee'ach'iishí tsénił doo bidééłníi da, the (dull) file has no effect on the ax.

'ní, to love.

1. to have him always in mind; to love him.

N. 'ayóí 'óosh-'ní ('ííní, 'áyó, 'ájó, 'íinii, 'íínóh). 'ayóí 'ánósh'ní, I love you. 'ayóí 'áshííní'ní, you love me. 'ayóí 'ádó'ní, she loves herself (is "stuck up"). 'ayóí 'ádeíníi'ní, we (dist. pl) love him. 'ayóí 'ádaníínii'ní, we (dist pl) love you.

2. to be very friendly with him; to be his intimate friend.

N. 'ayóigo k'é ghósh'ní (yíní, yó, jó, yínii, yínóh) 'ayóigo k'é nósh'ní, I am very friendly with you. 'ayóigo k'é shííní'ní, you're very friendly with me. 'ayóigo k'é 'ahííníi'ní, we're very friendly with each other.

níbaal, canvas; tarpaulin; tent.

níbaal bii' dahooghanígíí, tent.

níbaal sinil, tent camp.
níbaal yadiits'ózígíí, tipi.
nichxǫ́ǫ́'í, filthy; ugly; no good.
níłch'i, breeze; air; spirit.
nidáá', squaw dance.
nidaaz, heavy.
nida'diłtsį', sprinkle (rain).
nídeeshgiizh, gapped; having a gap (as in a mountain).
nidíghílii, sunflower.
nidik'ą', cotton.
nidik'ą' bik'ǫ́ǫ́', cottonseed.
nídíshchíí', pine.
nidoochii', pinedrop.
nídíshchíí' biya', pine tick.
níghiz, round and slender.
nih, ne', ne', nih, ne', to tell.

1. to tell him about it.

This meaning is rendered by prepounding bee bił, with it with him, to the following forms (bee bił becoming yee yił in 3o.). nee shił hoolne', he told me about you. bee nił hodeeshnih, I'll tell you about it.

F. ho-deesh-nih (díil, dool, zh-dool, diil, dooł) **C-I.** hash-ne' (hól, hal, hojil, hwiil, hoł) **P.** hweesh-ne' (hwíínÍl, hool, hojool, hwiil, hooł) **R.** ná-hásh-nih (hól, hál, hojil, hwiil, hół) **O.** hósh-ne' (hóól, hól, hojól, hool, hooł)

2. to interpret.

This meaning is rendered by prepounding 'ata', between (or bita', etc., between them, etc.) to the verb forms given under no. 1. Thus 'ata' hodeeshnih, I'll interpret. nihita' hodeeshnih, I'll interpret for you two (or nihá 'ata' hodeeshnih, I'll interpret for you two).

3. to outline it; to bring out the high points (of a subject).

This meaning is rendered by prepounding 'aghádi 'ádaat'é nahalinígíí bee bił, those things that appear to be most important with (about) them with (to) him, to the forms given under no. 1 the prepounded bee bił being the same as described under no. 1). Thus 'agháadi 'ádaat'é nahalinígíí bee nił hodeeshnih, I'll outline it for you; bring out the high points of it for you.

4. to explain it; elucidate it.

This meaning is rendered by prepounding hazhǫ́'ó baa, to the verb forms given under no. 1 (baa becoming yaa in 3o.). Thus, hazhǫ́'ó baa hweeshne', I explained it (I carefully told about it).

5. to reassure him; to give him confidence.

This meaning is rendered by prepounding t'áá hats'íidgo bił, everything is all right with (to) him, to the forms given under no. 1. Thus, t'áá hats'íidgo bił hweeshne', I reassured him; t'áá hats'íidgo shił hóóne', I was reassured (as in being told comforting news).

nih, níih, ne', nih, níih, to speak.

1. to speak out of turn; to make a speech blunder.

F. ch'íhodi-dínéesh-nih (dínííl, dínóol, zhdínóol, díníil, dínóoł) **I.** ch'íhodi-nish-nííh (níl, nil, zhnil, niil, noł) **P.** ch'ího-dineesh-ne' (dííníl, dinool, dizhnool, diniil, dinooł) **R.** ch'ínáhodi-nish-nih (níl, nil, zhnil, niil, noł) **O.** ch'íhodi-nósh-nííh (nóól, nól, zhnól, nool, nooł) 'adą́ą́dą́ą́' 'íit'įįdę́ę baa hwiilne' ńt'ę́ę́' she'esdzáán bił ch'íhodineeshne', In telling about what we did yesterday I made a blunder in speech to my wife (i.e. said something I shouldn't have said).

2. to take up one's time (by insistently talking to him; to keep one by talking to him; to talk prolongedly (without cessation). **F.** *bił haho-dínéesh-nih (dínííl, dínóol, zhdínóol, díníil, dínóoł) **I.** bił haho-dínísh-nííh (díníl, díníl, zhdíníl, díníil, dínół) **P.** bił haho-dínésh-ne' (díníl, dínées, zhdínées, dínéel, dínóoł) **R** bił hanáho-dínísh-nih (díníl, dinil, zhdinil, diniil, dinoł) **O.** bił hahodí- nósh-nííh (nóól, nól, zhnól, nóol, nóoł) sik'is kingóó bił dé'áázh biniighé shíká níyáhą́ą ndi shicheii shił hahodínéesne', my friend came for me to go to town with him, but my grandfather kept me by continuing to talk to me. 'ahił hahodínéelne', we took up each other's time (by talking).

3. to have authority over it; to be in charge of it; to be boss. **N.** bee shí-hólnííh (ní, bí, hó, nihí, nihí) nee shíhólnííh, I am in charge of you (am your boss). shee níhólnííh, you're in charge of me.

nih, nih, nih, 'nih, nih, squeeze (with the hand).

1. to squeeze it; to milk her. **F.** deesh-nih (díí, yidoo, jidoo, dii', dooh) (bidi'doo'-) **I.** yiish-nih (yii, yiyii, jii, yii', ghooh) (bi'dii'-) **S-P.** sé-nih (síní, yiz, jiz, sii', soo) (bi'dis'-) **R.** néish-'nih (néii, néii, ńjii, néii', náooh) (nábi'dii-) **O.** ghoosh-nih (ghóó, yó, jó, ghoo', ghooh) (bi'dó'-)

2. to wring it out (clothing). This meaning is rendered by prepounding bąąh (yąąh in 3o.), beside it, to the forms given in no. 1. Thus, 'éé' bąąh sénih, I wrung out the clothing.

3. to squeeze it together. This meaning is rendered by prepounding 'ałch'į', toward each other (together), to the forms given under no. 1. Thus, 'ałch'į' sénih, I squeezed them together.

4. to milk (intr.). **F.** 'a-deesh-nih (díí, doo, zhdoo, dii', dooh) **I.** 'iish-nih ('ii, 'ii, 'ajii, 'ii', 'ooh) **P.** 'asé-nih ('asíní, 'az, 'ajiz, 'asii', 'asoo) **R.** ná-'iish-nih (ná'ii, ná'ii, ń'jii, ná'ii', ná'ooh) **O.** 'oosh-nih ('oó, 'oo, 'ajó, 'oo', 'ooh)

nih, nih, nii', 'nih, nih, probably related to the preceding stems.

1. to mix it (as mortar, dough) F. tai-deesh-nih (díí, idoo, zhdoo dii', dooh) (doo'- or tabidi'doo'-) I. ta-osh-nih (oo, yoo, joo, oo', oh) (oo'- or bi'doo'-) P. taisé-nii' (taisíní, tayooz, tajooz, tai-sii', taisoo) (taos'- or tabi'doos'-) R. ta-náosh-'nih (náoo, náyoo, nájoo, náoo, náoh) (náoo- or ná-bi'doo-) O. ta-oosh-nih (óó, yó, jó, oo', ooh) (oo'- or bi'doo'-)

hashtł'ish taoshnih, I'm mixing mud.

nih, niih, nii', 'nih, niih, to learn by ear.

1. to hear about it; to learn of it (by ear).

F. deesh-nih (díí, yidoo, jidoo, dii', dooh) (doo'-) I. yish-niih (ni, yi, ji, yii', ghoh) (yi'-) P. yí-nii' (yíní, yiyíí, jíí, yii', ghoo) (yi'-) R. násh-'nih (nání, néí, ń-jí, néii', náh) (ná-) O. ghósh-nih (ghóó, yó, jó, ghoo', ghooh) (ghó'-) na'akaigo yínii', I heard that there is a Yei Bichei dance.

2. to recall it; remember it.

F. *béé-deesh-nih (dííl, dool, zh-dool, diil, dooł) C-I. bénásh-niih (béénił, yénál, béějíl, béníil, bénáł) P. bénáásh-nii' (béénil yínáál, béějool, bénéiil, bénááł) R. béní-násh-nih (nánil, nál, ná-jíl, néiil, nál) O. bénáoosh-níih (bénáóól, yénáool, béějól, béná-ool, bénáooł)

* bé(é)- becomes yé(é)- in 3o.

nih, níih (niih), nii', nih, niih (níih, nih), to act with the hand.

1. to wave with the hand.

F. dah ndideesh-nih (ndidííl, n-didool, nizhdidool, ndidiil, ndi-dooł) I. dah ndish-níih (ndíl, n-dil, nizhdil, ndiil, ndoł) C-I. dah ndish-niih (ndíl, ndil, nizhdil, n-diil, ndoł) P. dah ndésh-nii' (n-díníl, ndees, nizhdees, ndeel, n-dooł) R. dah niná-dísh-nih (dil, díl, zhdíl, diil, dół) O. dah n-dósh-niih (ndóól, ndól, nizhdól, ndool, ndooł) nízaadgóó dé-yáago shich'į' dah ndeesnii', he waved at me as I went away.

2. to touch it.

F. *bi-dideesh-nih (didííl, didool, zhdidool, didiil, didooł) I. bi-dinish-niih (diníl, deel, zhdeel, diniil, dinoł) P. bi-dinish-nii' (dííníl, deel, zhdeel diniil, dinooł) R. biní-dísh-nih (díl, nídíl, zhdíl, diil, dół) O. bi-dósh-níih (dóól, dól, zhdól, dool, dooł)

*bi- becomes yi- in 3o.

3. to feel it; to examine it by touch.

F. *bí-dideesh-nih (didííl, didool, zhdidool, didiil, didooł) C-I. bí-dísh-nih (díl, díl, zhdíl, diil, dół) P. bí-désh-nii' (díníl, dees, zh-dees, deel, disooł) R. bíní-dísh-nih (díl, díl, zhdíl, diil, dół) O. bí-dósh-nih (dóól, dól, zhdól, dool, dooł)

*bí- becomes yí- in 3o.

4. to place one's hands on it.

F. *bik'i-dideesh-nih (didííl, di-

dool, zhdidool, didiil, didooł) **I.** bik'i-diish-nííh (diil, diil, zhdiil diil, dooł) **P.** bik'i-diish-nii' (dinil, diil, zhdiil, diil, dooł) **R.** bik'iní-diish-nih (diil, diil, zhdiil, diil, dooł) **O.** bik'i-doosh-nííh (doól, dool, zhdool, dool, dooł)
*bi- becomes yi- in 3o.

5. to shake hands with him.

This meaning is rendered by prepounding bílák'e, the area of his hand, to the following:
F. dideesh-nih (didííl, didool, zhdidool, didiil, didooł) **I.** dishnííh (díl, dil, zhdil, diil, dol) **P.** deesh-nii' (dííníl, dool, zhdool, diil, dooł) **R.** ńdísh-nih (ńdíl, ńdíl, nízhdíl, ńdiil, ńdół) **O.** dóshnííh (dóól, dól, zhdól, dool, dooł)
bílák'e deeshnii', I shook hands with him. shílák'e doolnii', he shook hands with me. 'ahílák'e diilnii', we shook hands with each other.

6. to choke him; throttle him.

(bizák'í, on his mouth or throat) **F.** *bizák'í-dideesh-nih (didíí, ididoo, zhdidoo, didii', didooh) (didoo'-) **I.** bizák'í-diish-nííh (dii, idii, zhdii, dii', dooh) (dii'-) **P.** bizák'í-dii-nii' (dini, idii, zhdii, dii', doo) (dii'-) **R.** bizák'íńdiish-'nih ńdii, néidii, nízhdii, ńdii, ńdooh) (ńdii-) **O.** bizák'ídoosh-nííh (doó, idoo, zhdoo, doo', dooh) (doo'-)
bi- becomes yi- in 3o.

7. to have the hand on it; to hold it down with the hand.

N. bik'i-dínísh-nii' (dííníl, dées, zhdées, díníil, dínół) yéigo bik'idíníshnii', I'm pressing on it hard.

8. to call his attention (to a fact or circumstance).

F. bi'deesh-nih (bi'dííł, yi'dooł, bizh'dooł, bi'diil, bi'dooł) **I.** bi'nish-nííh (bi'níł, yi'íł, bi'jíł, bi'niil, bi'noł) **P.** bi'níł-nii' (bi''ííníł, yi'níł, bizh'níł, bi'niil, bi'nooł) **R.** béé'ásh-nih (béé'íł, yéé'áł, béé'jíł, béé'iil, béé'ół) **O.** bi'ósh-nííh (bi'óół, yi'ół, bi'jół, bi'ool, bi'ooł) biłį́į́' daaztsánígíí bee bi'deeshnih, I'll call his attention to the fact that his horse is dead.

9. to distribute them.

F. ndeesh-nih (ndíí, neidoo, nizhdoo, ndii', ndooh) (nabidi'doo'-) **C-I.** naash-niih (nani, nei, nji, neii', naah) (nabi'di'-) **P.** nisénii' (nisíní, neiz, njiz, nisii', nisoo) (nabi'dis'-) **R.** ni-nash-'nih (nání, néí, nájí, néii, náh) (nábi'di'-) **O.** na-osh-niih (óó, yó, jó, oo', ooh) (bi'dó'-) naabeehó bikéyah bikáa'gi dibé nisénii' I distributed sheep on the Navaho Reservation.

10. to distribute them among them.

F. *bitaa-deesh-nih (díí, idoo, zhdoo, dii', dooh) (bidi'doo'-) **C-I.** bi-taash-niih (taani, taai, taaji, taaii, taaoh) (taabi'di'-) **P.** bitaa-sé-nii' (síní, iz, jiz, sii, soo) (bi'dis'-) **R.** bitaa-násh-

'nih (náni, néi, ńjí, néii, náh) (nábi'di-) **O.** bitaa-osh-niih (óó, yó, jó, oo', ooh) (bi'dó'-)

*bi- becomes yi- in 3o.

11. to suffer; to have many difficulties; to have a hard time.

F. ti'hwii-deesh-nih (díí, doo, zhdoo, dii', dooh) *(doo'-) **C-I.** ti'-hoosh-nííh (hoo, hoo, hojoo, hwii', hooh) (hoo'-) **P.** ti'-hwiisé-nii' (hwiisíní, hooz, hojooz, hwiisii', hwiisoo) (hoos'-) **R.** ti'ná-hoosh-'nih (hoo, hoo, hojoo, hwii hooh) (hoo-) **O.** ti'-hoosh-nííh (hoó, hoo, hojoo, hoo', hooh) (hoo'-)

*The parenthetic forms have an indefinite subject (3i.) Thus ti'hoos'nii', there was suffering.

12. to trade it; to buy or sell it.

The meaning "to buy" is rendered by prepounding -ch'į', toward, to; and "to sell" by prepounding -aa, to, to the following verb forms. Thus, shilįį' shaa nayiisnii', he bought my horse from me; shilįį' bich'į' nahálnii', I sold my horse to him.

F. nahideesh-nih (nahidííł, neidiyooł, nizhdiyooł, nahidiil, nahidooł) (nahidoo-) **I.** nahash-niih (nahíł, nayiił, njiił, nahiil, nahoł) (naha-) **P.** nahál-nii' (nahíníł, nayiis, njiis, naheel, nahooł) (nahaaz-) **R.** ni-ná-hásh-nih (náhíł, náyiił, nájiił, náhiil, náhół) (náhá-) **O.** na-hósh-niih (nahóół, nayół, njiyół, nahool, nahooł) (nahó-)

13. to pass among them (an epidemic or pestilence).

F. bitaadadoołnih **C-I.** bitaa-daałniih **P.** bitaadaasnii' **R.** bi-taańdaałnih **O.** bitaadaołniih.

nih, nííh, nih, 'nih, niih, to hurt.

1. to get hurt; to be injured.

F. 'áda-dideesh-nih (didíí, didoo, zhdidoo, didii', didooh) **I.** 'áda-dish-nííh (dí, di, zhdi, dii', doh) **P.** 'áda-dé-nih (díní, deez, zhdeez, dee', doo) **R.** 'áda-ńdísh-'nih (ńdí, ńdí, nízhdí, ńdii, ńdóh) **O.** 'áda-dósh-niih (dóó, dó, zhdó, doo', dooh)

2. to hurt; to be sore.

N. dinish-niih (diní, di, jidi, dinii, dinoh) shíla' diniih, my hand is sore.

3. to be peeved at him.

This meaning is rendered by prepounding bik'ee, on account of him, to the forms given in no. 2. Thus, bik'ee dinishniih, I am peeved at him (i.e. I am sore on account of him).

4. to accuse him of flirting with one's spouse.

N. bíínísh-nííh (bííníl, yóól, bíjól, bíníil, bíínół)

5. to blink or close the eyes to show dislike for one (equivalent to making a face at one, or sticking one's tongue out among the Whites).

F. dideesh-'nih (didíí, yididoo, jididoo, didii, didooh) **I.** dish-'niih (dí, yidi, jidi, dii, doh) **P.** désh-'nih (díní, yidees, jidees, dee, disoo) **R.** ńdísh-'nih (ńdí, néidi, nízhdí, ńdii, ńdóh) **O.** dósh-'niih (dóó, yidó, jidó, doo, dooh) 'at'ééd shidees'nih, the girl blinked at me.

6. to coddle him.

N. biyaa ndish-niih (ndíl, ndil, nizhdil, ndiil, ndoł) 'awéé' biyaa ndishniih, I'm coddling the baby (i.e. taking good care of it, as covering it up, wiping off dirt, etc.).

nihookáá', on earth.

ni', earth; ground.

ni' bí'neel'ą́ąh, surveying.

ní'dídzih, respiration.

ni'dilkalí, shinny (game).

ni'dilt'oh, archery.

ni'góó, on the ground; on the floor. łééchąą'í ni'góó sitį́, the dog is lying on the floor.

ni' hadláád, ground lichen.

ni'iijíhí, saw mill.

ni'iijíhí, Saw Mill, Arizona.

ni'ji', on the ground; on the floor ni'ji' náá́łne', I dropped it on the ground (or floor).

ni' nidaha'nánígíí, earthquake.

niih, to taste (V. lįh).

N. halniih, it tastes. 'áshįįh halniih, it tastes like salt.

níí', niih, níí', nih, níí', to become the middle.

1. to be(come) midnight.

F. tł'é'adoołníí' **I.** tł'é'ííłniih **P.** tł'é'ííłníí' **R.** tł'éná'áłnih **O.** tł'é'ółníí' **N.** tł'é'áłníí'

2. to become mid-summer or mid-winter.

These meanings are rendered by prepounding shį, summer, or hai, winter, to the following: **F.** 'adoołníí' **I.** 'ííłniih **P.** 'ííłníí' **R.** ná'áłnih **O.** 'ółníí' **N.** 'ałníí'

níí'iidzi', nose drops.

níí'ii'nił, snuff

nii'oh, out of the way; hidden or removed place; out of sight. t'áa doo dasiiłtséhé nii'oh yishghod I ran out of sight before they saw me.

niił, ní, niid, niih, niih,.

1. to wish one had it; to have a strong desire to possess it.

F. *bidá-dínéesh-niił (dínííl, dínóol, zhdínóol, díníil, dínóoł) **C-I.** bidá-neesh-ní (ninil, nool, zhnool, niil, nooł) **P.** bidá-nésh-niid (níníl, nool, zhnool, niil, nooł) **R.** bidáná-nísh-niih (níl, níl, zhníl, niil, nół) **O.** bidá-nósh-niih (nóól, nól, zhnól, nool, nooł)

*bi- becomes yi- in 3o.

2. to be addicted to it; to like it very much; to be unable to deny it to oneself.

N. *bichą́ yídéesh-nih (yídíníl, yídéel, yízhdéel, yídíníil, yídínół) tódiłhił bíchą́ yídéeshnih, I am addicted to whiskey; I am "crazy about" whiskey.

* bi becomes yi in 3o.

nííł, nééh, yaa, 'įįh, ne', (the 1st person dpl and passive stem of lííł, to make).

1. to make oneself.

F. 'ídi-'deesh-nííł ('dííl, 'dool, zh-'dool, 'diil, 'dooł) **I.** 'í'dísh-nééh ('í'díl, 'í'díl, 'ízh'díl, 'í'dooł) **P.** 'í'diish-yaa ('í'diinil, 'í'diil, 'ízh-'diil, 'í'diil, 'í'dooł) **R.** 'íń'diish-'įįh ('íń'diil, 'íń'diil, 'íńízh'diil, 'íń'diil, 'íń'dooł) **O.** 'í'dósh-ne' ('í'dóól, 'í'dól, 'ízh'dól, 'í'dool, 'í'dooł) naat'áanii 'í'diishyaa, I made myself the leader.

2. to hurt oneself.

F. tí'ádi-deesh-nííł (dííl, dool, zh-dool, diil, dooł) **I.** tí'-ídísh-'į (í-díl, ídíl, ázhdíl, ídiil, ídół) **P.** tí'-ádiish-yaa (ádinil, ádiil, ázhdiil, ádiil, ádooł) **R.** tí'á-ńdiish-'įįh (ńdiil, ńdiil, nízhdiil, ńdiil, ń-dooł) **O.** tí'í-dósh-ne' (dóól, dool, zhdool, dool, dooł) t'áa-doo tí'ídíl'íní, don't hurt yourself!

3. to be wounded.

F. tídi-deesh-nííł (dííl, dool, zh-dool, diil, dooł) **P.** tí-diish-yaa (dinil, diil, zhdiil, diil, dooł) **R.** tí-ńdiish-t'įįh (ńdii, ńdii, nízhdii, ńdii, ńdooh) **O.** tí-dósh-ne' (dóól dool, zhdool, dool, dooł) 'anaa' go tídideeshnííł sha'shin nisin, I think I'll be wounded in the war.

nííł, nééh (t'į), dzaa (t'įįd), t'įįh, ne', to act; to do. (V. also 'įįł and t'įįł.)

1. to act; to do.

F. 'á-deesh-nííł (díí, doo, zhdoo, dii', dooh) **I.** 'ásh-nééh ('ání, 'á-'ájí, 'íi', 'óh) **C-I.** 'ásh-t'į ('ání, 'á, 'ájí, 'íi, 'óh) **P.** 'ás-dzaa ('íi-ni, 'á, 'ájii, 'íi, 'óoh) **R.** 'á-násh-t'įįh (náni, ná, ńjí, néii, náh) **O.** 'óosh-ne' ('óó, 'óo, 'ájó, 'óo' 'óoh) **Prog.** 'áásh-nííł ('áá, 'áá, 'ájoo, 'íi', 'ááh) t'áá 'áshidiní-nígíí 'ádeeshnííł, I'll do whatever you say. ha'át'íísh bik'ee 'íini-dzaa, how did you get that way?! haalá 'áníńééh, what are you trying to do?! haalá 'íinidzaa, what happened?! what did you do?! háíshą' 'ánít'į, who are you? shí doo 'ásht'įį da, I didn't do it. t'óó 'ásht'į, I'm merely fooling around.

2. to raise one's head; to look up.

This meaning is rendered by prepounding (or prefixing) dei, up, to the forms given under no. 1. Thus, dei'ásdzaa, I looked up. 'asdzą́ą́ dei'ádzaa dóó shinééł'įį' the woman raised her head and looked at me.

3. to change (in appearance, or characteristics).

This meaning is rendered by prepounding łahgo, otherwise, changed, to the forms given in no. 1. Thus, łahgo 'ádzaa, he changed.

4. to get worse (as a person who is ill).

This meaning is rendered by prepounding yéigo, strongly, to the forms given under no. 1. As, yéigo 'ásdzaa, I got worse; yéigo 'ááshnííł, I'm getting worse.

5. to misbehave; to sin; to commit crime.

This meaning is rendered by prepounding bąąhági, wrong,

misdeed, sin, crime, to the forms given under no. 1. Thus, bąąhági 'ásdzaa, I committed a crime or sin.

6. to open (of its own accord, as a door).

This meaning is rendered by prepounding 'ąą, open, to the 3 rd person forms of the verbs given under no. 1. Thus, 'ąą 'ádzaa, it opened. The neuter, it is open, is rendered with the verb 'át'é (so 'ąą 'át'é, it is open).

7. to change (the weather, or impersonal it, they, things).

This meaning is rendered by prepounding łahgo (V. no. 3) to the following forms:

F. 'áhodoonííł **I.** 'áhánééh **Prog.** 'áhoonííł **P.** 'áhoodzaa **R.** 'ánáhoot'įįh **O.** 'áhónééh (or -ne')

tł'óo'di łahgo 'ánáhodoo'níłę́ę, I wish the weather would change (back to its former state).

8. to bend down with me (as a tree).

This meaning is rendered by prepounding shił yaa, down with me, to the 3rd persons of the forms given under no. 1. Thus, shił yaa 'ádzaa, it bent down with me; nił yaa 'ádzaa, it bent down with you, etc.

9. to happen to one.

F. deesh-nííł (díí, doo, jidoo, dii', dooh) **I.** yish-nééh (ni, yi, ji, yii' ghoh) **C-I.** yish-t'į (ni, yi, ji, yii, ghoh) **P.** yis-dzaa (yini, yi, ji, yii, ghooh) **R.** násh-t'įįh (nání, ná, ńjí, néii, náh) **O.** ghósh-ne' (ghóó, ghó, jó, ghoo', ghooh)

haadashą' deeshnííł, I wonder what will happen to me? haadashą' yit'į, I wonder how he is doing. haalá yinééh, what is happening to him? (what is he doing?) haalá yinidzaa, what happened to you? haada ghóshne' laanaa, I wish something would happen to me.

10a. to happen; to occur.

F. 'ahodooníít **C-I.** 'áhát'į **P.** 'áhóót'įįd **R.** 'ánáhoot'įįh **O.** 'áhóne' **Prog** 'áhooníít.

10b. to happen; to occur.

F. hodooníít **C-I.** hat'į **P.** hóót'įįd **R.** náhoot'įįh **O.** hóne'

níléidishą' haa hat'į, what is going on over there?

haada hat'į, what is happening? haada hóne' laanaa, I wish something would happen! haa hóót'įįd, what happened? haalá 'áhoodzaa (or 'áhánééh), what happened?! (as an expression of surprise) haalá 'áhánééh, why did it have to happen (as said by a bereaved person)! kintahdi naasháago 'áhóót'įįd, I was in town when it happened.

10c. to happen this way.

F. kóhodooníít **C-I.** kóhát'į **P.** kóhóót'įįd **R.** kónáhoot'įįh **O** kóhóne'

kóhóne' laanaa nisin ńt'ę́ę́', I was hoping that this would happen! jó kóhóót'įįd, this is what happened.

10d. to happen that way.
F. 'ákóhodooníít C-I. 'ákóhát'į P. 'ákóhóót'įįd R. 'ákónáhoot'įįh O. 'ákóhóne'

t'áá nináháháah bik'eh 'ákónáhoot'įįh, it happens that way every year.

11. to imagine it.

This is herewith given in the 3 rd person (bił); it is altered for person by changing the pronoun prefixed to the postposition -ił, with.
F. t'óó bił 'ádooníít C-I. t'óó bił 'át'į P. t'óó bił 'ádzaa R. t'óó bił 'ánát'įįh O. t'óó bił 'óone'.

mą'ii yiiłtsą́ nisin ńt'ę́ę' --- t'óó shił 'ádzaa lá, I thought I saw a coyote --- but I just imagined it.

12. to be accomplished.
F. ła' dooníít I. ła' yinééh P. ła' yidzaa R. ła' nát'įįh O. ła' ghonééh

13. to increase in size; to expand; spread the legs open.
F. 'ąą kó-deesh-nííł (díí, doo, zhdoo, dii', dooh) Prog. 'ąą kwáásh-niił (kwáá, kwáá, kójoo, kwíi' kwááh) P. 'ąą kós-dzaa (kwíini, kó, kójii, kwíi, kóoh) R. kó-násh-t'įįh (néii or nání, ná, ńjii, néii, náh) O. kóosh-ne' (kóó, kóo, kójó, kóo', kóoh)

14. to duck, dodge.

This meaning is rendered by prepounding yaa, down, to the forms given under no. 13. Thus, tsé yee shííníiłne'go yaa kósdzaa, I ducked when he threw a stone at me.

15. to get even with him; to take vengeance on him. (This word is used either with respect to an evil deed or to a good one.)
F. *bił k'éé-dideesh-'nííł (didíí, didoo, dizhdoo, didii, didooh) I. bił k'éé-dísh-'nééh (dí, dí, zhdí, dii, dóh) P. k'éé-diis-dzaa (dini, dii, zhdii, dii, dooh) R. bił k'é-ń-diisht'įįh (ńdii, ńdii, nízhdii, ńdii ńdóh) O. k'éé-dósh-'ne' (dóó, dó, zhdó, doo, dooh)

* bił becomes yił in 3o.

16. to get ready.
F. hasht'edi-deesh-'nííł (díí, doo, dizhdoo, dii, dooh) I. hasht'e-dish-'nééh (dí, di, zhdi, dii, doh) P. hasht'e-diisdzaa (dini, dii, zhdii, dii, dooh) R. hasht'e'á-ń-diish-'įįh (ńdiil, ńdiil, nízhdiil, ńdiil, ńdooł) O. hasht'e'á-dóshne' (dóól, dól, zhdól, dool, dooł)

17. to dress.
F. háá-dideesh-'nííł (didíí, didoo, zhdidoo, didii, didooh) I. háá-dísh-'nééh (dí, dí, zhdí, dii, dóh) P. háá-diis-dzaa (dini, dii, zhdii, dii, dooh) R. hánínáá-diish-t'įįh (dii, dii, zhdii, dii, dooh) O. háá-dósh-'ne' (dóó, dó, zhdó, doo, dooh)

18. to put forth violent effort for it; to suffer for it.
F. bá 'atí-deesh-nííł (díí, doo, zhdoo, dii', dooh) C-I. bá 'atísh-t'į ('atíní, 'até, 'atíjí, 'atíi, 'atíóh) P. bá 'atíí-t'įįd ('atííní, 'a-

téé, 'atíjíí, 'atíi, 'atíoo) **R.** bá 'atí-násh-t'įįh (nání, ná, ńjí, néii, náh) **O.** bá 'atí-oosh-ne' (óó, oo, jó, oo', ooh) nihisiláago bikéyah yá 'atídaat'įįgo ła' 'ádaadin silįį', some of our soldiers have died striving for their land.

niił, ne', ne', niih, ne', to toss a bulky roundish object.

1. to pound it (with repeated blows).

F. ńdínéesh-niił (ńdíníił, néidínóoł, nízhdínóoł, ńdíniil, ńdínóoł) (nábidí'nóol-) **C-I.** nánísh-ne' (nááníł, néinił, názhníł, nániil, nánół) (nábidi'nil-) **P.** nánéł-ne' (nánínił, néinees, nánees, náneel, nánooł) (nábidi'nees-) **R.** ní-nánísh-niih (nááníł, néinił, názhníł, nániil, nánół) (nábidi'nil-) **O.** nánósh-ne' (nánóół, néinół, názhnół, nánool, nánooł) (nábidi'nól-)

2. to cut it in two (pounding it with an ax).

F. k'í-deesh-niił (dííł, idooł, zhdooł, diil, dooł) (bidi'dool-) **I.** k'í-nísh-ne' (níł, íł, jíł, niil, noł) (bi'deel-) **P.** k'í-níł-ne' (íníł, iníł, zhníł, niil, nooł) (bi'deel-) **R.** k'í-násh-niih (nááníł, néíł, ńjíł, néiil, náł) (nábi'dil-) **O.** k'í-osh-ne' (óół, yół, jół, ool, ooł) (bi'dól-)

3. to pound it off; to chip it off by pounding it.

F. bídeesh-niił (bídííł, yiidooł, bízhdooł, bídiil, bídooł) **I.** bésh-ne' (bíníł, yííł, bíjíł, bíil, bóoł) **P.** béél-ne' (bíínił, yíyííł, bíjííł, bííl, bóoł) **R.** bínásh-niih (bínáníł, yínéíł, bíńjíł, bínéiil, bínáł) **O.** bóosh-ne' (bóół, yíyół, bíjół, bóol, bóoł)

4. to throw it at him (a stone).

F. yídínéesh-niił (yídíníił, yídínóoł, yízhdínóoł, yídíniil, yídínóoł) **P.** yiníił-ne' (yiíninił, yiíníił, yízhníił, yíniil, yínóoł) **R.** néíníish-niih (néiníił, néiníił, néízhníił, néíniil, néínóoł) **O.** yínóosh-ne' (yínóół, yiínóoł, yízhnóoł, yínóol, yínóoł). tsé bee níídínéeshniił, I'll throw a stone at you. (Passives could also be formed as follows: **F.** yídínóolniił **I.** yíníílne' **P.** yíníílne' **R.** néíníílniih **O.** yínóolne'.)

5. to drop it (a bulky or roundish object, as a bottle).

F. ndeesh-niił (ndííł, neidooł, nizhdooł, ndiil, ndooł) (nabidi'dool-) **I.** naash-ne' (nanił, neił, njił, neiil, naał) (nabi'dil-) **P.** náál-ne' (nénił, nayííł, njííł neiil naooł) (nabi'dool-) **R.** ni-násh-niih (nááníł, néíł, nájíł, néiil, náł) (nábi'dil-) **O.** naosh-ne' (naóół, nayół, njół, naool, naooł) (nabi'dól-) shinaaltsoos náálne', I dropped my book.

6. to lose it (a bulky or roundish object, as a book, hat, coin, ball, box, etc.).

F. yóó' 'adeesh-niił ('adííł, 'iidooł, 'azhdooł, 'adiil, 'adooł) ('abidi'dool-) **I.** yóó' 'iish-ne' ('anił, 'iił, 'ajił, 'iil, 'ooł) ('abi'dil-)

P. yóó' 'íił-ne' ('íiníł, 'ayíił, 'ajíił, 'iil, 'ooł) ('abi'dool-) **R.** yóó' 'anásh-niih ('ananíł, 'anéíł, 'ańjíł, 'anéiil, 'anáł) ('anábi'dil-) **O.** yóó' 'oosh-ne' ('oół, 'ayół, 'ajół, 'ool, 'ooł) ('abi'dól-)

7. to knock it over.

This meaning is rendered by prefixing naa-, over to one side, to the verb forms given under no. 6 (excluding the yóó' prepounded to no. 6). Thus naa'adeeshniił, I'll knock it over; bik'i dah'asdáhí naa'íiłne', I knocked the chair over.

8. to look up; to turn one's head quickly; to jerk one's head up quickly (upon being startled).

F. ha-dínéesh-niił (díníił, dínóol, zhdínóol, díníil, dínóoł) **I.** hanish-ne' (níl, nil, zhnil, niil, nol) **P.** ha-neesh-ne' (níínil, nool, zhnool, niil, nooł) **R.** haná-nísh-niih (níl, níl, zhníl, niil, nół) **O.** ha-nósh-ne' (nóól, nól, zhnól, nool, nooł) dlǫ́ǫ́' 'a'ą́ą́dę́ę́' hanoolne' dóó naneesne', the prairie dog stuck its head out of the hole and looked quickly about.

9. to look about one quickly (jerking the head about in all directions).

F. ndínéesh-niił (ndíníił, ndínóol nizhdínóol, ndíníil, ndínóoł) **C-I.** na-nish-ne' (níl, nil, zhnil, niil, noł) **P.** na-nésh-ne' (nínil, nees, zhnees, neel, nooł) **R.** niná-nísh-niih (níl, níl, zhníl, niil, nół) **O.** na-nósh-ne' (nóól, nól, zhnól, nool, nooł)

10. to stick one's head out and draw it back quickly (as from a window or door).

F. ch'í-dínéesh-niił (díníił, dínóol, zhdínóol, díníil, dínóoł) **I.** ch'í-ninish-ne' (niníl, neel, zhneel, niniil ninoł) **P.** ch'í-ninishne' (nííníl, neel, zhneel, niniil, ninooł) **R.** ch'íná-nísh-niih (níl, níl, zhníl, niil, nół) **O.** ch'í-nóshne' (nóól, nól, zhnól, nool, nooł)

11. to stick one's head in quickly, and withdraw it (as in looking in through a door).

F. yah 'a-dínéesh-niił (díníil, dínóol, zhdínóol, díníil, dínóoł) **I.** yah 'a-nish-ne' (níl, nil, zhnil, niil, noł) **P.** yah 'a-neesh-ne' (nííníl, nool, zhnool, niil, nooł) **R.** yah 'aná-nísh-niih (níl, níl, zhníl, niil, nół) **O.** yah 'a-nóshne' (nóól, nól, zhnól, nool, nooł) dáádílkał 'ąą 'áyiilaa dóó yah 'anoolne', he opened the door and quickly looked in.

12. to drop a bomb on it.

To bomb it, in the sense of letting many bombs fall on it simultaneously, is rendered by use of the following stems and the omission of the ł-classifier: nił, nííł, nil, nił, nííł). Thus, bik'iji' hadah 'i'ii'nil, we bombed it (let many bombs fall at once); but bik'iji' hadah 'i'iilne', we dropped a bomb on it.

F. *bik'iji' hadah 'i'deesh-niił ('i'dííł, 'i'dooł, 'izh'dooł, 'i'diil, 'i'dooł) ('idool-) **I.** bik'iji' hadah 'e'esh-ne' ('i'íł, 'e'eł, 'i'jił, 'i'iil, 'i'oł) ('e'el-) **P.** bik'iji' hadah 'i'ííł-ne' ('i'íínił, 'i'ííł, 'i'jííł, 'i'iil, 'i'ooł) ('o'ool-) **R.** bik'iji' hadah 'aná'ásh-niih ('aná'íł, 'aná'ał, 'ań'jíł, 'aná'iil, 'aná'ół) ('aná'ál-) **O.** bik'iji' hadah 'o'ósh-ne' ('o'óół, 'o'ół, 'i'jół, 'o'ool, 'o'ooł) ('o'ól-)

*bi- becomes yi- in 3o.

'niił, 'niih ('ní), 'nih, 'nih, 'nih, to thunder.

F. 'adidoo'niił **I.** 'adi'niih **C-I** 'adi'ní **P.** 'adees'nih **R.** ń'dii'nih **O.** 'adoo'nih

'niił, 'nih, 'ni', 'nih, 'nih, to strike (lightning).

1. to strike it (lightning).

F. bí'iidoo'niił **I.** bí'oo'nih **P.** bí'oos'ni' **R.** bíná'oo'nih **O.** bí'oo'nih. tsin bí'oos'ni', lightning struck the tree. 'ii'ni' biisxį, he was killed by lightning (lightning killed him).

niił, ni, niid, 'niih, niih.

1. to enjoy myself; to have fun with or at it.

This verb is herewith given for the 1st person singular. It is altered for person by changing the pronoun prefix on the postposition -ił, with.

F. baa shił hodínóoniił **C-I.** baa shił honeeni, **P.** baa shił honééniid **R.** baa shił náhonee'niih **O.** baa shił honóniih. 'íínísht'a'go baa shił honeeni, I have fun reading; I like to read. nizhónígo na'akaigo baa shił honééniid, I enjoyed a good Yei Bichei.

niił, niih (ní), niid, 'niih, ne', to say.

1. to say it.

F. dideesh-niił (didíí, didoo, jididoo, didii, didooh) (hodi'doo'-) **I.** dish-niih (dí, di, ji, dii', doh) (hodi'-) **C-I.** dish-ní (dí, ---*, ji, dii', doh) (ha'-) **P.** díí-niid (dííní, díí, jidíí, dii', doo) (ho'doo'-) **R.** ńdísh-'niih (ńdí, ńdí, nízhdí, ńdii', ńdóh) (náhodi'-) **O.** dósh-ne' (dóó, dó, jidó, doo', dooh) (ho'dó'-)

*The 3rd person is expressed by the stem without prefixes, so ní, he says (it).

2. to say; to say thus.

The forms given under no. 1 are direct and definite in force, but with prefixation of 'á-, reference is made to one's whole speech or statement, rather than to the definite individual words. Thus, mą'ii "doo shił bééhózin da," ní, coyote "I do not know," he says (it); but mą'ii 'ání "doo shił bééhózin da," coyote says (thus) "I do not know."

3. to call him (to get his attention).

This meaning is rendered by prepounding bíká, for him, to the forms described under no. 2 (i.e. the forms of number 1 plus prefixed 'á-). Thus, bíká 'ádíshní, I am calling him; yíká 'ání, he is calling him.

4. to say it to him; to call him or name him; to tell it to him; to ask him.

F. bidideesh-niił (bididíí, yididoo bizhdidoo, bididii', bididooh) (bidi'doo'-) **C-I (N)** bidish-ní (bidí, yił, biji, bidii', bidoh) (bi'-di'-) **P.** bidíí-niid (bidííní, yidíí, bizhdíí, bidii', bidoo) (bi'doo'-) **R.** nábidish-'niih (nábidí, néidi, nábizhdi, nábidii', nábidoh) (nábi'di'-) **O.** bidósh-ne' (bidóó, yidó, bizhdó, bidoo', bidooh) (bi'-dó'-)

5. to say thus to him; to ask him (permission); to mean by it.

These meanings are rendered by prefixing 'á- to the forms given under no. 4. The only irregularity is in the 3o. person of the **C-I** (or **N**) form, where 'á- prefixed to yiłní, gives 'ííłní, not 'áyiłní. These forms are given in the 1st person singular.

F. 'ábidideeshniił **C-I (N).** 'ábidishní **P.** 'ábidííniid **R.** 'ánábidish'niih **O.** 'ábidóshne'

John bilįį' sha'doołtééł binii-ghé 'ábidishní, I'm asking John to lend me his horse. ni dooda, John 'ábidishní, not you, I mean John.

* 'á- can be replaced by 'ááł, without change in the meaning. Thus háíshą' 'áálbidinł, whom do you mean?

6. to imitate (the sound of) it.

C-I. bidish-ní (bidíł, yidił, bizh-dił, bidiil, bidoł) tsídii bidishní, I am imitating the sound of the bird. né'éshjaa' mósí yidiłní, the owl is imitating a cat.

niiłtsǫǫz, flat; deflated (tire); rugose.

niinahnízaad Fruitland, N. M.

nikihodii'á, steep.

níldííl, large; big.

níló, hail.

níló yázhí, sleet.

nił, nííł (jaah), nil, 'nił, nííł, to handle plural objects, animate or inanimate. This stem refers to a smaller number of objects than the stem jih, as two or three shot, puppies, babies, books, etc. rather than to a large group or armful (Cp. jih) V. 'ááł for the derivational prefixes relating to the handling of objects.

1. to castrate it.

This meaning is rendered by prepounding bicho', his testicles to the following verb forms, (signifying literally to take them out one after the other).

F. ha-hideesh-nił (hidíí, idiyoo, hizhdiyoo, hidii', hidooh) (hi-doo'-) **I.** ha-hash-nííł (hí, yii, jii, hii', hoh) (ha'-) **P.** ha-há-nil (hííní, yiiz, jiiz, hee', hoo) (haas'-) **R.** haná-hásh-'nił (hí, yii, jii, hii', hóh) (há'-) **O.** ha-hósh-nííł (hóó, iyó, jiyó, hoo', hooh) (hó'-)

2. to replace them with them; to put them back in place of them.

This meaning is rendered by prepounding bich'ą́ąhji', in their place, to the following:

F. 'a-ńdeesh-'nił (ńdíí, néidoo, názhdoo, ńdii, ńdooh) (nábidi'-doo-) **I.** 'a-násh-'nííł (náni, néí, ńjí, néii, náh) (nábi'di-) **P.** 'a-náásh-'nil (néíní, náyoo, ńjoo, néii, náooh) (nábi'doo-) **R.** 'a-ní-násh-'nił (nání, néí, nájí, néii, náh) (nábi'di-) **O.** 'a-náosh-'nííł (náóó, náyó, ńjó, náoo, ná-ooh) (nábi'dó-)

3. to knock them over (one after another).

F. naa-'ahideesh-nił ('ahidíí, 'ii-diyoo, 'ahizhdiyoo, 'ahidii', 'ahi-dooh) **I.** naa-'ahish-nííł ('ahí, 'ayii, 'ajii, 'ahii', 'ahoh) **P.** naa-'ahé-nil ('ahíní, 'ayiiz, 'ajiiz, 'ahee', 'ahoo) **R.** naa-'anáhásh-'nił ('anáhí, 'anáyii, 'ańjii, 'aná-hii, 'anáhóh) **O.** naa-'ahósh-nííł ('ahóó, 'iiyó, 'ajiyó, 'ahoo', 'ahooh)

4. to subjugate them.

This meaning is rendered by prepounding 'áyaa, under self, to the following verb forms:

F. 'adeesh-'nił ('adíí, 'iidoo, 'a-zhdoo, 'adii, 'adooh) **I.** 'iish-'nííł ('ani, 'ii, 'aji, 'ii, 'ooh) **P.** 'eesh-'nil ('ííní, 'ayoo, 'ajoo, 'ii, 'oo) **R.** 'anásh-'nił ('anání, 'a-néí, 'ańjí, 'anéii, 'anáh) **O.** 'oosh-'nííł ('oó, 'ayó, 'ajó, 'oo, 'ooh)

5. to subjugate them one after the other (as when a conqueror overcomes nations one after another in succession).

This meaning is rendered by prepounding 'áyaa, under self, to the following verb forms: (as in no. 4, except that the insertion of -hi- indicates that they are placed one after another, rather than all in one act).

F. 'ahideesh-'nił ('ahidíí, 'iidi-yoo, 'ahizhdoo, 'ahidii, 'ahidooh) ('abi'diyoo-) **I.** 'ahish-'nííł ('a-hí, 'ayii, 'ajii, 'ahii, 'ahoh) ('abi'-dii-) **P.** 'ahésh-'nil ('ahíní, 'a-yiis, 'ajiis, 'ahee, 'ahooh) ('abi'-diis-) **R.** 'anáhásh-'nił ('anáhí, 'anáyii, 'ańjii, 'anáhii, 'anáhóh) ('anábi'dii-) **O.** 'ahósh-'nííł ('a-hóó, 'iiyó, 'ahijó, 'ahoo, 'ahooh) ('abi'diyó-)

6. to reassemble it; to put it back together.

This meaning is rendered by prepounding 'ahiih, into each other, to the following verbs: (the meaning being literally to put them (the parts) back into each other).

F. 'ahiih ńdeesh-'nił (ńdíí, néi-doo, nízhdoo, ńdii, ńdooh) (ná-bidi'doo-) **I.** násh-'nííł (nání, néí, ńjí, néii, náh) (nábi'di-) **P.** náásh-'nil (néíní, náyoo, ńjoo, néii, náooh) (nábi'doo-) **R.** ní-násh-'nił (nání, néí, nájí, néii, náh) (nábi'di-) **O.** náosh-'nííł (náóó, náyó, ńjó, náoo, náooh) (nábi'dó-)

7. to release them; to set them free (lit. to take them back out).

F. ch'éédeesh-'nił (ch'éédíí, ch'í-néidoo, ch'éézhdoo, ch'éédii, ch'éédooh) (ch'éébidi'doo-) **I.** ch'í-násh-'nííł (nání, néí, níjí, néii, náh) (nábi'di-) **P.** ch'éé-nísh-'nil (ch'ééíní, ch'ééyoo ch'ééjoo, ch'ínéii, ch'ínáooh) (ch'éébi'doo-) **R.** ch'íní-násh-'nił (nání, néí, nájí, néii, náh) (nábi'-di-) **O.** ch'í-náosh-'nííł (náóó, náyó, ńjó, náoo, náooh) (nábi'-dó-)

8. to smoke them (pieces of meat).

This meaning is rendered by prepounding łid, smoke, to the following verbs: (to smoke it is rendered by substituting the stem 'ááł, with the same prefixes as those which follow).

F. béédeesh-nił (béédíí, yééyi-doo, béézh, béédii', béédooh) (béédoo'-) **I.** bénásh-nił (béénį, yénéí, bééjí, bénéii', bénáh) (bé-ná'-) **P.** béésé-nil (béésíní, yé-néíz, bééjíz, béésii', béésoo) (bé-nás'-) **R.** bénínásh-'nił (béníná-ní, yéninéí, bénínájí, bénínéii, bénínáh) (bénínά-) **O.** bénáosh-nił (bénáóó, yééyó, bééjó, béná-oo', bénáooh) (bénáoo'-)

9. to sprinkle water.

This meaning is rendered by prepounding tó, water, to the following verb forms:

F. ndeesh-nił (ndíí, neidoo, nizh-doo, ndii', ndooh) (ndoo'-) **C-I.** naash-nil (nani, nei, nji, neii', naah) (naa'-) **P.** nisé-nil (nisí-ní, neiz, njiz, nisii', nisoo) (naas'-) **R.** ni-násh-'nił (nání, néí, nájí, néii, náh) (ná'-) **O.** naosh-nil (naóó, nayó, njó, na-oo', naooh) naoo'-) shidá'á-k'ehgi tó nisénil, I sprinkled (in) my field.

10. to lose them (plural animate or inanimate objects).

F. yóó' 'adeesh-nił ('adíí, 'iidoo, 'azhdoo, 'adii', 'adooh) ('abidi'-doo'-) **I.** yóó' 'iish-nííł ('ani, 'ii, 'aji, 'ii', 'ooh) ('abi'di'-) **P.** yóó' 'íí-nil ('ííní, 'ayíí, 'ajíí, 'ii', 'oo) ('abi'doo'-) **R.** yóó' 'anásh-'nił ('anání, 'anéí, 'ańjí, 'anéii, 'a-náh) ('anábi'di-) **O.** yóó' 'oosh-nííł ('oó, 'ayó, 'ajó, 'oo', 'ooh) ('abi'dó'-)

11. to drop them (a few animate or inanimate objects).

F. ndeesh-nił (ndíí, neidoo, nizh-doo, ndii', ndooh) (nabidi'doo'-) **I.** naash-nííł (nani, nei, nji, neii', naah) (nabi'di'-) **P.** náá-nil (né-íní, nayíí, njíí, neii', naoo) (na-bi'doo'-) **R.** ni-násh-'nił (nání, néí, nájí, néii', náh) (nábi'di-) **O.** naosh-nííł (naóó, nayó, njó, naoo', naooh) (nabi'dó'-)

12. to burrow; to dig or bore a hole.

F. 'i'deesh-nił ('i'díí, 'i'doo, 'izh'-

doo, 'i'dii', 'i'dooh) **I.** 'e'esh-níí*ł* ('i'í, 'e'e, 'i'ji, 'i'ii', 'i'oh) **Prog.** 'eesh-ni*ł* ('íí, 'oo, 'ajoo, 'ii', 'ooh) **P.** 'i'íí-nil ('i'íiní, 'i'íí, 'i'jíí, 'i'ii', 'i'oo) **R.** 'a-ná'ásh-'ni*ł* (ná-'í, ná'á, ń'jí, ná'ii, ná'óh) **O.** 'o'ósh-níí*ł* ('o'óó, 'o'ó, 'i'jó, 'o'-oo', 'o'ooh) dlǫ́ǫ́ 'i'íínil, the prairie dog dug a hole.

16. to bore or dig through it.
F. *binákà-'deesh-ni*ł* ('díí, 'doo, zh'doo, 'dii', 'dooh) **I.** binákà-'nísh-níí*ł* ('ní, 'í, 'jí, 'nii', 'nóh) **P.** binákà-'ní-nil ('ííní, 'ní, zh'ní, 'nii', 'noo) **R.** binákáná-'ásh-'ni*ł* ('í, 'á, 'jí, 'ii', 'óh) **O.** biná-ká-'ósh-níí*ł* ('óó, 'ó, 'jó, 'oo', 'ooh) tsin binákà'deeshni*ł*, I will bore a hole in the wood.
*bi- becomes yi- in 3o.

17. to saddle it (a horse).
F. *bik'i dah 'a-deesh-ni*ł* (díí doo, zhdoo, dii', dooh) **I.** bik'i dah 'ash-níí*ł* ('í, 'a, 'aji, 'ii', 'oh) **P.** bik'i dah 'asé-nil ('asíní, 'az 'ajiz, 'asii', 'asoo) **R.** bik'i dah ná'ásh-'ni*ł* (ná'í, ná'á, ní'jí, ná'-ii', ná'óh) **O.** bik'i dah 'ósh-níí*ł* ('óó, 'ó, 'ajó, 'oo', 'ooh)
*bik'i becomes yik'i in 3o.

łįį́' bik'i dah 'ashníí*ł*, I am saddling the horse.

18. to hitch them (horses) to it (a wagon).
To hitch one horse is rendered by substituting the stems *łtééł łteeh, łtį, łtééh, łtééł* in the following.
F. *bighą́ą́h dideesh-ni*ł* (didíí yididoo, jididoo, didii', didooh) **I.** bighą́ą́h dish-níí*ł* (dí, yidi, jidi, dii', doh) **P.** bighą́ą́h dé-nil(dí-ní, deez, jideez, dee', doo) **R.** bighą́ą́h ńdish-'ni*ł* (ńdí, néidi ńdii', ńdóh) **O.** bighą́ą́h dósh-níí*ł* (dóó, yidó, jidó, doo', dooh)
*bighą́ą́h becomes yighą́ą́h in 3o.

niłdzil, solid; firm.
niłchxon, stinking.
níłch'i, air; spirit.
níłch'i dííl idígíí, carbon dioxide
níłch'itsoh, December.
níłch'its'ósí, November.
níłch'i yá'át'éehii, oxygen.
niłhin, oily brown (like the brown stain on sheep's wool).
niłtólí, transparent; clear; crystalline (as water).
níłtsą́, rain.
níłtsą́ bi'áád, shower.
níłtsą́ biką', violent storm.
níłtsą́go', brown prionid beetle.
niłts'ílí, crystalline; clear (water)
nímasiitsoh, potato.
nímaz, spherical; round.
nineez, long.
nish, níísh, nish, nish, níísh, to work.

1. to start working.
F. dideesh-nish (didíil, didool, ji-didool, didiil, didooł) **I.** dish-níísh (díl, dil, jidil, diil, dołł) **P.** désh-nish (díníl, deesh, jideesh, deel, dishooł) **R.** ńdísh-nish (ń-díl, ńdíl, nízhdíl, ńdiil, ńdółł) **O.** dósh-níísh (dóól, dól, jidól, dool, doołł)

2. to work.

F. ndeesh-nish (ndíil, ndool, nizhdool, ndiil, ndooł) **C-I.** naashnish (nanil, naal, njil, neiil, naał) **P.** nishísh-nish (nishíníl, naash, njish, nishiil, nishooł) **R.** ninásh-nish (ninání l, ninál, nijil, ninéiil, ninááł) **O.** naooshnish (naóól, naool, njól, naool, naooł)

It will be noted that this verb uses a single stem throughout. It is also used in the sense of to function, probably by analogy with the English usage of work as in chidí doo naalnish da, the car doesn't work.

3. to work on it.

F. bindeesh-nish (bindíil, yindool binizhdool, bindiil, bindooł) (bin'doo-) **C-I.** binaash-nish (binanil, yinaal, binjil, bineiil, binaał) (bina'a-) **P.** binishish-nish (binishíníl, yinaash, binjish, binishiil, binishooł) (bina'azh-) **R.** bininásh-nish (bininánil, yininál, bininájíl, bininéiil, bininááł) (bininá'á-) **O.** binaooshnish (binaóól, yinaool, binjól, binaool, binaooł) (bina'ó-)

4. to stop working; to finish working.

F. ndeesh-nish (ndíil, ndool, nizhdool, ndiil, ndooł) **I.** ninishníísh (niníl, niil, njíl, niniil, ninoł) **P.** ninish-nish (nííníl, niil, njíl, niniil, ninooł) **R.** ni-náshnish (nánil, nál, nájíl, néiil, nááł) **O.** noosh-níísh (noól, nool, njól, nool, nooł)

nish, nizh, nizh, 'nish, nizh, to break a slender flexible object.

1. to pluck or pick it (herb, beard).

F. deesh-nish (díí, yidoo, jidoo, dii', dooh) (bidi'doo'-) **I.** yishnizh (ni, yi, ji, yii', ghoh) (bi'di'-) **P.** yí-nizh (yíní, yiyíí, jíí, yii', ghoo) (bi'doo'-) **R.** násh-'nish (nání, néí, ńjí, néii', náh) (nábi'di-) **O.** ghósh-nizh (ghóó, yó, jó, ghoo', ghooh) (bi'dó'-)

2. to break it in two (slender flexible object as string; also refers to the breaking of a treaty).

F. k'í-deesh-nish (díí, idoo, zhdoo, dii', dooh) (bidi'doo'-) **I.** k'í-nísh-níísh (ní, í, jí, nii', nóh) (bi'dee'-) **P.** k'í-ní-nizh (íní, iní, zhní, nii', noo) (bi'dee'-) **R.** k'ínásh-'nish (nání, néí, ńjí, néii, náh) (nábi'di'-) **O.** k'í-osh-níísh (óó, yó, jó, oo', ooh) (bi'dó'-)

nisihwiinídéél, emergency.

niteel, wide; broad; flat.

nitł'iz, hard; tough.

nitsaa, large; big. shikin nitsaa, my house is large.

nitsxaaz, large; big (anything that grows, as a plant or animal) deenásts'aa' ła' nitsxaaz, one of the rams is large.

nízaadgóó, afar. nízaadgóó niséyá, I've gone a long way.

nizhóní, pretty; good; beautiful; clean; nice; fine.

níyol, wind.

níyol tó hayiileehí, windmill.

ńláahdi, over there. ńláahdi tsin t'óó 'ahayóí yíl'á, there's a lot of timber over there.

ńléí, that; that one. ńléí tsin biyaadi 'ałhosh, he is sleeping over there under that tree.

ńléidi, over there; yonder. ńléidi 'ałhosh, he's sleeping over there.

noł, nood, nóód, no', nood, to move quickly; dart.

1. to dive.

This meaning is rendered by prepounding táłtł'ááh, the bottom of the water; the interior of the water, to the following:

F. deesh-noł (dííl, dool, jidool, diil, dooł) **I.** yish-nood (nil, yil, jil, yiil, ghoł) **P.** yish-nóód (yíníl, yil, jool, yiil, ghooł) **R.** násh-no' (nánil, nál, ńjíl, néiil, náł) **O.** ghósh-nood (ghóól, ghól, jól, ghool, ghooł)

2. to dart about (as a lizard).

F. ndoolnoł **C-I** naalnood **Prog.** naanáálnoł **P.** naasnóód **R.** ninálno' **O.** naoolnood

nóóda'í, Ute.

noodǫ́ǫ́z, striped.

noo', storage pit.

noojí, corrugated; rugged.

noot'ish, pleat.

nówehédi, farther on. t'ah nówehédi nidibé naníłkaad, herd your sheep farther on!

O

The d-classifier becomes t'- before stem initial |'|.

'ohónéedzą́, possibility (bohónéedzą́ or bihónéedzą́, it is possible).

'ólta', school.

'ólta' hótsaaígíí, boarding school

'oł, 'eeł, 'ééł, 'oł, 'eeł, to float.

1. to float about on the surface.

F. dah ndeesh-'oł (ndíí, ndoo, nizhdoo, ndii, ndooh) **C-I.** dah naash-'eeł (nani, naa, nji, neii, naah) **P.** dah nisé-'ééł (nisíní, naaz, njiz, nisii, nisoo) **R.** dah ninásh-'oł (ninání, ninájí, ninéii, nináh) **O.** dah naoosh-'eeł (naóó, naoo, njó, naoo, naooh)

2. to be floating along.

Prog. yish-'oł (yí, yi, joo, yii, ghoh)

3. to become snagged (as an object caught on a limb lying in the water).

F. dah ńdeesh-'oł (ńdíí, ńdoo, nízhdoo, ńdii, ńdooh) **I.** dah násh-'eeł (nání, ná, ńjí, néii, náoh) **P.** dah nisé-'ééł (nisíní, náz, ńjíz, nísii, nísoo) **R.** dah nínásh-'oł (nínání, níná, nínájí, nínéii, nínáh) **O.** dah náoosh-'eeł (náóó, náoo, ńjó, náoo, náooh)

tsinaa'eeł dah náz'ééł, the ship was snagged (ran aground).

4. to run aground (and remain stuck, as a ship).

F. dzíłts'ádidínóo'oł **I.** dzíłts'ádini'eeł **P.** dzíłts'ádineez'ééł **R.** dzíłts'áńdini'oł **O.** dzíłts'ádinó'eeł

5. to start off sailing it (lit. to start off causing it to float along).
F. dah dideesh-'oł (didííł, yididooł, shdidooł, didiil, didooł) **I.** dah diish-'eeł (diił, yidiił, shdiił, diil, dooł) **P.** dah diił-'éél (dinił, yidiił, shdiił, diil, dooł) **R.** dah ńdiish-'oł (ńdiił, néidiił, nízhdiił, ńdiil, ńdooł) **O.** dah doosh-'eeł (doółł, yidooł, jidooł, dool, dooł)

6. to start sailing it along (i.e. start making it float along).
F. dideesh-'oł (didííł, yididooł, jididooł, didiil, didooł) **I.** dish-'eeł (díł, yidił, jidił, diil, doł) **P.** dééł-'éél (díníł, yideez, jideez, deel, disooł) **R.** ńdísh-'oł (ńdíł, néidił, nízhdíł, ńdiil, ńdół) **O.** dósh-'eeł (dóół, yidół, jidół, dool, dooł)

7. to be sailing it along (lit. to be causing it to float along).
Prog. yish-'oł (yíł, yooł, jooł, yiil, ghoł)

8. to be sailing along (lit. to be causing something to float along.
Prog. 'eesh-'oł('ííł, 'ooł, 'ajooł, 'iil, 'ooł)

9. to sail it; to arrive sailing it (lit. to cause it to arrive floating)
F. deesh-'oł (dííł, yidooł, jidooł, diil, dooł) **I.** nish-'eeł (níł, yíł, jíł, niil, noł) **P.** níł-'éél (yíníł, yiníł, jiníł, niil, nooł) **R.** násh-'oł (náníł, néíł, ńjíł, néiil, náł) **O.** ghósh-'eeł (ghóół, yół, jół, ghool ghooł)

10. to arrive sailing (lit. to arrive causing something to float).
F. 'adeesh-'oł ('adííł, 'adooł, 'azhdooł 'adiil, 'adooł) **I.** 'anish-'eeł ('aníł, 'íł, 'ajíł, 'aniil, 'anoł) **P.** 'aníł-'éél ('ííníł, 'aníł, 'azhníł, 'aniil, 'anooł) **R.** ná'ásh-'oł (ná'íł, ná'ał, ń'jíł, ná'iil, ná'ół) **O.** 'ósh-'eeł ('óół, 'ół, 'ajół, 'ool, 'ooł)

11. to sail it as far as a point; sail it to (a place) and stop (lit. to cause it to float to a point).
F. ndeesh-'oł (ndííł, niidooł, nizhdooł, ndiil, ndooł) **I.** ninish-'eeł (niníł, niyíł, njíł, niniil, ninooł) **P.** niníł-'éél (nííníł, niiníł, nizhníł, niniil, ninooł) **R.** ninásh-'oł (ninániíł, ninéíł, ninájíł, ninéiil, ninááł) **O.** noosh-'eeł (noół, niyół, njół, nool, nooł)

12. to sail as far as a point; to sail up to (a place) and stop (lit. to cause something to float up to a point and stop).
F. n'deesh-'oł (n'dííł, n'dooł, nizh'dooł, n'diil, n'dooł) **I.** ni'nish-'eeł (ni'níł, ni'íł, n'jíł, ni'niil, ni'noł) **P.** ni'níł-'éél (ni'ííníł, nizh'níł, ni'niil, ni'nooł) **R.** niná'ásh-'oł (niná'íł, niná'ał, niná'jíł, niná'iil, niná'ół) **O.** ni'ósh-'eeł (ni'óół, ni'ół, n'jół, ni'ool, ni'ooł)

13. to turn it around (lit. to cause it to turn around floating).
F. naa-nídeesh-'oł (nídííł, nííidooł, nízhdooł, nídiil, nídooł) **I.** naa-ná'ásh-'eeł (ná'íł, ná'ał, ń'-

jíł, ná'iil, ná'ół) **P.** naa-nísé-'éél (nísíníł, néís, ńjís, nísiil, nísooł) **R.** naa-nínásh-'oł (nínáníł, nínéíł, nínájíł, nínéiil, nínáł) **O.** naa-náosh-'eeł (nááóół, náyół, ńjół, náool, náooł)

14. to turn around (lit. to cause something to turn around floating).

F. naa-ní'deesh-'oł (ní'dííł, ní'dooł, nízh'dooł, ní'diil, ní'dooł) **P.** naa-ní'séł-'éél (ní'síníł, ná'ás, ń'jís, ní'siil, ní'sooł) **R.** naaníná'ásh-'oł (ná'íł, ná'áł, ná'jíł, ná'iil, ná'ół) **O.** naa-ná'ósh-'eeł (ná'óół, ná'ooł, ná'jooł, ná'ool, ná'ooł)

15a. to start on a voyage (lit. something starts floating along with one).

This verb is herewith given in the 1st person sgl. It is altered for person by changing the pronoun prefixed to the postposition -'ił, with.

F. shił 'adidoo'oł **I.** shił 'adi'eeł **P.** shił 'adeez'éél **R.** shił ń'dí'oł **O.** shił 'adó'eeł

15b. to start off on a voyage (lit. something starts off floating with me).

F. shił dah 'adidoo'oł **I.** shił dah 'adii'eeł **P.** shił dah 'adii'éél **R.** shił dah ń'dii'oł **O.** shił dah 'adoo'eeł

16. to go by boat; to voyage (lit. something arrives floating with one).

F. shił 'adoo'oł **Prog.** shił 'oo'oł **P.** shił 'aní'éél **R.** shił ná'á'oł **O.** shił 'o'ó'eeł

17. to sail as far as a point; to make a voyage to (a place) (lit. something floats as far as a point with one).

F. shił n'doo'oł **I.** shił ni'í'eeł **P.** shił ni'ní'éél **R.** shił niná'á'oł **O.** shił ni'ó'eeł

18. to produce an abortion (lit to cause something to float out of one's belly).

The noun -tsą́, belly, is prepounded to the verb forms which follow. A pronoun, corresponding in person and number to the subject of the verb, is prefixed to -tsą́. Thus, sitsą́ ha'ííł'éél, I aborted; nitsą́ ha'ííníł'éél, you aborted, etc.

The prefix 'á-, self, can replace the other personal pronouns prefixed to -tsą́, in which case the noun remains 'átsą́, one's own belly, throughout the conjugation. Thus, 'átsą́ ha'ííł'éél, I aborted; 'átsą́ ha'ííníł'éél, you aborted, etc.

F. ha'deesh-'oł (ha'dííł, ha'dooł, hazh'dooł, ha'diil, ha'dooł) **I.** ha'ash-'eeł (ha'íł, ha'ał, ha'jił, ha'iil, ha'oł) **P.** ha'ííł-'éél (ha'ííníł, ha'ííł, ha'jííł, ha'iil, ha'ooł) **R.** ha-ná'ásh-'oł (ná'íł, ná'áł, ná'jíł, ná'iil, ná'ół) **O.** ha'ósh-'eeł (ha'óół, ha'óɫ, ha'jół, ha'ool, ha'ooł)

19. to have a miscarriage; to have an abortion (lit. something floats out of one's belly). This verb is conjugated for person by altering the pronoun prefix on the noun -tsą́, belly. It is herewith given for the 1st person singular.
F. sitsą́ ha'doo'oł **I.** sitsą́ ha'a'eeł **P.** sitsą́ ha'íí'éél **R.** sitsą́ haná'á'oł **O.** sitsą́ ha'ó'eeł

'ó'oolkąąh, advertisement.

'ood, eagle trap.

'óola, gold.

'óola, hour; o'clock. t'ááłáhádi 'óola 'azlį́į́', it is 1:00. t'ááłáhádi 'óola 'azlį́į́' dóó 'ashdla'áadah dah 'alzhingóó náá'oolkił it is 1:15. (or) t'ááłáhádi dóó 'ashdla'áadahgóó 'oolkił, it is 1:15. dį́į́di 'óola 'azlį́į́' dóó naadį́į́'ashdla' dah 'alzhingóó náá'oolkił, it is 4:25. (or) dį́į́di dóó naadį́į́'ashdla'góó 'oolkił, it is 4:25. hastą́ądi 'óola 'azlį́į́'go 'adeeshį́į́ł (or hastą́ądigo 'adeeshį́į́ł), I will eat at 6:00. náhást'éidi 'óola 'azlį́į́' dóó neeznáá dah 'alzhingóó náá'oolkił-go (or náhást'éidi dóó neeznáágóó 'oolkiłgo) baa níyá, I met him at 9:10. kǫ' na'ałbąąsii dį́į́di 'óola dóó naadį́į́'ashdla' dah 'alzhingóó 'oolkiłgo nálgho' łeh, the train usually arrives at 4:25. díkwíígóó 'oolkiłgoshą' ná'ídį́į́h łeh, at what time do you usually eat? (or díkwíidigoshą' ná'ídį́į́h łeh, at what time do you usually eat?). dį́į́di 'óola 'azlį́į́' dóó tádiin dah 'alzhingóó náá'oolkił or dį́į́di dóó 'ałnį́į́'go 'azlį́į́' or dį́į́di dóó 'ałníí'góó náá'oolkił, it is 4:30. 'ashdladi 'óola 'adooleełji' neeznáá dah 'alzhin yidziihgo shighandi nánísdzá, I arrived home at ten minutes to five.

'ooljéé', moon.

'ooljéé' bee 'adinídíinígíí, moonlight.

'ooljéé' daaztsą́, eclipse of the moon (i.e. the moon is dead).

'ooljéé' 'ałníí' béélthéél, half moon (1st quarter).

'ooljéé' dah yiitą́, crescent moon

'ooljéé' chahałheeł náádzá, the last quarter (of the moon).

'ooljéé' haníibą́ąz, full moon.

'ooljéé' łahgo 'ánáá'níił, the phases of the moon.

'ooljéé' biná'ástłéé', ring around the moon.

'ooshgę́ę́zh, gristle; cartilage (booshgę́ę́zh).

'ooshgę́ę́zh bee ts'in 'ahéshjéé' gónaa k'é'éltǫ', epiphyseal fracture.

'ooshk'iizh nít'i'í, traces (of the harness).

'ootsą́, pregnancy.

'ouu', yes.

S

Many s-initial stems insert l before the stem and change the initial s to z in the 1st person dpl, and in the passive, thus avoiding confusion with the d-classifi er, which gives dz in conjunction with s. This inserted l is included in the paradigms wherever it occurs; otherwise the stem becomes dz-initial in the 1st person dpl and in the passive.

sh-initial stems also require l in the 1st person dpl, and in the passive, but become zh after l.

saad, word; language (bizaad).

saad náánáłahdę́ę́' saad bee 'áńdaalne', translation.

sáanii, womenfolk.

sah, sááh, sa', sah, sááh.

1. to miss it (in the sense of finding it gone or absent).

F. *bího-dees-sah (díí, doo, zhdoo, diil, dooh) (doolyah) **I.** bíhás-sááh (hó, há, hóji, hwiil, hóh) (hályááh) **P.** bí-hosé-sa' (hosíní, hoo, hojoo, hosiil, hosoo) (hoohya') **R.** bíná-hos-sah (ho, ho, hojoo, hwiil, hóh) (hoolyah) **O.** bí-hós-sááh (hóó, hó, hojó, hool, hooh) (hólyááh) shidibé łaji' bíhosésa', I missed part of my sheep.

*bi- becomes yi- in 3o.

sahdii, upright support; tent pole

sahdiibisí, Petrified Forest, Ariz.

sał, sááł, saal, sał, sááł, to waft.

1. to sail or race through the air (as a cloud or piece of paper).

F. yóó' 'adoosał **I.** yóó' 'iisááł **P.** yóó' 'íísaal **R.** yóó' 'anásał **O.** yóó' 'oosááł

2. to be wafting or racing along either horizontally or vertically (as a cloud, smoke, etc.).

Prog. yisał

sání, old; decrepit.

sas, sáás, sas, sas, sáás, to dribble.

1. to dribble it along in a line (as when one lets sand dribble through the fingers).

F. didees-sas (didíí, yididoo, jididoo, didiil, didooh) **I.** dis-sáás (dí, yidi, jidi, diil, doh) **P.** désas (díní, yidee, jidee, deel, doo) **R.** ńdís-sas (ńdí, néidi, nízhdí, ńdiil, ńdóh) **O.** dós-sáás (dóó, yidó, jidó, dool, dooh)

2. to be dribbling it along.

Prog. yis-sas (yí, yoo, joo, yiil, ghoh)

są́, old age; decrepitude.

séél, sééh (sé), są́, sééh, sééł, to mature.

1. to grow up; to mature.

F. dínées-sééł (díníí, dínóo, jidínóo, díníil, dínóoh) **Prog.** neessééł (níí, noo, jinoo, niil, noh) **P.** ni-niní-są́ (nííní, niní, zhniní, niniil, ninoo) **R.** niná-nís-sééh (ní, ní, zhní, niil, nóh) **O.** dínós-sééł (dínóó, dínó, dízhnó, dínóol, dínóoh)

A neuter form, nanise', occurs meaning it grows about; and also being used nominally with the meaning of vegetation.

To stop growing is rendered by the forms: **F.** ndínéessééł **P.** nisą́ **O.** ninóssééł, which can be conjugated by analogy with the forms given above.

2. to raise it; to cause it to mature; to rear him).
This verb refers only to animate objects.
F. bidínées-séé́ł (bidíníí, yidínóo, bizhdínóo, bidíníil, bidínóoh) (bididí'nóol-) **C-I.** binis-sé (bini, yini, bizhni, biniil, binoh) (bidi'nil-) **P.** biné-sǫ́ (biníní, yinee, bizhnee, biniil, binoh) (bidi'nees-) **R.** nábinis-sééh (nábiní, néini, nábizhni, nábiniil, nábinoh) (nábidi'nil-) **O.** binós-séé́ł (binóó, yinó, bizhnó, binool, binooh) (bidi'nól-)
'ashkii bik'éí 'ádingo binésǫ́, I brought up the orphaned boy.
3. to tan it (hide).
F. dees-séé́ł (díí, yidoo, jidoo, diil, dooh) (bidi'dool-) **I.** yis-sééh (ni, yi, ji, yiil, ghoh) (bi'dil-) **P.** yí-sǫ́ (yíní, yiyíí, jíí, yiil, ghoo) (bi'dis-) **R.** nás-sééh (náni, néí, ńjí, néiil, náh) (nábi'dil-) **O.** ghós-séé́ł (ghóó, yó, jó, ghool, ghooh) (bi'dól-)
4. to tan (intr.).
F. 'adees-séé́ł ('adíí, 'adoo, 'azhdoo, 'adiil, 'adooh) **C-I.** 'as-sééh ('í, 'a, 'aji, 'iil, 'oh) **P.** 'íí-sǫ́ ('íiní, 'íí, 'ajíí, 'iil, 'oo) **R.** ná'as-sééh (ná'í, ná'á, ń'jí, ná'iil, ná'óh) **O.** 'ós-sééh ('óó, 'ó, 'ajó, 'ool, 'ooh)

sęęs, wart (bizęęs).

séí, séí, séí, séí, séí, to crumble.
1. to crumble it.
F. didees-séí (didíí, yididoo, jididoo, didiil, didooh) (bidi'dool-) **I.** dis-séí (dí, yidi, jidi, diil, doh) (bi'dil-) **P.** díí-séí (dííní, yidi, jidi, diil, dooh) **R.** ńdís-séí (ńdí, néidi, nízhdí, ńdiil, ńdóh) (nábi'dil-) **O.** dós-séí (dóó, yidó, jidó, dool, dooh) (bi'dól-)

séí, sand.

séíbídaagai, Seba Dalkai, Ariz.

séígo', scorpion.

shaazh, knot; callous.

shą́ą́', remember. shą́ą́', bee nił hweeshne, remember, I told you about it. shą́ą́', t'áadoo yáníłti'í ndishní, remember, I told you not to talk!

shą́ą́', sunshine; sunny side (as of a slope).

shą́ą'ji', in the sunshine. shą́ą'ji' sédá, I'm sitting in the sun.

shą́ą́'tóhí, Shonto, Ariz.

shą́ą́', remember!

shá, sun.

shá bitł'ájiiłchii', halo around the sun.

shá bitł'óól, sunbeam; sunray.

shádi'ááh, south.

shádi'ááhjí, south side; on the south; to the south.

shádi'ááhjígo, to the south. shighanídóó shádi'ááhjígo shicheii bighan, my grandfather's home is to the south of mine.

shádi'áahjigo, southward. shádi'áahjigo k'os deílzhood, the clouds are drifting southward.

shádi'ááh biyaadi, in the far or extreme south.

sha'shin, possibly; maybe. nahodoołtį́į́ł sha'shin nisin, I think maybe it will rain. shí 'áshłaa yę́ę 'át'ée sha'shin, maybe it is the one I made.

shánah, health. shánah naashá, I am healthy.

shánđíín, sunlight.

shash, bear.

shash bitoo, Fort Wingate, N. M.

shash łigai, polar bear.

shashtsoh, grizzly bear.

shash yáázh, bear cub.

shéíí, a stem used with kó-, thus, to render the meaning "that small."

1. to be that small; to be so small.

N. kó-nísh-shéíí (ní, ní, zhní níil, nóh)

shibéézh, boiled; cooked (by boiling).

shih, shééh, shéé', shih, shééh, to mow.

1. to mow it (grass, etc); to cut it (hair).

F. deesh-shih (díí, yidoo, jidoo, diil, dooh) (bidi'dool-) **I.** yish-shééh (ni, yi, ji, yiil, ghoh) (bi'-dil-) **P.** yí-shéé' (yíní, yiyíí, jíí, yiil, ghoo) (bi'dool-) **R.** násh-shih (nání, néí, ńjí, néiil, náh) (nábi'dil-) **O.** ghósh-shééh (ghóó, yó, jó, ghool, ghooh) (bi'-dól-)

nitsiighá ná deeshshih, I'll cut your hair for you.

shijaa', they are (in position) (pl separable objects, as grain, shot houses). (When they are scattered about, rather than in a group naazhjaa' is used). kin dah shijaa', a group of houses; town.

shijéé', they are (in position); they lie (plural animate objects). (When they lie scattered about rather than as a group the form naazhjéé' is used). 'áadi dibé shijéé', there lie the sheep (in a group). dibé naazhjéé', the sheep are lying scattered about.

shijįzhgo k'é'éltǫ', compression fracture.

shijool, it is (in position) (pl naazhjool) (non-compact matter as wool, brush). 'áadi 'aghaa' shijool, there lies the wool.

shizhoozh, they are (in position) (slender stiff objects as sticks, planks, lying parallel side by side; or animals lying side by side).

shíníinii, claimant (at law; i.e. the one who says "it's mine").

shish, shish, shish, shish, shish, to poke with a slender object.

1. to poke it; to stick it; to sting him.

F. deesh-shish (díí, yidoo, jidoo, diil, dooh) (bidi'dool-) **I.** yiish-shish (yii, yii, jii, yiil, ghooh) (bi'-diil-) **S-P.** shé-shish (shíní, yish, jish, shiil, shooh) (bi'dish-) **R.** néish-shish (néii, náyii, ńjii, né-iil, náooh) (nábi'diil-) **O.** ghoosh-shish (ghóó, yó, jó, ghool, ghooh) (bi'dól-)

tsís'ná shishish, the bee stung me.

2. to poke or sting him one time after another in rapid succession.

C-I. nánísh-shish (nání, néini, ńjii, nániil, nánóh)

shįį́, probably; maybe (often injects the idea of doubt or uncertainty). haashįį néelą́ą́', an indefinitely large quantity or number (lit. how probably much). nahodooltįįł shįį, it will probably rain. t'áadoo shįį diníní, don't say maybe!

shįįł, shįįh, shįį', shįįh, shįįh, to blacken.

1. to make it black; to blacken it; dye it black.

F. yi-deesh-shįįł (díí, idoo, zhdoo diil, dooh) *(bidi'dool-) **I.** yiish-shįįh (yii, yiyii, jii, yiil, ghooh) (bi'diil-) **P.** yi-shįį' (yini, yiyii, jii, yiil, ghoo) (bi'diil-) **R.** né-ish-shįįh (néii, náyii, ńjii, néiil, náooh) (nábi'diil-) **O.** ghoosh-shįįh (ghoó, yoo, joo, ghool, ghooh) (bi'dool-)

*bi- replaces yi- in the passive.

shįįł, shįįh, shį, shįįh shįįh, to summer.

1. to start to be summer; to begin (summer)

F. ch'ídooshįįł **I.** ch'éshįįh **P.** ch'ééníshį **R.** ch'ínínáshįįh **O.** ch'óoshįįh

2. to start to be summer back; to revert to summer; to become summer again.

F. ch'íńdooshįįł **I.** ch'ínáshįįh **P.** ch'ínánishį **R.** ch'ínínáshįįh **O.** ch'ínáoshįįh

t'áadoo hodina'í ch'íńdooshįįł, before long summer will be back (it will be summer again).

3. to start to be summer again; to start another summer.

F. ch'ínáádooshįįł **I.** ch'ínáánáshįįh **P.** ch'ínáánáshį **O.** ch'ínáánáoshįįh

4. to start to be summer; to be on the verge of beginning (summer) (inchoative forms).

F. 'idí'nóoshįįł **P.** 'i'niishį. k'ad nihee 'i'niishį, now summer has begun (with us).

5. to "summer"; to pass by (a summer).

F. dooshįįł **I.** yishįįh **P.** yíshį **R.** náshįįh **O.** ghóshįįh

6. to pass by (another summer); to "summer" again.

F. náádooshįįł **I.** náánáshįįh **P.** náánáshį **O.** náánáoshįįh

7. to spend the summer.

F. shi-dooshįįł (ni, bi, ho, nihi, nihi) **I.** shee-shįįh (nee, bee, hwee, nihee, nihee) **P.** shéé-shį (néé, béé, hwéé, nihéé, nihéé) **R.** ná-shee-shįįh (nee, bee, hwee, nihee, nihee) **O.** she-ooshįįł (ne, be, hwe, nihe, nihe)

shoh, frost.

shoh, shoh, shoh, shoh, shoh, to moisten.

1. to moisten it.

F. ńdeesh-shoh (ńdíí, néidoo, nízhdoo, ńdiil, ńdooh) (nábidi'dool-) **I.** násh-shoh (nání, néí, ńjí, néiil, náh) (nábi'dil-) **P.** níshé-shoh (níshíní, néísh, ńjísh, níshiil, níshoo) (nábi'dish-) **R.** ní-násh-shoh (nání, néí, nájí, né-iil, náh) (nábi'dil-) **O.** náosh-shoh (náóó, náyó, ńjó, náool, ná-ooh) (nábi'dól-)

shoh, shooh, shóó', shoh, shooh, to sweep.

1. to sweep or brush (about over an area).

F. naho-deesh-shoh (díí, doo, zh-doo, diil, dooh) **C-I.** na-hash-shooh (hó, ha, hojí, hwiil, hoh) **S-P.** na-hoshé-shóó' (hoshíní, hash, hojish, hoshiil, hoshoo) **R.** niná-hásh-shoh (hó, há, hoji, hwiil, hóh) **O.** na-hóósh-shooh (hóó, hó, hojó, hool, hooh)

shoł, shood, shóód, sho', shood, to drag.

1. to start dragging it along.

F. dideesh-shoł (didíí, yididoo, ji-didoo, didiil, didooh) (bidi'dool-) **I.** dish-shood (dí, yidi, jidi, diil, doh) (bi'dil-) **P.** dé-shóód (díní, yideesh, jideesh, deel, dishoo) (bi'deesh-) **R.** ńdísh-sho' (ńdí, néidi, nízhdí, ńdiil, ńdóh) (nábi'-dil-) **O.** dósh-shood (dóó, yidó, jidó, dool, dooh) (bi'dól-)

2. to arrive dragging it; to bring it (by dragging it).

F. deesh-shoł (díí, yidoo, jidoo, diil, dooh) (bidi'dool-) **I.** nish-shood (ní, yí, jí, niil, noh) (bi'-deel-) **P.** ní-shóód (yíní, yiní, ji-ní, niil, noo) (bi'deel-) **R.** násh-sho' (náni, néí, ńjí, néiil, náh) (nábi'dil-) **O.** ghósh-shood (ghóó, yó, jó, ghool, ghooh) (bi'-dól-)

3. to be dragging it along.

Prog. yish-shoł (yí, yoo, joo, yiil, ghoh) (bi'dool-)

4. to be dragging it about.

Prog. naa-náásh-shoł (náá, ná-yoo, níjoo, néiil, náh)

5. to drag it about.

C-I. naash-shood (nani, neı, nji, neiil, naah)

6. to drag the road.

This meaning is rendered by prepounding 'atiingóó, along the road, to the following:

F. n'deesh-shoł (n'díí, n'doo, ni-zh'doo, n'diil, n'dooh) (n'dool-) **C-I.** na'ash-shood (na'í, na'a, n'-ji, na'iil, na'oh) (na'al-) **P.** n'-shé-shóód (n'shíní, na'ash, n'jish n'shiil, n'shooh) (na'ash-) **R.** ni-ná'ásh-sho' (ná'í, ná'á, ń'jí, ná'iil, ná'óh) (ná'ál-) **O.** na'-ósh-shood (na'óó, na'ó, n'jó, na'-ool, na'ooh) (na'ól-)

'atiingóó n'shéshóód, I dragged the road.

shoo, (an exclamation which calls another's attention) look! see! shoo díí níníł'į, hey, look at this! shoo łą'ąą, uh huh, I see.

shosh, shóósh, shoozh, shosh, shóósh, refers to slender objects lying parallel side by side.

1. to lay slender objects (as planks) side by side across; to make a bridge across.

F. ha'naa ni'deesh-shosh (ni'díí,

ni'doo, nizh'doo, ni'diil, ni'dooh) **I.** ha'naa ni'nish-shóósh (ni'ní, ni'í, ni'jí, ni'niil, ni'noh) **P.** ha'naa ni'ní-shóózh (ni'íiní, ni'ní, nizh'ní, ni'niil, ni'noo) **R.** ha'naa niná'-ásh-shosh (í, á, jí, iil, óh) **O.** ha'naa ni'ósh-shóósh (ni'óó, ni'ó, n'jó, ni'ool, ni'ooh)

2. to lean them (side by side as planks, poles, etc.).

F. kí-dínéesh-shosh (díníí, idínóo, zhdínóo, díníil, dínóoh) **I.** kí-niish-shóósh (nii, inii, zhnii, niil, nooh) **P.** kí-nii-shoozh (nini, inii, zhnii, niil, noo) **R.** kí-ná-niish-shosh (nánii, néinii, názhnii, nániil, nánooh) **O.** kí-noosh-shóósh (noó, inoo, zhnoo, nool, nooh)

tsin neheshjíí' kíniishóósh, lean the boards against (something)!

3. to lean them side by side against it.

This meaning is rendered by replacing the prefix kí- in no. 2 with bí-, (yí- in 3o.), against it. tsin neheshjíí' kin bíniishoozh, I leaned the lumber against the house.

shǫ́, a stem always used in the negative sense of to be no good. Probably related to shǫǫł, and to zhǫ́(ní).

1. to be no good, worthless, or wicked.

N. doo yá'ánísh-shǫ́ǫ da (yá'ání, yá'á, yá'ájí, yá'ánii, yá'ánóh) (also doo yá'áhooshǫ́ǫ da, it (referring to place) is no good. diné doo yá'áshóonii, wicked men; gangsters.

shǫǫł, shǫǫh, shǫǫd, shǫǫh, shǫǫh, to tame.

1. to tame or break it (horse).

F. deesh-shǫǫł (díí, yidoo, jidoo, diil, dooh) (bidi'dool-) **I.** yish-shǫǫh (ni, yi, ji, yiil, ghoh) (bi'dil-) **P.** yí-shǫǫd (yíní, yiyíí, jíí, yiil, ghooh) (bi'dool-) **R.** násh-shǫǫh (nání, néí, ńjí, néiil, náh) (nábi'dil-) **O.** ghósh-shǫǫh (ghóó, yó, jó, ghool, ghooh) (bi'dól-)

sid, scar (bizid).

sido, hot; warm (an object). tó sido, hot water.

sigan, dried; dessicated; withered.

--- sigan, infantile paralysis (the body part which is "dried up" must be mentioned, as bijáád sigan, his leg is withered).

sigháala, cigar.

sighį́, it is (in position) (referring to a load, pack, or a body of water) (pl naazghį́, they lie scattered about).

sighóla, Socorro, N. M.

si'ą́, it is (in position) (referring to a single round or bulky object as a house, book, mountain, hat, etc.) (pl. naaz'ą́, they set scattered about).

sih, siih, siih, siih, siih, to miss.

1. to miss it (a mark in shooting); to make a mistake at it.

F. dees-sih (díí, yidoo, jidoo, diil, dooh) (bidi'dool-) **I.** yiis-siih (yii, yiyii, jii, yil, ghooh) (bi'diil-) **S-P.** sé-siih (síní, yis, jis, siil, soo) (bi'dis-) **R.** néis-siih (néii, náyii, ńjii, néiil, náh) (nábi'diil-) **O.** ghós-siih (ghóó, yó, jó, ghool, ghooh) (bi'dól-)

2. to make a mistake; to err; to be wrong; to miss.

F. 'adees-sih ('adíí, 'adoo, 'azhdoo, 'adiil, 'adooh) ('adoodzih) **I.** iis-siih ('ii, 'ii, 'ajii, 'iil, 'ooh) ('adziih) **P.** 'asé-siih ('asíní, 'as, 'ajis, 'asiil, 'asooh) ('oodzíí') **R.** ná'iis-sih (ná'ii, ná'ii, ní'jii, ná'iil, ná'ooh) (ná'iidzih) **O.** 'óssiih ('óó, 'ó, 'ajó, 'ool, 'ooh) ('ódziih)

sih, sííh, si', sih, sííh, to practice archery.

1. to shoot (with an arrow); to practice archery.

F. 'i'dees-sih ('i'díí, 'i'doo, 'izh'doo, 'i'diil, 'i'dooh) **I.** 'e'es-sííh ('i'í, 'e'e, 'i'ji, 'i'iil, 'i'oh) **P.** 'i'íí-si' ('i'ííní, 'i'íí, 'i'jíí, 'i'iil, 'i'oo) **R.** 'aná'ás-sih ('aná'í, 'aná'á, 'ań'jí, 'aná'iil, 'aná'óh) **O.** 'o'ós-siih ('o'óó, 'o'ó, 'o'jó, 'o'ool, 'o'ooh)

sih, sííh, síí', sih, sííh.

1. to go to sleep (one's limb); to sour (milk, potatoes, etc.); to be piquant (in the si-perfective form only).

F. yidoosih **I.** yiisiih **P.** yiisíí' **S-P.** sisíí' **R.** néiisih **O.** ghoosiih

shijáád yiisíí', my leg has gone to sleep.

siił, vapor; steam (biziil).

sįįł, sįįh (sin), sįįd, sįį', to know.

1. to get acquainted with him; to know him.

F. *béého-dees-sįįł (díí, doo, zhdoo, diil, dooh) **I.** béé-honis-sįįh (honí, ho, hojo, honiil, honoh) **P.** béé-hosé-sįįd (hosíní, hoos, hojoos, hosiil, hosoo) **O.** bééhoos-sįį' (hóó, hoo, hojoo, hool, hooh)

*béé- becomes yéé- in 3o.

bééhosésįįd, I got acquainted with him. 'ahééhosiilzįįd, we got acquainted with each other.

2. to know him; be acquainted with him; to know how.

N. béé-honi- (or béé-ha-) sin (honí, hojí, honiil, honoh) John bééhasin, I know John. na'ashkǫ́ǫ' bééhasin, I know how to swim.

3. to know about it; to possess knowledge about it; to find out about it.

This meaning is rendered by prepounding -ił, with, to verb forms containing impersonal it as pronominal subject (i.e. ho-). Thus the meaning is literally, there is knowledge about it with (one). These forms are conjugated for person by merely altering the pronoun prefix on the postposition -ił. The forms are herewith given for the 1st person sgl. **F.** shił bééhodoozįįł **I.** shił bééhoozįįh **P.** shił bééhoozin **N.** shił bééhózin **O.** shił bééhoozįį'

shił bééhodoozįįł, **I'll find out;** nił bééhózin, you know (about it)

4. to keep it; maintain it, take care of it.
N. 'íní-sin ('íní, 'áyó, 'ájó, 'íníil, 'ínóh) shichidí nizhónígo diits'a'go 'íínísin, I keep my car running nicely (but not "keep" in the sense of shibee'eldǫǫh shighan góne' séłtą́, I keep my gun in the house).

If the object of the verb is a place, space or area the object- ho- is inserted. Thus:
N. 'áhwíínís-sin ('áhwííní, 'áhó, 'áhojó, 'áhwííníil, 'áhwíínóh) shighan góne' hózhónígo 'áhwíínísin, I keep my home clean inside.

5. to hold one's breath.
This meaning is rendered by by prepounding -yol t'ą́ą́', the breath back, to the forms under no. 4. Thus, shiyol t'ą́ą́' 'íínísin, I am holding my breath.

6. to hold it down; to keep it down (by pressing on it).
This meaning is rendered by prepounding yaa, down, to the forms given under no. 4. Thus, yaa 'íínísin, I am holding it down (pressing down on it).

sįįł, sįįh, sį', sįįh, sįįh, to stand.

1. to make it stand; to put it on its feet.
F. biidees-sįįł (biidíí, yiidoo, biizhdoo, biidiil, biidooh) I. biissįįh (bii, yiyii, bijii, biil, booh) P. bii-sį' (biini, yiyii, bijii, biil, booh) R. nábiis-sįįh (nábii, náyii, nábijii, nábiil, nábooh) O. boos-sįįh (bióó, yiyoo, bijoo, bool booh) 'eii dibé biisįįh, put that sheep on its feet! nichidí ná nábiisį', I turned your car back over for you. (to right it, as an overturned car, is rendered by prefixing ná-, back, to the forms given above).

sįįł, są, sá̜ą́, sį́įh, sá̜ą́', to eat.

1. to make him eat; to feed him.
(Compare the stem ghį́įł, to eat.)
F. bidi'yees-sį́įł (bidi'yíí, yidi'yoo bizhdi'yoo, bidi'yiil, bidi'yooh) (bidi'yool-) C-I. bi'iis-są (bi'iyí, yi'ii, bi'jii, bi'iil, bi'iyoh) (bi'iil-) P. bi'iyíí-sá̜ą́' (bi'iyíní, yi'iyíí, bi'jiyíí, bi'iyiil, bi'iyooh) (bi'iyool-) R. biná'iis-sį́įh (biná'iyí, yiná'ii, biná'jii, biná'iyiil, biná'iyoh) (biná'iil-) O. bi'iyós-sá̜ą́' (bi'iyóó, yi'iyó, bi'jiyó, bi'iyool, bi'iyooh) (bi'iyól-) 'awéé' bi'iyísą, feed the baby!

sikaad, it is (in position) (a clump of bushes, or a branchy tree) (pl naazkaad, they set about).

siką́, it is (in position); it sets (in a vessel or container) (pl naazką́, they set scattered around). 'áadi tó siką́, there sets the water (in a container).

sik'az, cold (an object). tó sik'az, cold water.

sik'ází, cool (an object).

sił, sił, sił, sił, sił, to grab.

1. to grab it; to catch it (as a sheep, horse, etc.).

F. dees-sił (díí, yidoo, jidoo, diil, dooh) (bidi'dool-) I. yiis-sił (yii, yiyii, jii, yiil, ghooh) (bi'diil-) P. sé-sił (síní, yis, jis, siil, soo) (bi'dis-) R. néis-sił (néii, náyii, ńjii, néiil, náooh) (nábi'diil-) O. ghós-sił (ghóó, yó, jó, ghool, ghooh) (bi'dól-)

sił, sííd, sid, si', sííd, to examine.

1. to examine it; inspect it.

F. ha-dees-sił (díí, idoo, zhdoo, diil, dooh) (bidi'dool-) I. haas-sííd (hani, hai, haji, haiil, haoh) (habi'dil-) P. háá-sid (háíní, hayíí, hajíí, haiil, haoo) (habi'dool-) R. ha-nás-si' (náni, néí, ńjí, néiil, náh) (nábi'dil-) O. ha-os-sííd (óó, yó, jó, oo, ooh) (bi'dól-)

2. to patrol; to inspect; to go on reconnaissance.

F. ha'dees-sił (ha'díí, ha'doo, hazh'doo, ha'diil, ha'dooh) I. ha'as-sííd (ha'í, ha'a, ha'ji, ha'iil, ha'oh) P. ha'íí-sid (ha'íiní, ha'íí, ha'jíí, ha'iil, ha'ooh) R. hanáʼás-si' (ná'í, ná'á, ń'jí, ná'iil, ná'óh) O. ha'os-sííd (ha'óó, ha'ó, ha'jó, ha'ool, ha'ooh)

3. to reawaken him; to wake him (back) up.

F. ch'éé-dees-sił (díí, idoo, zhdoo, diil, dooh) (bidi'dool-) I. ch'éénís-sííd (ch'éénı́, ch'ínéí, ch'ééjí, ch'ééniil, ch'éénóh (chéébi'deel-) P. ch'éé-ní-sid (íní, yiní, jiní, niil, noo) (bi'dool-) R. ch'éní-nás-si' (náni, néí, nájí, néii, náh) (nábi'dil-) O. ch'ínáos-sííd (ch'ínáóó, ch'ééyó, ch'ééjó, ch'énáool, ch'énáooh) (ch'énábi'dól-) ch'éénideessił, I'll wake you up.

silá, it is (in position) (a slender flexible object, or an object of unknown or indefinite form, as that which might be referred to as something or anything) (pl naazlá, they set scattered around).

siłtsooz, it is (in position) (a flat flexible object, as paper) (pl naastsooz, they lie scattered about).

sindao, cent; penny.

sinil, they are (in position) (pl animate or inanimate objects) (naaznil, they lie or set scattered about).

sis, belt (biziiz).

sis bigháńt'i'í, belt loop.

sisíí' (V. sih), to be piquant, or to produce a sensation of coolness as, the mint plant.

sis łichí'í, sash (native, woven belt).

sitą́, it is (in position) (a slender stiff object, as a stick) (pl. naaztą́, they lie scattered about).

sitį́, it, he is (in a lying position) (pl naaztį́, they are lying scattered about; i.e. an individual here and there).

sit'é, roasted; cooked; done.

sitłéé', it is (in position) (mushy matter) (pl naaztłéé', they lie around here and there).

sits'il, shattered; broken.

sizílí, lukewarm; tepid.
sodizin, prayer.
sodizin bá hooghan, church.
soł, soł, soł, soł, soł, to blow.

1. to blow it; to blow on it.
F. dees-soł (díí, yidoo, jidoo, diil, dooh) (bidi'dool-) **I.** yiis-soł (yii, yiyii, jii, yiil, ghooh) (bi'diil-) **S-P.** sé-soł (síní, yis, jis, siil, soo) (bi'dis-) **R.** néis-soł (néii, náyii, ńjii, néiil, náooh) (nábi'diil-) **O.** ghoos-soł (ghóó, yó, jó, ghool, ghooh) (bi'dool-)

2. to be blowing it.
C-I yis-soł (ni, yi, ji, yiil, ghoh) (bi'dil-)

soł, sooł, sol, soł, sooł, to blow.

1. to whistle.
F. 'í'didees-soł ('í'didíí, 'í'didoo, 'ízh'didoo, 'í'didiil, 'í'didooh) **C-I.** 'í'dís-sooł ('í'dí, 'í'dí, 'ízh'dí, 'í'diil, 'í'dóh) **P.** 'í'díí-sol ('í'díí-ní, 'í'díí, 'ízh'díí, 'í'diil, 'í'dooh) **R.** 'íń'dís-soł ('íń'dí, 'íń'dí, 'íní-zh'dí, 'íń'diil, 'íń'dóh) **O.** 'í'dós-sooł ('í'dóó, 'í'dó, 'ízh'dó, 'í'dool, 'í'dooh)

2. to pump air into it (a tire); to pump it up; to inflate it.
F. *bii-'dees-soł ('díí, 'doo, zh'-'doo, 'diil, 'dooh) **I.** bii'-as-sooł (í, a, ji, iil, oh) **P.** bii'-íí-sol (ííní, íí, jíí, iil, ooh) **R.** bii'-ná'ás-soł (ná'í, ná'á, ní'jí, ná'iil, ná'óh) **O.** bii'-ós-sooł (óó, ó, jó, ool, ooh)
*bii' becomes yii' in 3o.

sǫ', star.
sǫ'tsoh, evening and morning star (Venus); planet.
sxǫs, glitter (a stem which is probably related to sǫ', star).
N. disxǫs (it glitters).

T

The d-classifier becomes t- before the glottal stop ('), so many otherwise vowel-initial stems (i.e. stems which begin with (') followed by a vowel) are to be found under t. (Thus, 'ááł and t'ááł are actually the same stem.

taał, tá, tą́ą́', taah, tą́ą́'.

1. to search for it.
F. ha-dínéesh-taał (díníí, idínóo, zhdínóo, díníi, dínóoh) (bidí'-nóo-) **C-I.** ha-nish-tá (ní, ini, zhni, nii, noh) (bidi'ni-) **P.** ha-né-tą́ą́' (níní, ineez, zhneez, nee, noo) (bidi'nees-) **R.** háá-nísh-taah (ní, i, zhní, nii, nóh) (bi-di'ni-) **O.** ha-nósh-tą́ą́' (nóó, i-nó, zhnó, noo, nooh) (bidi'nó-)

2. to be going in search of it; to be going to search for it.
S-P. há-díné-tą́ą́' (díníní, idí-néez, zhdínéez, dínée, dísínóo)

taaskaal, oatmeal.
tąądee, slowly; gradually.
tábąąh, shore; water's edge.
tábąąh mą'ii, muskrat.
tábąąsdísí, snipe.
tábąąstíín, otter.
táchééh, sweathouse.
tádídíín, pollen (especially of corn).
tádídíín dootł'izh, wild purple larkspur.
tágí, third (from táá'í, tá'í).

tágí jį́ nda'anish, Wednesday.

tah, taah, tą́ą́', tah, tááh, to try.

1. to try it; to make a stab at it; to make an attempt.

F. bídínéesh-tah (bídíníí, yídínóo, bízhdínóo, bídínii, bídínóoh) **I.** nabínísh-taah (nabíní, nayíní, nabízhní, nabínii, nabínóh) ***P.** (na)bíné-tą́ą́' (bíníní, yínéez, bízhnéez, bínée, bínóo) **R.** bínánísh-tah (bínání, yínání, bínázhní, bínánii, bínánóh) **O.** bínósh-tááh (bínóó, yínó, bízhnó, bínoo, bínooh)

2. to wrestle with him.

F. bił na'ahí-dínéesh-tah (díníí, dínóo, zhdínóo, dínii, dínóoh) **I.** bił na'ahí-nísh-taah (ní, ní, zhní, nii, nóh) **P.** bił na'ahí-né-tą́ą́' (níní, nees, zhnees, nee, noo) **R.** bił niná'áhí-nísh-tah (ní, ní, zhní, nii, nóh) **O.** bił na'ahí-nósh-tą́ą́' (nóó, nó, zhnó, noo, nooh)

*bił becomes yił in 3o.

tah, ta', ta', tah, ta', to count.

1. to count them; to read it.

F. yídéesh-tah (yídííł, yídóoł, yízhdóoł, yídíil, yídóoł) (bidí'dóol-) **C-I.** yínísh-ta' (yíníł, yółł, jółł, yíníil, yínółł) (bi'dól-) **P.** yíł-ta' (yíníł, yiyííł, jííł, yiil, ghóoł) (bi'déél-) **R.** néínísh-tah (néíníł, náyółł, ńjółł, néíníil, néínółł) (nábi'dól-) **O.** yínósh-ta' (yínóółł, yółł, jółł, ghóol, ghóoł) (bi'dóol-)

2. to count; to read; to go to school.

F. 'íí-déesh-tah (dííł, dóoł, zhdóoł, díil, dóoł) **C-I.** 'íínísh-ta ('ííníł, 'ółł, 'ájółł, 'ííníil, 'íínółł) **P.** 'ííł-ta' ('ííníł, 'ííł, 'ajííł, 'iil, 'óoł) **R.** ná'-íínísh-tah (ííníł, ółł, jółł, ííníil, íínółł) **O.** 'óosh-ta' ('óółł, 'ółł, 'ajółł, 'óol, 'óoł)

tah, tááh, taa', tah, tááh, to shatter.

1. to break; shatter; fall to pieces; disintegrate.

F. didootah **I.** diitááh **P.** diitaa' **R.** ńdiitah **O.** dootááh

2. to break it; shatter it.

F. dideesh-tah (didííł, yididooł, jididooł, didiil, didooł) **I.** diish-tááh (diił, yidiił, jidiił, diil, dooł) **P.** dííł-taa' (dinił, yidiił, jidiił, diil, dooł) **R.** ńdiish-tah (ńdiił, néidiił, nízhdiił, ńdiil, ńdooł) **O.** doosh-tááh (doółł, yidooł, jidooł, dool, dooł)

táhánii', alkali.

tahoniigááh łichíí'go naałniihígíí, scarlet fever; scarlatina.

tahoniigááh ntsaaígíí, influenzc

ta'neesk'ání, muskmelon.

ta'neesk'ání 'áłts'óózígíí, cucumber.

ta'neets'éhii, cockle bur.

tálághosh, yucca suds; soap.

tał, táád, tah, ta', táád, to spring.

1. to spring up (from a sitting or reclining position.

F. náhi-dideesh-tał (didíí, didoo, zhdidoo, didii, didooh) **I.** náhi-diish-táád (dii, dii, zhdii, dii, dooh) **P.** náhi-dish-tah (dini, dii, zhdii, dii, doo) **R.** nínáhi-diish-ta' (dii, dii, zhdii, dii, dooh) **O.** náhi-doosh-táád (doó doo, zhdoo, doo, dooh)

2. to beat or pulsate (heart).
C-I. dah naaltal

3. to unroll it (as a blanket); to unravel it (as cloth).
F. néideesh-tał (néidííł, néidooł, néizhdooł, néidiil, néidooł) (nábidi'dool-) **I.** náosh-táád (náooł, náyooł, ńjooł, náool, náooł) (nábi'dool-) **P.** néiséł-tah (néisíníł, náyoos, ńjoos, néisiil, néisooł) (nábi'doos-) **R.** ní-náoshta' (náooł, náyooł, nájooł, náool, náooł) (nábi'dool-) **O.** náoshtáád (nááół, náyooł, ńjooł, náool) (nábi'dool-) shibeeldléí néisééłtah dóó 'iiłhaazh, I unrolled my blanket and went to sleep.

tał, taał (tał), táál, tał, taał, to kick.

1. to kick it (once).
This verb uses only one stem, tał.
F. deesh-tał (díí, yidoo, jidoo, dii, dooh) **I.** yiish-tał (yii, yiyii, jii, yii, ghooh) **P.** sé-tał (síní, yiz, jiz, sii, soo) **R.** néish-tał (néii, náyii, ńjii, néii, náooh) **O.** ghósh-tał (ghóó, yó, jó, ghoo, ghooh)

2. to kick him (repeatedly).
F. ńdínéesh-tał (ńdíníí, néidínóo, nízhdínóo, ńdíníi, ńdínóoh) **C-I.** nánísh-tał (náni, néini, názhní, nánii, nánoh) **P.** nánéé-táál (náníní, néineez, názhneez, nánee, nánoo) **R.** ní-nánísh-tał (nání, néini, názhní, nánii, nánóh) **O.** nánósh-tał (nánóó, néinó, názhnó, nánoo, nánooh)

3. to kick (into space); to let fly a kick.
F. 'azhdeesh-tał ('azdíí, 'azdoo, 'iizhdoo, 'azdii, 'azdooh) **I.** 'ajish-taał ('adzí, 'adzi, 'iiji, 'adzii, 'adzoh) **P.** 'adzíí-táál ('adzííní, 'adzíí, 'iijíí, 'adzii, 'adzoo) **R.** 'ańjísh-tał ('ańdzí, 'ańdzí, 'iinéiji, 'ańdzii, 'ańdzóh) **O.** 'ajósh-taał ('adzóó, 'adzó, 'iijó, 'adzoo, 'adzooh)

4. to trip him (with one's foot).
This meaning is rendered by prepounding bijáátah, between his legs, to the following verbs:
F. dideesh-tał (didííl, didool, dizhdool, didiil, didooł) **I.** dinishtaał (diníl, deel, jideel, diniil, dinoł) **P.** dinish-táál (dííníl, deel, jideel, diniil, dinooł) **R.** ńdíshtał (ńdíl, ńdíl, nízhdíl, ńdiil, ńdół) **O.** dósh-taał (dóól, dól, jidól, dool, dooł)

5. to glance from it; to ricochet from it.
F. bits'ánídooltał **I.** bits'ánáltaał **P.** bits'ánáltáál **R.** bits'ánínáltał **O.** bits'ánáooltaał

6. to spit out, or pop out one after the other (as coals from the fire).
F. hahidooltał **C-I.** hahaltaał **P.** hahaastáál **R.** hanáháltał **O.** hahóltaał
tsííd hahaltaał, the coals are spitting out.

7. to spit out, or pop out one after another on him (as coals from the fire).
F. bik'íhidooltał **I.** bik'íháltaał **P.** bik'íheestáál **R.** bik'ínáháltał **O.** bik'íhóltaał. tsííd shik'ídahaltaał, the coals are spitting out on me.

8. to step on it; to tread on it.
F. *bik'i-dideesh-tał (didííl, didool, zhdidool, didiil, didooł) **I.** bik'i-diish-taał (diil, diil, zhdiil, diil, dooł) **P.** bik'i-diish-táál (dinii, diil, zhdiil, diil, dooł) **R.** bik'i-ńdiish-tał (ńdiil, ńdiil, nízhdiil, ńdiil, ńdooł) **O.** bik'i-doosh-taał (doól, dool, zhdool, dool, dooł)
*bi- becomes yi- in 3o.

9. to dash off; to start off running rapidly.
F. yei-deesh-tał (dííl, dool, zhdool, dii!, dooł) **I.** yaash-taał (yaal, yaal, yajiil, yeiil, yaoł) **P.** yaash-táál (yeinil, yaal, yajiil, yeiil, yaooł) **R.** ya-náash-tał (náal, náal, ńjiil, néiil, náał) **O.** ya-oosh-taał (óól, ool, jool, ool, ooł)

10. to dash after it (as a dog after a rabbit).
This meaning is rendered by prepounding bikéé', after, or behind him, to the verbs given under no. 9. Thus, łééchąą'í gah yikéé' yaaltáál, the dog dashed after the rabbit.

11. to sing.
F. ho-deesh-tał (díí, doo, zhdoo, dii, dooh) **C-I.** hash-taał (hó, ha, hoji, hwii, hoh) **P.** hóó-táál (hwííní, hóó, hojíí, hwii, hoo) **R.** ná-hásh-tał (hó, há, hoji, hwii, hóh) **O.** hósh-taał (hóó, hó, hojó, hoo, hooh)
To sing it (a song), is rendered by prepounding bee, with it, to the above forms. Thus, sin bee hashtaał, I am singing a song.

12. to stomp the feet.
F. nikí-dideesh-tał (didííl, didool zhdidool, didiil, didooł) **C-I.** nikí-dish-tał (díl, díl, zhdíl, diil dół) **P.** nikí-désh-tał (díníl dees, zhdees, deel, disooł) **R** nikí-nídiish-tał (nídiil, nídiil, nízhdiil, nídiil, nídooł). shikee' yas bąąh nidínóodah nisingo nikídíshtał, I am stomping my feet because I want the snow to fall off.

tał, ta', tah, ta', táád, to dart.

1. to dart at it; to spring at it.
This meaning is rendered by prepounding bich'į', toward it, to the following:
F. 'ahi-deesh-tał (díí, doo, zhdoo, dii, dooh) **I.** 'aná-hásh-ta' (hí, há, jii, hii, hóh) **P.** 'aheeshtah ('ahííní, 'ahoo, 'ahijoo, 'ahii, 'ahooh) **O.** 'ahósh-táád ('ahóó, 'ahó, 'ahijó, 'ahoo, 'ahooh)
tsídii bich'į' 'anáhíta'go niiłtsą, I saw you springing at the bird. béésh 'áłts'óózí k'inídláadgo shik'iji' 'ahootah, when the wire broke it sprang at me.

2. to flash (lightning).

F. 'ahidootał **R.** 'anáháta' **P.** 'ahootah **O.** 'ahótáád

táłchaa', June bug.

tálkáá' dijádii, water-strider.

táłtł'ááh 'aléého, blue heron.

tániil'áíí, dragon fly.

taos'nii', dough.

tas, táás, taaz, tas, táás, to bend

1. to bend.

F. yidootas **I.** yiitáás **P.** yiitaaz **R.** néiitas **O.** ghootáás (shizhah, it is bent)

2. to bend it.

F. yidees-tas (yidííł, yiidooł, yizhdooł, yidiil, yidooł) (bidi'dool-) **I.** yiis-táás (yiił, ,yiyiił, jiił, yiil ghooł) (bi'diil-) **P.** yiił-taaz (yinił, yiyiił, jiił, yiil, ghooł) (bi'diil-) **R.** néis-tas (néiił, náyiił, ńjiił, néiil, náooł) (nábi'diil-) **O.** ghoos-táás (ghóół, yooł, jooł, ghool, ghooł) (bi'dool-)

3. to run (lit. bend) after it (a term often used to a child; similar to English "run and get").

The postposition bíká, after it, is prepounded to the following: **F.** dees-tas (díí, doo, jidoo, dii, dooh) **I.** yiis-tas (yii, yii, jii, yii, ghooh) **S-P.** sé-tas (síní, yiz, jiz, sii, soo) **R.** néis-tas (néii, néii, ńjii, néii, náooh) **O.** ghós-tas (ghóó, ghó, jó, ghoo, ghooh)

béésh bíká yiitas, run after the knife!

táshchozhii, swallow (bird).

tátł'id, water moss; scum.

tą', to have it in the grasp; to have ahold of it; to hold it.

N. yínísh-tą' (yíní, yó, jó, yíníi, yínóh) (ghó- or bi'dó-)

2. to hug him; to hold him to one's breast.

N. -jéíí bíínísh-tą' (bííníł, yííyół, bíjół, bííníil, bíínół) shijéíí bíínishtą', I am hugging him (-jéíí, heart or bosom).

tąsh, tąsh, tąsh, tąsh, tąsh, to peck (a bird).

1. to peck it (a bird); to throw it by means of a sling; to flip or shoot it (a marble).

F. deesh-tąsh (dííł, yidooł, jidooł diil, dooł) (bidi'dool-) **I.** yiish-tąsh (yiił, yiyiił, jiił, yiil, ghooł) (bi'diil-) **P.** shéł-tąsh (shíníł, yish, jish, shiil, shooł) (bi'dish-) **R.** néish-tąsh (néiił, náyiił, ńjiił, néiil, náooł) (nábi'diil-) **O.** ghósh-tąsh (ghóół, yół, jół, ghool, ghooł) (bi'dól-)

2. to be repeatedly pecking it.

C-I. nánísh-tąsh (nánił, néinił, názhnił, nániil, nánoł) (nábidi'-nil-)

tązhii, turkey.

tééh, valley; deep water.

tééh łįį', zebra.

téélhalchí'í, robin.

téél, teeh (té), tį, tééh, téél, to handle one animate object (as a baby, sheep, bug, man, etc.).

For the derivational prefixes relating to "handle verbs" see the stem 'ááł.

1. to inter him; bury him.

This meaning is rendered by

prepounding łeeh, into the soil, to the following:

F. deesh-téé**ł** (dííł, yidooł, jidooł, diil, dooł) (bidi'dool-) **I.** yish-teeh (nił, yił, jił, yiil, ghoł) (bi'-dil-) **P.** yíł-tį (yíníł, yiyííł, jííł, yiil, ghooł) (bi'dool-) **R.** násh-tééh (nááníł, nééł, ńjíł, néiil, náł) (nábidi'dil-) **O.** ghósh-tééł (ghóół, yół, jół, ghool, ghooł) (bi'dól-)

2. to take his picture.

This meaning is rendered by prepounding naaltsoos bik'i, on paper, to the verbs that follow. (Literally, to place him down on paper).

F. ndeesh-tééł (ndííł, niidooł, nizhdooł, ndiil, ndooł) (nibidi'-dool-) **I.** ninish-teeh (niníł, niyíł, nijíł, niniil, ninoł) (nibi'-deel-) **P.** niníł-tį (nííníł, niiníł, nizhníł, niniil, ninooł) (nibi'-deel-) **R.** ni-násh-tééh (nááníł, nééł, nájíł, néiil, náł) (nábidi'-dil-) **O.** noosh-tééł (noół, niyół, njół, nool, nooł) (nibi'dól-)

tééł, teeh. tį, tééh, tééł, sgl stem to lie down.

tish, teesh, téézh, tish, teesh, dual stem, to lie down

jah, jeeh, jéé', jah, jeeh, plural stem, to lie down.

1. to lie down.

As it will be noted, this verb employs distinct stems in the singular, dual, and plural number. The three numbers are given consecutively as follows:

F. dínéesh-tééł (díníí, dínóo, jidínóo) díníi-tish (dínóoh, dínóo, jidínóo) díníi-jah (dínóoh, dínóo, jidínóo) **I.** nish-teeh (ní, ni, jini) nii-teesh (noh, ni, jini) nii-jeeh (noh, ni, jini) **P.** né-tį (níní, neez, jineez) nee-téézh (noo, neezh, jineezh) nee- (or shinii-)-jéé' (noo (or shinoo-), neezh, jineezh) ***S-P** (neuter) sé-tį (síní, si, jiz) shii-téézh (shoo, shi, jizh) shii-jéé' (shoo, shi, jizh) **U.** nish-tééh (ní, ni, jini) nii-tish (noh, ni, jini) nii-jah (noh, ni, jini) **O.** nósh-tééł (nóó, nó, jinó) noo-teesh (nooh, nó, jinó) noo-jeeh (nooh. nó, jinó)

*sétį, renders I am lying down; I am in a reclining position.

2. to lie with her; to have sexual relations with her; to sleep with her, him.

This meaning is rendered by prepounding bił, in company with her, to the forms of no. 1, with exception that the dual stem form must be used with the prefixes of the singular, since the verb refers, in total, to two persons. Thus, bił dínéeshtish, I'll lie with her; bił nishteesh, I am about to lie with her; bił shétéézh, I am lying with her.

3. to lay him down; to cause him to lie down.

F. bidínéesh-tééł (bidíníił, yidínóoł, bizhdínóoł, bidíníil, bidínóoł) **I.** binish-teeh (biníł, yinił, bizhnił, biniil, binooł) **P.** binéłtį (bininíł, yinees, bizhnees, bineel, binooł) **R.** nábinish-tééh (nábiníł, náyinił, nábizhnił, nábiniil, nábinoł) **O.** binósh-tééł (binóół, yinół, bizhnół, binool, binooł)

If the object of the verb is two in number, the dual stem is used and if more than two the plural stem is used. Thus, bidínéesh-tish, I'll lay them (dual) down; bidínéeshjah, I'll lay them (more than two) down.

teeł, cat tail; rush.

té'é'į, poverty.

télii, burro; ass.

télii yázhí, young burro.

t'aał, t'ą (t'á), t'ą, t'aah, t'ááł, to orate (probably refers to the movement of one's head from side to side as he orates).

1. to orate; make a speech.

F. ndínéesh-t'aał (ndíníí, ndínóo, nizhdínóo, ndíníi, ndínóoh) **I.** ńdíníish-t'ą (ńdíńni, ńdíníi, ńdízhníi, ńdíníi, ńdínóh) **C-I.** nanish-t'á (naní, nani, nazhni, nanii, nanoh) **P.** nanésh-t'ą (naníní, nanees, nazhnees, nanee, nanooh) **R.** niná-nísht'aah (ní, ní, zhní, nii, nóh) **O.** nanósh-t'ááł (nanóó, nanó, nazhnó, nanoo, nanooh)

t'ááł, t'aah, t'ą, t'ááh, t'ááł, the stem 'ááł, to handle one round or bulky object, in conjunction with the d-classifier (d plus (') becomes t').

1. to subjugate it (as a country) (lit. to put it under self).

F. 'áyaa 'adeesh-t'ááł ('adíí, 'iidoo, 'azhdoo, 'adii, 'adooh) ('abidi'doo-) **I.** 'áyaa 'iish-t'aah ('ani, 'ii, 'aji, 'ii, 'ooh) ('abi'di-) **P.** 'áyaa 'eesh-t'ą ('ííní, 'ayoo, 'ajoo, 'ii, 'ooh) ('abi'doo-) **R.** 'áyaa 'anásh-t'ááh ('anání, 'anéí, 'ańjí, 'anéii, 'anáh) ('anábi'di-) **O.** 'áyaa 'oosh-t'ááł ('oó, 'ayó, 'ajó, 'oo, 'ooh) ('abi'dó-)

2. to commit a crime.

This meaning is rendered by prepounding 'ádąąh dah, up on oneself, to the following verbs (meaning to place impersonal it, things, the world, etc.).

F. ho-deesh-t'ááł (díí, doo, zhdoo, dii, dooh) **I.** hoosh-t'aah (hó, hoo, hoji, hwii, hooh) **P.** hosis-t'ą (hosíní, has, hojis, hosii, hosoo) **R.** náhásh-t'ááh (náhó, náhá, náhoji, náhwii, náhóh) **O.** hósh-t'ááh (hóó, hó, hojó, hoo, hooh)

3. to make an agreement with him; to make a treaty with him.

F. bił 'aha-di'deesh-t'ááł (di'díí, di'doo, zhdi'doo, di'dii, di'dooh) (di'doo-) **I.** bił 'aha-di'nisht'aah (di'ní, 'dee, zh'dee, di'nii, di'noh) ('dee-) **P.** bił 'aha-di'nisht'ą (dííń'ní, 'dee, zh'dee, di'nii, di'noo) ('dee-) **R.** bił 'ahaní'dísh-t'ááh ('dí, 'dí, zh'dí, 'dii, 'dóh) ('dí-) **O.** bił 'aha-'dósh-t'ááł ('dóó, 'dó, zh'dó, 'doo, dooh) ('dó-)

*bił becomes yił in 3o.

4. to place one's head against it.

F. *bidi-dínéesh-t'ááł (díníí, dínóo, zhdínóo, díníi, dínóoh) **I.** bi-díníish-t'aah (díníi, díníi, zhdíníi, díníi, dínóh) **P.** bi-díníish-t'ą́ (díníni, díníi, zhdíníi, díníi, dínóoh) **R.** biní-díníish-t'ááh (díníi, díníi, zhdíníi, díníi, dínóh) **O.** bi-dínóosh-t'ááł (dínóó, dínóo zhdínóo, dínóo, dínóoh)

*bi- becomes yi- in 3o.

5. to be holding one's head against it.

N. bidíníish-'ą́ (bidíníníl, yidíníil, bizhdíníil, bidíníil, bidínóoł)

6. to kiss her (lit. move one's head to her mouth).

F. *biza-dínéesh-t'ááł (díníí, dínóo, dízhnóo, díníi, dínóoh) **I.** biza-nisht'aah (ní, ni, zhni, nii, noh) **P.** biza-neesh-t'ą́ (nííní, noo, zhnoo, nii, nooh) **R.** bizááních-t'ááh (ní, ní, zhní, nii, nóh) **O.** biza-nósh-t'ááł (nóó, nó, zhnó, noo, nooh)

*bi- becomes yi- in 3o.

7. to give up to him (in fight).

F. t'óó *baa 'á-dideesh-t'ááł (didíí, didoo, zhdidoo, didii, didooh) **I.** t'óó baa 'á-dinish-t'aah (diní, dee, zhdee, dinii, dinoh) **P.** t'óó baa 'á-dinish-t'ą́ (dííní, dee, zhdee, dinii, dinooh) **R.** t'óó baa 'ání-dísh-t'ááh (dí, dí, zhdí, dii, dóh) **O.** t'óó baa 'á-dósh-t'ááł (dóó, dó, zhdó, doo, dooh)

*baa becomes yaa in 3o.

8. to look in (slowly and leisurely, in contradistinction to the quick motion denoted by the stem -niił).

F. yah 'a-dínéesh-t'ááł (díníí, dínóo, zhdínóo, díníi, dínóoh) **I.** yah 'a-nish-t'aah (ní, ni, zhni, nii, noh) **P.** yah 'a-neesh-t'ą́ (nííní, noo, zhnoo, nii, nooh) **R.** yah 'a-nánísh-t'ááh (náni, náni, názhní, nánii, nánóh) **O.** yah 'a-nósh-t'ááł (nóó, nó, zhnó, noo nooh) dáádílkał 'ąą 'áyiilaa dóó yah 'anoot'ą́, he opened the door and looked in.

9. to persuade him; to get him to give in (lit. to take something away from him by force).

F. *bigha-di'deesh-t'ááł (di'díí, di'doo, dizh'doo, di'dii, di'dooh) **I.** bigha-di'nish-t'aah (di'ní, 'dee zh'dee, di'nii, di'noh) **P.** bigha-di'nish-t'ą́ ('dííní, 'dee, zh'dee, di'nii, di'nooh) **R.** bighaní-'dísh-('dí, 'dí, zh'dí, 'dii, 'dóh) **O.** bigha-'dósh-t'ááł ('dóó, 'dó, zh'dó, 'doo, 'dooh)

*bi- becomes yi- in 3o.

10. to shuffle them (cards). (lit. to put them back into one another).

F. ahiih ńdeesh-t'ááł (ńdíí, néidoo, nízhdoo, ńdii, ńdooh) **I.** 'ahiih násh-t'aah (náni, néí, ńjí, néii, náh) **P.** 'ahiih náásh-t'ą́ (néíní, náyoo, ńjoo, néii, náooh) **R.** 'ahiih ní-násh-t'ááh (nání, néí nájí, néii, náh) **O.** 'ahiih náoosh-t'ááł (náóó, náyó, níjó, ná-oo, náooh)

11. to risk one's life. **F.** niná'á-dideesh-t'ááł (didíí, di-doo, zhdidoo, didii, didooh) **I.** niná'á-dinish-t'aah (diní, dee, zhdee, dinii, dinoh) **P.** niná'á-dinish-t'ą́ (dííní, dee, zhdee, di-nii, dinoh) **R.** niná'á-dísh-t'ááh (dí, dí, zhdí, dii, dóh) **O.** niná'á-dósh-t'ááł (dóó, dó, zhdó, doo, dooh) 'awéé' taah yígo'go ni-ná'ádinisht'ą́ągo bich'į' taah yishghod, when the baby fell into the water I went in after it at the risk of my life.

t'áá, just. t'áá 'ákónéelt'e', there's just that many.

t'áá 'aaníí, really; truly; actually. t'áá 'aaníí 'ásht'į́, I really did it. t'áásh 'aaníí 'ádíní, are you telling the truth?

t'áá 'aaníí 'át'éii, truth.

t'áá 'ádzaagóó, just for fun; not seriously; aimlessly.

t'áá 'ághídígi, (at) nearby. shi-ghandóó t'áá 'ághídígi tó hólǫ́, there is water near my home.

t'áá 'áhánídę́ę́', from nearby. t'áá 'áhánídę́ę́' tó nináháshkaah I bring water from nearby.

t'áá 'áhánídi, (at) nearby. t'áá 'áhánídi bikin si'ą́, his house is nearby.

t'áá 'áhánígi, (at) nearby. t'áá 'áhánígi hólǫ́, there is some near by.

t'áá 'ahą́ą́dígo, close together.

t'áá 'ahą́ą́h, frequently. t'áá 'a-hą́ąh naa náshdáah dooleeł, I'll come to see you frequently.

t'áá 'ahąąh, simultaneously; at the same time. t'áá 'ahąąh k'i'-diilyá, we planted at the same time.

t'áá 'áko, that is all right; it is satisfactory.

t'áá 'ákódí, that's all; no more. t'áá 'ákódígo shee hólǫ́, that is all I have.

t'áá 'ákwíí, remaining equal in number; each, every (with reference to day, night, and seasons). t'áá 'ákwíí jį́, every day; t'áá 'á-kwíí zhíní, every summer; t'áá 'ákwíí ghaaí, every winter, every year.

t'áá 'áła, both. t'áá 'áła łigai, both are white.

t'áá 'áłaji', always. t'áá 'áłaji' kwii nináshzhah, I always hunt here.

t'áá 'áłch'į́įdígo, just a little bit; few. t'áá 'áłch'į́įdígo nidlą́, drink a little bit of it!

t'áá 'ałtso, all. t'áá 'ałtso hééł 'áníléėh, pack all of them! t'áá 'ałtso dabi'áád, they are all females.

t'áá 'ałtsogo, everywhere. t'áá 'ałtsogo dibé hólǫ́, there are sheep everywhere.

t'áá 'ałtsogóó, everywhere. t'áá 'ałtsogóó tádííyá, I went everywhere.

t'áá 'ałtsoní, everything. t'áá 'ałtsoní shee hólǫ́, I have everything.

t'áá béeso, cash; in cash.

t'áá bí bini' bik'ehgo 'atah níyáhígíí, volunteer.

t'áá bíhólníhígíí, anything t'áá bíhólníhígíí shaa ní'aah, give me anything!

t'áá bíích'į́įdii, Aneth, Utah.

t'áá bíjí, in his own way; in accord with his own customs.

t'áá bizáákᐧá, at the risk of one's life; throwing caution to the winds; intrepidly. diné kin doo ałtso 'adidook'ą́ął da danízingo kin dook'ą́łę́ę t'áá bizáákᐧá yaa tiih yíjéé', the men did not want the house to burn up so they tackled the burning house at the risk of their lives.

t'áá bízhání, only. gohwééh t'áá bízhání shaa yiníką́, he gave me coffee only.

t'áá díkwíí, just a few. k'ad chidí t'áá díkwíí ndaajeeh, now few cars run about. dibé t'áá díkwíí yidziih, a few sheep are left.

t'áadoo, don't; without. t'áadoo yáníłti'í, don't talk!

t'áadoo bahat'aadí, evidently; obviously; apparently. t'áadoo bahat'aadí 'ajisiih, evidently he made a mistake.

t'áadoo hodíina'í, soon; after a while. t'áadoo hodíina'í 'íílhaazh, I soon fell asleep.

t'áadoo hodina'í, soon (in a future sense). t'áadoo hodina'í nahodoołtį́įł shį́į, it will probably rain soon.

t'áadoo hooyání, suddenly; without warning. t'áadoo hooyání bąąh dahoo'a', he suddenly got sick.

t'áadoo kót'é 'ílíní, suddenly and without warning; unexpectedly. t'áadoo kót'é 'ílíní nihik'iijéé', they suddenly attacked us.

t'áadoo le'é, thing; things; anything; something. t'áadoo le'é hádésh'į́į', I am looking for something. t'áadoo le'é naa deeshłééł, I'll give you something.

t'áadoo le'é 'ádaal'į́įgi, factory.

t'áadoo le'é 'ałch'į' be'astł'óonii, bundle.

t'áadoo le'é łeeghi' dahólónígíí, mineral; mineral resources.

t'áá gééd, without. tó t'áá gééd doo 'iináa da, life is impossible without water.

t'áá háiida, anyone; someone. t'áá háiida bił hólne', tell it to anyone!

t'áá hazhó'ó, except. t'áá 'ałtso yá'ádaat'ééh t'áá hazhó'ó díí t'éiyá doo yá'át'éeh da, they are all good except this one.

t'áá 'íídą́ą́', already. t'áá 'íídą́ą́' 'ííyą́ą́', I already ate.

t'áá 'íighisíí, very; extremely. t'áá 'íighisíí yá'át'ééh, it is very good.

t'áá 'íishjání, evidently; clearly. t'áá 'íishjání doo 'éí yí'ááł da, evidently you are carrying the wrong one.

t'ááłáhádi, once; one time. t'ááłáhádi shíká 'anáádíílghoł, help me just once more!

t'áá jíík'e, free; gratis. t'áá jíík'e shaa yiníʼą́, he gave it to me free.

t'ááłáhádi neeznádiin ninááhááh, a hundred years; century.

t'ááłáhági 'át'éego, constantly; invariably; in just one way. t'ááłáhági 'át'éego 'atł'óogo 'i'íí'ą́, she wove constantly all day long. t'ááłáhági 'át'éego dibé nanishkaadgo neeznáá náháhai, I constantly herded sheep for ten years.

t'ááła'ajį́, in a day; daily; per day.

t'ááła'atł'éé', in one night.

t'ááłá'í béeso, one dollar.

t'ááłá'í dootł'izh, one dime.

t'ááłá'í hooghanígíí, family; family unit, or group.

t'ááłá'í ní'ánígo, individually, each one as an individual.

t'ááłá'í nízínígo, individually.

t'ááłá'í sízínígíí, individual.

t'áá łą́ągóó, in many ways; in many places; many things. t'áá łą́ągóó tádííyá, I went to many places. t'áá łą́ągóó bíhoołʼą́ą́', I learned many things about it. dibé t'áá łą́ągóó bá 'atíjít'įįgo t'éiyá nilk'ah, sheep can be fattened in many ways.

t'áá níík'e (ib. t'áá jíík'e), free; gratis.

t'áá nináháháah bik'eh, annually; each year.

t'áá sahdii, apart; alone; separate. naal'eełí ła' 'akéédę́ę' t'áá sahdii yit'ah, one of the ducks is flying behind all by itself.

t'áá sáhí, alone. t'áá sáhí 'ałtso yíyą́ą', I ate it all alone (all by myself).

t'áá shiidą́ą'dii, for a long time. díí tsin t'áá shiidą́ą'dii kwe'é 'íí'á, this tree has been standing here for a long time. t'áá shiidą́ą'dii kwe'é kééhasht'į́, I lived here for a long time.

t'áá shį́į́, probably. t'áá shį́į́ 'aaníí 'ání, he is probably telling the truth.

t'áá t'éehgo, raw; uncooked. ch'il łigaaí t'áá t'éehgo daadą́, cabbage is eaten raw.

t'ah, t'ááh (t'a'), t'a', t'ah, t'ááh, to fly.

1. to start flying along.

F. dideesh-t'ah (didíí, didoo, jididoo, didii, didooh) **I.** dish-t'ááh (dí, di, jidi, dii, doh) **S-P.** dé-t'a' (díní, dees, jidees, dee, disoo) **R.** ńdísh-t'ah (ńdí, ńdí, nízhdí, ńdii, ńdóh) **O.** dósh-t'ááh (dóó, dó, jidó, doo, dooh)

2. to start off flying.

This meaning is rendered by prepounding dah, off, to the following forms.

F. dideesh-t'ah (didíí, didoo, shdidoo, didii, didooh) **I.** diish-t'ááh (dii, dii, shdii, dii, dooh) **P.** dii-t'a' (dini, dii, shdii, dii, doo) **R.** ńdiish-t'ah (ńdii, ńdii, nízhdii, ńdii, ńdooh) **O.** doosh-t'ááh (doó, doo, jidoo, doo, dooh)

3. to fly; to arrive flying.

F. deesh-t'ah (díí, doo, jidoo, dii, dooh) **I.** nish-t'ááh (ní, yí, jí, nii, noh) **P.** nish-t'a' (yíní, yí, jí, nii, noo) **R.** násh-t'ah (nání, ná, ńjí, néii, náh) **O.** ghósh-t'ááh (ghóó, ghó, jó, ghoo, ghooh)

4. to be flying along.

Prog. yisht'ah (yí, yi, joo, yii, ghoh)

5. to fly about.

C-I. naash-t'a' (nani, naa, nji, neii, naah)

6. to fly it; to make it fly; to carry it flying.

F. deesh-t'ah (dííł, yidooł, jidooł, diil, dooł) (bidi'dool-) **I.** nish-t'ááh (níł, yił, jił, niil, noł) (bi'-deel-) **P.** níł-t'a' (nííníł, yiníł, jí-níł, niil, nooł) (bi'deel-) **R.** násh-t'ah (nááníł, néíł, ńjíł, néiil, nááł) (nábi'dil-) **O.** ghósh-t'ááh (ghóół, yół, jół, ghool, ghooł) (bi'dól-)

7. to be flying it along.

Prog. yish-t'ah (yíł, yooł, jooł, yiil, ghoł) (bi'dool-)

8. to fly it about (as a plane).

F. ndeesh-t'ah (ndííł, neidooł, nizhdooł, ndiil, ndooł) (nabidi'dool-) **C-I.** naash-t'a' (nanił, neił, njił, neiil, naał) (nabi'dil-) **P.** niséł-t'a' (nisíníł, neis, njis, nisiil, nisooł) (nabi'dis-) **R.** ninásh-t'ah (nááníł, néíł, nájíł, néiil, nááł) (nábi'dil-) **O.** naosh-t'a' (naóół, nayół, njół, naool, naooł) (nabi'dól-)

t'ah, yet; still. t'ah doo yiistséeh da, I still haven't seen him.

t' ahkodę́ę́', immediately; right now. nihe'ashiiké siláagodę́ę́' ninááhaaskaigo bindaanish dooleełígíí t'ah kodą́ą́' bá baa hwiinít'įįgo yá'át'ééh, it is well for us to plan immediately the work which our boys will do when they return from the army.

t'ah náásídi, further on. t'ah náásídi niníłbąąs, park it further on!

t' ash, t' aash, t' áázh, t' ash, t' aash, the dual stem of to go, in conjunction with the d-classifier

1. to run a race with him.

To run a race with them, wherein more than two persons are involved, is rendered by replacing the dual stem by the plural stem, the stem forms of the plural being: kah, kááh, kai, kah, kááh.

F. *bił 'aha-dideesh-t'ash (didíí, didoo, zhdidoo, didii, didooh) **I.** bił 'aha-dish-t'aash (dí, di, zhdi, dii, doh) **P.** bił 'aha-désh-t'áázh (dín, dee, zhdee, dee, **R.** bił 'aha-ńdísh-t'ash (ńdí, ńdí, nízhdí, ńdii, ńdóh) **O.** bił 'aha-dósh-t'aash (dóó, dó, zhdó, doo, dooh)

*bił becomes yił in 3o.

t'ą́ą́chil, April.

t'ą́ą́', back. t'ą́ą́' náádááł, he is going back.

t'ą́ą́'ánát ; hem; cuff.

t'ą́ąji go backwards. chidí t'ą́ąjigo bił náádááł, the car is going backwards with him.

t'ą́ąji', back; backwards. t'ą́ąji' 'íítłizh, he fell backwards.

t'ą́ą́tsoh, May.

t'ąs, t'ąs, t'ą́ą́z, t'ąs, t'ąąs, to cut spirally.

1. to cut it spirally (as a melon in preparing it for drying).

F. náhidínées-t'ąs (náhidíníít, néidínóół, náhizhdínóół, náhidíníil, náhidínóół) (náhidínóol-) I. náhinis-t'ąs (náhiníł, néiniił, náhizhnił, náhiniil, náhinooł) (náhinil-) P. náhinéł-t'ą́ą́z (náhiníníł, néinees, náhizhnees, náhineel, náhinooł) (náhinees-) R. ní-náhinis-t'ąs (náhinił, néiniił, náhizhnił, náhiniil, náhinooł) (náhinil-) O. náhinós-t'ąąs (náhinóół, néinół, náhizhnół, náhinool, náhinooł) (náhinól-)

t'eeł, t'eeh (t'é, t'ééh), t'e', t'eeh, t'e'.

1. to be.

N. 'ánísh-t'é ('ání, 'á, 'ájí, 'ánii, 'ánóh) tsé 'át'é, it is a stone.

2. to be or look thus.

N. kónísh-t'é (kóní, kó, kóji, kónii, kónóh)

'ałk'idą́ą́' kónísht'éé ńt'ę́ę́; k'ad t'éiyá kónísht'é, I used to look this way; now I look like this (as in comparing a former picture with a recent one of oneself).

3. to be remarkable, outstanding, or "super.".

This meaning is rendered by prepounding 'ayói, remarkable, to the forms given under no. 1. Thus, 'ayói 'ánísht'é, I am outstanding.

4. to be (in number).

F. diil-t'eeł N. niil-t'é (noł, yil, jil) S-P. siil-t'e' (sooł, yis, jis) R. néiil-t'eeh (náł, nál, ńjíl) O. ghool-t'eeh (ghooł, ghól, jól)

naabeehó t'óó 'ahayói yilt'é, the Navaho are numerous.

5. to act alone.

In this form the relatival enclitic is added to the stem.

N. t'ááłah dinisht'éhé (diníl, dil diniil, dinoł) t'ááłah dinisht'éhégo hooghan 'áshłaa, I built the hogan (working) by myself.

6. to be good, well, suitable, desirable, convenient, etc.

N. yá'ánísh-t'ééh (yá'ání, yá'á, yá'ájí, yá'ánii, yá'ánóh) (yá'áhoot'ééh, the place, or impersonal "it" is good.)

7. to like it; be pleased by it.

This meaning is rendered by prepounding -ił, with (one), tc the forms given in no. 1. Thus, 'abe' bił yá'át'ééh, he likes milk.

8. to be well; to be healthy.

This meaning is rendered by prepounding -tah, body, to the spatial (ho) form. Thus, shitah yá'áhoot'ééh, I am well; nitah yá'áhoot'ééh, you are well, etc.

Also, haa nisht'é, how am I? haa nít'é, how are you? haa yit'é, how is he? haa niit'é, how are we? haa noht'é, how are you? (dpl) haa daat'é, how are they? (dist. pl)

9. to acquire it; to get it.
F. shóideesh-t'eeł (shóidííł, shóidooł, shóizhdooł, shóidiil, shóidooł) (shóbidi'dool-) **I.** shóosh-t'eeh (shóinił, shóyooł, shójooł, shóol, shóoł) (shóbi'dool-) **P.** shóíséł-t'e' (shóísíníł, shóyoos, shójoos, shóisiil, shóisooł) (shóbi'dooz-) **R.** shóná-osh-t'eeh (shónáoł, shónáyooł, shóńjooł, shónáool, shónáooł) (shónábi'dool-) **O.** shóosh-t'eeh (shóół, shóyooł, shójooł, shóol, shóół) (shóbi'dool-) łį́į́' naakaii bits'ą́ą́dę́ę́' shóíséłt'e', I got (or obtained) a horse from a Mexican.

10. to place it (animate or inanimate) into an enclosure (as in a corral, jail, etc.).
F. yah 'adeesh-t'eeł ('adííł, 'iidooł, 'azhdooł, 'adiil, 'adooł) ('abidi'dool-) **I.** yah 'iish-t'e' ('anił, 'iił, 'ajił, 'iil, 'ooł) ('abi'dil-) **P.** yah 'ííł-t'e' ('ííníł, 'ayííł, 'ajííł, 'iil, 'ooł) ('abi'dool-) **R.** yah 'anásh-t'eeh ('ananíł, 'anéíł 'ańjił, 'anéiil, 'anáł) ('anábi'dil-) **O.** yah 'oosh-t'e' ('óół, 'ayół, 'ajół, 'ool, 'ooł) ('abi'dól-)

11. to lose it (an animate object, or a slender stiff object).
This meaning is rendered by substituting yóó', away, for yah, into, in no. 10. Thus, yóó' 'ííł-t'e', I lost it.

12. to drop it (an animate object, or a slender stiff object).
F. hada-deesh-t'eeł (dííł, idooł, zhdooł, diil, dooł) (bidi'dool-) **I.** hadaash-t'e' (hadanił, hadeił, hadajił, hadeiil, hadaał) (hadabi'dil-) **P.** hadááł-t'e' (hadeíníł, hadayííł, hadajííł, hadeiil, hadaooł) (hadabi'dool) **R.** hadanásh-t'eeh (náníł, néíł, nájíł, néiil, náł) (nábi'dil-) **O.** hada osh-t'e' (óół, yół, jół, ool, ooł) (bi'dól-)

13. to release him; to set him free (lit. to take him back out of an enclosure).
F. ch'éédeesh-t'eeł (ch'éédííł, ch'íinéidooł, ch'éézhdooł, ch'éédiil, ch'éédooł) (ch'éébidi'dool-) **I.** ch'ínásh-t'e' (ch'ínáníł, ch'ínéíł, ch'ééjíł, ch'ínéiil, ch'ínáł) (ch'ínábi'dil-) **P.** ch'ééníł-t'e' (ch'ééníł, ch'ééiníł, ch'éézhníł, ch'ínániil, ch'ínánooł (ch'ínábi'dool-) **R.** ch'íní-násh-t'eeh (náníł, néíł, nájíł, néiil, náł) (nábi'dil-) **O.** ch'íná-osh-t'e' (óół, yół, jół, ool, ooł) (bi'dól-)

14. to exhume it (lit. to take it back up out).
F. háá-deesh-t'eeł (dííł, idooł, zhdooł, diil, dooł) (bidi'dool-) **I.** ha-násh-t'e' (náníł, néíł, ńjíł, néiil, náł) (nábi'dil-) **P.** hanááł-t'e' (hanéíníł, hanáyííł, háájííł, hanéiil, hanáooł) (hanábi'dool-) **R.** haní-násh-t'eeh (náníł, néíł, nájíł, néiil, náł) (nábi'dil-) **O.** ha-náosh-t'e' (náóół, náyół, ńjół, náool, náooł) (nábi'dól-)

15. to "fire "him; to discharge him (from a job).

In the following paradigms the prefix 'ats'á- is long ('ats'áá-) only when it absorbs the following prefix ná-, back, (the literal meaning being, to put him back in a separated state); whenever the prefix ná- occurs as such the prefix 'ats'á- is short; otherwise 'ats'á- absorbs ná- to give 'ats'áá-.

F. 'ats'áá-deesh-t'eeł (dííł, idooł, zhdooł, diil, dooł) (bidi'dool-) **I.** 'ats'áá-nísh-t'e' (níł, néíł, jíł, niil, nółł) (bi'deel-) **P.** 'ats'áá-níł-t'e' (yíníł, iníł, zhníł, niil, nooł) (bi'deel-) **R.** 'ats'ání-násh-t'eeh (nááníł, néíł, nájíł, néiil, náł) (nábi'dil-) **O.** 'ats'á-náosh-t'e' ('ats'ánáóół, 'ats'ááyół, 'ats'áájół, 'ats'ánáool, 'ats'ánáooł) ('ats'ánábi'dól-)

16. to drop it (an animate or a slender stiff object).

F. ndeesh-t'eeł (ndííł, neidooł, nizhdooł, ndiil, ndooł) (nabidi'-dool-) **I.** naash-t'e' (nanił, neił, njił, neiil, naał) (nabi'dil-) **P.** nááł-t'e' (néíníł, nayííł, njííł, neiil, naooł) (nabi'dool-) **R.** ninásh-t'eeh (nááníł, néíł, nájíł, néiil, náł) (nábi'dil-) **O.** naosh-t'e' (naóół, nayół, njół, naool, naooł) (nabi'dól-)

17. to knock it over (a slender stiff object, as a post).

F. naa-'adeesh-t'eeł ('adííł, 'iidooł, 'azhdooł, 'adiil, 'adooł) **I.** naa-'iish-t'e' ('anił, 'iił, 'ajił, 'iil, 'ooł) **P.** naa-'ííł-t'e' ('ííníł, 'ayííł, 'ajííł, 'iil, 'ooł) **R.** naa-'anásh-t'eeh (nááníł, néíł, níjíł, néiil, náł) **O.** naa-'oosh-t'e' (oóół, 'ayół, 'ajół, 'ool, 'ooł) tsin naa'ayííłt'e', he knocked the post over. 'ii'ni' łį́į́' naa'ayííłt'e', lightning knocked the horse over (or struck the horse) (an animal is thought of as falling over in the manner of a post when lightning strikes it).

18. to hop about (as a bird, a kangaroo rat, or a person, on one foot).

F. nahi-deesh-t'eeł (díí, doo, zhdoo, dii, dooh) **C-I.** nahash-t'e' (nahí, naha, njii, nahii, nahoh) **P.** nahisís-t'e' (nahisíní, nahaas, njiis, nahisii, nahisoo) **R.** ninásh-t'eeh (hí, há, jii, hii, hóh) **O.** nahósh-t'e' (nahóó, nahó, njiyó, nahoo, nahooh)

t'eesh, charcoal.

t'éiyá, only. t'áá bí t'éiyá yééhósin, he is the only one who knows him.

t'ih, t'ééh (t'ih), t'i', t'ih, t'ééh, (t'ih), to extend or stretch into the distance as a thin line (as a wire).

1. to set them in the form of a circle.

F. ńdeesh-t'ih (ńdííł, néidooł, nízhdooł, ńdiil, ńdooł) (nábidi'-dool-) **C-I.** násh-t'ih (nááníł, néíł, ńjíł, néiil, náł) (nábi'dil-) **P.** níséł-t'i' (nísíníł, néís, ńjís, nísiil, nísooł) (nábi'dis-) **R.** nínásh-t'ih (nááníł, néíł, nájíł, néiil, náł) (nábi'dil-) **O.** náosh-t'ih (náóół, náyół, ńjół, náool, náooł) (nábi'dól-)

2. to line up (as when people form a line).

F. dideesh-t'ih (didíí, didoo, jididoo, didii, didooh) **I.** dish-t'ééh (dí, di, jidi, dii, doh) **P.** dé-t'i' (díní, deez, jideez, dee, disoo) **R.** ńdísh-t'ih (ńdí, ńdí, nízhdí, ńdii, ńdóh) **O.** dósh-t'ééh (dóó, dó, jidó, doo, dooh) 'ałkéé' didiit'ih, we'll line up one behind the other.

3. to set them in a line; to extend it along (as a wire).

F. dideesh-t'ih (didííł, yididooł, jididooł, didiil, didooł) **I.** dish-t'ééh (díł, yidił, jidił, diil, doł) **P.** déł-t'i' (díníł, yideez, jideez, deel, disooł) **R.** ńdísh-t'ih (ńdíł, néidił, nízhdíł, ńdiil, ńdół) **O.** dósh-t'ééh (dóół, yidół, jidół, dool, dooł) 'ałkéé' disht'ééh, I am setting them in a line.

4. to be setting them along in a line; to be extending it in a line (as a wire, rail, etc.).

Prog. yish-t'ih (yíł, yooł, jooł, yiil, ghoł) (bi'dool-)

5. to make fence (lit. stretch or extend something slender as a wire).

F. 'adeesh-t'ih ('adííł, 'adooł, 'azhdooł, 'adiil, 'adooł) **I.** 'adisht'ééh ('adíł, 'adił, 'azhdił, 'adiil, 'adoł) **P.** 'adéł-t'i' ('adíníł, 'adees, 'azhdees, 'adeel, 'adisooł) **R.** ń'dísh-t'ih (ń'díł, ń'díł, nízh'díł, ń'diil, ń'dół) **O.** 'adósht'ééh ('adóół, 'adół, 'azhdół, 'adool, 'adooł) **Prog.** 'eesh-t'ih ('ííł, 'ooł, 'ajooł, 'iil, 'ooł)

6. to concern one.

N. bídésh-t'i' (bídííní, yídéé, bízhdéé, bídee, bídooh) nizéé', díí doo nídéét'i' da, shut up, this doesn't concern you! doo shídííníť'i' da, 'éí bąąh doo níká 'adeeshghoł da, you do not concern me so I won't help you.

7. to have something to do with each other; to concern each other; to be interrelated.

F. 'ahídidoot'ih **I.** 'ahídeet'ééh **P.** 'ahídéét'i' **R.** 'ahíńdeet'ih **O.** 'ahídoot'ééh. nahałtin dóó k'os 'ahídéét'i', the rain and the clouds have something to do with each other.

8. to have nothing to do with it; to be unconcerned in it.

N. doo shí-déét'i' da (ní, bí, hó, nihí, nihí)

9. to be a route to it (in the sense of a route coming to exist).

F. bich'į' 'ahodoot'ih **I.** bich'į' 'ahat'ééh **Prog.** bich'į' hoot'ih **P.** bich'į' 'ahóót'i' **O.** bich'į' 'ahót'ééh. t'áá 'áníídígo Alaska bich'į' 'ahóót'i'go 'áhoolyaa, just recently a route was made to Alaska.

10. to be available (means of transportation).

F. bee hodoot'ih **P.** bee honít'i' **R.** bee náhodit'ih **O.** bee hodót'ééh. na'nízhoozhígóó t'áadoo bee hodót'éhí da, there is no way of getting to Gallup (no transportation available).

11. to start it; to originate it (to cause it to stretch up out as a thin line).
F. ha-deesh-t'ih (díił, idooł, zhdooł, diil, dooł) (bidi'dool-) **I.** haash-t'ééh (hanił, haił, hajił, haiil, haał) (habi'dil-) **P.** háát-t'i' (háíníł, hayííł, hajííł, haiil, haooł) (habi'dool-) **R.** hanásh-t'ih (hanáníł, hanéíł, hanájíł, hanéiil, hanáł) (hanábi'dil-) **O.** haosh-t'ééh (haóół, hayół, hajół, haool, haooł) (habi'dól-)

12a. to begin; to start; to originate (lit. to stretch up out as a thin line).
F. hadoot'ih **I.** haat'ééh **P.** háát'i' **R.** hanát'ih **O.** haot'ééh
nahasdzáán bikáá' 'iiná háát'i', life began on earth.

12b. to start again; to resume.
F. hanáádoot'ih **I.** hanáánát'ééh **P.** hanáánáát'i' **R.** hanát'ih **O.** hanáánáot'ééh

13. to bring it to an end; to terminate it (lit. to terminate its extension as a thin line).
F. ndeesh-t'ih (ndííł, niidooł, nizhdooł, ndiil, ndooł) (nibidi'dool-) **I.** ninish-t'ééh (niníł, niyíł, njíł, niil, nooł) (nibi'deel-) **P.** ninít-t'i' (nííníł, niiníł, nizhníł, niniil, ninooł) (nibi'deel-) **R.** ni-násh-t'ih (náníł, néíł, níjíł, néiil, nał) (nábi'dil-) **O.** noósh-t'ééh (noół, niyół, njół, nool, nooł) (nibi'dól-)

14. to end; to terminate; stop.
F. ndoot'ih **I.** niit'ééh **P.** ninít'i' **R.** ninát'ih **O.** noot'ééh

15. to continue; to keep going (lit to stretch forward as a thin line).
F. náás doot'ih **I.** náás dit'ééh **Prog.** náás yit'ih **P.** náás deezt'i' **R.** náás ńdít'ih **O.** náás dót'ééh. 'anaa' náás yit'ih, the war continues.

16. to continue it.
F. náás deesh-t'ih (díił, yidooł, jidooł, diil, dooł) (bidi'dool-) **I.** náás dish-t'ééh (díł, yidił, jidił, diil, doł) (bi'dil-) **Prog.** náás yish-t'ih (yíł, yooł, jooł, yiil, ghoł) (bi'dool-) **P.** náás dét-t'i' (díníł, yideez, jideez, deel, disooł) (bi'dees-) **R.** náás ńdísh-t'ih (ńdíł, néidił, nízhdíł, ńdiil, ńdół) (nábi'dil-) **O.** náás dósh-t'ééh (dóół, yidół, jidół, dool, dooł) (bi'dól-). 'ani'įį' náás yooɫt'ih, he contiues to steal.

17. to continue it; to keep it going on; to resume it.
F. k'í-deesh-t'ih (díił, idooł, zhdooł, diil, dooł) (bidi'dool-) **I.** k'ínísh-t'ééh (k'íníł, k'ííł, k'íjíł, k'íniil, k'ínół) (k'íbi'deel-) **P.** k'íníł-t'i' (k'ííníł, k'íiníł, k'ízhníł, k'íniil, k'ínooł) (k'íbi'deel-) **S-P.** k'ísét-t'i' (k'ísíníł, k'íís, k'íjís, k'ísiil, k'ísooł) (k'íbi'dis-) **R.** k'í-násh-t'ih (náníł, néíł, ńjíł, néiil, nał) (nábi'dil-) **O.** k'íosh (k'íóół, k'íyół, k'íjół, k'íool, k'í-

ooł) (k'íbi'dól-). 'ayóo 'ani'įįh-go biniinaa 'awáalya sidáá ńt'ę́ę́' 'áko 'ání, "T'áá k'ídeesht'ih," he was in jail for stealing, but he said, "I'm going to keep it up."

18. to stagger about; wobble. **F.** ndí'néesh-t'ih (ndí'níí, ndí'-nóo, nizhdí'nóo, ndí'níi, ndí'-nóoh) **C-I.** na'nish-t'ih (na'ní, na'ni, nazh'ni, na'nii, na'noh) **P.** na'né-t'ih (na'níní, na'neez, nazh'neez, na'nee, na'noo) **R.** ni-ná'nísh-t'ih (ná'ní, ná'ní, ná'-nii, ná'nóh) **O.** na'nósh-t'ih (na'nóó, na'nó, nazh'nó, na'noo, na'nooh). tódiłhił ła' yishdlą́ą'-go ndí'néesht'ih, I'll stagger a-bout when I take a drink of whis-key. chidí bikee' na'nit'ih, the tire is wobbling.

19. to have one's mind set on it.

This verb is given for the 1st person sgl. It is conjugated for the other persons by altering the pronoun prefix on the noun -ni', mind.

F. shíni' bididoot'ih **I.** shíni' bi-diit'ééh **P.** shíni' bidiit'i' **R.** shí-ni' bińdiit'ih **O.** shíni' bidoot'ééh

t'iis, cottonwood.

t'iisbáí, aspen.

t'iis 'íí'áhí, Pine Springs, Ariz.

t'iis názbąąs, Teesnospos, Ariz.

t'iis ntsaa ch'éélį́, Bluewater, N. M.

t'iistsoh, Puertocito, N. M.

t'iistsoh sikaad, Burnham, N. M.

t'iists'óóz ńdeeshgizh, Crown-point, N. M.

t'iisyaakin, Holbrook, Ariz.

t'į́, the stem 'į plus d-classifier.

1. to be visible.

N. yish-t'į (yíní, yi, ji, yii, ghoh) (hoot'į refers to area or space. doo hoot'įį da, there is no visi-bility.)

t'įįhdígo, a little bit. t'įįhdígo yishdlą́ą', I drank a little bit.

t'įįhí ba'ánígo, a little more; a few more. shilį́į' t'įįhí ba'ánígo nilį́į' 'ánéelt'e', you have a few more horses than I have.

t'į́įł, t'ą́, t'ą́, t'į́įh, t'ą́ą́', to mat-ure.

1. to ripen; to mature.

F. dínóot'į́įł **I.** nit'ą́ **P.** neest'ą́ **R.** nánít'į́įh **O.** nót'į́įł

2. to raise it; to grow it; to ma-ture it (prefixed ń- indicates that the act is done repeatedly, as in raising a crop; for it is assumed not to be the first such crop).

F. ńdínéesh-t'į́įł (ńdíníił, néidí-nóoł, nízhdínóoł, ńdíniil, ńdí-nóoł) (níbidí'nóol-) **I.** nish-t'ą́ (nił, yinił, jinił, niil, nooł) (bidi'-nil-) **P.** nánéł-t'ą́ (nánínił, néi-nees, názhnees, náneel, nánooł) (nábidi'nees-) **R.** ní-nánísh-t'į́įh (nánił, néinił, názhnił, nániil, nánół) (nábidi'nil-) **O.** nánósh-t'ą́ą́' (nánóół, néinół, názhnół nánool, nánooł) (nábidi'nól-)

t'į́įł, t'įįh (t'in), t'į́į', t'į́įh, t'į́įł, to hide.

1. to hide.

F. ńdi-dínéesh-t'įįł (díníí, dínóo, zhdínóo, díníi, dínóoh) **I.** ńdí-nísh-t'įįh (ńdíní, ńdíní, nízhdíní, ńdíníi, ńdínóh) **P.** ńdínésh-t'įį' (ńdíníní, ńdínées, nízhdínées, ń-dínée, ńdínóo) **R.** níná-dínísh-t'įįh (díní, díní, zhdíní, díníi, dí-nóh) **O.** ńdínósh-t'įįł (ńdínóó, ńdínó, nízhdínó, ńdínóo, ńdí-nóoh)

2. to be in hiding; be hidden.

N. nanish-t'in (naní, nani, na-zhni, nanii, nanoh) bits'ąą nanisht'in, doo shiidoołtséeł da biniighé, I am hiding from him so he will not see me.

t'įįł, t'įįh (t'į), t'įįd, t'įįh, t'įį' to act or do (V. 'įįł, nííł).

1. to take action on it; to re-port it; to discuss it.

F. *baa ńdéesh-t'įįł (ńdíí, ńdóo, nízhdóo, ńdíi, ńdóoh) (náhódóo-) **C-I.** baa yinish-t'į (náni, ná, ńjí, néii, náh) (náhá-) **P.** baa nísís-t'įįd (nísíní, yinís, ńjís, nísii, ní-soo) (náhás-) **R.** baa ní-násh-t'įįh (náni, ná, náji, néii, náh) (náhá-) **O.** náoosh-t'įį' (náóó, náoo, ńjóo, náoo, náooh) (náhó-)

*baa becomes yaa in 3o.

2. to bother him; molest him.

F. *baa ńdéesh-t'įįł (ńdíí, ńdóo, nízhdóo, ńdíi, ńdóoh) (náhódóo-) **C-I.** baa násh-t'į (náni, ná, ńjí, néii, náh) (náhá-) **P.** baa nísís-t'įįd (nísíní, nás, ńjís, nísii, nísoo) (náhás-) **R.** ní-násh-t'įįh (náni, ná, náji, néii, náh) (náhá-) **O.** náoosh-t'įį' (náóó, náoo, ńjóo, náoo, náooh) (náhó-) t'áadoo shaa nánít'íní, don't bother me! shaa náóót'įį' lágo, don't bother me (in the future)!

*baa becomes yaa in 3o.

3. to quit; stop activity; back out; surrender.

F. 'áaho-deesh-t'įįł (díí, doo, zh-doo, dii, dooh) **I.** 'áá-hosh-t'įįh (honí, hoo, hojoo, hwii, hoh) **P.** 'áá-hosis-t'įįd (hosíní, hoos, ho-joos, hosii, hosoo) **R.** 'áná-hoosh-t'įįh (honí, hoo, hojoo, hwii, hoh) **O.** 'áá-hoosh-t'įį' (hoó, hoo, hojoo, hoo, hooh)

naashnish ńt'ę́ę́' 'ááhosist'įįd, I was working but I quit. nihe'-ena'í ła' 'áádahoost'įįd, some of our enemies gave up (quit). bił dé'áázh ńt'ę́ę́' t'óó 'ááhosist'įįd, I was going to go with him but I backed out. 'áńdahojoot'įįhji' 'o'oolkid, it is quitting time.

4. to fail; to act in vain.

This meaning is rendered by prepounding ch'ééh, vainly, fut-ilely, to the following verbs:

F. 'ádeesh-t'įįł ('ádíí, 'ádoo, 'á-zhdoo, 'ádii, 'ádooh) **C-I.** 'ásh-t'į ('ání, 'á, 'ájí, 'íi, 'óoh) **P.** 'íí-t'įįd ('ííní, 'íí, 'ájíí, 'íi, 'óoh) **R.** 'á-násh-t'įįh ('ánání, 'áná, 'áńjí, 'á-néii, 'ánáh) **O.** 'óosh-t'įį' ('óó, 'óo, 'ájó, 'óo, 'óoh)

5. to live; to reside.

N. kéé-hash-t'į (hó, ha, ho, hwii, hoh)

6. to be rich; wealthy.

N. 'ash-t'į ('í, 'a, 'aji, 'ii, 'oh)

7. to be rich in it.
N. yish-t'į (ni, yi, ji, yii, ghoh) łįį' yisht'į, I am rich in horses.
t'is, t'ees, t'é, t'is, t'ees, to roast.
1. to roast, broil or fry it.
F. dees-t'is (dííł, yidooł, jidooł, diil, dooł) (bidi'dool-) **I.** yis-t'ees (nił, yił, jił, yiil, ghoł) (bi'-dil-) **P.** séł-t'é (síníł, yis, jis, siil, sooł) (bi'dis-) **R.** nás-t'is (náníł, néíł, ńjíł, néiil, náł) (nábi'dil-) **O.** ghós-t'ees (ghóół, yół, jół, ghool, ghooł) (bi'dól-)
2. to cook; roast; broil; fry.
F. doot'is **I.** yit'ees **P.** sit'é **R.** nát'is **O.** ghót'ees
t'is, t'éés, t'eez, t'is, t'éés, to step
1. to put on one's shoes (lit. to step back in the shoes).
kééh, into shoes, is prepounded to the following verb forms:
F. ńdees-t'is (ńdíí, ńdoo, nízhdoo ńdii, ńdooh) **I.** nás-t'éés (náni, ná, ńjí, néii, náh) **P.** nás-t'eez (néíní, náá, ńjoo, néii, náoo) **R.** ní-nás-t'is (náni, ná, nájí, néii, náh) **O.** náoos-t'éés (náóó, ná-oo, ńjó, náoo, náooh)
2. to have one's shoes on.
kéé', in the shoes, is prepounded to the following verb.
S-P (N). sé-'eez (síní, si, jiz, sii, soo)
t'ish, t'eesh, t'éézh, t'ish, t'eesh, to streak with charcoal.
1. to black-streak it with charcoal.
F. deesh-t'ish (díí, yidoo, jidoo, dii, dooh) (bidi'doo-) **I.** yish-t'eesh (ni, yi, ji, yii, ghoh) (bi'-di-) **P.** shé-t'éézh (shíní, yizh, jizh, shii, shoo) (bi'dish-) **R.** násh-t'ish (náni, néí, ńjí, néii, náh) (nábi'di-) **O.** ghósh-t'eesh (ghóó, yó, jó, ghoo, ghooh) (bi'-dó-)
t'oh, t'oh, t'oh, t'oh, t'oh.
1. to shoot it with an arrow.
F. deesh-t'oh (dííł, yidooł, jidooł, diil, dooł) (bidi'dool-) **I.** yiish-t'oh (yiił, yiyiił, jiił, yiil, ghooł) (bi'diil-) **S.** séł-t'oh (síníł, yis, jis, siil, sooł) (bi'dis-) **R.** néish-t'oh (néiił, náyiił, ńjiił, néiil, ná-ooł) (nábi'dil-) **O.** ghoosh-t'oh (ghóół, yół, jół, ghool, ghooł) (bi'dól-)
2. to be shooting it with arrows (one after another).
C-I. yínísh-t' óóh (yíníł, yół, jół, yíníil, yínół) (bí'dól-)
3. to smoke it (cigaret, etc.).
F. ńdeesh-t'oh (ńdííł, néidooł, nízhdooł, ńdiil, ńdooł) (nábidi'-dool-) **C-I.** násh-t'oh (náníł, né-íł, ńjíł, néiil, náł) (nábi'dil-) **P.** nis-éł-t'oh (nísíníł, néís, ńjís, ní-siil, nísooł) (nábi'dis-) **R.** ní-násh-t'oh (náníł, néíł, nájíł, né-iil, náł) (nábi'dil-) **O.** náósh-t'oh (náóół, náyół, ńjół, náool, náooł) (nábi'dól-)
4. to smoke (cigaret, etc.).
F. ń'deesh-t'oh (ń'dííł, ń'dooł, nízh'dooł, ń'diil, ń'dooł) **C-I** ná'ásh-t'oh (ná'íł, ná'áł, ń'jíł ná'iil, ná'ół) **P.** ń'séł-t'oh (ń'sí-níł, ná'ás, ń'jís, ń'siil, ń'sooł)

R. ní-ná'ásh-t'ah (ná'íł, ná'áł, ná'jíł, ná'iil, ná'ół) **O.** ná'ásh-t'ah (ná'áół, ná'áł, ń'jół, ná'ool, ná'ooł)

t'oł, t'ood (t'o'), t'óód, t'o', t'ood, to suck.

1. to suck or pump it up out.
F. ha-deesh-t'oł (dííł, idooł, zhdooł, diil, dooł) (bidi'dool-) **I.** haash-t'ood (hanił, haił, hajił, haiil, haał) (habi'dil-) **P.** háált'ááď (háíníł, hayííł, hajííł, haiil, haooł) (bi'dool-) **R.** ha-násh-t'o' (náníł, néíł, ńjíł, néiil, náł) (nábi'dil-) **O.** ha-osh-t'ood (óół, yół, jół, ool, ooł) (bi'dál-)

2. to start sucking or pumping it along.
F. dideesh-t'oł (didííł, yididooł, jididooł, didiil, didooł) **I.** dish-t'ood (díł, yidił, jidił, diil, dołł) **P.** déł-t'ááď (díníł, yidees, jidees, deel, disooł) **R.** ńdísh-t'o' (ńdíł, néidił, nízhdíł, ńdiil, ńdół) **O.** dósh-t'ood (dóół, yidół, jidół, dool, dooł)

3. to be sucking it along (as through a tube).
Prog. yish-t'oł (yíł, yooł, jooł, yiil, ghoł) (bi'dool-)

4. to suck it; to pump it into it (with prepounded biih, into it).
F. deesh-t'oł (dííł, yidooł, jidooł, diil, dooł) (bidi'dool-) **C-I.** yish-t'o' (nił, yił, jił, yiil, ghoł) (bi'-dil-) **P.** yíł-t'ááď (yíníł, yiyííł, jííł, yiil, ghooł) (bi'dool-) **R.** násh-t'o' (náníł, néíł, ńjíł, néiil, náł) (nábi'dil-) **O.** ghósh-t'o' (ghóół, yół, jół, ghool, ghooł) (bi'dál-). 'ásaa' tó biih yíłt'ááď, I pumped water into the jar.

5. to suck it as far as (a point); to stop sucking or pumping it.
F. ndeesh-t'oł (ndííł, niidooł, nizhdooł, ndiil, ndooł) (nibidi'dool-) **I.** ninish-t'ood (niníł, niyíł, njíł, niniil, ninoł) (nibi'deel-) **P.** niníł-t'ááď (nííníł, niiníł, nizhníł, niniil, ninooł) (nibi'deel-) **R.** ni-násh-t'o' (náníł, néíł, nájíł, néiil, náł) (nábi'dil-) **O.** noosh-t'ood (noół, niyół, njół, nool, nooł) (nibi'dál-)

6. to suck it in.
F. yah 'adeesh-t'oł ('adííł, 'iidooł 'azhdooł, 'adiil, 'adooł) ('abidi'dool-) **I.** yah 'iish-t'ood ('anił, 'iił, 'ajił, 'iil, 'ooł) ('abi'dil-) **P.** yah 'ííł-t'ááď ('ííníł, 'ayííł, 'ajííł, 'iil, 'ooł) ('abi'dool-) **R.** yah 'a-násh-t'o' (náníł, néíł, ńjíł, néiil, náł) (nábi'dil-) **O.** yah 'oosh-t'ood ('oół, 'ayół, 'ajół, 'ool, 'ooł) ('abi'dál-)

7. to suck, suckle or nurse; (refers to the baby's action only).
F. 'adeesh-t'oł ('adííł, 'adooł, 'azhdooł, 'adiil, 'adooł) **C-I.** 'ash-t'o' ('íł, 'ał, 'ajił, 'iil, 'oł) **P.** 'ííł-t'ááď ('ííníł, 'ííł, 'ajííł, 'iil, 'ooł) **R.** ná'ásh-t'o' (ná'íł, ná'ół, ń'jił, ná'iil, ná'ół) **O.** 'ásh-t'o' ('óół, 'ół, 'ajół, 'ool, 'ooł)

8. to suckle or nurse it (referring to the action of the mother).
F. bi'diyeesh-t'oł (bi'diyííł, yi'diyooł, bizh'diyooł, bi'diyiil, bi'di-

yooł) **C-I.** bi'iish-t'o' (bi'iiyíł, yi'iił, bi'jiił, bi'iyiil, bi'iyoł) **P.** bi'iyííł-t'óód (bi'iyíníł, yi'iyííł, bi'jiyííł, bi'iyiil, bi'iyooł) **R.** biná'iish-t'o' (biná'iyíł, yiná'iił, biná'jiił, biná'iyiil, biná'iyooł) **O.** bi'iyósh-t'o' (bi'iyóół, yi'iyół, bi'jiyół, bi'iyiil, bi'iyooł)

The above verb can be rendered intransitive by altering prefixed objective bi-, to indefinite 'i-. Thus, 'i'diyeesht'oł, I'll suckle or nurse.

9. to stop suckling; to wean (refers to the act of the baby in discontinuing to suckle).

F. 'ididoot'oł **I.** 'idit'ood **P.** 'idíít'óód **R.** 'inídít'o' **O.** 'idót'ood

To wean is thought of as an act of the baby, rather than the mother; thus, only the third person forms are given.

10. to wipe it (with a rag).

F. deesh-t'oł (díí, yidoo, jidoo, dii, dooh) (bidi'doo-) **I.** yisht'ood (ni, yi, ji, yii, ghoh) (bi'di-) **P.** yí-t'óód (yíní, yiyíí, jíí, yii, ghooh) (bi'doo-) **R.** násh-t'o' (nání, néí, ńjí, néii, náh) (nábi'di-) **O.** ghósh-t'ood (ghóó, yó, jó, ghoo, ghooh) (bi'dó-)

11. to get skinned (as one's hand).

F. tsiih doot'oł **P.** tsiih yít'óód **R.** tsiih nát'o' **O.** tsiih ghót'ood

12. to become tattered.

F. ńdidoot'oł **I.** ńdít'ood **P.** ńdíít'óód **R.** nínádít'o' **O.** ńdót'óód

t'óó, merely; just. t'óó 'ádíshní, I'm merely (just) saying it (i.e. I do not mean it).

t'óó 'ahayóí, much; many; a lot. shibéeso t'óó 'ahayóí, I have a lot of money.

t'óó 'ahayóídi, many times. t'óó 'ahayóídi ńdííłts'in, I hit him a lot of times.

t'óó 'átséédí, temporary.

t'óó baa hasti', risky; dangerous. tsé naaniigo dínée'ánígíí t'óó baa hasti', the leaning rock is dangerous. 'eii diné bits'iiní t'óó baa hasti'go naaghá, it is risky for that skinny man to walk around.

t'óó baa'ih, filthy; no good; ugly.

t'óó bíyó, rather; somewhat; kind of. t'óó bíyó níyol, it is rather windy. t'óó bíyó neesk'ah, he is kind of fat.

t'óó bik'ijigóó, giving lip service; assenting just because others did, but without serious intentions. t'óó bik'ijigóó 'ádazhdííniid, they added their assent (without intending to keep their word).

t'óó dzólníígóó, aimlessly. t'óó dzólníígóó 'adzííłdon ńt'ę́ę́' biłʼadéłdǫǫh, I fired aimlessly and hit him.

t'óó kónígháníji', for a little while. t'óó kónígháníji' 'atah hóótáál, I sang in the chorus for a little while.

t'óó náhodi'naahgo, every once in a while. t'óó náhodi'naahgo nínáʼáshtʼoh, I smoke every once in a while.

tʼóó nichxǫʼí, filthy; ugly; no good.

tídáálnáanii, casualties.

tih, tih, ti', tih, tih, to spread.

1. to cover it (with a cloth or blanket).

F. *bikʼí-deesh-tih (díił, idooł, zhdooł, diil, dooł) ('dool-) I. bikʼésh-tih (bikʼíníł, yikʼííł, bikʼíjíł, bikʼíil, bikʼíoł) (bikʼéʼél-) P bikʼíséł-tiʼ (bikʼísíníł, yikʼíis, bikʼíjis, bikʼísiil, bikʼísooł) (bikʼéʼés-) R. bikʼí-násh-tih (náníł, néíł, ńjíł, néiil, náł) (náʼál-) O. bikʼí-osh-tih (óół, ół, jół, ool, ooł) ('ól-)

*bi- becomes yi- in 3o.

tih, tih, tih, --- tih, to age.

1. to become, be, old; worn; decrepit (a person or thing).

F. ha-deesh-tih (díí, doo, zhdoo, dii, dooh) I. haash-tih (hani, haa, haji, haii, haoh) P. hasis-tih (hasíní, haas, hajis, hasii, hasoo) O. haoosh-tih (haóó, haoo, hajó, haoo, haooh) díí 'éétsoh haastih, this coat is old and worn

2. to start to age; to be getting old.

P. ha-shi-'niitih (ni, bi, ho, nihi, nihi)

tih, tííh, ti', tih, tííh, to break.

1. to break it in two (a slender stiff object, as a stick, bone, etc)

F. kʼí-deesh-tih (díí, idoo, zhdoo, dii, dooh) (bidiʼdoo-) I. kʼínísh-tííh (ní, í, jí, nii, nóh) (biʼdee-) P. kʼí-ní-tiʼ (íní, iní, zhní, nii, noo) (biʼdee-) R. kʼí-násh-tih (nání, néí, ńjí, néii, náh) (nábiʼdi-) O. kʼí-osh-tííh (óó, yó, jó, oo, ooh) (biʼdó-)

2. to break it up (as a box).

F. nihideesh-tih (nihidíí, niidiyoo nizhdiyoo, nihidii, nihidooh) (nibiʼdiyoo-) I. nihish-tííh (nihí, niyii, njii, nihii, nihoh) (nibiʼdii-) P. nihí-tiʼ (nihíní, niyiiz, njiiz, nihii, nihisoo) (nibiʼdiis-) R. ninásh-tih (hí, yii, jii, hii, hóh) (biʼdii-) O. nihósh-tííh (nihóó, niiyó, nijiyó, nihoo, nihooh) (nibiʼdiyó-)

tih, ti', ti', tih, ti', to talk.

1. to talk; to speak.

F. yá-deesh-tih (díił, dooł, zhdooł, diil, dooł) C-I. yásh-tiʼ (yáníł, yáł, yájíł, yéiil, yáł) ***Prog.** yáásh-tih (yááł, yááł, yájooł, yáiil, yááł) P. yááł-tiʼ (yéíníł, yááł, yájííł, yéiil, yáooł) R. yá-násh-tih (náníł, náł, ńjíł, néiil, nál) O. yá-oosh-tiʼ (óół, ooł, jół, ool, ooł)

*The progressive is used when one is talking while moving along.

bilagáanaa bizaad bee yáshtiʼ, I am talking English. bilagáanaa bichʼįʼ yáshtiʼ, I am talking to a White man. yisháałgo yááshtih, I am walking along talking.

2. to lisp.

This meaning is rendered by prepounding -tsooʼ bee, tongue

with, to the forms given in no. 1. Thus, sitsoo' bee yáshti', I am lisping; I lisp.

3. to not talk clearly; to garble one's speech.

This meaning is rendered by prepounding doo hats'íí (--- da), not clearly, to the forms given in no. 1. Thus, doo hats'íí yáshti' da, I do not talk clearly.

4. to be sarcastic; to use harsh and abusive words.

This meaning is rendered by prepounding bik'e'diniihgo, there being soreness on account of it, to the forms given under no. 1. Thus, bik'e'diniihgo yáshti', I am sarcastic; I speak using harsh words.

5. to be hesitant in speech.

This meaning is rendered by prepounding doo hah (--- da), not quick, to the forms of no. 1. Thus, doo hah yáshti' da, I am hesitant in speech.

tiił, tiih, tiid (ti'), tiih, tiih, to hesitate.

1. to hesitate; to become hesitant.

F. deesh-tiił (díí, doo, jidoo, dii, dooh) **I.** yish-tiih (ni, yi, ji, yii, ghoh) **P.** yí-tiid (yíní, yí, jí, yii, ghoo) **S-P (N)** sis-ti' (síní, yis, jis, sii, soo) **R.** násh-tiih (náni, ná, ńjí, néii, náh) **O.** ghósh-tiih (ghóó, ghó, jó, ghoo, ghooh)

naaki yáál bíídéeshkił nisin ńt'ęę' t'óó bich'į' yítiid, I wanted to ask him for a quarter, but I hesitated.

2. to be careful; respectful toward it (as with reference to a fragile or delicate object, a religious ceremony, etc.).

N. (S-P) *baa sis-ti' (síní, yis, jis, sii, soo) (Impersonal: baa hasti')

t'áadoo baa síníti'í, don't be afraid of it (don't hesitate to handle it)!

*baa becomes yaa in 3o.

3. to be reticent, backward, shy, or overawed with respect toward him (as when one might suffer stage-fright before the president, etc.).

N. (S-P) *bíká sís-ti' (síní, yis, jis sii, soo)

*bí- becomes yí- in 3o.

tiin, a stem used to form several neuter verbs having to do with a track or trail; it is translated as a noun, for lack of a corresponding form in English.

'atiin, track; trail, path, road; 'ahéébítiin, his trail in a circle; 'ahibidiitiin, their convergent trails; 'ałnáhabitiin, their cross trails; 'ałts'ábítiin, their divergent trails; 'anábítiin, his trail back; bitiin, his trail; ch'íbítiin, his trail out (horizontally); habitiin, his trail up; hadabitiin, his trail down; nabiztiin, his tracks or trail about; yah 'abitiin, his trail in; yóó 'abitiin, his trail away.

tį́į́ł, tįįh (tin), tą́, tį́įh, tį́į́ł, to handle a slender stiff object, as a pole, dry branch, stick, rod, cigaret, etc.). For the derivational prefixes relating to "to handle," see the stem 'ááł.

1. to understand, or comprehend it (with the mind).

F. bik'idi'deesh-tį́į́ł (bik'idi'díí, yik'idi'doo, bik'idizh'doo, bik'idi'dii, bik'idi'dooh) (bik'idi'doo-) **I.** bik'i'diish-tįįh (bik'i'dii, yik'i'dii, bik'izh'dii, bik'i'doh) (bik'i'dii-) **P.** bik'i'dii-tą́ (bik'i'dini, yik'i'dii, bik'izh'dii, bik'i'dii, bik'i'doo) (bik'i'dii-) **R.** bik'iń'diish-tį́įh (bik'iń'dii, yik'iń'dii, bik'inízh'dii, bik'iń'dii, bik'iń'dooh) (bik'iń'dii-) **O.** bik'i'doosh-tįįh (bik'idoó, yik'i'doo, bik'izh'doo, bik'i'doo, bik'i'dooh) (bik'i'doo-)

2. to start to rain.

F. nikihodooltį́į́ł **I.** nikihołtįįh **P.** nikihoníłtą́ **R.** nikináháłtį́įh **O.** nikihółtą́ą́'. shee nikihoníłtą́, it started to rain on me.

3. to rain (about).

F. nahodoołtį́į́ł **C-I.** nahałtin **P.** nahóółtą́ **R.** nináháłtį́įh **O.** nahółtą́ą́' (or -tį́į́ł)

4. to be raining along (referring to a rainstorm as moving progressively along).

Prog. hoołtį́įł. 'aadę́ę́' hoołtį́įł there comes the rain.

5. to stop raining (refers to the storm as moving away out of sight).

F. yóó' 'ahodoołtį́į́ł **I.** yóó' 'ahałtįįh **P.** yóó' 'ahóółtą́ **R.** yóó' 'anáháłtį́įh **O.** yóó' 'ahółtą́ą́'

In Navaho rain is thought of as a storm which progresses, arrives and then stops by virtue of the fact that it passes on into the distance.

6. to hail; to rain hailstones.

ńló (or níló), hail, is prepounded to the following forms.

F. ndoołtį́į́ł **C-I.** naałtin **P.** náátą́ **R.** nináłtį́įh **O.** naołtą́ą́'

7. to open it (a door).

This meaning is rendered by prepounding 'ąą, open, to the following verbs:

F. dideesh-tį́į́ł (didíí, yididoo, jididoo, didii, didooh) **I.** dinishtįįh (diní, yidee, jidee, dinii, dinoh) **P.** diní-tą́ (dííní, yidiní, jidiní, dinii, dinoo) **R.** ńdísh-tį́įh (ńdí, néidi, nízhdí, ńdii, ńdóh) **O.** dósh-tį́į́ł (dóó, yidó, jidó, doo, dooh)

8. to pull it (as a nail).

See 'ááł for the conjugation of this verb. It is herewith given in the 1st person singular.

F. hadeeshtį́į́ł **I.** haashtįįh **P.** háátą́ **R.** hanáshtį́įh **O.** haoshtį́į́ł

tį́į́ł, tįįh, tį́į́ł, tą́ą́', tį, tą́ą́', to gallop.

1. to gallop; arrive galloping.

F. dínóoltį́į́ł **I.** díníltįįh **Prog.** nooltį́į́ł **P.** neeltą́ą́' **R.** ńdíníltį **O.** dínóltą́ą́'

2. to gallop about.

F. ndínóoltįįł **Prog.** naanánooltįįł **P.** naneestą́ą́' **R.** ninániltį **O.** nanóltą́ą́'

3. to go on horseback (at a gallop).

This meaning is rendered by prepounding łį́į́' -ił, horse with one, to the forms given under no. 1. Thus, łį́į́' shił dínóoltįįł, I'll go on horseback. łį́į́' nił nooltįįł, you are going along at a gallop.

4. to ride around on horseback (at a gallop).

This meaning is rendered by prepounding łį́į́' -ił, horse with (one), to the forms given under no. 2. Thus, łį́į́' shił naanánooltįįł, I am riding about on horseback.

tįįł, tin, tin, tį́įh, tin, to freeze.

1. to freeze.

F. deesh-tįįł (díí, doo, jidoo, dii, dooh) **I.** yish-tin (ni, yi, ji, yii, ghoh) **P.** sis-tin (síní, yis, jis, sii, soo) **R.** násh-tį́įh (nání, ná, ńjí, néii, náh) **O.** ghósh-tin (ghóó, ghó, jó, ghoo, ghooh)

2. to freeze it; to cause it to freeze.

F. deesh-tįįł (díił, yidooł, jidooł, diil, dooł) (bidi'dool-) **I.** yish-tin (nił, yił, jił, yiil, ghooł) (bi'dil-) **S-P.** séł-tin (síníł, yis, jis, siil, sooł) (bi'dis-) **R.** násh-tį́įh (nánił, néił, ńjił, néiil, nàł) (nábi'dil-) **O.** ghósh-tin (ghóół, yół, jół, ghool, ghooł) (bi'dól-)

tįįł, tin, tą́ą́', ---, tą́ą́', to teach.

1. to give him lessons in it; to teach it to him.

F. bínabidínéesh-tįįł (bínabidíníił, yínéidínóoł, bínabizhdínóoł, bínabidíníil, bínabidínóoł) (bínabidí'nóol-) **C-I.** bínabinish-tin (bínabinił, yíneinił, bínabizhnił, bínabiniil, bínabinoł) (bínabidi'nil-) **P.** bínabinéł-tą́ą́' (bínabiníníł, yíneinees, bínabizhnees, bínabineel, bínabinooł) (bínabidi'nees-) **O.** bínabinósh-tą́ą́' (bínabinóół, yíneinół, bínabizhnół, bínabinool, bínabinooł) (bínabidi'nól-)

chidí neiłbąąs dooleeł biniighé bínabinishtin, I am teaching him (so that he'll) (to) drive a car.

2. to teach it (giving several lessons in it).

C-I. bína'nish-tin (bína'níł, yína'nił, bínazh'nił, bína'niil, bína'noł) bilagáanaa bizaad bína'nishtin dooleeł, I'll teach English

3. to teach it to him.

C-I. bínanish-tin (bínaníł, yíneinił, bínazhnił, bínaniil, bínanoł) (bínabidi'nil-). bilagáanaa bizaad bínanishtin, I'll teach him English.

4. to teach.

C-I. na'nish-tin (na'ní, na'ni, nazh'ni, na'nii, na'noh) 'ólta'di na'nishtin, I teach at school.

5. to coach him; to give him instructions.

F. ndínéesh-tįįł (ndíníí, neidínóo, nizhdínóo, ndíníi, ndínóoh) (nabidí'nóo-) **C-I.** nanish-tin (naní neini, nazhni, nanii, nanoh) (nabidi'ni-) **P.** nané-tą́ą́' (naníní, neineez, nazhneez, nanee, nanooh) (nabidi'nees-) **R.** ninánísh-tįįh (ninání, ninéini, ninázhní, ninánii, ninánóh) (**ninábi**di'ni-) **O.** nanósh-tą́ą́' (nanóó, neinó, nazhnó, nanoo, nanooh) (nabidi'nó-)

bá'ólta'í nihada'áłchíní neinitin, the teacher teaches our children.

6. to teach; to coach; to give instructions.

F. n'dínéesh-tįįł (n'díníí, n'dínóo, nizh'dínóo, n'díníi, n'dínóoh) **C-I.** na'nish-tin (na'ní, na'ni, nazh-'ni, na'nii, na'noh) **P.** na'né-tą́ą́' (na'níní, na'neez, nazh'neez, na'nee, na'nooh) **R.** niná'ásh-tįįh (niná'í, niná'á, niná'jí, niná-'ii, niná'óh) **O.** na'nósh-tą́ą́' (na'nóó, na'nó, nazh'nó, na'noo, na'nooh)

tił, teeł, téél, tił, teeł, to slide.

1. to slide about; to skate.

F. ndeesh-tił (ndíí, ndoo, nizhdoo, ndii, ndooh) **C-I.** naashteeł (nani, naa, nji, neii, naah) **S-P.** nisé-téél (nisíní, naaz, njiz, nisii. nisoo) **R.** ni-násh-tił (nání, ná, nájí, néii, náh) **O.** na-oshteeł (óó, ó, jó, oo, ooh)

2. to perspire (lit. water slides out on one).

This meaning is rendered by prepounding tó -ąąh, water on (one), to the verbs given below. It is altered for person by changing the pronoun prefix on -ąąh. **F.** hadootił **C-I.** haateeł **P.** háá-teel **R.** hanátił **O.** haooteeł

tó shąąh hááteel, I sweat (or perspired).

tin, ice.

tin bee naajaahí, ice tongs.

tiníléí, gila monster.

tish, teesh, téézh, tish, teesh, the dual stem of to lie down. V. tééł.

tłah, tłah, tłah, tłah, tłah, to anoint; smear with grease.

1. to anoint him; to smear a greasy substance (as salve) on a surface.

F. deesh-tłah (dííł, yidooł, jidooł, diil, dooł) (bidi'dool-) **I.** yish-tłah (nił, yił, jił, yiil, ghoł) (bi'-dil-) **P.** séł-tłah (síníł, yis, jis, siil, sooł) (bi'dis-) **R.** násh-tłah (nánił, néíł, ńjíł, néiil, náł) (ná-bi'dil-) **O.** ghósh-tłah (ghóół, yół, jół,ghool, ghooł) (bi'dól-)

tłah, salve; grease.

tł'ah, tł'ah, tł'ah, tł'ah, tł'ah, to be left handed.

1. to be left handed.

N. nish-tł'ah (ní, ni, jini, nii, noh)

2. to be handicapped, held back, or delayed.

F. dínéesh-tł'ah (díníí, dínóo, jidínóo, díníi, dínóoh) *(hodínóo-) **N.** na-nish-tł'ah (ní, ni, zhni, nii, noh) (nahoni-) **P.** né-tł'ah (níní, neez, jineez, nee, noo) (honeez-) **R.** ná-niish-tł'ah (nii, nii, zhnii, nii, nooh) **O.** nósh-tł'ah (nóó. nó, jinó, noo, nooh) (honó-)

'awéé' baa nanishtł'ahgo binii-naa doo naashnish da, I do not work because I am handicapped by a baby.

*The parenthetic forms have ho-, impersonal it, as the subject pronoun. Thus, 'atiin 'ayóogo nahonitł'ah, the road is very bad (difficult).

3. to be difficult; to be hard.

This meaning is rendered by prepounding -ił, with (one), to the neuter verb form nanitł'ah, it is difficult. Thus, shił nani-tł'ah, it is hard for me; nił nani-tł'ah, it is hard for you, etc.

4. to prevent him; to stand in his way; to delay him; to hold him back; to keep him from.

F. bidínéesh-tł'ah (bidíníił, yidí-nóoł, bizhdínóoł, bidíníil, bidí-nóoł) (bididí'nóol-) **I.** binish-tł'ah (biníł, yinił, bizhnił, biniil, binoł) (bidi'nil-) **P.** binéł-tł'ah (biníníł, yinees, bizhnees, biniil, binooł) (bidi'nees-) **R.** nábi-niish-tł'ah (nábiniił, néiniił, ná-bizhniił, nábiniil, nábinooł) (nábidi'niil-) **O.** binósh-tł'ah (binóół, yinół, bizhnół, binool, binooł) (bidi'nól-)

nahałtin shineestł'ah, the rain delayed me.

tł'aaji'éé', trousers; bloomers; pants.

tł'aakał, skirt; dress.

tł'éé', night.

tł'ée'go, at night.

tł'éédą́ą́', last night.

tł'ééł, tł'ééh, tł'áh, tł'ééh, tł'ééł, to run at a trot (a person only).

1. to be trotting along.

Prog. yish-tł'ééł (yíl, yil, jool, yiil, ghoł)

2. to have started on one's way; to be on one's way; to be going to go (at a trot).

S-P. désh-tł'áh (díníl, dees, ji-dees, deel, disooł) háágóóshą' díníltł'áh, where are you trotting (to)?

3. to go at a trot; arrive trotting.

F. deesh-tł'ééł (díil, dool, jidool, diil, dooł) **I.** nish-tł'ééh (níl, yíl, jíl, niil, noł) **P.** nish-tł'áh (yíníl, yíl, jíl, niil, nooł) **R.** násh-tł'ééh (nánil, nál, ńjíl, néiil, náł) **O.** ghósh-tł'ééł (ghóól, ghól, jól, ghool, ghooł)

tł'eestsooz, breech cloth; kotex.

tł'éhonaa'éí, moon bearer; moon (lit. the one carried at night).

tł'é'iigáhí, evening primrose.

tł'é'ííłníí', midnight.

tł'ézhii, sweat bee.

tł'id, flatulent expulsion.

tł'iish, snake.

tł'iish 'ánínígíí, rattle snake.

tł'ił, tł'iid, tł'íid, tł'i', tł'iid, to throw (plural separable objects).

1. to throw them away (plural separable objects).

F. yóó' 'ahideesh-tł'ił ('ahidííł, 'iidiyooł, 'ahizhdiyooł, 'ahiidiil, 'ahiidooł) ('abidi'yool-) **I.** yóó' 'ahish-tł'iid ('ahíł, 'ayiił, 'ajiił, 'ahiil, 'ahoł) ('abi'diil-) **P.** yóó' 'ahéł-tł'íid ('ahíníł, 'ayiis, 'ajiis 'aheel, 'ahisooł) ('abi'diis-) **R.** yóó' 'anáhásh-tł'i' ('anáhíł, 'anáyiił, 'anájiił, 'anáhiil, 'anáhół) ('anábi'diil-) **O.** yóó' 'ahósh-tł'iid ('ahóół, 'iiyół, 'ajiyół, 'ahool, 'ahooł) ('abi'diyól-)

2. to be flatulent; to pass wind
F. 'adeesh-tł'ił ('adíí, 'adoo, 'azhdoo, 'adii, 'adooh) **I.** 'ash-tł'iid ('í, 'a, 'aji, 'ii, 'oh) **P.** 'asé-tł'íid ('asíní, 'az, 'ajiz, 'asii, 'asoo) **R.** ná'ásh-tł'i' (ná'í, ná'á, ń'jí, ná'ii, ná'óh) **O.** 'ósh-tł'iid ('óó, 'ó, 'ajó, 'oo, 'ooh)

tł'is, tł'is, tł'is (tł'iz), tł'is, tł'is, to harden or stiffen.

1. to become hard or stiff (the first form refers to an object, the parenthetic form to an area or place).
F. dootł'is (hodootł'is) **I.** yitł'is (hatł'is) **P.** yítł'is (hóótł'is) **N.** nitł'iz (hótł'iz) **R.** nátł'is (náhátł'is) **O.** ghótł'is (hótł'is)

2. to harden or stiffen it; to make it become hard or stiff.
F. dees-tł'is (dííł, yidooł, jidooł, diil, dooł) (bidi'dool-) **I.** yis-tł'is (nił, yił, jił, yiil, ghoł) (bi'-dil-) **P.** séł-tł'is (síníł, yis, jis, siil, sooł) (bi'dis-) **R.** nás-tł'is (náníł, néíł, ńjíł, néiil, nááł) (nábi'dil-) **O.** ghós-tł'is (ghóół, yół, jół, ghool, ghooł) (bi'dól-)

tł'ish, tł'íísh, tł'iizh (tł'izh), tł'ish, tł'íísh.

1. to soak it; to dampen it; to make it wet.
F. didínéesh-tł'ish (didíníił, yididínóoł, jididínóoł, didíníil, didínóoł) (bididí'nóol-) **I.** diniish-tł'íísh (diniił, yidiniił, jidiniił, diniil, dinooł) (bidi'niil-) **P.** diniił-tł'iizh (dininił, yidiniił, jidiniił, diniil, dinooł) (bidi'niil-) **R.** ní-nádiniish-tł'ish (nádiniił, néidiniił, názhdiniił, nádiniil, nádinooł) (nábidi'niil-) **O.** dinoosh-tł'íísh (dinoół, yidinooł, jidinooł, dinool, dinooł) (bidi'-nool-)

2. to be soaking wet.
N. diniish-tł'iizh (dinini, dinii, jidinii, dinii, dinooh)

3. to wriggle or writhe (snake)
F. dínóoltł'ish **Prog.** nooltł'ish **P.** dínéeshtł'iizh **R.** ńdíníltł'iish **O.** dínóltł'íísh

4. to be zigzag.
N. nooltł'iizh (honooltł'iizh refers to space, place or area).

5. to become blue.
F. didootł'ish **I.** diitł'íísh **P.** diitł'iizh **R.** ńdiitł'ish **O.** dootł'íísh

6. to be blue.
N. dinish-tł'izh (diní, doo, jidoo, dinii, dinoh) (hodoo- refers to area, space, place)

7. to blue it; to dye it blue.
F. dideesh-tł'ish (didííł, yididooł, jididooł, didiil, didooł) (bidi'-dool-) **I.** diish-tł'íísh (diił, yidiił, jidiił, diil, dooł) (bi'diil-) **P** diił-tł'iizh (dinił, yidiił, jidiił, diil, dooł) (bi'diil-) **R.** ńdiish-tł'ish (ńdiił, néidiił, nízhdiił, ńdiil, ńdooł) (nábi'diil-) **O**

doosh-tł'íísh (dóół, yidooł, jidooł, dool, dooł) (bi'dool-)

8. to flash (with a bluish light)
F. dah didootł'ish **I.** dah diitł'íísh **N.** dah dootł'izh **R.** dah ńdiitł'ish **O.** dah dootł'íísh

tł'ízí, goat.

tł'ízí da'ałchiní, wild goat(s); mountain goat(s).

tł'ízí'ílí, angora goat.

tł'ízí chǫǫh, billy goat.

tł'ízíką', billy goat.

tł'ízí yázhí, kid.

tł'įįł, tł'in, tł'in, tł'įįh, tł'in, to pile (plural objects as rocks).

1. to start to pile them along (as the act of starting to pile rocks along in a line in making a rock fence).
F. dideesh-tł'įįł (didíí, yididoo, jididoo, didii, didooh) **I.** dish-tł'in (dí, yidi, jidi, dii, doh) **P.** dé-tł'in (díní, yideez, jideez, dee, disoo) **R.** ńdísh-tł'įįh (ńdí, néidi, nízhdí, ńdii, ńdóh) **O.** dósh-tł'in (dóó, yidó, jidó, doo, dooh)

2. to be piling them along.
Prog. yish-tł'įįł (yí, yoo, joo, yii, ghoh) (bi'doo-)

3. to pile them.
F. deesh-tł'įįł (díí, yidoo, jidoo, dii, dooh) (bidi'doo-) **I.** yish-tł'in (ni, yi, ji, yii, ghoh) (bi'di-) **S-P.** sé-tł'in (síní, yiz, jiz, sii, soo) (bi'dis-) **R.** násh-tł'įįh (nání, néí, ńjí, néii, náh) (nábi'di-) **O.** ghósh-tł'in (ghóó, yó, jó, ghoo, ghooh) (bi'dó-)

4. to pile them as far as a point; to stop or finish piling them.
F. ndeesh-tł'įįł (ndíí, niidoo, nizhdoo, ndii, ndooh) (nibidi'doo-) **I.** ninish-tł'in (niní, niyí, njí, ninii, ninoh) (nibi'dee-) **P.** niní-tł'in (nííní, niiní, nizhní, ninii, ninoo) (nibi'dee-) **R.** ninásh-tł'įįh (nání, néí, nájí, néii, náh) (nábi'di-) **O.** noosh-tł'in (noó, niyó, njó, noo, nooh) (nibi'dó-)

5. to sling; to throw (into space).
F. 'azdeesh-tł'įįł ('azdíí, 'azdoo, 'izhdoo, 'azdii, 'azdooh) **I.** 'adzish-tł'in ('adzí, 'adzi, 'iiji, 'adzii, 'adzoh) **P.** 'adzíí-tł'in ('adzííní, 'adzíí, 'iijíí, 'adzii, 'adzoo) **R.** 'ańdzísh-tł'įįh ('ańdzí, 'ańdzí, 'anéidzi, 'ańdzii, 'ańdzóh) **O.** 'adzósh-tł'in ('adzóó 'adzó, 'iijó, 'adzoo, 'adzooh)
tsé bee 'adzíítł'in, I slung a rock (into space).

tł'oh, grass; hay.

tł'ohazihii, mormon tea.

tł'oh bee naaljoołí, pitch fork; hay fork.

tł'oh bee yilzhéhí, scythe; mower

tł'ohchin, onion.

tł'ohchiní, Ramah, N. M.

tł'oh naadą́ą́', wheat.

tł'oh naadą́ą́' biya', cinch bug.

tł'oh nástasí, grama grass.

tł'oh yishbizh, burlap; gunnysack.

tł'oh waa'í, alfalfa.

tł'óó'-, outdoors; outside. tł'óo'di naaghá, he is walking about (at) outdoors. tł'ée'go tł'óo'di nishtéeh łeh, I usually sleep outside. tł'óó'góó ch'íníyá, I went (toward) outdoors.

tł'óół, tł'óóh (tł'ó), tł'óóh, tł'óół, to tie; weave.

1. to start weaving it.

F. ha-deesh-tł'óół (díí, idoo, zhdoo, dii, dooh) (bidi'doo-) **I.** haash-tł'óóh (hani, hai, haji, haii, haah) (habi'di-) **P.** háá-tł'ǫ́ (háíní, hayíí, hajíí, haii, haoo) (habi'doo-) **R.** ha-násh-tł'óóh (náni, néí, ńjí, néii, náh) (nábi'di-) **O.** ha-osh-tł'óół (óó, yó, jó, oo, ooh) (bi'dó-)

2. to start weaving along.

F. dideesh-tł'óół (didíí, yididoo, jididoo, didii, didooh) **I.** dish-tł'óóh (dí, yidi, jidi, dii, doh) **P.** dé-tł'ǫ́ (díní, yideez, jideez, dee, disoo) **R.** ńdísh-tł'óóh (ńdí, néidi, nízhdí, ńdii, ńdóh) **O.** dósh-tł'óół (dóó, yidó, jidó, doo, dooh)

3. to be weaving it along.

Prog. yish-tł'óół (yí, yoo, joo, yii, ghoh) (bi'doo-)

4. to weave it.

F. deesh-tł'óół (díí, yidoo, jidoo, dii, dooh) (bidi'doo-) **C-I.** yish-tł'ó (ni, yi, ji, yii, ghoh) (bi'di-) **S-P.** sé-tł'ǫ́ (síní, yiz, jiz, sii, soo) (bi'dis-) **R.** násh-tł'óóh (náni néí, ńjí, néii, náh) (nábi'di-) **O.** ghósh-tł'óół (ghóó, yó, jó, ghoo, ghooh) (bi'dó-)

5. to stop or finish weaving it.

F. ndeesh-tł'óół (ndíí, niidoo, nizhdoo, ndii, ndooh) (nibidi'doo-) **I.** ninish-tł'óóh (niní, niyí, njí, ninii, ninoh) (nibi'dee-) **P.** niní-tł'ǫ́ (nííní, niiní, nizhní, ninii, ninoo) (nibi'dee-) **R.** ni-násh-tł'óóh (náni, néí, nájí, néii, náh) (nábi'di-) **O.** noosh-tł'óół (noó, niyó, njó, noo, nooh) (nibi'dó-)

6. to weave (intr.).

F. 'adeesh-tł'óół ('adíí, 'adoo, 'azhdoo, 'adii, 'adooh) **C-I.** 'ash-tł'ó ('í, 'a, 'aji, 'ii, 'oh) **P.** 'asé-tł'ǫ́ ('asíní, 'az, 'ajiz, 'asii, 'asoo) **R.** ná'ásh-tł'óóh (ná'í, ná'á, ń'jí, ná'ii, ná'óh) **O.** 'ósh-tł'óół ('óó, 'ó, 'ajó, 'oo, 'ooh)

7. to tie them together.

F. 'ahí-hideesh-tł'óół (hidííł, idiyooł, hizhdiyooł, hidiil, hidooł) (bidi'yool-) **I.** 'ahéhésh-tł'ó ('ahíhíł, 'ahíyiił, 'ahíjiił, 'ahíhiil, 'ahíhół) ('ahíbi'diil-) **P.** 'ahí-héł-tł'ǫ́ ('ahíhíníł, 'ahíyiis, 'ahíjiis, 'ahíheel, 'ahíhisooł) ('ahíbi'diis-) **R.** 'ahí-náhásh-tł'óóh (náhíł, náyiił, níjiił, náhiil, náhół) (nábi'diil-) **O.** 'ahí-hósh-tł'óół (hóół, iyół, jiyół, hool, hooł) (bidi'yól-)

8. to tie it, him, to it.

F. bíhidiyeesh-tł'óół (bíhidiyííł, yíyidiyooł, bíhizhdiyooł, bíhidiyiil, bíhidiyooł) (bíbidi'yool-) **I.** bíhésh-tł'ó (bíhíł, yíyiił, bíjiił, bíhiil, bíhooł) (bíbi'diil-) **P.** bíhéł-tł'ǫ́ (bíhíníł, yíyiis, bíjiis, bíheel, bíhisooł) (bíbi'diis-) **R.** bínáhásh-tł'óóh (bínáhíł, yínéiyiił, bínájiyiił, bínáhiil, bínáhół) (bínábi'diil-) **O.** bíhósh-tł'óół (bíhóół, yíiyół, bíjiyół, bíhool, bíhooł) (bíbidi'yól-) shilíį' tsin bíhéłtł'ǫ, I tied my horse to the tree.

tł'óół, rope; string; cord; twine; lariat (bitł'óól).

tł'óółts'ósí, cord; string.

tłił, tłáád, tłah, tłi', tłáád, to halt.

1. to stop (moving); to halt.

F. ndeesh-tłił (ndíil, ndool, nizhdool, ndiil, ndooł) **I.** ninishtłáád (niníl, niil, njíl, niniil, ninoł) **P.** ninish-tłah (nííníl, niil, njil, niniil, ninooł) **R.** ni-náshtłi' (náníl, nál, nájíl, néiil, náł) **O.** noosh-tłáád (noól, nool, njól, nool, nooł)

2. to stop him; to halt him.

F. nibideesh-tłił (nibidíił, niidooł, nibizhdooł, nibidiil, nibidooł) (nibidi'dool-) **I.** nibinishtłáád (nibiníł, niyíł, nibijíł, nibiniil, nibinoł) (nibi'deel-) **P.** nibiníł-tłah (nibííníł, niiníł, nibizhníł, nibiniil, nibinooł) (nibi'deel-) **R.** nibinásh-tłi' (nibináníł, ninéíł, nibinájíł, ninéiil, ninął) (ninábi'dil-) **O.** nibóshtłáád (niboół, niyół, nibijół, nibool, nibooł) (nibi'dól-)

3. to be lighted; to be burning.

N. diltłi'. kǫ' diltłi', the fire is burning.

4. to light it; to set fire to it; to make it burn.

F. dideesh-tłił (didííł, yididooł, jididooł, didiil, didooł) **I.** diishtłáád (diił, yidiił, jidiił, diil, dooł) **P.** diił-tłah (dinił, yidiił, jidiił, diil, dooł) **R.** ńdiish-tłi' (ńdiił, néidiił, nízhdiił, ńdiil, ńdooł) **O.** doosh-tłáád (doół, yidooł, jidooł, dool, dooł) nát'oh diiłtłah, I lighted the cigaret.

With indefinite objective 'a- the meaning becomes "to turn on the lights." Thus, 'adiiłtłáád, turn on the lights!

tłish, tłíísh, tłizh, tłish, tłíísh, to fall (one animate object).

1. to fall out; to be born.

F. hadootłish **I.** haatłíísh **P** háátłizh **R.** hanátłish **O.** haootłíísh

2. to fall from one's grasp (one animate object).

This meaning is rendered by prepounding -lák'e, hand (area), to the forms of no. 1. Thus, shílák'e háátłizh, it fell from my grasp (or out of my hand;) nílák'e háátłizh, it fell from your grasp, etc.

3. to fall out one after another in succession; to be born one after another.

F. hahidootłish **I.** hahatłíísh **P.** hahaazhtłizh **R.** hanáhátłish **O.** hahótłíísh. dibé yázhí k'ad hahatłíísh, the lambs are dropping (being born) now.

4. to fall out (from a window, car, etc.).

F. ch'í-deesh-tłish (díí, doo, zhdoo, dii, dooh) **I.** ch'ínísh-tłíísh (ch'íní, ch'é, ch'íjí, ch'ínii, ch'í-nóh) **P.** ch'í-ní-tłizh (íní, ní, zh-ní, nii, nooh) **R.** ch'í-násh-tłish (nání, ná, ńjí, néii, náh) **O.** ch'óosh-tłíísh (ch'óó, ch'óo, ch'í-jó, ch'óo, ch'óoh)

5. to start falling along.

F. dideesh-tłish (didíí, didoo, ji-didoo, didii, didooh) **I.** dish-tłíísh (dí, di, jidi, dii, doh) **P.** dé-tłizh (díní, deezh, jideezh, dee, dishoo) **R.** ńdísh-tłish (ńdí, ńdí, nízhdí, ńdii, ńdóh) **O.** dósh-tłíísh (dóó, dó, jidó, doo, dooh)

6. to be falling along.

Prog. yish-tłish (yí, yi, joo, yii, ghoh)

7. to fall into the water.

This meaning is rendered by prepounding taah, into water, or tó biih, water into it, to the verbs that follow:

F. deesh-tłish (díí, doo, jidoo, dii, dooh) **I.** yish-tłíísh (ni, yi, ji, yii, ghoh) **P.** yí-tłizh (yíní, yí, jíí, yii, ghoo) **R.** násh-tłish (ná-ní, ná, ńjí, néii, náh) **O.** ghósh-tłíísh (ghóó, ghó, jó, ghoo, ghooh)

8. to fall into worry; to become deeply perturbed.

This meaning is rendered by prepounding yíní biih, into worry (mind), to the forms of the verb given under no. 7. Thus, yíní biih yítłizh, I became deeply perturbed; fell into worry. The plural (where several become worried simultaneously) is rendered by use of the stem dah, to fall (several or plural objects one after another). V. dah.

9. to fall (into, with prepounded yah).

F. 'adeesh-tłish ('adíí, 'adoo, 'a-zhdoo, 'adii, 'adooh) **I.** 'iish-tłíísh ('ani, 'ii, 'aji, 'ii, 'ooh) **P.** 'íí-tłizh ('ííní, 'íí, 'ajíí, 'ii, 'ooh) **R.** 'anásh-tłish ('anání, 'aná, 'a-ńjí, 'anéii, 'anáh) **O.** 'oosh-tłíísh ('oó, 'oo, 'ajó, 'oo, 'ooh)

10. to fall under his or their power (one person).

This meaning is rendered by prepounding biyaa, under him or them, to the forms given under no. 9 Thus, biyaa 'íítłizh, I fell under his power. When the objects of the verb are plural, and fall simultaneously under his power, the stem dah, to fall (plural objects falling one after another), is used. V. dah.

11. to fall down.

F. hada-deesh-tłish (díí, doo, zh-doo, dii, dooh) **I.** hadaash-tłíísh (hadani, hadaa, hadaji, hadeii, hadaah) **P.** hadáá-tłizh (hadéí-ní, hadáá, hadajíí, hadeii, hada-oo) **R.** hada-násh-tłish (nání, ná, nájí, néii, náh) **O.** hada-osh-tłíísh (óó, oo, jó, oo, ooh)

12. to rush about; to be rushed; to be in a frenzied rush.

Prog. naa-násh-tłish (náá, náá ńjoo, néii, nááh) bibee'eldǫǫh-hainitáago kin góne' naanáátłish, he is rushing around in the house looking for his gun.

tłoh, tłeeh (tłeeh), tłéé', tłoh, tłeeh, to handle mushy matter.

For the derivational prefixes relating to the handling of objects, see the stem 'ááł.

tłoh, tłeeh, tłéé', tłoh, tłeeh, to be mushy; wet. (V. tłoh above.)

1. to become wet.

F. ńdeesh-tłoh (ńdíil, ńdool, nízhdool, ńdiil, ńdooł) **I.** násh-tłeeh (nánil, nál, ńjíl, néiil, nál) **P.** nísís-tłéé' (nísínil, nás, ńjís, nísiil, nísooł) **R.** ní-násh-tłoh (nánil, nál, nájíl, néiil, nál) **O.** náoosh-tłeeh (nááól, náool, ńjól, náool, náooł)

2. to be wet.

N. dinish-tłéé' (diní, di, jidi, dinii, dinoh)

3. to moisten it; to make it wet (lit. to re-wet it).

F. ńdeesh-tłoh (ńdííł, néidooł, nízhdooł, ńdiil, ńdooł) (nábidi'dool-) **I.** násh-tłeeh (nánił, néíł, ńjíł, néiil, nááł) (nábi'dil-) **P.** níséł-tłéé' (nísínił, néís, ńjís, nísiil, nísooł) (nábi'dis-) **R.** nínásh-tłoh (nánił, néíł, nájíł, néiil, nááł) (nábi'dil-) **O.** náosh-tłeeh (nááół, náyół, ńjół, náool, náooł) (nábi'dól-)

4. to drop it (mushy matter as mud, or a tattered and decrepit object as an old hat).

F. ndeesh-tłoh (ndíí, neidoo, nizhdoo, ndii, ndooh) (nabidi'doo-) **I.** naash-tłeeh (nani, nei, nji, neii, naah) (nabi'di-) **P.** náá-tłéé' (néíní, nayíí, njíí, neii, naoo) (nabi'doo-) **R.** ni-násh-tłoh (náni, néí, nájí, néii, náh) (nábi'di-) **O.** naosh-tłeeh (naóó, nayó, njó, naoo, naooh) (nabi'dó-)

tłóół, tłóóh, tłóó', tłóóh, tłóóh, to slacken; loosen.

1. to slacken it; to loosen it (a rope, cord, wire, etc.).

F. didínéesh-tłóół (didíníił, yididínóoł, dizhdínóoł, didíniil, didínóoł) **I.** diniish-tłóóh (diniił, yidiniił, jidiniił, diniil, dinooł) **P.** diniił-tłóó' (dininił, yidiniił, jidiniił, diniil, dinooł) **R.** ńdiniish-tłóóh (ńdiniił, néidiniił, nízhdiniił, ńdiniil, ńdinooł) **O.** dinoosh-tłóóh (dinoół, yidinooł, jidinooł, dinool, dinooł)

t'óó 'ahayóí 'ííyą́ą́'go biniinaa siziiz diniiłtłóó', I loosened my belt because I ate so much.

2. to relax it; slacken it back to its original loosened state.

F. ńdidínéesh-tłóół (ńdidíníił, néididínóoł, nídizhdínóoł, ńdidíniil, ńdidínóoł) **I.** ńdiniish-tłóóh (ńdiniił, néidiniił, nízhdiniił, ńdiniil, ńdinooł) **P.** ńdiniił-tłóó' (ńdininił, néidiniił, nízhdiniił, ńdiniil, ńdinooł) **R.** ní-nádiniish-tłóóh (nádiniił, néidiniił, nádiniil, nádinooł) **O.** ńdinoosh-tłóóh (ńdinoół, néidinooł, nízhdinooł, ńdinool, ńdinooł)

tó, water (bito').

tóbééhwíisganí, Pinedale, N. M.
tó bee naakáhí, bucket.
tó bíishgháán, wave (on water).
tó dilchxoshí, soda pop.
tódiłhił, whiskey.
tódínéeshzhee', Kayenta, Ariz.
tó dóó níyol 'ooshashígíí, erosion
tóghoł, Taos, N. M.
tóghołnii, Taos people.
tóhaach'i', Tohatchi, N. M.
tóhááłį, Toadlena, N. M.
tó hahadleeh, well; pump.
tó hajiileehé, Cañoncito, N. M.
tó hwiisxíní, White Horse Lake, N. M.
tó 'iiłtą́, water blister.
tó łikání halchiní, perfume.
tónaneesdizí, Tuba City, Ariz.
tónitts'ílí, Crystal, N. M.
tónteel, ocean; sea; great lake.
tó łichxí'í, wine.
tó łikaní, wine.
tooh, large body of water.
tooh ńlíní, river.
toohji' nidiigaii, snowy egret.
toohk'inidiigaii, snowy egret.
toohji' noołnahii, blue heron.
tǫǫł, tǫǫh, tǫ', tǫǫh, tǫ', to break

1. to break in two (a slender stiff object, as a stick or bone); to fracture; to snap in two.

F. k'í'dooltǫǫł **I.** k'é'éltǫǫh **P.** k'é'éltǫ' **R.** k'íná'áltǫǫh **O.** k'í-'óltǫ'

2. to break to pieces; shatter (as a wooden box).

F. nihidooltǫǫł **I.** niheltǫ' **P.** niheestǫ' **R.** ninháháltǫǫh **O.** nihóltǫ'

tóshjeeh, wicker water bottle; water jug; wooden barrel; keg.
tóta', Farmington, N. M.
tółł'iish, water snake.
tó yígeed, ditch (for water).
tózis, water bag; tumbler; bottle.
tózháán, mushy; viscous.
tsaał, tsaah, tsą́, tsaah, tsaał, the singular stem of to die.
nééł, né, ná, nééh, nééł, the duo-plural stem of to die.

1. to die.

This verb uses distinct stems for the singular and duoplural. The two forms are herewith given consecutively:

F. dadees-tsaał (dadíí, dadoo, dazhdoo) díníi'-nééł (dínóoh dínóo, dízhnóo) ***I.** daas-tsaah (dani, daa, daji) nii'-né (noh, ni, jini) **P.** dasé-tsą́ (dasíní, daaz, dajiz) nee'-ná (sinoo, neez, jineez) **R.** danátsaah (3rd pers.) nání'nééh (3rd pers.) **O.** daoos-tsaał (daóó, daoo, dajó) noo'-nééł (nooh, noo, jinoo)

* This form is used with the meaning to be sick.

2. to be dying (to have started to die).

P. shi-'niitsą́ (ni, bi, ho) nihi-'niiná (nihi, bi, ho)

The verb to die is also used in such idiomatic senses as: ni'nii-tsáánísh, can't you do any better than that?! (lit. have you started to die?) t'áá k'ad daaztsą́, he couldn't make it; he folded up! (lit. he just now died)

tsąął, tsą́, tsąąd, tsąąh, tsąąh, to be pregnant.

1. to become pregnant.

F. 'idí'nées-tsąął ('idí'níıl, 'idí'nóol, 'izhdí'nóol, 'idí'níil, 'idí'nóoł) **N.** yis-tsą́ (yíníl, yil, jool, yiil, ghoł) **P.** 'i'niis-tsąąd ('in'nil, 'i'niil, 'izh'niil, 'i'niil, 'i'nooł) **R.** 'iná'niis-tsąąh ('inán'nil, 'iná'niil, 'inázh'niil, 'iná'niil, 'iná'nooł) **O.** 'i'noos-tsąąh ('i'nóól, 'i'nool, 'izh'nool, 'i'nool, 'i'nooł)

2. to impregnate her; to make her pregnant.

This meaning is rendered by prepounding the postposition -á, for (one), to the forms given under no. 1. Thus, shá 'idí'níıl-tsąął, I will make you pregnant (lit. you will become pregnant for me); ná 'i'niistsąąd, you made me pregnant (I became pregnant for you).

tsah, tsah, tsah (tsa'), tsah, tsah, to grasp with the teeth or beak.

1. to grasp it in the mouth; to grasp it with the teeth or beak.

F. dees-tsah (díí, yidoo, jidoo, dii, dooh) (bidi'doo-) **I.** yiis-tsah (yii, yiyii, jii, ghooh) (bidi'dii-) **P.** sé-tsah (síní, yiz, jiz, sii, soo) (bi'dis-) **R.** néis-tsah (néii, náyii, ńjii, néii, náooh) (nábi'dii-) **O.** ghós-tsah (ghóó, yó, jó, ghoo, ghooh)

2. to be holding it clamped in the teeth or beak.

N. yínís-tsa' (yíní, yó, jó, yíníi, yínóh) (bi'dó-)

tsah, awl; needle.

tsahts'ósí, needle.

tsá'ászi', yucca.

tsá'ászi' ntεelí, broad leafed yucca; yucca latil.

tsá'ászi'ts'óóz, narrow leafed yucca; yucca amole.

tsásk'eh, imprint left by the body (as in grass, mud, etc.); bed.

tsásk'eh bikáá' dah naazghíníigíí, mattress.

tsą́hodiniihtsoh, typhoid (lit. big bellyache).

tsé, rock; stone (bitse').

tsé bee 'ak'aashí, grindstone; whetstone.

tsé bit'a'í, Shiprock Pinnacle, N. M.

tséch'ízhí, Rough Rock, Ariz.

tsédaashch'íní, upper millstone; mano of the metate.

tsédaashjéé', lower millstone; metate.

tsédei (tséde), on one's back; in a supine position. tsédei sétįįgo 'iiłhaazh, I went to sleep lying on my back.

tsé díík'ǫǫzh, impure alum.

tsééł, tsééh, tsą́, tsééh, tsééł, to see.

1. to see him, it.

F. yidees-tsééł (yidííł, yiidooł, yizhdooł, yidiil, yidooł) (bidi'dool-) **I.** yiis-tsééh (yiił, yiyiił, jiił, yiil, ghooł) (bi'diil-) **P.** yiił-tsą́ (yinił, yiyiił, jiił, yiil, ghooł) (bi'diil-) **R.** néis-tsééh (néiił, náyiił, ńjiił, néiil, náooł) (nábi'diil-) **O.** ghoos-tsééł (ghóół, yooł, jooł, ghool, ghooł) (bi'-dool-)

tsee'é, frying pan.

tseek'inástánii, ground squirrel.

tséghádi'nídínii, rock crystal.

tséghádhoodzání, Window Rock, Arizona.

tsehégod, stump.

tséhootsooí, Fort Defiance, Ariz.

tsé 'ághózí, flint (rock).

tsé'áán, rock cave; den; lair.

tsé'ak'iya'ii'áhii, sphinx caterpillar.

tsé 'ałnáozt'i'í, Sanostee, N. M.

tsé 'ást'éí, hotcakes; piki or paper bread.

tsé 'ást'éí dootł'izhígíí, blue piki.

tsé 'ást'éí łigaaígíí, white piki.

tsé'édǫ́'ii, (common) fly.

tsé'ésdaazii, mountain mahogany.

tsé 'íí'áhí, Standing Rock, N. M.

tsé'naa, across. tsé'naa ni'níłkǫ́ǫ́', I swam across.

tsé'naa na'nízhoozh, bridge.

tsé'yaa, face forward; on one's face. tsé'yaa 'íígo', I fell over face forward (face first, or on my face).

tsénił, ax.

tsénił yázhí, hatchet.

tsék'ina'azólii, rock lizard.

tsék'iz, rock crevice.

tsékǫ', raw alum.

tsé łichíí' dah 'azkání, Red Rock, Arizona.

tsé łichíí' deez'áhí, Rock Point, Arizona.

tsé náhádzoh, Twin Lakes, N.M.

tsé náshchii', Hunter's Point, Arizona.

tsé nidaaz, iron ore.

tsé noolch'óshii, rock wren, or cañon wren.

tsé sikaad, pavement.

tsésǫ', glass; mica; window pane; window.

tsésǫ' naat'oodí, celluloid.

tsétah dibé, bighorn; mountain sheep.

tsét'ees, griddle.

tsétł'ééł, stone flint (igniter).

tsétsoh, boulder.

tséyaaniichii', Rehoboth, N. M.

tsé yázhí, pebbles.

tsézéí, gravel.

tsézhįįh deezlį́, Black Rock, N. M.

tsézhin (chézhin), lava; malpais.

tsézhin deez'áhí, St. Johns, Ariz.

ts'ah, ts'ééh, ts'ee', ts'ah, ts'ééh, to eat mushy matter.

1. to eat it (mushy matter, as gravy, jello, mush, etc.).
F. dees-ts'ah (díił, yidooł, jidooł, diil, dooł) (bidi'dool-) **I.** yis-ts'ééh (nił, yił, jił, yiil, ghoł) (bi'-dil-) **P.** yíł-ts'ee' (yíníł, yiyííł, jííł, yiil, ghooł) (bi'dool-) **R.** nás-ts'ah (náníł, néíł, ńjíł, néiil, náł) (nábi'dil-) **O.** ghós-ts'ééh (ghóół, yół, jół, ghool, ghooł) (bi'dól-)

ts'ah, sagebrush.

ts'ání, piñon jay.

ts'ee', to be coiled up (as a snake rope, etc.).
N. náhineests'ee'

ts'ídá, really. 'ał'ąą dine'é ts'í-dá t'óó 'ahayóí hólǫ́, there are really lots of different races. doo ts'ídá bidziil da, he is not really strong.

ts'ih, ts'ih, ts'ih (ts'i'), ts'ih, ts'ih, to pinch it with the nails.

1. to pinch it with the nails.

F. dees-ts'ih (díí, yidoo, jidoo, dii, dooh) (bidi'doo-) **I.** yiis-ts'ih (yii, yiyii, jii, yii, ghooh) (bi'dii-) **P.** sé-ts'ih (síní, yis, jis, sii, soo) (bi'dis-) **R.** néis-ts'ih (néii, náyii, ńjii, néii, náooh) (nábi'dii-) **O.** ghos-ts'ih (ghóó, yó, jó, ghoo, ghooh) (bi'dó-)

2. to hold it clamped or pinched between the nails.

N. yínís-ts'i' (yíní, yó, jó, yíníi, yínóh) (ghó- or bi'dó-)

3. to go on tiptoes.

Prog. 'ayees-ts'ih ('ayíí, 'ayoo, 'ajiyoo, 'ayii, 'ayooh)

4. to pick on him; to tease or tantalize him.

N. bé'é-ts'ih (bí'í, yé'é, bí'jí, bí'-ii, bí'óh)

ts'íhootso, St. Michaels, Ariz.

ts'í'ii, gnat.

ts'í'ii danineezí, mosquito.

ts'íid, to be nice, or agreeable.

1. to be nice; agreeable; pleasing.

t'óó ts'íid, it's not bad; it's pretty good; it's fair; he's fair (as in speaking of the condition of a sick person). 'éí t'áá ts'íid, that is ok (as in comparing, or referring to something where there was a choice).

2. to be pretty hard to beat; to be "tops."

N. doo ts'íid 'ánísh-t'ée da ('ání, 'á, 'ájí, 'ánii, 'ánoh)

3. to become or be lonely; to dislike the place.

This verb is conjugated for person by altering the pronominal prefix on the postposition -ił, with (one). It is herewith given for the 1st person sgl.

F. doo shił hodoots'íid da (I'll become lonesome) **P.** doo shił hóóts'íid da (I became lonesome) **N.** doo shił hats'íid da (I am lonesome).

4. to be nice (a place or area).

hats'íid, or t'áá hats'íid, it's a nice place.

5. to feel ill; to not feel well.

This verb is conjugated for person by altering the pronoun prefix on the noun -tah, body. It is given herewith for the 1st person sgl. **N.** shitah doo hats'íid da, I do not feel well.

6. to be quick tempered; to be cruel.

N. doo yis-ts'íid da (ni, yi, ji, yii, ghoh)

7. to subsist on it.

N. *bee hodinists'íid (hodíníl, hodil, hozhdil, hodiniil, hodinoł) naadą́ą́' t'éiyá yee dahodilts'íid they subsist on corn alone.

*bee becomes yee in 3o.

ts'iilzéí, trash.

ts'iiyahghozhii, meadow lark.
ts'in, bone; skeleton.
ts'in nííheestǫ', multiple fracture.
ts'įįł, ts'įįh, ts'ą́ą́' (ts'a'), ts'įįh, ts'ą́ą́', to hear; listen; sound.

1. to make a sound; to make noise; to be heard (a definite thing).
F. didoots'įįł I. yiits'a' P. yiis-ts'ą́ą́' R. ńdiits'įįh O. doots'ą́ą́'
A continuative imperfective diits'a', it is making a noise; it is running (car), is also used.

2. to make a noise; be heard (an indefinite thing).
F. 'íídoots'įįł I. 'íits'a' P. 'íis-ts'ą́ą́' O. 'óots'ą́ą́'

3. to be a noise (which is heard over an area).
F. hodidoots'įįł C-I. hodiits'a' P. hodiists'ą́ą́' R. náhodiits'įįh O. hodoots'ą́ą́'

4. to start to run; to start (the engine of a car).
F. didoots'įįł I. diits'įįh *C-I diits'a' P. diists'ą́ą́' R. ńdii-ts'įįh O. doots'ą́ą́'
* It is running.
shichidí doo diits'įįh da, my car will not start. shichidí diits'a', my car is running.

5. to start it (a car) (lit. make it sound).
F. didees-ts'įįł (didííł, yididooł, jididooł, didiił, didooł) I. diis-ts'įįh (diił, yidiił, jidiił, diil, dooł) P. diséł-ts'ą́ą́' (disíníł, yidiis, jidiis, disiił, disooł) R. ńdiis-ts'įįh (ńdiił, néidiił, nízhdiił, ńdiil, ń-dooł) O. doos-ts'ą́ą́' (dóół, yidooł, jidooł, dool, dooł) shichidí disétts'ą́ą́', I started my car. shichidí doo doosts'ą́ą́' 'át'ée da, I cannot get my car started.

6. to hear it; to understand it.
F. didees-ts'įįł (didíí, yididoo, jididoo, didii, didooh) I. diis-ts'įįh (dii, yidii, jidii, dii, dooh) C-I. (N) diis-ts'a' (dini, yidii, jidii, dii, dooh) P. disé-ts'ą́ą́' (disíní, yidiiz, jidiiz, disii, disoo) R. ńdiis-ts'įįh (ńdii, néidii, nízhdii, ńdii, ńdooh) O. doos-ts'ą́ą́' (doó, yidoo, jidoo, doo, dooh)

7. to hear; to be able to hear; to understand (a language).
N. 'adiis-ts'a' ('adini, 'adii, 'azhdii, 'adii, 'adooh)

8. to listen to it.
F. yídées-ts'įįł (yídííł, yíídóoł, yízhdóoł, yídíil, yídóoł, N. (S-P) yínís- (or yísínís-) ts'ą́ą́' (yíníł or yísíníł, yiyíís, jíís, yísíil, yísóoł) R. néínís-ts'įįh (néíníł, náyííł, ńjííł, néíníil, néínóoł) O. ghóos-ts'ą́ą́' (ghóół, yóoł, jóoł, ghóol, ghóoł)

9. to listen; to hark.
F. 'íí-dées-ts'įįł (dííł, dóoł, zh-dóoł, díil, dóoł) N. 'íísís-ts'ą́ą́' ('íísíníł, 'íis, 'ajíis, 'íísíil, 'íísóoł) R. ná'íínís-ts'įįh (ná'ííníł, ná'ííł, ń'jííł, ná'ííníil, ná'íínóoł) O 'óos-ts'ą́ą́' ('óół, 'óoł, 'ajóoł, 'óol, 'óoł)

10. The words that imitate sounds.

There follows a list of onomatopoetic words, given where possible with the nearest English equivalent. Thus, don don yiits'a', bong! bong! is heard (it goes bong! bong!).

bal, a flapping sound.

biib, sound made by a whistle, or by the horn of a car; English beep!

ch'iizh, a sawing or grinding sound.

ch'ik'azh, a metallic rubbing sound, as that made by rubbing stones together.

ch'ił, popping, cracking, clacking sound as that made by breaking a stick, chewing gum too energetically, etc.

ch'izhaazh, a jabbering sound, the sound of an undertone of many voices.

ch'og, chewing sound; sound made in pulling one's foot out of the mud.

chxaazh, sound made by a big stream of falling water, as the water from an eave.

chxosh, a splashing sound.

diil, a deep rumbling sound, as that of thunder.

dlaad, a ripping sound, and also that of a trombone.

dog, a thumping sound.

don, a bonging sound.

duuh, rumbling sound as that of thunder, a distant gun or drum.

dzid, sound of a "bronx cheer."

dziid, a roaring sound, as that of an airplane, or racing motor.

gáa, caw! (of a crow).

geez, a low-pitched squeak.

ghaz, a scraping sound.

ghiid, a booming sound.

ghoł, a gurgling sound, as that of running water (Taos, N. M. is called tóghoł, gurgling water).

gǫǫzh, a crackling or crunching sound, as that of chewing.

jah-jah, a clanking sound.

jąh, a rattling sound.

jįįzh, a crushing or crunching sound, as that of a steamroller crushing rocks.

loozh, the sound made by a small stream of falling water, as in pouring from a bottle.

kąąg, a snoring sound.

k'ał, slopping or sloshing sound, as that of water in one's shoes.

k'azh, a grinding sound.

k'íz, a high-pitched squeak.

k'ol, glugging sound made by a partly filled bottle when carried, or the plunking sound made when a stone drops into water.

k'ól, murmuring sound as that made by a small brook.

k'ǫǫ', gurgling sound, as that of a person who is being choked; or the sound made when one's stomach "growls."

k'ǫ', a growling sound, as that made by the stomach of a horse when it runs; or by one's intestines.

mee', maa! baa! (of a sheep).

muu, moo! (of a cow).
shd, like English ssst! (to call one's attention).
shiid, a shushing sound; sh!
sxooh, a rustling, swishing or whirring sound, as that of the wind in the trees.
tł'ish, a slapping sound.
tłiizh, crashing sound, as that of falling timber.
tłog, a plopping sound, as that of falling mud.
ts'ǫz, sucking sound as that as that made in kissing.
tsíd, chirping sound (tsídii, bird).
wąą, growling sound, as that of a dog.
wą́ą́', whining, whimpering or mewing sound.
zghǫz, swishing sound, as that of a whip.
zhood, a rubbing, or shuffling sound, as that made when the feet are rubbed on the floor.
zhii', hissing sound, as that of a snake.
zííl, a ringing sound, as that of a bell (shijaaghi'ji' zííl yiits'a', my ear is ringing).
zǫǫz, a low-pitched buzz, as the sound of a bumble bee.
zǫ́ǫ́z, high-pitched buzzing or whining sound, as that made by a bee, mosquito, or a ricochet bullet.

ts'įįł, ts'in, ts'in, ts'įįh, ts'in, to strike with the fist.

1. to strike him a blow with the fist; to hit him (once).

F. ńdidees-ts'įįł (ńdidííł, néididooł, nízhdidooł, ńdidiil, ńdidooł) **I.** ńdiis-ts'in (ńdiił, néidiił, nízhdiił, ńdiil, ńdooł) **P.** ńdííł-ts'in (ńdííníł, néidííł, nízhdííł, ńdiil, ńdooł) **R.** ní-nádiis-ts'įįh (nádiił, néidiił, názhdiił, nádiil, nádooł) **O.** ńdoos-ts'in (ńdoół, néidooł, nízhdooł, ńdool, ńdooł)

2. to pommel him with one's fists; to beat him up; to hit him (with repeated blows).

F. ńdínées-ts'įįł (ńdínííł, néidínóoł, nízhdínóoł, ńdíníil, ńdínóoł) (nábididí'nóol-) **C-I.** nánís-ts'in (nánił, néinił, názhnił, nániil, nánół) (nábidi'nil-) **P.** nánéł-ts'in (nánínił, néinees, názhnees, náneel, nánooł) (nábidi'nees-) **R.** ní-nánís-ts'įįh (nánił, néinił, názhnił, nániil, nánół) (nábidi'nil-) **O.** nánós-ts'in (nánóół, néinół, názhnół, nánool, nánooł) (nábidi'nól-)

3. to fist-fight with him; to box with him.

F. *bił na'ahí-díznées-ts'įįł (dízníil, díznóol, dízhnóol, dízníil díznóoł) **I.** bił na'a-híznís-ts'in (híznil, híznil, hízhnil, hízniil, híznoł) **P.** bił na'a-híznés-ts'in (híznínil, híznees, hízhnees, hízneel, híznooł) **R.** bił niná'á-híznís-ts'įįh (híznil, híznil, hízhnil, hízniil, híznół) **O.** bił na'a-híznós-ts'in (híznóól, híznól, hízhnól, híznool, híznooł)

*bił becomes yił in 3o.

ts'iiní, to be skinny.

1. to be skinny.

N. si-ts'iiní (ni, bi, ha, nihi, nihi)

2. to be losing weight; to be becoming skinny (lit. to have started to be skinny).

P. shi-'niits'iiní (ni, bi, ho, nihi, nihi)

ts'íísí, to be small in size.

1. to be small; to be little.

N. 'ánís-ts'íísí ('áníł, 'áł, 'ájíł, 'ániil, 'ánół) ('áhooł-, refers to place or area).

ts'ił, ts'íid, ts'id, ts'i', ts'íid, to fall (a single bulky object, as a hat, knife, coin, book, etc.).

1. to fall (downward).

F. ndoolts'ił **I.** naalts'íid **P.** naalts'id **R.** ninálts'i' **O.** naolts'íid

2. to fall from one's grasp; to drop it from one's hand.

This meaning is rendered by prepounding -lák'e, hand (area) to the following verbs. Thus, shílák'e hadoolts'ił, I will drop it (it will fall out of my hand) nílák'e haalts'id, you dropped it (it fell out of your hand, etc.).

F. hadoolts'ił **I.** haalts'íid **P.** haalts'id **R.** hanálts'i' **O.** haoolts'íid

3. to capsize; to overturn (as a car, ship, etc.).

F. náhididoolts'ił **I.** náhideel ts'íid **P.** náhidéélts'id **R.** nínáhideelts'i' **O.** náhidólts'íid

shichidí shił náhidéélts'id, my car turned over with me.

ts'ił, ts'ił, ts'il, ts'ił, ts'ił, to shatter; break.

1. to break, shatter, crack, bloat (as a dish, rock, sheep).

F. doots'ił **I.** yiits'ił **S-P.** sits'il **R.** néiits'ił **O.** ghóts'ił. dibé sits'il, the sheep is bloated (and dead).

2. to break, shatter or crack it.

F. dees-ts'ił (dííł, yidooł, jidooł, diil, dooł) (bidi'dool-) **I.** yiis-ts'ił (yiił, yiyiił, jiił, yiil, ghooł) (bi'diil-) **S-P.** séł-ts'il (sínííł, yis, jis, siil, sooł) (bi'dis-) **R.** néis-ts'ił (néiił, náyiił, ńjiił, néiil, náooł) (nábi'diil-) **O.** ghós-ts'ił (ghóół, yół, jół, ghool, ghooł) (bi'dól-) łeets'aa' sétts'il, I broke (or cracked) the dish.

It is also used in such an idiomatic sense as, shidííłts'ił, you'll blow me up (crack or make me bloat up and burst) (with the generous amount of food you served me).

ts'óózí, to be long and slender.

N. 'ánís-ts'óózí ('áníł, 'áł, 'ájíł, 'ániil 'ánół) ('áhooł-, refers to place or area).

ts'ǫ'asánii, tadpole.

ts'ǫł, ts'ǫǫd, ts'ǫ́ǫ́d, ts'ǫ', ts'ǫǫd, to stretch or make taut a slender flexible object as rope or wire.

1. to pull it out (a slender flexible object).

F. ha-dees-ts'ǫł (dííł, idooł, zhdooł, diil, dooł) (bidi'dool-) **I.** haas-ts'ǫǫd (hanił, haił, hajił haiil, haał) (habi'dil-) **P.** háát-ts'ǫ́ǫ́d (háíníł, hayííł, hajííł, haiil, haooł) (habi'dool-) **R.** ha-nás-ts'ǫ' (náníł, néíł, nájíł, néiil, náł) (nábi'dil-) **O.** ha-os-ts'ǫǫd (óół, yół, jół, ool, ooł) (bi'dól-)

2. to pull them out one after the other in succession (plants).

F. ha-hidees-ts'ǫł (hidííł, idiyooł, hizhdooł, hidiil, hidooł) (bi'diyool-) **I.** ha-has-ts'ǫǫd (híł yiił, jiił, hiil, hoł) (bi'diyiil-) **P.** ha-háł-ts'ǫ́ǫ́d (híníł, yiis, jiis heel, hooł) (bi'diis-) **R.** ha-ná-hás-ts'ǫ' (náhíł, náyiił, nájiił náhiil, náhół) (nábi'diil-) **O.** ha-hós-ts'ǫǫd (hóół, iyół, jeiyół, hool, hooł) (bi'diyól-)

3. to pull it taut; to stretch it; to jerk it (in the iterative).

F. didees-ts'ǫł (didííł, yididooł, jididooł, didiil, didooł) (bidi'-dool-) **I.** dis-ts'ǫǫd (díł, yidił, jidił, diil, doł) (bi'dil-) **P.** dééł-ts'ǫ́ǫ́d (díníł, yidees, jidees, deel, disooł) (bi'dees-) **R.** ńdís-ts'ǫ' (ńdíł, néidił, nízhdíł, ńdiil, ńdół) (nábi'dil-) **O.** dós-ts'ǫǫd (dóół, yidół, jidół, dool, dooł) (bi'dól-)

4. to be pulling it taut; to be stretching it.

Prog. yis-ts'ǫł (yíł, yooł, jooł, yiil, ghoł) (bi'dool-)

5. to stretch (as a rubber band).

F. didoots'ǫł **I.** dits'ǫǫd **P.** deez-ts'ǫ́ǫ́d **R.** ńdíts'ǫ' **O.** dóts'ǫǫd **Prog.** yits'ǫł

6. to crane one's neck (in order to see) (lit. to stretch about); to peep from behind it (with prepounded bine'dę́ę́', from behind it); to peek through it (with prepounded binákádę́ę́', from through it).

F. ndees-ts'ǫł (ndíí, ndoo, nizh-doo, ndii, ndooh) **C-I.** naas-ts'ǫǫd (nani, naa, nji, neii, naah) **P.** nisé-ts'ǫ́ǫ́d (nisíní, naaz, njiz, nisii, nisoo) **R.** ni-nás-ts'ǫ' (náńí, nájí, néii, náh) **O.** naoos-ts'ǫǫd (naóó, naoo, njó, naoo, naooh) hózhǫ́ yideestsééł bi niighé naasts'ǫǫd, I am craning my neck in order to see well. tsin bine'dę́ę́' nisétsʼǫ́ǫ́d, I peeked (or peeped) from behind the tree.

7. to lean out (as from a window).

F. ch'í-dees-ts'ǫł (díí, doo, zh-doo, dii, dooh) **I.** ch'íní́s-ts'ǫǫd (ch'íní, ch'é, ch'íjí, ch'ínii, ch'í-nóh) **P.** ch'íní-ts'ǫ́ǫ́d (ch'ííní, ch'íní, ch'ízhní, ch'ínii, ch'ínoo) **R.** ch'í-nás-ts'ǫ' (náni, ná, nájí, néii, náh) **O.** ch'óos-ts'ǫǫd (ch'óó, ch'óo, ch'íjó, ch'óo, ch'óoh)

8. to lean in (as in through a window).

F. yah 'a-dees-ts'ǫł (díí, doo, zh-doo, dii, dooh) **I.** yah 'iis-ts'ǫǫd ('ani, 'ii, 'aji, 'ii, 'ooh) **P.** yah 'íí-ts'ǫ́ǫ́d ('ííní, 'íí, 'ajíí, 'ii, 'ooh) **R.** yah 'a-nás-ts'ǫ' (nánί, ná, nájí, néii, náh) **O.** yah 'oos-ts'ǫǫd ('oó, 'oo, 'ajó, 'oo, 'ooh)

ts'ǫs, ts'ǫǫs, ts'ǫ́ǫ́z, ts'ǫs, ts'ǫǫs, to suck.

1. to suck it (refers to sucking against a surface, as in sucking candy, meat, or against the skin) to kiss her.

F. dees-ts'ǫs (díí, yidoo, jidoo, dii, dooh) **I.** yis-ts'ǫǫs (ni, yi, ji, yii, ghoh) **P.** yí-ts'ǫ́ǫ́z (yíní, yiyíí, jíí, yii, ghoo) **R.** nás-ts'ǫs (nání, néí, ńjí, néii, náh) **O.** ghós-ts'ǫǫs (ghóó, yó, jó, ghoo, ghooh)

tsibǫǫs, (wooden) hoop.

tsídídééh, purple four-o'clock.

tsídii, bird.

tsídii bidaa', bird's beak.

tsídii bit'oh, bird's nest.

tsidił, stick dice; dice game.

tsidiłdǫǫhii, screech owl.

tsídiiłbáhí, sparrow.

tsídiiłtsooí, Rocky Mt. goldfinch; orange crowned warbler.

tsih, tsééh, tsih, tsih, tsééh, to point a slender stiff object.

1. to point it at him.

F. bididees-tsih (bididíí, yididoo, bizhdidoo, bididii, bididooh) (bididoo-) **I.** bidiis-tsééh (bidii, yiidii, bizhdii, bidii, bidooh) (bidii-) **P.** bidii-tsih (bidini, yiidii, bizhdii, bidii, bidoo) (bidii-) **R** bińdiis-tsih (bińdii, yinéidii, binízhdii, bińdii, bińdooh) (bińdii-) **O.** bidoos-tsééh (bidoó, yiidoo, bizhdoo, bidoo, bidooh) (bidoo-)

shibee'eldǫǫh nidiitsih, I pointed my gun at you.

2. to set it (as a post) (lit. to point a slender object into the earth, or into the air).

F. 'adees-tsih ('adíí, 'iidoo, 'azhdoo, 'adii, 'adooh) ('abidi'doo-) **I.** 'iis-tsééh ('ani, 'ii, 'aji, 'ii, 'ooh) ('abi'di-) **P.** 'íí-tsih ('ííní, 'ayíí, 'ajíí, 'ii, 'oo) ('abi'doo-) **R.** 'a-nás-tsih (náni, néí, níjí, néii, náh) (nábi'di-) **O.** 'oos-tsééh ('oó, 'ayó, 'ajó, 'oo, 'ooh) ('abi'dó-)

3. to be pointing (with a slender object, as a stick).

N. dah 'as-tsih ('í, 'a, 'aji, 'ii, 'oh)

tsih, tsááh, tseii, tsih, tsááh, to dry.

1. to become dry or withered; to dry back up.

F. ńdees-tsih (ńdííl, ńdool, nízhdool, ńdiil, ńdooł) **I.** nás-tsááh (nánil, nál, ńjíl, néiil, nál) **P.** náás-tseii (néíníl, náál, ńjool, néiil, náooł) **R.** ní-nás-tsih (nánil, nál, nájíl, néiil, náł) **O.** náoos-tsááh (náóól, náool, ńjól náool, náooł)

2. to be dry; to be withered.

N. yínís-tseii (yíníł, yíł, jíł, yíníil, yínół) (hóół-, refers to a place or an area).

3. to dry it (lit. to dry it back since it is assumed that its original condition was dry, not wet).

F. ńdees-tsih (ńdííł, néidooł, nízhdooł, ńdiil, ńdooł) (nábidi'dool-) **I.** nás-tsááh (náníł, néíł, ńjíł, néiil, náł) (nábi'dil-) **P** nááł-tseii (néíníł, náyííł, ńjííł, néiil, náooł) (nábi'dool-) **R.** nínás-tsih (nánííł, nééł, nájííł, néiil, náł) (nábi'dil-) **O.** náos-tsááh (nááół, náyół, ńjół, náool, náooł) (nábi'dól-)

tsihał, club; boomerang.

tsiighá yilzhééh bá hooghan, barber shop.

tsiih yít'óód, abrasion.

tsii'détáán, spear.

tsiinázt'i'í, headband.

tsiishgaii, pygmy nuthatch.

tsiis'áál, tsii'áál, pillow.

tsiitah'aba', dandruff.

tsiitł'óół, hair cord (for tying up the hair) (bitsiitł'óól).

tsiits'in, skull.

tsiits'įįdiniih 'azee', aspirin.

tsiiziz, scalp.

tsiizizii, Leupp, Ariz.

tsįįł, tsį', tsį', tsįįh, tsį', to sprinkle (rain).

F. nikidadi'doołtsįįł **C-I.** nikida'diłtsį' **P.** nikida'dííłtsį' **R** nikininááda'diłtsįįh **O.** nikida'dółtsį'

tsįįł, rapidly; fast; quickly. tsįįł nishłį, I'm in a hurry; I'm fast.

tsįįłgo, quickly; fast. tsįįłgo naashnish, I work fast.

tsįįłkaałii, woodpecker.

tsiiłgháah, water dog; salamander; mud puppy.

tsíłkéí, youth.

tsił, tsáád, tsaad, tsi', tsáád, to turn oneself around while in a sitting position.

F. náhi-dees-tsił (dííł, dooł, zhdooł, diił, dooł) **C-I.** náhás-tsáád (náhíł, náhál, ńjiił, náhiil, náhół) **S-P.** náhisis-tsaad (náhisíníł, náhaas, níjiis, náhisiil, náhisooł) **R.** ní-náhás-tsi' (náhíł, hál, hijił, hiił, hół) **O.** náhós-tsáád (náhóół, náhół, náhijół, náhool, náhooł)

shą́ą'ji' náhisistsaad, I sunned myself.

tsił, tseed, tseed, tsi', tseed, to kill (plural objects).

(In the following verb forms the l-classifier may be inserted or omitted in the passive.)

1. to kill, slaughter or massacre them (plural objects).

F. ndees-tsił (ndííł, neidooł, nizhdooł, ndiil, ndooł) (nabidi'doo-) **C-I.** naas-tseed (naníł, neił, njił, neiil, naał) (nabi'di-) **P.** nisééł-tseed (nisíníł, neis, njis, nisiil, nisooł) (nabi'diz-) **R.** ninás-tsi' (nánííł, nééł, nájííł, néiil, náł) (nábi'di-) **O.** naos-tseed (naóół, nayół, njół, naool, naooł) (nabi'dó-)

tsił, tsid, tseed, tsi', tsid, to beat; pound.

1. to pound it; beat it.

F. dees-tsił (díí, yidoo, jidoo, dii, dooh) (bidi'doo-) **C-I.** yis-tsid (ni, yi, ji, yii, ghoh) (bi'di-) **P.** yí-tseed (yíní, yiyíí, jíí, yii, ghoo) (bi'doo-) **R.** nás-tsi' (nání, néí, ńjí, néii, náh) (nábi'di-) **O.** ghós-ts'id (ghóó, yó, jó, ghoo, ghooh) (bi'dó-)

2. to pound; to be a smith.

N. 'as-tsid ('í, 'a, 'aji, 'ii, 'oh)

tsinaabąąs, wagon.
tsinaabąąs bee bínídiidlohí bita' naní'áhí, brake bar or beam on a wagon.
tsinaabąąs bíishgháán, coupling pole (of a wagon).
tsinaabąąs bíishgháán bił 'íí'áhí coupling pin (on a wagon).
tsinaabąąs bijáád, wagon wheel.
tsinaabąąs bijáád béésh bináz'áhígíí, tire; rim (wagon wheel).
tsinaabąąs bijáád bináálghołígíí, axle (of a wagon).
tsinaabąąs bijáád bináneeskálígíí, spokes (of wagon wheel).
tsinaabąąs bijáád bita' naní'áhí, axle tree (of wagon).
tsinaabąąs bijáád bitsiits'iin, hub (of wagon wheel).
tsinaabąąs bijáád tsin bináz'áhígíí, felloes (of wagon wheel).
tsinaabąąs bik'ésti'í, wagon cover.
tsinaabąąs bítsáá', wagon bows.
tsinaabąąs bits'a', wagon box.
tsinaabąąs bits'a' bá ní'áhí, bolster (of wagon).
tsinaabąąs bits'a' bá ní'áhí bił 'íí'áhí, king bolt (of wagon).
tsinaabąąs yázhí, buggy
tsinaabąąs yázhí bijáád naakiígíí, cart.
tsinaa'eeł, ship; boat; canoe.
tsinaa'eeł bee da'ahijigánígíí, battleship.
tsinaa'eeł táłtł'áahdi ndaakaaígíí, submarine.
tsinaalzhoodí, sled; sleigh.
tsin bee bigháda'a'nilí, brace and bit.
tsin bee diilkǫǫhí, wood plane.
tsin bee hahalzhíshí, wood chisel.
tsin bee nihijíhí, wood saw.
tsin bee yigołí, wood rasp.
tsin bee na'adáhí, crutches.
tsin bineest'ą', fruit.
tsin bineest'ą' 'ádaaniidí, fresh fruits.
tsin bineest'ą' daazganígíí, dried fruit.
tsin bisgą', snag; old dead tree.
tsindao, penny.
tsin dit'inii, rock squirrel.
tsin 'anáhálghąhí, javelin.
tsin 'íí'áii, tree (standing).
tsinlátah 'ayánii, giraffe (lit. the one that eats the tree tops).
tsin na'ayą'ii, wood louse.
tsinidi'ni', bull-roarer.
tsiniheeshjíí', board; plank; lumber.
tsin sitą́, mile (lit. wood or pole sets; probably from the former custom of having mileposts).
tsin sitą́, yard (measurement).
tsin tóshjeeh, wooden barrel.
tsints'ósí, stick.
tsis, tséés, tsiz, tsis, tséés, to extinguish.

1. to go out (fire).

F. dínóotsis **I.** nitséés **P.** neeztsiz **R.** nánítsis **O.** nótséés

2. to extinguish it; put it out (a fire or light).

F. dínées-tsis (díníił, yidínóoł, jidínóoł, díniil, dínóoł) (dínóol-)

I. nis-tséés (nít, yinit, jinit, niil, noł) (nil-) **P.** nét-tsiz (nínít, yinees, jinees, neel, nooł) (nees-) **R.** nánís-tsis (nánít, néinit, nízhnit, nániil, nánół) (nánil-) **O.** nós-tséés (nóół, yinół, jinół, nool nooł) (nól-)

3. to shake, shiver or quiver (from nervousness).

N. dinis-tsiz (diní, di, jidi, dinii, dinoh)

4. to tremble or shiver (from the cold).

This meaning is rendered by prepounding dah, up, to the forms given under no. 3. Thus, dah dinistsiz, I am shivering.

tsís'ná, bee; honey-bee.

tsís'ná bighan, beehive.

tsís'ná bijeeh, beeswax.

tsís'ná bitł'izh, honey.

tsís'nátsooí, wasp.

tsís'nátsoh, bumble-bee.

tsístíín, chronic.

tsitł'élí, match.

tsits'aa', wooden box.

tsits'aa' naadlo'í, suitcase.

tsits'aa' ntsaaígíí, trunk.

tso, to be large or big (in size).

N. 'ánís-tso ('ánínít, 'ánít, 'ázhnít, 'áníił, 'ánół) ('áhonít-, refers to space, place, area).

-tsoh, large; big. dinétsoh, big man.

tsoł, tsóód, tsood, tso', tsóód, to grasp.

1. to grasp it; to grab it; to take hold of it (an animate or an inanimate object).

F. yidees-tsoł (yidíít, yiidooł, yizhdooł, yidiil, yidooł) (bidi'dool-) **I.** yiis-tsóód (yiit, yiyiit, jiit, yiil, ghooł) (bi'diil-) **P.** yiit-tsood (yinit, yiyiit, jiit, yiil, ghooł) (bi'diil-) **R.** néis-tso' (néiit, náyiit, ńjiit, néiil, náooł) (nábi'diil-) **O.** ghoos-tsóód (ghóół, yooł, jooł, ghool, ghooł) (bi'dool-)

2. to arrest him; to take him into custody.

This meaning is rendered by prepounding bee haz'áanii bik'ehgo, in accord with the law, to the forms given under no. 1. Thus, bee haz'áanii bik'ehgo shi'diiltsood, I was arrested.

3. to feed him; to give him food; to share food with him.

F. ba'dees-tsoł (ba'díít, ya'dooł, bazh'dooł, ba'diil, ba'dooł) (ba'dool-) **I.** ba'nis-tsóód (ba'nít ya'ít, ba'jít, ba'niil, ba'noł) (ba'íl-) **P.** ba'nít-tsood (ba'íínít, ya'nít, bazh'nít, ba'niil, ba'nooł) (ba'íl-) **R.** baná'ás-tso' (baná'ít yaná'át, baná'jít, baná'iil, baná'ół) (baná'ál-) **O.** ba'ós-tsóód (ba'óół, ya'ół, ba'jół, ba'ool, ba'ooł) (ba'ól-)

4. to chew on it (by pulling at it; as a child on a tough piece of meat, etc.).

U. yis-tso' (nít, yit, jit, yiil, ghoł) łééchąą'í yázhí 'ats'id yiłtso', the puppy is chewing on a sinew.

tsos, tsóós (tsoos), tsooz, tsos, tsóós, to handle one flat flexible object, as cloth, paper, cured hide, inner tube, etc. For the derivational prefixes relating tc the handling of objects see 'ááł.

tsxaaz, tsááz, to be big (in the sense of having grown big) (a mountain may also be referred to as nitsxaaz).

1. to be big (in absolute sense)
N. nis-tsxaaz (ní, ni, jí, nii, noh)

2. to be big (in relative sense).
N. 'ánís-tsááz ('ánínít, 'áníł, 'ázhníł, 'ániil, 'ánół)

tsxis, tsxáás, tsxas, tsxis, tsxáás, to whip.

1. to strike him a blow with a whip; to hit him (once) with a whip).
F. ńdidees-tsxis (ńdidííł, néididooł, nízhdidooł, ńdidiil, ńdidooł) **I.** ńdiis-tsxáás (ńdiił, néidiił, nízhdiił, ńdiil, ńdooł) **P.** ńdííł-tsxas (ńdííníł, néidííł, nízhdííł, ńdiil, ńdooł) **R.** ní-nádiis-tsxis (nádiił, néidiił, názhdiił, nádiil, nádooł) **O.** ńdoos-tsxáás (ńdóół, néidooł, názhdooł, ńdool ńdooł)

2. to give him a whipping; to hit him (repeatedly) with a whip.
F. ńdínées-tsxis (ńdíníił, néidínóoł, nízhdínóoł, ńdíníil, ńdínóoł) (nábidí'nóol-) **C-I.** nánís-tsxis (náníł, néinił, názhníł, nániil, nánół) (nábidi'nil-) **P.** nánéł-tsxas (nániníł, néinees, názhnees, náneel, nánooł) (nábidi'nees-) **R.** ní-nánís-tsxis (náníł, néinił, názhníł, nániil, nánół) (nábidi'nil-) **O.** nános-tsxis (nánóół, néinół, názhnół, nánool, nánooł) (nábidi'nól-)

tsxo, tsxóóh, tsxoi, tsxoh, tsxóóh, to yellow.

F. to become yellow; to get yellow; to yellow.
F. yi-dees-tsxo (díí, doo, zhdoo, dii, dooh) **I.** yiis-tsxóóh (yini, yii, jii, yii, ghooh) **P.** yii-tsxoi (yini, yii, jii, yii, ghooh) **R.** néis-tsxoh (néini, néii, ńjii, néii, náooh) **O.** ghoos-tsxóóh (ghoó, ghoo, joo, ghoo, ghooh)

2. to be light yellow, or orange in color.
N. dinis-tsoh (diníl, dinil, dizhnil, diniil, dinoł)

3. to be yellow.
N. łinis-tso (łiní, łi, jil, łinii, łinoh) (hal- refers to place or area).

4. to make it yellow; to dye it yellow.
F. yidees-tsxo (yidííł, yidooł, jiidooł, yidiil, yidooł) (bidi'dool-) **I.** yiis-tsxóóh (yiił, yiyiił, jiił, yiil, ghooł) (bi'diil-) **P.** yiił-tsxoi (yinił, yiyiił, jiił, yiil, ghooł) (bi'diil-) **R.** néis-tsxoh (néiił, náyiił, ńjiił, néiil, náooł) (nábi'diil-) **O.** ghoos-tsxóóh (ghoół, yooł jooł, ghool, ghooł) (bi'dool-)

W

waa', beeweed.

wááshindoon, Washington, D C.; the federal government.

wááshindoondi 'atah bee haz'áanii 'ííł'ínígíí, congressman.

wááshindoondi bee haz'áanii 'ádeił'íinígíí, congress.
wááshindoondi sitíinii, President (of The United States).
wóláchíí', red ant.
wólázhiní, black ant.
wóna'ałtéhé, wasp.
wóóneeshch'įįdii, 17 year cicada
wóóshighishí, measuring worm.
wóósits'ílí. bedbug.

Y

yááh, what? (said when one does not hear or understand, and desires that the speaker repeat).
yaa', louse; tick; mite (biya').
yáázh, little; small.
yaateeł, sheepskin for bedding (biyaateeł).
yąął, yą́, yąąd, ---, yą́ą́', to be aware or alert.
1. to take care of it; to be aware of it; to be careful of it.
F. *baa 'áho-deesh-yąął (dííl, dool, zhdool, diil, dooł) (dool-) **C-I.** baa 'á-hásh-yą́ (hól, hál, hójíl, hwiil, hół) (hál-) **P.** baa 'á-hosis-yąąd (hosíníl, hoos, hojis, hosiil, hosooł) (hool-) **O.** baa 'á-hoosh-yą́ą́' (hóól, hóol, hojóol, hool, hooł) (hól-)
* baa becomes yaa in 3o.
yá, sky.
yadiizíní, tin can.
yádiłhił, the blue sky.
yah, inside (an enclosure, in the sense of motion toward the interior). kin góne' yah 'ííyá, I went inside the house.
yáhásin, embarrassment; bashfulness.
yah 'i'iiníiłii, policeman; sheriff.
ya', isn't it? now? n'est-ce pas. deesk'aaz ya', it is cold, isn't it? (ya' requires agreement with the preceding statement) ya'? shall I now? (as if one were holding a gun aimed at an object, and ask if he should shoot now or wait a moment longer).
yá 'ałníí', the zenith.
yá'át'ééh, good; well; advisable; (as a greeting) hello! (also as an emphatic greeting, yá'át'éhéi!)
yá'át'ééh náádleełii, convalescent (person).
yá'át'éehgo, well. yá'át'éehgo ná'áshdįįh łeh, I usually eat well.
yá'ąąsh, the heavens; celestial space; region beyond the sky.
ya'iishjááshchilí, June.
ya'iishjáástsoh, July.
ya'niilzhiin, Torreon, N. M.
yas, snow.
yas bił 'ahaniheeyolígíí, snowdrift.
yas niłt'ees, January.
yátashki', bastard.
yázhí, little; small.
yą́, to be wise (a stem which is probably related to są́, old age).
N. honisą́ (honíyą́, hóyą́, hojíyą́, honiidzą́, honohsą́)
yé'ii, the gods.
yé'iitsoh, giant.
yéigo, diligently; hard. yéigo naashnish, I am working hard. yéigo 'ánít'į́, try very hard!

yíchxǫ', spoiled; ruined.
yídéeltǫ', slippery (an object, as a bar of soap).
yiisíí', asleep (as one's limb).
yikaisdáhí, Milky Way.
yilch'ozh, boil; furuncle.
yíldzis, furrowed.
yilk'ooł, wavy.
yilk'oołígíí, wave; waviness.
yilzǫ́ǫ́', cured (hide).
yilzhólí, fluffy; soft.
yíłtseii, dried up; withered.
yisdábeegą́, owl's claw.
yisdah hóghéé', close; suffocating. kóne' yisdah hóghéé', it is close in here.
yishzhoh, damp.
yiskǫ́ǫgo, tomorrow. yiskǫ́ǫgo doo ndeeshnish da, I will not work tomorrow.
yiskǫ́ daamį́įgo, Saturday.
yisnááh, captive.
yistłeetł'óól, garter.
yistłé, stocking; socks (bistłee').
yishtłizh, brown (dist. pl. daashtłizh).
yizdlad, cracked; broken.
yízhí, name (bízhi').
yódí, valued possession.
yoł, yóód (yood), yood, yo', yóód, to drive a small group of 5-10 animals.

In the 1st person dpl, and in the passive, stem-initial y- is replaced by dz- Also, where stem initial y- is preceded by s, the stem-initial y- becomes s. This will be noted in most of the 1st person singular forms given below.

1. to drive them (5-10).
F. dínées-soł (díníí, yidínóo, jidínóo, díníi, dínóoh) (bididí'nóodzoł) **I.** dínís-sóód (díní, yidíní, jidíní, díníi, dínóh) (bididí'nídzóód) **Prog.** nees-soł (níí, yinoo, jinoo, nii, nooh) (bidi'noodzoł) **P.** díné-yood (díníní, yidínée, jidínée, dínée, dínóo) (bididí'néesdzood) **R.** ńdínís-so' (ńdíní, néidíní, nízhdíní, ńdíníi, ńdínóh) (nábidí'nídzo') **O.** dínós-sóód (dínóó, yidínó, jidínó, dínóo, dínóoh) (bididí'nódzóód)

2. to drive them about.
C-I. nanis-sood (naní, neini, nazhni, nanii, nanoh) (nabidi'nidzood).

yoł, yóół, yol, yoł, yóół, to blow.

1. to come up; to start to blow (a wind).
F. didooyoł **I.** diyóół **P.** deeyol **R.** ńdíyoł **O.** dóyóół

2. to be moving along (as a squall).
Prog. yiyoł

3. to blow; to arrive (with reference to the wind).
F. dooyoł **I.** yíyóół **P.** níyol **R.** náyoł **O.** ghóyóół

The perfective form, níyol, is used to translate the present tense, it is blowing, in English.

4. to stop blowing (lit. to move away out of sight); to go down (the wind).
F. 'adooyoł **I.** 'iiyóół **P.** 'íiyol **R.** 'anáyoł **O.** 'ooyóół

5. to take a breathe; to inhale.

F. 'adeesh-yoł ('adíí, 'adoo, 'azhdoo, 'adii', 'adooh) **I.** 'iish-yóół ('ani, 'ii, 'aji, 'ii', 'ooh) **P.** 'íí-yol ('ííní, 'íí, 'ajíí, 'ii', 'oo) **R.** 'anásh-yoł ('anání, 'aná, 'ańjí, 'anéii', 'anáh) **O.** 'oosh-yóół ('oó, 'oo, 'ajoo, 'oo', 'ooh)

6. to bloat up.

F. dínóolyoł **I.** niilyóól **P.** niilyool **R.** nániilyoł **O.** noolyóół

yóí, to be much or many.

1. to be many.

N. t'óó 'ahonii'-yóí ('ahonoh, 'aha, 'ahojí)

2. to increase in number or quantity; to become many.

P. t'óó 'ahonii'-yóí ('ahonooh, 'ahóó, 'ahojíí)

3. to excel; to be good at.

N. honish-yóí (honí, ha, hojí, honii', honoh) t'áá hayóí dinishgho', I am a good runner.

4. to become stricken with fright; terror stricken.

This meaning is rendered by prepounding t'óó -ił, merely with (one), to the forms given under no. 2. Thus, bił yah 'ííyáá ńt'ę́ę́' t'óó bił 'adahóóyóí, they (dist. pl) were terror stricken when I came in on them.

yooch'ííd, lie; falsehood.

yóó', away (into invisibility). yóó' 'ahíłhan, throw it away! yóó' 'ííyá, I went away; I got lost.

yoo', beads; necklace.

yoo' bee bigháda'a'nilí, bowdrill for perforating beads.

yoo' diits'a'í, bell.

yoo' niłchíní, button.

yoo'niłchíní bá bigháhoodzánígíí, button hole.

yoo' nímazí, (silver) bead.

yoostsah, (finger) ring.

yoostsah bináá', ring set.

yootó, Santa Fé, N. M.

yówehédi, farther on; beyond. yówehédi hádíní'įį', look for it beyond there (farther on).

Z

Stem-initial z- usually becomes s- when it is preceded by s, or h, as in the1st person sgl, and the 2nd person dpl. Verbs with zero classifier change the stem initial z- to dz-, in the 1st person of the dpl, and in the passive. In the ensuing paradigms, d- is added in the forms wherein dz- replaces z-, as a reminder of this alteration of the stem-initial.

zą́ął, zą́, zą́ą́', zą́ą́h, zą́ą́', to wife-beat.

1. to beat one's wife.

F. 'iidees-sąął ('iidíí, 'iidoo, 'iizhdoo, 'iidiid, 'iidooh) **C-I.** 'iissą́ ('ayí, 'ii, 'ajii, 'iid, 'ayoh) **P.** 'ayíí-zą́ą́' ('ayíní, 'ayíí, 'ajíí, 'ayiid, 'ayoo) **R.** ná'iis-są́ą́h (ná'ayí, ná'ii, ná'ajii, ná'ayiid, ná'ayoh) **O.** 'ayós-są́ą́' ('aghóó, 'ayó, 'ajó, 'ayoo, 'ayooh)

tł'ééd ą́ą́' 'ayíízą́ą́', I beat my wife last night. (This verb gives rise to the common personal name 'iizáanii, wife-beater.)

zah, zééh, za', zah, zééh, to

belch (probably related to the noun -zéé', mouth).

1. to belch; to "burp."

F. didees-sah (didíí, didoo, jididoo, didiid, didooh) **I.** dis-sééh (dí, di, jidi, diid, doh) **P.** dé-za' (díní, dee, jidee, deed, disoo) **R.** ńdís-sah (ńdí, ńdí, nízhdí, ńdiid, ńdóh) **O.** dós-sééh (dóó, dó, jidó, dood, dooh)

zahalánii, mocking bird.

zéédéełdoii, neckerchief.

zéédèełtsooz, neckerchief.

zéédéet'i'í, necktie.

zéé'iilgho'ii, foxtail grass.

zééł, zééh, zą́, zééh, zééh, to move as a large crowd.

1. to start moving along (as a crowd or an army).

F. ńdidoozééł **I.** ńdiizééh **P.** ńdiizą́ **R.** nínádiizééh **O.** ńdoozééh

2. to be moving along; to be progressing (as an army); to be on the move.

Prog. yizééł

3. to invade it (lit. to move into it).

This meaning is rendered by prepounding biih (or yiih), into it, to the following verbs (the meaning being that a large group of people moves into (a country).

F. doozééł **I.** yizééh **P.** yízą́ **R.** názééh **O.** ghózééh

Hitler bisiláago kéyah France gholghéhígíí yiih yízą́, Hitler's soldiers (army) invaded the country called France.

4. to move as far as a point (and then stop); to move up to.

F. ndoozééł **I.** niizééh **P.** nínízą́ **R.** ninázééh **O.** noozééh

5. to move into (an enclosure with prepounded yah); to move away out of sight (with prepounded yóó').

F. 'adoozééł **I.** 'iizééh **P.** 'íízą́ **R.** 'anázééh **O.** 'oozééh

6. to bypass it; make a detour around it; to move around it (as an army, in bypassing an obstruction).

F. yik'ee 'ąą 'ahéédoozééł **I.** yik'ee 'ąą 'ahénáázééh **Prog.** yik'ee 'ąą yizééł **P.** yik'ee 'ąą 'ahéénízą́ **R.** yik'ee 'ąą 'ahénínáázééh

zéénázt'i'í, necktie.

zénázt'i'í, shirt collar.

zéí, zéí, zéí, zéí, zéí, to crumble (Cp. séí, sand).

1. to crumble.

F. didoozéí **I.** dizéí **P.** díízéí **R.** ńdízéí **O.** dózéí

tsé 'ałtso díízéí, the rock all crumbled away.

zhah, zheeh, zhéé', zhah, zheeh, to spit.

1. to spit; to expectorate.

F. 'adideesh-shah ('adidíí, 'adidoo, 'azhdidoo, 'adidii, 'adidooh) **I.** 'adish-sheeh ('adí, 'adi, 'azhdi, 'adii, 'adoh) **P.** 'adíí-zhéé' ('adíínı́, 'adíí, 'azhdíí, 'adii, 'adooh) **R.** 'ańdísh-shah ('ańdí, 'ańdí, 'anízhdí, 'ańdii, 'ańdóh) **O.** 'a-dósh-sheeh ('adóó, 'adó, 'azhdó 'adoo, 'adooh)

2. to spit; to be spitting.

U. dish-shah (dí, di, jidi, dii, doh)

zhah, zheeh, zhee', zhah, zheeh, to hunt (game).

1. to hunt; to go hunting (for game).

F. ndeesh-zhah (ndíil, ndool, ni-zhdool, ndiil, ndooł) **C-I.** naash-zheeh (nanil, naal, njil, neiil, naał) **P.** nishésh-zhee' (nishí-níl, naash, njish, nishiil, nishooł) **R.** ni-násh-zhah (nánil, nál, ná-jíl, néiil, nááł) **O.** na-oosh-zheeh (óól, ool, jól, ool, ooł)

2. to hunt it; to go after it (referring to game).

F. ha-deesh-zhah (díil, dool, zh-dool, diil, dooł) (bidi'dool-) **C-I** haash-zheeh (hanil, haal, hajil, haiil, haoł) (habi'dil-) **P.** ha-shésh-zhee' (hashíníl, haash hajish, hashiil, hashooł) (habi'-dish-) **R.** ha-násh-zhah (nánil, nál, nájíl, néiil, nááł) (nábi'dil-) **O.** ha-oosh-zheeh (óól, ool, jól, ool, ooł) (bi'dól-)

zhah, zhééh, zhee', zhah, zhééh, to coil; to bend.

1. to coil up (as a snake).

F. náhidínóolzhah **I.** náhinil-zhééh **Prog.** náhinoolzhah **P.** náhineeshzhee' **R.** nínáhinil zhah **O.** náhinólzhééh

2. to be bent (horseshoe like).

N. názhah

zhash, —, zhaazh, zhash, zháásh, to erode; wear away.

1. to erode; to wear away.

F. didoozhash **Prog.** yizhash **P.** ninízhaazh **R.** ninázhash **O.** noozháásh

zhish, zhééh, zhéé', zhih, zhééh, to mow (V. shih).

1. to shave oneself.

F. 'ádi-deesh-zhih (díil, dool, zh-dool, diil, dooł) **C-I.** 'á-dísh-zhééh (díl, díl, zhdíl, diil, dółł) **P.** 'a-deesh-zhéé' (díiníl, dool, zh-dool, diil, dooł) **R.** 'á-ńdísh-zhih (ńdíl, ńdíl, nízhdíl, ńdiil, ńdółł) **O.** 'á-dósh-zhééh (dóól dól, zhdól, dool, dooł)

2. to be shaved.

These passive forms are given for the 3rd person sgl.

F. bidi'doolzhih **C-I.** bi'dilzhééh **P.** bi'doolzhéé' **R.** nábi'dilzhih **O.** bi'dólzhééh

zhiił, zhíh, zhi', jiih, zhiih, to name.

1. to call him by his name; to name him.

F. yídéesh-shiił (yídíí, yídóo, yí-zhdóo, yídíi, yídóoh) (bidí'dóo-jiił) **I.** yínísh-shíh (yíní, yó, jó, yíníi, yínóh) (bi'dójíh) **P.** yí-zhi' (yíní, yiyíí, jíí, yíi, ghóo) (bi'déé-ji') **R.** néínísh-jiih (néíní, náyó, ńjó, néíníi, néínóh) (nábí'dójiih) **O.** ghósh-shiih (ghóó, yó, jó, ghóo, ghóoh) (bi'dójiih)

2. to name them off; call off their names.

F. *bitaa-'íídéesh-shiił ('íídíí, 'íí-dóo, 'íízhdóo, 'íídíi, 'íídóoh) ('íídóojiił) **I.** bitaa-'íínísh-shíh ('íí-ní, 'óó, 'jó, 'ííníi, 'íínóh) ('ójíh) **P.** bitaa-'íí-zhi' ('ííní, 'íídée, 'íí-zhdée, 'íídée, 'íídóo) ('ééji') **R.** bitah ń'dísh-shiih (ń'dí, ń'dí, ní-zh'dí, ń'dii, ń'dóh) (ń'díjiih) **O.** bitaa-'ósh-shi' ('óó, 'ó, 'jó, 'oo, 'ooh) ('óji')

ch'il bitaa'íízhi', I called off the names of various plants.

*bi- becomes yi- in 3o.

zhish, zhíísh (zhish), zhiizh, zhish, zhíísh (zhish), to move (in a definite rhythm or order, as the celestial bodies, dancers, etc.

1. to dance.

F. 'a-deesh-zhish (díil, dool, zh-dool, diil, dooł) **C-I.** 'ash-zhish ('íl, 'al, 'ajil, 'iil, 'oł) **P.** 'eesh-zhiizh ('íínil, 'ool, 'ajool, iil, ooł) **R.** ná-'ásh-zhish ('íl, 'ál, 'jíl, 'iil, 'ół) **O.** 'ósh-zhish ('óól, 'ól, 'ajól, 'ool, 'ooł)

nił 'adeeshzhish, I'll dance with you.

2. to start to become; to begin (an era).

Apparently, in the following forms having to do with the passage of time, both the impersonal pronoun subject (ho-) and the verb stem refer to the movements of celestial bodies, in accord with which time is measured.

F. hodidoolzhish **I.** hodilzhíísh **P.** hodeeshzhiizh **R.** náhodilzhish **O.** hodólzhíísh

These forms likewise are used to translate the idea of "to start, commence, initiate," in such a sense as, jeeh dígházii nínádeinííłt'į́ihgo hodidoolzhish, they (dist. pl) will start to raise, or initiate the raising of, rubber; ---- hodilzhíísh, they are commencing etc.; --- hodeeshzhiizh, they commenced, etc. k'ad kodóó deesk'aazgo hodidoolzhish, from now on the weather will (start to) be cold. kin 'ałtso 'ádeeshłííł ch'ééh nisingo t'óó bił náás hodeeshzhiizh, I want to finish building the house, but I keep putting it off.

3. to be passing (time, or an era).

Prog. hoolzhish

k'ad deesk'aazgo hoolzhish, it is cold now; a cold period is in progress now. jooł bee ndaiinéhígíí 'ałníí'góó hoolzhish, the ball game is half over now.

4. to become; to be (an era).

F. hodoolzhish **I.** hoolzhíísh **P.** hoolzhiizh (or nahashzhiizh) **R** náhálzhish **O.** hólzhíísh

naabeehó ndaabaahgo nahashzhiizh, there was an era during which the Navaho were raiders.

deesk'aazgo hoolzhiizh, it has been cold (there was an era of cold weather).

5. to end (an era); to stop (being).

F. nihodoolzhish **I.** nihalzhíísh **P.** nihoolzhiizh **R.** nináhálzhish **O.** nihólzhíísh 'ashdla' nááhaiídą́ą́' naabeehé bidibé daalą'ígo nihoolzhiizh, the period during which the Navaho had many sheep ended five years ago.

6. to completely pass (an era or a period of time).

The adverb yóó', away into invisibility, may also be prepounded to these forms, giving the meaning of "to pass on" (with reference to a period of time.

F. 'ahodoolzhish **I.** 'ahalzhíísh **P.** 'ahoolzhiizh **R.** 'anáhálzhish **O.** 'ahólzhíísh

k'ad kodóó deesk'aazgo 'ahodoolzhish, from now on it will be cold (a period of cold weather will continue for an indefinite period of time, but to completion, or literally, until it has moved on out of sight).

dąągo t'áá níyolgo 'ahodoolzhish, there will be a continuous wind in the spring.

'anaa' baa na'aldeehgo haashį́į́ nízáádgóó 'ahodoolzhish, who can tell how long the war will go on (lit. war being carried on how probably far --- i.e. for an unknown length of time --- it will go on).

'aak'eego 'ayóo ndahałtingo 'anáhálzhish, there is always (repeatedly) a rainy period in the fall.

t'áadoo hodina'í deesk'aaz bił yóó' 'ahodoolzhish, soon the cold weather will be over (soon impersonal it, the time measuring bodies, will move away into invisibility with the cold weather).

7. to become, be, one's turn.

This meaning is rendered by prepounding -aa, to (one), to the forms given under no. 4. Thus, shaa hodoolzhish, it will be my turn; shikéédę́ę́' naa hodoolzhish, it will be your turn after me; k'ad nihaa hoolzhiizh, it is our turn now, etc.

8. to take (time); to be (time).

This meaning is rendered by the forms given under no. 5. Thus, haa nízah nihodoolzhish, how long will it take? (or how long will it be?)

zhoh, zhóóh, zhóó', zhoh, zhóóh, to brush (V. shoh).

1. to brush oneself; to brush one's hair.

F. 'ádi-deesh-zhoh (dííl, dool zhdool, diil, dooł) **C-I.** 'á-dísh-zhóóh (díl, díl, zhdíl, diil, dółl) **P.** 'á-deesh-zhóó' (dííníl, dool, zhdool, diil, dooł) **R.** 'á-ńdísh-zhoh (ńdíl, ńdíl, nízhdíl, ńdiil, ńdół) **O.** 'á-dósh-zhóóh (dóól dói, zhdól, dool, dooł)

zhoł, zhood, zhóód, zho', zhood, to move in a dragging manner (V shoł).

1. to clear off (the weather) (lit. they, the clouds, drag or move away into invisibility).

F. yóó' 'ahodoolzhoł **I.** yóó' 'ahałzhood **P.** yóó' 'ahoolzhóód

R. yóó' 'anáhálzho' **O.** yóó' 'ahólzhood

2. to clear off again (lit. to drag or move back away into invisibility).

F. yóó' 'anáhodoolzhoł **I.** yóó' 'anáhálzhood **P.** yóó' 'anáhoolzhóód **R.** yóó' 'anínáhálzho' **O.** yóó' 'anáhólzhood

3. to sail; to move in a dragging manner (as the clouds).

F. doolzhoł **Prog.** yilzhoł **P.** yílzhóód **R.** nálzho' **O.** ghólzhood

4. to drizzle (a very little).

F. ndi'doozhoł **C-I** n'dizhoł **P.** n'díízhoł **R.** niná'dízhoł **O.** n'dózhoł

zhóní, to be pretty; beautiful; nice; clean.

N. nish-zhóní (ní, ni, jí, nii, noh) (hó-, refers to space, place, area)

zhosh, ---, zhoozh, zhosh, zhóósh to place slender objects in parallel position (V. shosh).

1. to extend one's legs; to put the legs straight out.

F. k'í-dideesh-zhosh (didííl, didool, zhdidool, didiil, didooł) **P.** k'í-désh-zhoozh (díníl, déesh zhdéesh, déel, dínóoł) **R.** k'í-ńdísh-zhosh (ńdíl, ńdíl, nízhdíl ńdiil, ńdół) **O.** k'í-dósh-zhóósh (dóól, dól, zhdól, dool, dooł)

nédá dóó k'ídéshzhoozh, I sat down and stuck my legs straight out.

2. to have the legs extended.

N. k'í-dínísh-zhoozh (díníl déesh, zhdéesh, díníil, dínół)

k'ídíníshzhoozhgo sédá, I am sitting with my legs extended; or with my legs straight out.

zhǫǫł, zhǫ́, zhǫǫd, jǫh, zhǫh, to become beautiful (V. shǫǫł and zhóní).

1. to become or be happy.

This meaning is rendered by prepounding -ił, with (one), tc the following verb forms. It is conjugated for person by altering the pronoun prefix on the postposition -ił. Thus, shił hózhǫ́, I am happy; nił hózhǫ́, you are happy, etc. It is herewith given for the 1st person sgl.

To be happy about it is rendered by prepounding baa (yaa in 3o.), about it, to -ił. Thus, baa shił hózhǫ́, I am happy about it.

F. shił hodoozhǫǫł **N.** shił hózhǫ́ **P.** shił hóózhǫǫd **R.** shił náhoojǫh **O.** shił hózhǫh

zih, zééh, zee' (zéé'), zih, zééh, to be calm, motionless.

1. to become calm; quiet; still; tranquil; motionless.

F. 'áho-didees-zih (didííl, didool, zhdidool, didiil, didooł) **I.** 'áho-diis-zééh (diil, diil, zhdiil, diil dooł) **P.** 'áho-diis-zee' (dinil, diil, zhdiil, diil, dooł) **R.** 'ánáho-diis-zih (diil, diil, zhdiil, diil, dooł) **O.** 'áho-doos-zééh (doól, dool, zhdool, dool, dooł)

2. to be calm; tranquil; still; motionless.

N. 'áho-díínís-zéé' (dííníl, dées, zhdées, dííníil, díínół)

ził, zíid, zid, zi', zíid, to month.

1. to pass or go by (lit. to re-pass, since there have been other months before).

F. ńdidooził I. ńdízíid P. ńdee-zid R. nínádízi' O. ńdózíid

2. to pass one after the other (months passing in succession).

F. náhididooził I. náhidizíid P. náhideezid R. nínáhidizi' O. náhidózíid

3. to spend the month.

This meaning is rendered by prepounding -ee, with (one), tc the forms given under no. 1. Thus, shee ńdidooził, I'll spend the month; nee ńdeezid, you spent the month.

4. to be careful with it; to handle it with care.

N. (S-P). *baa sé-zid (síní, yiz, jiz, siid, soo) jóhonaa'éí baa sézidgo hanásh'ááh, I take out my watch carefully.

* baa becomes yaa in 3o.

ził, zíid, ziid, dzi', zíid, to rake.

1. to rake them together (as leaves, trash, etc.).

F. 'aha-ndees-sił (ndíí, niidoo nizhdoo, ndiid, ndooh) (nibidi'-dood-) I. 'aha-ninis-síid (niní niyí, njí, niniid, ninoh) (nibi'-deed-) P. 'aha-niní-ziid (nííní niiní, nizhní, niniid, ninoo) (ni-bi'deed-) R. 'ahani-nás-dzi' (náni, néí, nájí, néii, náh) (ná-bi'di-) O. 'aha-noos-síid (noó, niyó, nijó, nood, nooh) (nibi'-dód-)

2. to cover it (by raking sand, leaves, snow, etc. on it).

F. *bik'ii-dees-sił (díí, doo, zh-doo, diid, dooh) (bik'ihwiidood-) I. bi-k'iis-síid (k'ii, k'iyii, k'ijii, k'ii, k'ioh) (k'ihood-) P. bi-k'ii-ziid (k'iini, k'iyii, k'ijii, k'ii, k'i-oo) (k'ihood-) R. bik'i-néis-dzi' (néii, náyii, ńjii, néii, náooh) (ná-hood-) O. bik'i-oos-síid (óó, yoo, joo, oo, ooh) (hood-)

*bi- becomes yi- in 3o.

3. to pour it.

F. yeidees-sił (yeidíí, yeidoo, yei-zhdoo, yeidiid, yeidooh) (yabi-di'dood-) I. yaas-síid (yaa, ya-yii, yajii, yeiid, yaoh) (yabi'diid-) P. yaa-ziid (yeini, yayii, yajii, ye-ii, yaoo) (yabi'diid-) R. yanáas-dzi' (yanáa, yanáyii, yańjii, ya-néii, yanáh) (yanábi'diid-) O. yaoos-síid (yaóó, yayoo, yajoo, yaood, yaooh) (yabi'dood-)

'ásaa' bighi'ji' tó yaaziid, I poured water into the dish.

4. to grope one's way.

F. ho-dees-sił (díí, doo, zhdoo, diid, dooh) **Prog.** hwees-sił (hóó, hoo, hojoo, hwiid, hoh) P. honí-ziid (hwííní, honí, hozh-ní, honiid, honoo) R. ná-hás-si' (hí, há, hojí, hwiid, hóh) O. hós-síid (hóó, hó, hojó, hwood, hooh)

chahałheełgo biniinaa hwees-siłgo ch'íníyá, I groped my way out on account of the darkness.

5. to grope for it; to feel around for it.

F. haho-dees-sił (díí, doo, zhdoo, diid, dooh) **C-I.** ha-has-siid (hó, ha, hoji, hwiid, hoh) **P.** ha-hosé-ziid (hosíní, ha, hoji, hosiid, hosoo) **R.** haná-hás-si' (hó, há, hoji, hwiid, hóh) **O.** ha-hós-siid (hóó, hó, hojó, hood, hooh)

siza'azis góne' béeso hahassiid, I am groping in my pocket for money. tł'éédą́ą́' shibee'eldǫǫh ch'ééh hahoséziid, last night I groped in vain for my gun.

zįįł, zįįh (zin), zį́į́' (zįįd), zįįh (dzįįh), zį́į́', to want; to know; to think or be of an opinion. (V. sįįł).

1. to want it; to desire it.

F. dínées-sįįł (díníí, yidínóo, jidínóo, díníid, dínóoh) (bididí'nóod-) **I.** niis-sįįh (nii, yinii, jinii, niid, noh) (bidi'niid-) **N.** ni(s)-sin (níní, yiní, jiní, niid, noh) (bidi'ni-) **P.** nii-zį́į́' (nini, yinii, jinii, niid, noo) (bidi'niid-) **R.** náníis-dzįįh (nánii, néinii, názhnii, nánii, nánooh) (nábidi'nii-)

2. to think; to be of the opinion; to become sleepy (with prepounded bił, sleepiness); to feel like laughing (with prepounded dloh, laughter).

F. dínées-sįįł (díníí, dínóo, jidínóo, díníid, dínóoh) (hodínóod-) **I.** niis-sįįh (nii, nii, jinii, niid, nooh) (honiid-) **N.** ni(s)-sin (níní, ní, jiní, niid, noh) (hwiinid-) **P.** nii-zį́į́' (nini, nii, jinii, niid, noo) (hwiiniid-) **R.** ná-níis-dzįįh (nii, nii, zhnii, nii, nooh) (honiid-) nahodoołtį́į́ł sha'shin nisin, I think maybe it will rain. bił niizį́į́', I became sleepy. bił nisin, I am sleepy. dloh nisin, I feel like laughing.

3. to have no appetite (lit. to not want anything).

N. doo 'a-ni(s)-sin da (níní, ní, zhní, niid, noh)

4. to mean.

dishní nisin, I say I want (I want to say), renders the idea "to mean." Thus, tł'éédą́ą́' deesk'aaz --- deesdoi dishní nisin, it was cold --- I mean hot last night.

5. to hold it in reserve; to be economical with it.

This meaning is rendered by prepounding t'áá bąąh hą́ąh (yąąh in 3o.), to the forms given under no. 2. Thus, t'áá yąąh hą́ąh nízin, he is holding it in reserve; economizing on it.

6. to be shy; bashful; ashamed.

This meaning is rendered by prepounding yá, shame, shyness to the forms given under no. 2. Thus, yá nísin, I am bashful (note that yá raises the tone of the syllable ni- to ní-.) To be ashamed of it, bashful toward it, is rendered by prepounding baa (yaa in 3o.), toward it, as in baa yá nísin, I am ashamed of it; or I am bashful about it.

7. to be jealous (of him, her.)

This meaning is rendered by prepounding łe', jealousy, or baa łe' (yaa in 3o.), jealousy about him, her, to the forms of no. 2. Thus, łe' nisin, I am jealous; baa łe' nisin, I am jealous of him.

8. to be interesting or attractive to one.

N. t'óó *baa ná-ni(s)-sin (níní, ní, zhní, niid, nóh)

t'óó baa nánisin, it is interesing to me. ha'át'íí lá baa náhasin, what is so interesting? ha'át'íí lá baa náhóósįįd, what became so interesting?

9. to keep oneself in readiness; to be always prepared.

N. hasht'e' 'ádííníś-zin ('ádííníl, 'ádól, 'ázhdól, 'ádíníil, 'ádíínół)

t'áá 'áłaji' hasht'e' 'ádííníszin, I am always ready.

10. to maintain oneself; to keep from.

N. 'ádíí'nís-zin ('ádíí'níl, 'á'dól, 'ázh'dól, 'ádíí'níil, 'ádíí'nół)

doo shidi'yoolghééłgóó 'ádíí'níszin, I keep from getting killed.

11. to pray.

F. so-didees-zįįł (didííl, didool, zhdidool, didiil, didooł) *(hodidoo-) **C-I.** so-dis-zin (díl, dil, zhdil, diil, doł) (hodi-) **P.** so-deeszin (dííníl, dool, zhdool, diil, dooł) (hodoo-) **R.** so-ńdís-zįįh (ńdíl, ńdíl, nízhdíl, ńdiil, ńdół) (náhodi-) **O.** so-dós-zin (dóól, dól, zhdól, dool, dół) (hodó-)

*These forms have impersonal ho-, ha-, as the pronoun subject. Thus, sohodidoozįįł, there will be prayer (praying).

12. to become, be, famous.

This verb is herewith given for the 3rd person. Other persons of the verb are obtained by altering the pronoun prefix on the postpositional -éé. Thus, bééhó'dilzin, it is famous; shééhó'dilzin, I am famous, etc.

F. bééhodi'doolzįįł **N.** bééhó'dilzin **P.** béého'doolzįįd **R** béénáho'dilzįįh **O.** béého'dool zį́į́'

13. to find out; to ascertain; to know it or about it.

In the following verb the impersonal ho- is the subject. Thus hózin, there is knowledge; hodoozįįł, there will be knowledge, etc. It is herewith given for the first person sgl only, the other persons being rendered by altering the pronoun prefix on the pos tposition -ił. Thus, shił bééhózin, I know it (lit. there is knowledge concerning it with me) ; nił bééhoozin, you found out (lit. knowledge concerning it came into existence with you).

F. shił bééhodoozįįł **I.** shił bééhoozįįh **P.** shił bééhoozin **R.** shił béénáhoodzįįh **O.** shił bééhoozį́į́' t'áá 'át'éegi ná shił béédoo-zįįł, I'll find out about it for you. doo shił bééhózin da, I do not know about it.

14. to become aware of it; to be aware of it (in the neuter).

F. *baa 'áho-dínées-sįįł (dínííí, dínóo, zhdínóo, díníid, dínóoh) **N.** baa 'áho-ni-sin (níní, ní, zhní, niid, noh) **P.** baa 'áho-nii-zįį' (nini, nii, zhnii, niid, noo) **R.** baa 'ánáho-niis-dzįįh (nii, nii, zhnii, niid, nooh) **O.** baa 'áho-noos-sįįh (noó, noo, zhnoo, nood, nooh). 'adą́ą́dą́ą́' t'áadoo nishí-nílnishígíí baa 'áhonisin, I am aware of the fact that you didn't work yesterday.

*baa becomes yaa in 3o.

15. to be unaware of it.

N. t'áadoo *baa 'áho-ni(s)-siní (níní, ní, zhní, niid, noh)

*baa becomes yaa in 3o.

16. to cease; discontinue.

F. 'áádoolzįįł **I.** 'ánálzįįh **P.** 'á-nászįįd **R.** 'ánínálzįįh **O.** 'áná-olzįį'.

zįįł, zįįh, zį' (zį́), dzįįh, zįįh, to stand.

1. to stand up.

F. yi-dees-sįįł (díí, doo, zhdoo, diid, dooh) **I.** yiis-sįįh (yii, yii, jii, yiid, ghooh) **P.** yii-zį' (yii, yii, jii, yiid, ghoo) **R.** néis-dzįįh (néii, néii, ńjii, néii, náooh) **O.** ghoos-sįįh (ghoó, ghoo, joo ghood, ghooh)

2. to be standing; to be in an erect position.

N. (S-P.) sé-zį (síní, si, ji, siid, sǫo)

zis, zis, zas (zaaz), zas, zas, to gird.

1. to put on one's belt; to gird oneself.

F. 'áká-dees-zis (díí l, dool, zh-dool, diil, dooł) (bidi'dool-) **I.** 'ákás-zis ('ákáníl, 'ákál, 'áká-jíl, 'ákáiil, 'ákáoł) ('ákábi'dil-) **P.** 'ákásís-zas ('ákásíníl, 'ákás, 'ákájís, 'ákásiil, 'ákásooł) ('á-kábi'dis-) **R.** 'áká-nás-zas (ná-níl, nál, ńjíl, néiil, nááł) (nábi'-dil-) **O.** 'áká-oos-zas (óól, ool, jól, ool, ooł) (bi'dól-)

2. to have one's belt on.

N. 'ákásís-zaaz ('ákásíníl, 'áká 'ákájí, 'ákásiil, 'ákásooł)

zis, zéés, zeez, dis, zéés, to singe

This verb is highly irregular in the 1st person dpl, and in the passive, where the stem becomes dis, déés, deez, dis, déés.

F. dees-sis (díí, yidoo, jidoo, dii, dooh) (bidi'doodis) **I.** yis-sééś (ni, yi, ji, yii, ghoh) (bi'didéés) **P.** yí-zeez (yíní, yiyíí, jíí, yii, ghoo) (bi'doodééz **R.** nás-dis (náni, néí, ńjí, néii, náh) (nábi'-di-) **O.** ghós-séés (ghóó, yó, jó, ghoo, ghooh) (bi'dó-)

zo, zo, zo, dzo, zo, to mark.

1. to make a mark.

F. 'a-dees-so (díí, doo, zhdoo, diid, dooh) **I.** 'iis-so ('ii, 'ii, 'ajii, 'iid, 'oh) **Prog.** 'ees-so ('íí, 'oo, 'ajoo, 'iid, 'ooh) **P.** 'asé-zo ('así-ní, 'a, 'aji, 'asiid, 'asoo) **R.** ná'-

iis-dzo (ná'ii, ná'ii, ń'jii, ná'ii, ná'óh) **O.** 'oos-so ('óó, 'ó, 'ajó, 'ood, 'ooh)

2. to mark it; to scratch it (a match).

F. dees-soh (díí, yidoo, jidoo, diid dooh) (bidi'dood-) **I.** yiis-soh (yii, yiyii, jii, yiid, ghooh) (bi'-diid-) **P.** sé-zoh (síní, yiiz, jiiz, siid, soo) (bi'disd-) **R.** néis-dzoh (néii, náyii, ńjii, néiid, náooh) (nábi'dii-) **O.** ghos-soh (ghóó yó, jó, ghood, ghooh) (bi'dód-)

tsitł'ééłí sézoh, I struck a match.

zoh, zóóh, zo', zoh, zóóh, to spit.

1. to spit it out.

F. ha-didees-soh (didíí, ididoo zhdidoo, didiid, didooh) **I.** ha-dis-sóóh (dí, idi, zhdi, diid, doh) **P.** ha-díí-zo' (dííní, idíí, zhdíí, diid, dooh) **P.** ha-ńdís-soh (ńdí, néidi, nízhdí, ńdiid, ńdóh) **O.** ha-dós-sóóh (dóó, idó, zhdó, dood, dooh)

zǫ́ǫ́s, zǫ́ǫ́s, zǫ́ǫ́z, dǫ́ǫ́s, zǫ́ǫ́s, to rip.

This verb, like zis, is highly irregular in the 1st person dpl, and in the passive, where stem-initial z becomes d.

1. to rip it; to tear it (roughly).

F. 'adees-sǫ́ǫ́s ('adíí, 'iidoo, 'azhdoo, 'adii, 'adooh) ('abidi'doodǫ́ǫ́s) **I.** 'iis-sǫ́ǫ́s ('ani, 'ii, 'aji, 'ii, 'ooh) ('abi'didǫ́ǫ́s) **Prog.** yis-sǫ́ǫ́s (yí, yoo, joo, yii, ghoh) (bi'doodǫ́ǫ́s) **P.** 'íí-zǫ́ǫ́z ('ííní 'ayíí, 'ajíí, 'ii, 'oo) ('abi'doodǫ́ǫ́z) **R.** 'anás-dǫ́ǫ́s ('anání, 'anéí, 'ańjí, 'anéii, 'anáh) ('anábi'didǫ́ǫ́s) **O.** 'oos-sǫ́ǫ́s ('óó, 'ayó, 'ajó, 'oo, 'ooh) ('abi'dódǫ́ǫ́s)

2. to turn it inside out (as a shirt).

F. ńdees-sǫ́ǫ́s (ńdíí, néidoo, nízhdoo, ńdii, ńdooh) (nábidi'doodǫ́ǫ́s) **I.** nás-sǫ́ǫ́s (nání, néí, ńjí, néii, náh) (nábi'didǫ́ǫ́s) **P.** nísé-zǫ́ǫ́z (nísíní, néí, níjí, nísii, nísoo) **R.** ní-nás-dǫ́ǫ́s (nání, néí, nájí, néii, náh) (nábi'didǫ́ǫ́s) **O.** náos-sǫ́ǫ́s (náóó, náyó, ńjó, náoo, náooh) (nábi'dódǫ́ǫ́s)

she'éétsoh nísézǫ́ǫ́z, I turned my coat inside out.

UNCLASSIFIED

The following words, largely interjections and other similar expressions were not entered in the main body of the dictionary. A list of words of similar type, namely the onomatopoetic, were given under the verb stem ts'į́įł (10).

'ąą', well! (anticipation, as when a person approaches one as though to speak, but says nothing).

'ahááláane', poor! woe! (as in 'ahááláane' shicheii, poor grandpa! --- showing that one is sorry for, or sympathetic with "grandpa" who is sick, or otherwise in trouble. 'ahááláane' is also used as an exclamation when intimates are reunited after long separation).

'ahéhee', thank you.

'akóh, excuse me!

'akóóh, get out of the way! make way!

'akóóh, look out! (warning).

'akóó nílááhdi naních'įįdii, go on, scram! get the heck away from here!

'áłtsé t'áá 'ákǫǫ naniná, stick around!

'ayá, ouch!

béhé! béhé, (to call a sheep).

béii'! béii', hyah! hyah! (to call a dog).

bich'į' dah diilgheed, sic 'em!

ch'įįdiitahgóó, damn!

da' t'áá 'aaníí, no kidding! is that a fact!? (incredulity).

doo 'áhályání, you blockhead!

dooládó'da, golly! oh boy! (as when one sees something beautiful).

dooládó' doodada or **dooládó' 'ayóí da lá,** oh dear! (mild displeasure).

dooda shįį, no! (as when one expresses incredulity and surprise)

doo shaa náhát'įį da, I'm not supposed to be bothered.

'éí lá t'áá 'éí ni, that's the stuff! now you're in the groove!

'éii, oh! (suffering).

ge', silence! hush!

ghóshdę́ę́'! ghóshdę́ę́', here! here! (as in calling to another player to throw the ball to one).

gídí! gídí, kitty! kitty!

haalá 'áhánééh, well! well! well! (mild and pleasant surprise, as in meeting an old friend).

haalá 'áhánééh, what the ---!

haalá 'áhoodzaa, wake up! (as when one is not paying attention).

haalá 'ánínééh, what's the matter with you?! (as one would say to a child who spilled its milk)

hágoshįį, go ahead! ok!

hágoshįį bééhodoozįįł, we'll see! (disbelief, or acceptance of a challenge).

hazhó'ógo, be careful! (as when one cautions a hunter about to start on a hunting trip).

heeh, oh ho! (as when one catches a thief in the act).

héí, hey! (as in shouting to attract a person's attention).

héii or **heeh**, sa-a-y! (suspicion).

hooł'aah, make room! (as when one wants to enter a crowded car).

hwááh, whew! (as when one is hot or tired, or when one sets a burden down).

jishcháádę́ę́', what the heck!

jó t'áá 'aaníí, and how! (emphatic agreement).

k'adí or **t'áadoo 'ánít'íní**, quit it! that's enough!

k'ad lą́ą, there! (as when one has finished a task).

kodi! kodi, help! help!

ł-łłł, ph! phff! (to show one's disdain, as of a braggard's claims).

nahji', one side! (as when one wants people to step to one side in order to pass).

naních'įįdii, all right then, don't!

nda yee', hell no!

níghohádi, shove over! move over!

níísh nik'ehdi, what's it to you! what do you care!

niyooch'ííd, nuts to you! you lie!

nizéé' or **t'áadoo 'ánílch'įįdii** shut up!

ńláahdi naniná, go away! beat it!

shiid, s-ss! s-sst! (to call one's attention without being overheard).

shúúh! shúúh, here! here! (as in shúúh! shúúh! ha'át'íí lá baa naniná, here! here! what are you doing?!) (as when one might see a child tearing up money).

t'áá 'aaníí 'ádíshní, no fooling! (as in t'áá 'aaníí 'ádíshní haashą' hóót'įįd, no fooling, what happened?)

t'áá 'áko or **lą́'ąą**, you're welcome (in answer to thank you).

t'áadoo 'ádíníní, pipe down! don't say that!

t'áadoo 'ánít'íní, look out! take care! (a warning given to a person who is annoying one).

t'áadoo shaa nánít'íní, don't bother me! let me alone!

t'áá shį́į 'áko, oh well! (resignation).

t'áá shǫǫdí, please.

t'óó 'ádíní, no! you're not serious (incredulity and surprise).

t'óó 'ádíshní, I merely remarked! I'm just kidding!

t'óó báhodoonih, (indicates that one is bothered or disturbed, as when one's neighbor turns on a radio in the middle of the night and awakens one, or when a fly insists upon sitting on one. The corresponding English expressions cannot be printed).

tį' or **tį'ęę**, let's go! come on!

tł'is! tł'is, to call a goat.

tsxį́įłgo, hurry up!

wóóh, yoo hoo!

yáá tsík'eh, gnats! phooey! (to express incredulity of a tale or statement that appears to be a gross exaggeration of the truth)

yáah, wow! (amazement).
ya' 'éii, aw c'mon!
yá'át'ééh, swell! fine! good! (also as a greeting, hello!)
yíh, oops! (as when one nearly drops something).
yooch'íid 'át'é, it's a lie!

PART II

ENGLISH - NAVAHO
BILAGAANAA BIZAAD - DINE BIZAAD

Naabeehó dine'é bizaad t'áadoo yee 'ak'eda'ałchíhí t'óó yee yádaałti'go t'óó 'ahayóí nááhai. Bilagáanaa Naabeehó bizaad doo bił béédahózinii Naabeehó Bilagáanaa bizaad t'éiyá yee yádaałti' dooleeł, háálá Naabeehó bizaad doo yá'át'éeh da, daaníigo Bilagáanaa bizaad t'éiyá yínida'niłtingo hoolzhiizh.

K'ad naaltsoos díkwíí shį́į́ Naabeehó bizaad bee bik'ida'ashchį́į́go 'ályaa, dóó k'ad nihił bééda hózingo Naabeehó bizaad náánáłahdę́ę́' saadígíí t'áá bił 'ahidaałt'éego 'át'éé lá. Naabeehó dine'é t'óó 'ahayóí, dóó hool'áágóó t'áá bí bizaad yee yádaałti' dooleeł, dóó Naabeehó t'áá bí bizaad ghólta' dóó bee 'ak'e'elchí yídahwiidooł'ááł 'ałdó'. Bilagáanaa bizaad ghólta' dóó bee 'ak'e'elchí dóó bee yáti' 'ałdó' yídahwiidooł'ááł, 'áko díí nahasdzáán bikáa'gi t'áadoo bee bich'į' 'anáhóót'i'ígóó kééhat'į́ dooleeł, ndi Naabeehó bizaad doo yóó' 'adeididoo'áał biniighé 'áhá'níí da. Díí saadígíí bee 'ak'e'elchíí dóó bee yáti' dóó Bilagáanaa bizaad bił 'ahąąh sinilgo binahji' Bilagáanaa bizaad t'áadoo hodina'í bíhoo'aah dooleełgo 'át'é.

Díí naaltsoos saad bii' 'áłah 'ályaaígíí 'át'é. Naaki 'ahii' sinil; 'átsé si'áníg íí Bilagáanaa bizaad Naabeehók'ehgo yaa halne', dóó 'akéédę́ę́' si'áníg íí t'éiyá Naabeehó bizaad Bilagáanaak'ehgo yaa halne'.

Naabeehó ła' saad Naabeehó bizaad bee 'ályaaígíí hádídéesh'į́į́ł jinízingo díí saad házhdéez'į́'ígíí saad t'áadoo le'é yaa dahalne'ígíí bee ninít'i'ígíí (verb stem) biká'ígíí biyaagi jidídóo'į́į́ł. Hádízhdóo'į́į́łígíí t'éiyá saad bá siláhígíí t'ah bich'į' dahwéélzhíizhgo baa nitsáhákeesígíí dóó k'ad 'ádahat'į́įgo baa nitsáhákeesígíí dabiká'ígíí biyaagi hádízhdóo'į́į́ł.

Kót'áo (for example) **dooleeł** t'éiyá t'ah bich'į' hoolzhishgo 'óolghé. **Yileeł** t'éiyá k'ad 'áhát'į́įgo 'óolghé. Díí saad t'áá 'áłah t'ááłá'ígíí bá silá, 'áko kót'é **doo-leeł; yi-leeł.** Díí saadígíí t'áá 'áłah **-leeł** bee ninít'i', 'áko 'éí 'óolghé bá siláhígíí (stem)

'Áko díí naaltsoos saad bii' 'áłah 'ályaaígíí bighi' **leeł** biká'ígi jidídóo'į́į́ł dóó biyaagi saad t'áá 'ałtso **leeł** bá naazláhígíí dabikáá' dooleeł, dóó Bilagáanaak'ehjí 'ałdó' bikáá' dooleeł. 'Áádóó 'índa náánáłahgo Bilagáanaak'ehgo bee bik'ináá'ashchínígi hánáádízhdóo'į́į́ł dóó 'índa saadę́ę t'áá 'óolghéii hoł bééhodoozį́į́ł. Kót'áo **leeł** biká'ígi 'aa 'ájiilaago díí saadígíí biyaagi kót'éego bikáá' dooleeł:

leeł, leeh (lį, lǫ), lįį', dleeh, le', to become.

F. deesh-łeeł (díí, doo, jidoo, dii, dooh)

Ła' jizį ha'át'éego lá Bilagáanaak'ehjí **leeł, leeh (lį, lǫ), lįį', dleeh, le'** jididooníił lá jinízingo díí naaltsoos bikáa'gi **become** biká'ígi jidídóo'įįł dóó 'índa 'ákwe'é kót'éego bikáá' dooleeł:

become, to (becoming, became, become)

Saad 'aląąji' si'ánígíí (**become**) t'éiyá **infinitive** gholghé. Jó 'éí 'ákohgo 'adoodleeł dóó 'ákó'óolghéenii dooleeł doo níi da. Jó t'óó 'adleeh, 'oodleeł, 'asdlįį' jiní nahalin. Kót'éego bee yáti':

Hastiin deeshłeeł nisin, I want **to become** a man. (Naabeehó doo "hastiin 'adoodleeł nisin" daaníi da, Bilagáanaa t'éiyá 'ákót'éego yádaałti'.)

Saad náánáła' 'ałdó' t'áá 'ákónáádaat'é. Jó 'éí 'ádoolníił (**to make**). 'Ádeeshłííł nisin, I want **to make it**; 'ál'į bééhasin, I know how **to make** it.

Díidíígíí t'éiyá saad **to be** gholghéhígíí bił bee yáti'. Kót'éego.

deeshłeeł, I will become.
díínleeł, you will become.
dooleeł, he, she, it will become.
jidooleeł, he, she will be-become.
hodooleeł, it will become; things will become.

diidleeł; dadiidleeł, we will become.
doohłeeł; dadoohłeeł, you will become.
dooleeł; dadooleeł; jidooleeł; dazhdooleeł, they will become.

deeshłeeł ńt'ę́ę́', I would become.

díínleeł ńt'ę́ę́', you would become.

'Ałch'į'go nída'azhahígíí ( ) bita'gi saad táá' 'ałkéé' sinil. 'Aląąji' si'ánígíí t'éiyá **gerund** gholghé. Saad **infinitive** deiłnínígíí 'át'éegogo t'áá 'íídą́ą' **-ing** bee ninít'i' łeh. Jó díí saadígíí 'ákó'óolghéenii 'át'į doo nłl da; t'áá hazhó'ó t'óó k'ad 'áhát'į níigo halne' Jó 'éí saad **to be** gholghéhígíí bił bee yáti'. 'Oodleeł = **to be becoming.**

yishłeeł, I am becoming.
yíleeł, you are becoming.
yileeł, he (biką'ii), she (ba'áadii), it, is becoming.

yishłeeł ńt'ę́ę́', I was becoming.
yíleeł ńt'ę́ę́', you were becoming.

jooleeł, he, she, it is becoming.

hooleeł, it is becoming; things are becoming.

yiidleeł; deiidleeł, we are becoming.

ghohłeeł; daahłeeł, you are becoming.

yileeł; daaleeł; jooleeł; dajooleeł, they are becoming.

yileeł ńt'ę́ę́', he, she, it was becoming.

jooleeł ńt'ę́ę́', he, she, was becoming.

hooleeł ńt'ę́ę́', it was becoming; things were becoming.

yiidleeł; deiidleeł ńt'ę́ę́', we were becoming.

ghohłeeł; daahłeeł ńt'ę́ę́', you are becoming.

yileeł; daaleeł; jooleeł; dajooleeł ńt'ę́ę́' they were becoming.

'Ałch'į' ná'ázhahígíí ( ) bita'gi naaki góne' saad náánást'ánígíí t'éiyá **past tense** gholghé. Jó 'éí 'ákó'óolghéenii 'át'į doo níi da, t'áá hazhó'ó t'áá 'íídą́ą́' 'áhóót'įįd níigo halne'. **Pronoun** gholghéhígíí biłą́ąji' si'ą́ągo bee yáti', 'áko 'ákó'óolghéenii níigo halne'. 'Áko:

sélį́į́', I became.

sínílį́į́', you became.

silį́į́', he, she, it became.

jizlį́į́', he, she became.

hazlį́į́', it became; things became.

siidlį́į́'; dasiidlį́į́', we became.

soolį́į́'; dasoolį́į́', you became.

silį́į́'; daazlį́į́'; jizlį́į́'; dajizlį́į́', they became.

'Ałch'į' ná'ázhahígíí ( ) bita'gi saad táá' góne' si'ánígíí t'éiyá **past participle** gholghé. Jó 'éí saad **to have** doodaii' **to be** daolghéhígíí bił bee yáti'. Kót'éego:

sélį́į́', I have become

sínílį́į́', you have become.

silį́į́', he, she, it has become

jizlį́į́', he, she has become.

hazlį́į́', it has become; things have become.

siidlį́į́'; dasiidlį́į́, we have become.

soolį́į́'; dasoolį́į́', you have become.

silį́į́'; daazlį́į́'; jizlį́į́'; dajizlį́į́', they have become.

sélį́į́' ni', I had become.

sínílį́į́' ni', you had become.

siidlį́į́'; dasiidlį́į́' ni', we had become.

sílį́į́' ni', he, she, it had become.

jiizlį́į́' ni', he, she had become.

soolį́į́'; dasoolį́į́' ni', you had become.

silį́į́'; daazlį́į́'; jizlį́į́; dajizlį́į́' ni', they had become.

Saad **to be** dóó **to have** gholghéhígíí dóó saad ła' 'ałch'į' ná'ázhahígíí ( ) bita'gi sinilígíí bił 'ałkéé' sinilgo Bilagáanaa 'aghá yee yádaałti', 'áko ndi łahgo 'ánáá'nííł. 'Éí biniinaa kwe'é bikáá' ndoo'nił.

nishłį́, I am.
nílį́, you are.
nilį́, he, she, it is
jílį́, he, she is.
hóló̜, there is.

niidlį́; daniidlį́, we are.
nohłį́; danohłį́, you are.
nilį́; danilį́; jílį́; dajílį́, they are.
dahóló̜, there are.

nishłį́į́ ńt'ę́ę́', I was.
nílį́į́ ńt'ę́ę́', you were
nilį́į́ ńt'ę́ę́', he, she, it was.
jílį́į́ ńt'ę́ę́', he, she was.
hóló̜ó̜ ńt'ę́ę́', there was; there used to be.
niidlį́į́; daniidlį́į́ ńt'ę́ę́', we were.
nohłį́į́; danohłį́į́ ńt'ę́ę́', you were.
nilį́į́; danilį́į́; jílį́į́; dajílį́į́ ńt'ę́ę́', they were.
dahóló̜ó̜ ńt'ę́ę́', there were; there used to be.

nishłį́į́ dooleeł, I will be.
nílį́į́ dooleeł, you will be.
nilį́į́ dooleeł, he, she, it will be.
jílį́į́ dooleeł, he, she will be.
hóló̜ó̜ dooleeł, there will be.
niidlį́į́; daniidlį́į́ dooleeł, we will be.
nohłį́į́; danohłį́į́ dooleeł, you will be.
nilį́į́; danilį́į́; jílį́į́, dajílį́į́ dooleeł, they will be.
dahóló̜ó̜ dooleeł, there will be.

nishłį́į́ dooleeł ńt'ę́ę́', I would be.

nílį́į́ dooleeł ńt'ę́ę́', you would be.

shee hóló̜, I have.
nee hóló̜, you have.
bee hóló̜, he, she, it has.
hwee hóló̜, he, she has.
nihee hóló̜, we have.
nihee hóló̜, you have.
shee hóló̜ó̜ ńt'ę́ę́' I had.
nee hóló̜ó̜ ńt'ę́ę́', you had.

Bilagáanaak'ehjí na'ídíkidgo díí saadígíí łahgo ánáádaat'į́įh:

sélį́į', I became; da' sélį́į', did I become?
sínílį́į', you became; da' sínílį́į', did you become.

Díí béédaałniih: jó 'éí t'áadoo le'é t'áá 'íídą́ą́' 'áhóót'įįdígíí bí-na'ídółkidgo díí saadígíí bee hadoohdzih. **Did I? did you? did he? did she? did we? did you? did they?** Dóó 'índa saad 'áłtsé si'ánígíí jó 'éí **infinitive form** gholghé, 'éí bił 'ałkéé' sinilgo bee hadoohdzih

Saad **bring, to** (bringing, brought, brought) gholghéhígíí bik'í-ninootą́ą'go 'éí **I brought it,** ní'ą jiníigo 'óolghé. Da' ní'ą́ish jiníi-go t'éiyá **did I bring it? — did I brought it?** t'éiyá dooda.

K'ad shį́į 'índa díí naaltsoos bits'ą́ą́dóó Naabeehó Bilagáanaa bizaad lą'í yídahwiidooł'ááł, dóó Bilagáanaa **Naabeehó bizaad** lą'í yídahwiidooł'ááł. 'Ahidiníłnáago 'ahéédadi'diitįįłígíí t'áá 'íighisíí bichą́ hwíídéenih, 'áko 'ałch'ishjí yádeiilti'ígíí dóó nitsídeiikeesígíí 'ahá bik'idadi'diitį́įł.

A

abalone, diichiłí.
abdomen, 'atsą́.
ability, 'iichį́įh.
able, to be (being, was, been), 'ą́ął 3. I am able to do anything that you can do, níneesh'ą́. I am not able, doo bíneesh'ą́ą da.
abortion, 'atsą́ ha'a'eeł.
abort, to (aborting, aborted, aborted), 'oł 19. I aborted; I had an abortion, sitsą́ ha'íí'ééł. I aborted it, sitsą́ ha'ííł'ééł.
about, daats'í. There are about ten, neeznáá daats'í yilt'é
about it, baa; binaa.
about to, k'adę́ę́. I am about to die, k'adę́ę́ shi'niitsą́.
above it, bidęijígo.
abrasion, tsiih yít'óód.
abreast, 'ahąąh. We are walking four abreast, dį́niilt'éego 'ahąąh yiikah.
absent, to be (being, was, been), dį́įł 1. Why were you absent, ha'át'ííshą' biniinaa 'ánídin nít'ę́ę́'?.
absentee, báhályáahii.
acorn, chéch'il bináá'.
accident, doo bił ntsíhákeesígi 'áhoodzaa.
accompany, to (accompanying accompanied, accompanied) gááł 51. I shall accompany him, bił deesh'ash.
accomplish, to (accomplishing accomplished, accomplished) lííł 23. I accomplished the task, naanish ła' yishłaa.
accomplished, to be (being, was, been), nííł 12. It has been accomplished, ła' yidzaa.
accomplishment, ła' yilyaaígíí.
according to it, bik'eh.
accusation, 'ak'ihodiit'ą́.
accuse, to (accusing, accused accused), 'ááł 13. I accused him of killing my horse, shilį́į́' síníłhį́ dishníigo bik'ihodii'ą́.
ache, diniih.
acidity of the stomach, łitsoii.
Acoma, haak'oh.
acquainted with, to get (getting, got, gotten), zį́įł. I will get acquainted with him, bił 'ahééhodeeszį́įł. I am acquainted with him, bił 'ahééhoniszin. We got acquainted with each other, 'ahééhosiilzį́įd.
acquire, to (acquiring, acquired acquired), t'eeł 9. I acquired a horse from a Mexican, łį́į́' naakaii bits'ą́ądę́ę́' shóíséłt'ą́'
acquisition, shóozt'e'ii.
acre, náhásdzo hayázhí.
across, gónaa; ha'naa; kónaa, tsé'naa.
across here, kónaa.
across there, 'ákónaa.
act alone, to (acting, acted, acted), t'eeł. I am acting alone, t'ááłah dinisht'éhí.
action, to take (taking, took, taken), t'į́įł 1. I am taking action on it, baa yinísht'į́.
actually, t'áá 'aaníí.
add to it, to (adding, added, added), 'ááł 18. I added it to it, bí-

néisht'ą́. I added them to it, bínéish'nil.

addicted to it, to be (being, was, been), niił 2. I am addicted to it, bichą́ yídéeshni. You are addicted to whiskey, tódiłhił bichą́ yídínílni.

addiction, 'achą́ hwíídéeni.

addition, 'ínéi'nil.

adhesion, 'ahídí'níisą́.

adobe, bis.

adolescence, 'anooséél.

adultery, 'adilghé; 'adoolyá.

adultery, to commit (committing committed, committed), lééł 1 I committed adultery, 'adíílá.

advance, to (advancing, advanced, advanced), gááł 26. I am advancing, náás yishááł.

advertise, to (advertising, advertised, advertised), kąął 2. I am advertising it, bí'ooshkąąh.

advertisement, 'ó'oolkąąh.

advice, na'nitin.

afar, nízaadgóó; nízaagóó.

afraid of it, to be (being, was, been), dzííł 1. I am afraid of it, bináśdzid. I'll come to be afraid of it, béédeesdzííł.

after, dóó bik'iji'.

after-birth, 'awéé' biyaałáí.

after that, ghónáásdóó; 'áádóó bik'iji'.

after while, hodíina'go.

against him, bíniiká.

against it, binahji'

agent, naalchi'í.

ago, -dą́ą́'. Two years ago, naaki náánáiídą́ą́'.

agree to it, to (agreeing, agreed, agreed), łeeł 4. I agreed to it, bee lą́ 'asélį́į́'.

agreed upon, to be (being, was, been), leeł 34. It was agreed upon, bee lą́ 'azlį́į́'.

agreement, lą́ 'azlį́į́'.

agreement with, to make an (making, made, made), t'ááł 3 I made an agreement with him, bił 'ahadi'nisht'ą́.

agriculture, k'éé'dílghééh.

aground, to run (running, ran, run), 'oł 4. The ship ran aground, tsinaa'eeł dzíłts'ádineez'éél.

ahead of him, bilą́ąji'; bitsiji'.

aid, 'áká 'e'elgheed.

aid, to (aiding, aided, aided), ghoł 11. I am aiding him, bíká 'anáshgho'.

ailment, 'ąąh dahaz'ą́.

aimlessly, t'óó dzólníígóó.

air, níłch'i.

airplane, chidí naat'a'í; béésh naat'a'ii.

Albuquerque, N. M. be'eldíílasinil; bee'eldííldahsinil.

alcohol, 'azee' łikoní.

alder, k'ish.

alfalfa, tł'oh waa'í.

algae, tátł'id.

alive, to be (being, was, been). naał 2. I am alive, hinishná. I was alive, hinishnáá ńt'ęę́'.

alkali, łeeyáán; táháníí'.

all, ałtso; t'áá 'ałtso. That's all, t'áá 'ákódí.

alligator, bitsee' yee 'adiłhałii.

allow, to (allowing, allowed, allowed), 'ááł 18. I allowed him to spend the night in my home, shighan góne' biidoołkááł binii-ghé badi'ní'ą.

all right, hágoshįį; lą; lą'ąą'.

all together, 'ahióóltą'go The man has three daughters, and two sons, so all together he has five children, hastiin bitsi' táá' bighe' t'éiyá naaki, 'áko t'áá 'ał-tso 'ahióóltą'go 'ashdla' ba'ał-chíní.

almost, k'asdąą'; k'adęę. I almost died, k'asdąą' dasétsą.

alone, t'áá sáhí; t'áá sahdii.

already, t'áá 'íídąą'. I have already eaten, t'áá 'íídąą' 'íiyąą'.

also, 'ałdó'; dó'.

alternation, 'ata'nínil.

alum, tsékǫ'; tsé dík'ǫǫzh.

aluminum, béésh 'ádaaszóólígíí

always, t'áá 'áłaji'; hool'áágóó.

ambuscade, baa ni'iiyeedzá.

ambush, baa ni'iiyeedzá.

ambush, to (ambushing, ambushed, ambushed), dááł 2. I ambushed him, baa nihinisdzá I am ambushing him; I am lying in ambush for him, baa híníshdá

ammunition, bee'eldǫǫh bik'a'.

among them, bitah.

amputation, 'ats'áoz'a' k'égéésh

anesthesia (general), 'atah na-haztseed.

anesthesia (local), 'ats'óóz naaz-tseed.

anesthesia, 'i'iilgháásh.

anesthetic, bee 'i'iilgháshí.

anesthetic, to give an (giving, gave, given), hosh 5. I will give him an anesthetic, bi'iideesh-hosh.

ancestor, 'azází; 'azází yęęni'.

ancient people, 'anaasází.

and, dóó; 'áádóó; 'índa.

and then, 'áádóó.

Aneth, Utah, t'áá bíích'įįdii.

anger, 'áháchį'.

anger, to (angering, angered, angered), chįįł 3. I angered him, bá hóółchį'.

angry, to become (becoming; became, become), chįįł 4. I will become angry, shá hodoochįįł. I am angry, shá háchį'.

angora goat, tł'ízí'ilí.

animal, naaldlooshii.

ankle joint, 'akéts'iin.

annual, ninááhááhgo ('áhoo-níłígíí); t'áá nináhááh bik'eh

anoint, to (anointing, anointed, anointed), tłah 1. I anointed him, séłtłah.

another one, náánáła'.

another, -náá-. I made another, ła' 'ánáánáshdlaa. I killed another, ła' náásé łhį.

ant, wólázhiní (black); wólá-chíí' (red).

antiseptic, ch'osh doo yit'íinii bee naatseedí.

antilope, jádí.

antler, (bįįh) bidee'.

any, t'áá bíhólníhí.

anybody, t'áá háiida.

anyone, t'áá háiida.

anything, t'áá bíhólníhígíí; t'áadoo le'é.
anus, 'ajilchíí'.
anvil, bik'i 'atsidí.
Apache (White Mountain), dził-ghą'í.
ape, magítsoh; mogítsoh.
apparatus, bee na'anishí.
apparently, t'áá 'íishjání; t'áadoo bahat'aadí.
appease, to (appeasing, appeased, appeased), hił 3. I appeased you with money, béeso bee nidiiłheel. I gave you money to appease you, béeso naa ní'ą bee didííłhił biniighé.
appeasement, 'adiigheeł.
appendix, 'ach'íí' bits'áni'nísą.
appetite, to lack an (lacking, lacked, lacked), zįįł 3. I lack an appetite; I have no appetite, doo 'anisin da.
appetizer, bich'į' 'aznízíní.
apple, bilasáanaa.
apprehend, to (apprehending apprehended, apprehended) kah 1. The criminal was apprehended, diné doo yá'áshóonii bénálkáá'.
approve, to (approving, approved, approved), łeeł 4. I will approve it, bee lą 'adeeshłeeł.
approval, lą 'azlįį'.
apricot, didzétsoh yázhí.
April, t'ą́ą́chil.
apron, 'atéélsiłtsóóz.
aragonite (banded), hadahonighe'.
arch (of the foot), 'akéníí'; 'akéts'iil.
archery, ni'dilt'oh.
argyrol, nák'eedzi' łizhinígíí.
arise, to (arising, arose, arisen), 'nah 4. I arose, ńdiish'na'.
arm, 'agaan.
armpit, 'ach'áháya.
around it, binaa; binaagóó.
around, naa-. he is walking around, naaghá. He is walking around it, yináágááł.
around the corner from it, bizanághah. My house is around the corner from that rock, ńléí tsé deez'áhí bizánághahdi shikin si'ą.
arrest, to (arresting, arrested, arrested), tsoł 2. I arrested him, bee haz'áanii bik'ehgo yiiłtsood.
arrive, to (arriving, arrived, arrived), gááł 18. I arrived, níyá.
arrow, k'aa'.
arrowhead, k'aabéésh.
arrowhead (of flint), béésh 'est'ogii.
arroyo, cháshk'eh; bikooh.
art, na'ach'ąąh.
artery, 'ats'oostsoh łichí'ígíí.
artist, na'ach'ąąhí.
ascend, to (ascending, ascended ascended), gááł 4, 5. I ascended, haséyá. I ascended the hill, hók'ą́ą́ haséyá.
ascension, ha'asdzá; deigo dah diildoh.
ascent, ha'asdzá; deigo dah diil doh.

as far as, -ji'. I went as far as the river, tooh ńlíníji' niníyá.
ashamed, to be (being, was, been), zįįł 6. I am ashamed, yá nisin. I am ashamed of it, baa yá nisin.
ashes, łeeshch'ih.
ashore, to go (going, went, gone) gááł 21. I went ashore, dzíłts'áníyá.
ask, to (asking, asked, asked) kił 2, 3. I asked, na'ídééłkid. I asked him, nabídééłkid.
ask for, to (asking, asked, asked) kił 1. I asked him for it, yíkeed.
asleep, 'ałhosh; yiisíí'. I am asleep, 'ashhosh. My hand is asleep, shíla' yiisíí'.
aspen, t'iisbáí.
asperate, dich'íízh; dishch'íízh.
Asiatic, bináá'ádaałts'ózí dine'é.
aspirin, tsiits'iin diniih 'azee'.
ass, télii.
assassin, 'iisxíinii.
assassinate, to (assassinating assassinated, assassinated), hééł 2; tsił 1. I assassinated him, séłhį. I assassinated them, niséłtseed.
assassination, 'iilghé.
assemble, to (assembling, assembled, assembled), leeł 15 We will assemble, 'áłah diidleeł. We are assembled, 'áłah niidlį.
assembly, 'áłah 'aleeh.
assorted, 'ałtaas'éí.
astonished, to be (being, was, been), ghis 4. I was astonished by it, bik'ee désghiz.
astonishment, 'adeesghiz.
astray, to go (going, went, gone), gááł 30. I went astray, yóó 'ííyá
atlas (bone), 'ak'os doolghółí.
attack, 'ak'éé'iijah.
attack, to (attacking, attacked, attacked), ghoł 20. We will attack each other, 'ałk'iidiilghoł We will attack one another, 'ałk'iidiijah. ghoł 18. I will attack him, bik'iideeshghoł. ghoł 7. I attacked him, bik'iji' dah diishghod. I sneaked up on the bear and attacked it, shash baa ninishna' dóó bik'iji' dah diishghod.
attention, to call --- to (calling, called, called), nih 8. I will call his attention to the fact that his horse is dead, biłįį' daaztsánígíí bee bi'deeshnih.
at, -gi, -di. At school, 'ólta'gi. At home, hooghandi.
at the same time, t'áá 'ahąąh.
attorney, 'agha'diit'aahii.
augmentation, yidląąd.
August, bini'ant'ą́ą́ts'ózí.
aunt (maternal), 'amá yázhí.
aunt (paternal), 'abízhí.
authority, to have (having, had had), nih 3. I have authority over you, nee shíhólníih.
automobile, chidí.
aviator, na'ałt'a'í.
aware of, to become (becoming, became, become), zįįł 14; chįįh. I am aware of the fact that you did not work yesterday, 'adą́ą́dą́ą́' t'áadoo nisínílnishígíí baa 'áhonisin. I was aware of him,

but before I could dodge he hit me, t'áá baa 'áháshchįįh, ndi t'áadoo disghésí shił dzidees-ts'in.

away, yóó'. He went away, yóó' 'ííyá.

away from him, bits'ą́ą́'; bits'ą́ą-ji'.

awesome, to be. t'eeł 3. It is awesome, 'ayóí 'át'é.

awful, hóghéé'; t'áá 'íighisíí; 'a-yóogo. It is awfully cold, 'ayóogo deesk'aaz.

awl, tsah.

ax, tsénił.

axle (wagon), tsinaabąąs bijáád bináálghołígíí.

axle grease, 'ajéé'.

axle tree (wagon), tsinaabąąs bi-jáád bita' naní'áhí.

Aztec, N. M., kinteel.

B

baby, 'awéé'.

Baca, N. M., kin łigaaí.

bachelor, be'esdzą́ą́ 'ádinii.

back, nát'ą́ą́'.

back (of head), 'atsiiyah.

backbone, 'íígháán.

backwards, t'ą́ą́'; t'ą́ąjigo; t'ą́ą-ji'.

back out, to (backing, backed, backed), t'įįł 3. I was going with him but I backed out, bił dé-'áázh ńt'ę́ę́' t'óó 'ááhosist'įįd.

backward, to be, leeł 6. They are backward, ni' danilį́.

bacteria, ch'osh doo yit'íinii.

bad, doo yá'át'éeh da; doo yá'á-shóo da.

badger, nahashch'id.

bag, 'azis.

baker, bááh 'íił'íní.

bakery, bááh 'ál'įįgi.

baking powder, bił 'é'él'íní.

ball, jooł

ball like, dijool; nímaz.

banana, hashk'aan.

bandage, 'ak'ídadidisí.

bank, béeso bá hooghan.

baptism, 'atsiit'áá tó 'álnééh.

barber, tsiighá yilzhéhí.

barber shop, tsiighá yilzhééh bá hooghan.

barbed wire, béésh deeshzhaaí; béésh 'adishahí.

bark, to (barking, barked, bark-ed), 'įįł 7. The dog is barking, łééchąą'í nahał'in.

bark, tsin bahásht'óózh; 'azhííh.

barrel, tóshjeeh; wooden barrel, tsin tóshjeeh.

bastard, yátashkį'.

baseball game, 'ahééjólgheedí.

bashful, to be, zį́į́ł 6. I am bash-ful, yá nisin.

bashfulness, yá hasin.

basin (wash-), bii' tá'ádígisí.

bast, 'azhííh.

bat, jaa'abaní; bee 'akalí.

bat, to (batting, batted, batted), hał 5. I batted it, 'abídzííłhaal.

bathe, to (bathing, bathed, bath-ed), beeł 1. I am bathing, naash-bé.

batten stick, bee ník'í'níłtłish.

battle, 'ałk'éé'iijah.

battleship, tsinaa'eeł bee da'ahi jigánígíí.

beach, tábąąhgi.
bead, yoo'; (silver) yoo' nímazí.
bead drill, yoo' bee bigháda'a'nilí.
beak, tsídii bidaa'.
bean, naa'ołí.
bear, shash; dziłgóó ndaakaaígíí.
bear ,to (bearing, bore, born), chíík 1, 2. The woman bore a child, 'asdzání 'awéé' yizhchį.
beard (of grain), 'álástsii'.
bean s hooter, bee 'adiltąshí.
beat, to (beating, beat, beaten), tał 2. My heart is beating, shijéí díshjool dah naaltal. hał 1. I am beating the drum, 'ásaa' yishhaał. ts'į́į́ł 2. I beat him up, nánéłts'in. są́ą́ł 1. I beat my wife last night, tł'éédą́ą́ 'ayíízą́ą́'. chííł 5. I was beating around the bush just to borrow some money from him, béeso ła' sha'dooniłnisingo łí'díshchíí ńt'ę́ę́'.
beauti ful, nizhóní; hózhóní.
beaver, chaa'.
becaus e, biniinaa; háálá; 'éí bąąh; bee 'át'é.
Beclabit o, bitł'ááh bito'.
become, to (becoming, became, become), zhish 2, 4, 6. It will start to become cold, deesk'aazgo hodidoolzhish. It will become cold, deesk'aazgo hodoolzhish. leeł 2, 9, 10, 19, 20, 27. I will become a man, diné deeshłeeł. I will become again, náádeeshdleeł. It is becoming again, nááhoodleeł. The grass is becoming green again, tł'oh dootł'izh nídaadleeh. It will become Christmas, késhmesh 'adooleeł.
be, to (being, was, been), leeł 4. I am, nishłį. You are, nílį. He, she, it is, nilį, jílį. We are, niidlį, daniidlį. You are, nohłį, danohłį. They are, nilį; danilį; dajílį. t'eeł 1, 2. I am, 'ánísht'é. I am thus; this is the way I am, kónísht'é. This is the way it is, kót'é. That is the way it is, 'ákót'é. t'eeł 4. The Navaho are numerous, naa beehó t'óó 'ahayóí yilt'é. It is, si'ą, sitłéé', sitą, shijool, sitį, silá, sighį, siką. They are, sinil, shijaa'.
bett er, to get (getting, got, gotten), leeł 26. I am getting better, yá'át'ééh nááshdleeł.
bed, bikáá' dah 'anitéhí; tsásk'eh.
bedb ug, wóósits'ílí.
bedstead, bikáá' dah 'anitéhí.
bee, tsís'ná.
b eef, béégashii bitsį'.
beehive, tsís'ná bighan.
beer, bizhéé' hólóní.
beeswax, tsís'ná bijeeh.
beeweed, waa'
beet, ch'il łichxí'í.
beetle (stink ---), k'íneedlíshii.
before him, bítsé; bí'ítsé; bitsiji'.
begg ar, 'adókeedí.
b eg, to (begging, begged, begged), kąął 1. I begged him not to talk, t'áadoo yáníłti'í bidishníigo néisiskan.
begin, to (beginning, began, be-

gun), gááł 1. Things began on the earth, nahasdzáán bikáá' hahóóyá. t'ih 12. The sing began, hatáál háát'i'. Life began on the earth, nahasdzáán bikáá' 'iiná háát'i'.

behind him, bikéé'; bine'.

belch, to (belching, belched, belched), zah 1. I belched, déza'.

belief, ghoodlánígíí.

believe, to (believing, believed, believed), dlą́ął 1, 2. I do not believe you, doo nooshdlą́ą da. I believe; I am a believer, 'iinishdlą́.

believer, 'oodláanii.

bell, yoo' diits'a'í.

below it, biyaajígo.

belt, sis.

bench, bik'idah'asdáhí nineezígíí.

bend, to (bending, bent, bent), tas 1, 2. It bent, yiitaaz. It is bent, shizhah. I bent it, yiiłtaaz. nííł 8. I climbed the tree and it bent down with me, tsin bąąh hasis'na' dóó shił yaa 'ádzaa.

beneath it, biyaa.

bent, shizhah; názhah.

berry, didzé.

beseech, to (beseeching, besought, besought), kąął 1. I begged (besought) him to give it to me, shaa ní'aah bidishníigo néisiskan.

beside him, bíighah; bíighahgi; bíighahgóó; bąąh.

best, 'agháadi yá'át'éhígíí.

between them, bita'; bita'gi.

beverage, daadlánígíí.

bewitch, to (bewitching, bewitched, bewitched), gąsh 1. I bewitched him, shéłgąsh. líił 31. I bewitched him, she'álííl bee 'atíishłaa.

bias tape, bił ńda'alkadí.

bicycle, ji'izí; dzi'izí.

big, to be, tso, díílì, tsáàz, tsxaaz. I am big, 'ánístso; 'áníshdííl; 'ánístsáàz; nistsxaaz. Big man, dinétsoh.

bigamist, be'esdzą́ą́ naakii; bahastiin naakii.

Big Dipper, náhookǫs.

bighorn sheep, tsétah dibé.

bile, 'atł'izh.

binocular, bee 'adéest'į́į́'.

birth, 'achí.

birth, to give (giving, gave, given), chííł 1, 2. I gave birth to a baby, 'awéé' shéłchį́. I gave birth; I had a baby, 'ashéłchį́.

birthplace, ho'dizhchį́įgi.

bison, 'ayání.

bit (of a drill), béésh bee bighá-da'a'nilí.

bit (of a bridle), 'azéé' si'ání.

bite, to (biting, bit, bitten), hash, 1. The dog bit me, łééchąą'í shishhash.

bitter, dích'íí'.

bitterball, bį́įh yiljaa'í.

black, łizhin; diłhił.

blackbird, ch'agii.

blacken, to (blackening, blackened, blackened), shį́įł 1. I blackened it, yishį́į'.

Black Rock, N. M., tsézhįįh deezlį.

black, to get (getting, got, gotten), jįįł 1, 3. I will get black, yideeshjįįł. I am black, łinishzhin.

black widow spider, na'ashjé'ii diłhiłí.

bladder, łizh bee dah sighíníģíí.

blame, to (blaming, blamed blamed), 'ah 1. If my horse dies I will blame you, shilįį' daaztsą́ągo nik'íhodeesh'ah.

blanket, beeldléí; beeldládí.

bleed, to (bleeding, bled, bled), lį. He is bleeding, dił bąąh háálį.

blink, to (blinking, blinked, blinked), ch'ił 2. I am blinking, nishch'ił. k'oł 1. I blinked, néshk'oł. 'nih 5. The girl blinked at me (the girl made a face at me), 'at'ééd shidees'nih.

blister, tó 'iiłtą́.

bloat up, to (bloating, bloated, bloated), yoł 6. The sheep has bloated up, dibé niilyool.

blood, dił; blood from the nose, né'édił.

blood clot, dił dighilii.

bloodshot, łichíí'. His eyes are bloodshot, bináá' łichíí'.

blood vessel, 'ats'oos.

bloody, dił t'éiyá.

bloomer, tł'aaji'éé'.

blow, to (blowing, blew, blown), yoł 3. The wind is blowing, níyol. soł 1. I am blowing on the fire, kǫ' yissoł. ghééł 3. I blew my nose, shiné'éshtił háághį dǫǫł 1. The gun powder blew up, bee'eldǫǫh bikǫ' deesdǫǫh The tire blew out, chidí bikee' deesdǫǫh.

bluebird, chestnut breasted ---, dóliiłchíí'; mountain ---, dólii.

blue-eyed grass, 'azee'tł'ohii.

bluejay, joogii.

blue, to (bluing, blued, blued), tł'ish 7. I blued it, diiłtł'iizh.

blue, to become (becoming, became, become), tł'ish 5. His skin became blue, bikágí diitł'iizh I am blue, dinishtł'izh.

blue, dootł'izh; hodootł'izh.

blue, to be. gááł 34. I am blue, yínííł naashá. tł'ish. I am blue (in color), dinishtł'izh.

Bluewater, N. M., t'iis nitsaa ch'éélį.

bluff, deez'á.

bluff out, to (bluffing, bluffed, bluffed). lííł 21. I bluffed him out, bił ghéé' 'áhooshłaa. leeł 24. Checoslovakia was bluffed out by the fact that Hitler had many soldiers, Hitler bisiláago t'óó 'ahayóígo biniinaa Checoslovakia bił ghéé' dahazlįį'.

board, tsin niheshjíí'.

boarding school, 'ólta' hótsaaígíí.

body, 'ats'íís; 'azhi'.

bodyguard, 'aa 'áhályáanii.

body hair, 'akáshtł'o.

body odor, k'ǫ́ǫ́zh.

bog, nahodits'ǫ'.

boil, yilch'ozh.

boil, to (boiling, boiled, boiled), bish 1, 2. It will boil, doobish. I will boil it, deeshbish.

boiled, shibéézh.

bolster (of a wagon), tsinaabąąs bits'a' bá ní'áhí.

bolt down, to (bolting, bolted, bolted), mał 1, 2. The dog bolted down the meat, łééchąą'í 'atsį' 'ałtso 'ayíímal.

bomb, bee'eldǫǫh bikǫ' chidí naat'a'í bikáádę́ę' hadah 'ahi'nílígíí.

bomb, to (bombing, bombed bombed), niił 12. I dropped a bomb on it, bik'iji' hadah 'i'deeshniił. nił 12. We bombed it, bik'iji' hadah 'i'ii'nil.

bombardier, chidí naat'a'í bikáádę́ę' bee'eldǫǫh bikǫ' hadah 'ayiiníiłii.

bombardment, chidí naat'a'í bikáádę́ę' bee'eldǫǫh bikǫ' 'ak'iji' hadah 'ahi'nílígíí.

bone, ts'in.

book, naaltsoos.

boot, kę́ deigo danineezí.

boredom, 'ádahodeedlá.

bore, to (boring, bored, bored), nił 16. I bored through it, binááká'nínil.

bored, to get (getting, got, gotten), łxaał 1, 2. I am bored with my work, shinaanish 'ádadeeshłxá. I got bored waiting for you, niba' sédáago 'ádahodéshłxáá'

born, to be (being, was, been), chííł 1. I was born in Gallup, na'nízhoozhídi shi'dizhchį. leeh 19. Last night her baby was born tł'éédą́ą́' be'awéé' hazlį́į́'. tłish 1, 3. The lamb was born, dibé yázhí háátłizh. The lambs are being born now, k'ad dibé yázhí hahatłíísh.

boss, naat'áanii.

both, t'áá 'áła.

bother, to (bothering, bothered, bothered), t'įįł 2. Don't bother me, t'áadoo shaa náníť'íní!

bottle, tózis.

bough, tsin bits'áoz'a'.

boulder, tsétsoh.

bow, 'ałtį́į́'.

bow drill, yoo' bee bigháda'a'nilí

bow guard, k'eet'oh.

bowlegged, to be, 'ajáád shizhah. I am bowlegged, shijáád shizhah.

bow string, 'ałtįįtł'óól.

boy, 'ashkii.

box, to (boxing, boxed, boxed), ts'į́įł 3. I am boxing with him, bił na'ahíznísts'in.

box, tsits'aa'.

brace and bit, tsin bee bigháda'a'nilí.

bracelet, látsíní.

bracelet setting, látsíní bináá'.

braid, yishbizh.

braid, to (braiding, braided, braided), bish 1. I am braiding my hair, sitsii' yishbizh.

brain, 'atsiighąą'.

brake, bee 'índiidlohí.

brake bar, tsinaabąąs bee bíníidiidlohí bita' naní'áhí.

brakes, to apply the (applying, applied, applied), loh 6. I applied the brakes to my car, shichidí bídiilo'. loh 7. I applied the brakes, 'ídiilo'.

branch, 'idadii'a'; tsin bigaan.

brand, to (branding, branded, branded), łił 1. I branded the cow, béégashii bí'diiłid.

brass, béésh łitsoii.

brave, t'áadoo yináldzidii; doo náldzidii.

bread, bááh; łees'áán; fried ---, dah díníilghaazh.

breakage, 'azts'il.

break, to (breaking, broke, broken), tah 2. I broke it to pieces, dííłtaa'. ts'ił 1, 2. It broke, sits'il. I broke it, séłts'il. dlał 2. I broke the string in two, tł'óół k'ínídláád. tih 1, 2. I will break the stick in two, tsin k'ídeeshtih. I broke up the box, tsits'aa' nihíti'. nish 2. I broke the wire in two, béésh 'áłts'óózí k'ínínizh. tǫǫł 1, 2. His arm was broken, bigaan k'é'éltǫ'. The box was broken up, tsits'aa' niheestǫ' The meeting broke up, táá'oosdee'. tił 2. I broke out in a sweat, tó shąąh hááteel. leeł 22. War broke out, 'anaa' hazlį́į́'.

breakfast, 'ahbínígo da'adánígíí

breast, 'aghid; 'abe 'astse'.

breath, 'aghih.

breathe, to (breathing, breathed, breathed), dzih 3. When I breathe my chest hurts, ńdísdzihgo shighid diniih.

breed, to (breeding, bred, bred), 'įł 1. The sheep are breeding now, k'ad dibé da'ó'į́įł.

breech cloth, tł'eestsooz.

breeze, ních'i. A breeze will come up, didooch'ih. There comes a breeze, 'aadę́ę́' yich'ih. The breeze has gone down, 'íích'ih. (ch'ih 1, 2, 3.)

bridge, tsé'naa na'nízhoozh.

bridge, to (bridging, bridged, bridged), shosh 1. I bridged it, hą'naani'níshóózh.

bridle, 'azáát'i'í; silver ---, béésh łigaii 'anitł'óól.

bright, bits'ádi'nílíid.

bring, to (bringing, brought brought), 'ááł 7, 8, 9, 11. I will bring the baby to you, 'awéé' naa deeshtééł. I will bring it to town, kįįh deesh'ááł. I brought it as far as your house, nikinji' niní'ą́. Bring it in, yah 'ani'aah! lóós 4. I will bring your horse to you, nilį́į́' naa deesłóós.

brittle, di'įdí; dit'ódí.

broken, sits'il; k'é'éltǫ'; k'ínídláád; yizdlad.

bronco, doozhǫǫhii.

broad, niteel; hóteel.

broom, bee nahalzhoohí.

brother, 'ánaaí (elder brother); 'atsilí (younger brother).

brown, yishtłizh.

brown, to be (dark), jį́į́ł 2. I am dark brown, dinishzhin.

brownish, niłhin.

brush, to (brushing, brushed, brushed), zhoh 1. I am brushing myself, 'ádíshzhóóh.

bubble, to (bubbling, bubbled, bubbled), ghosh 1; hosh 1. It bubbled, hanoolghaazh. I made it bubble, haníílhaazh. I made the coffee, gohwééh haníílhaazh.
bucket, 'ásaa' tó bee naakáhí; tó bee naakáhí; 'ásaa'.
buckle, bee 'ałch'į' didloh.
buck, to (bucking, bucked, bucked), goł 11, 12. The horse is bucking around, łį́į́' naalgeed. The horse started bucking, łį́į́' deesgeed. The horse is bucking with me, łį́į́' shił yilgoł (łį́į́' shił naalgeed).
buck, bįįhką'; deenásts'aa'.
buckskin, 'abání.
buffalo, 'ayání.
buffalo robe, ch'idí.
buggy, tsinaabąąs yázhí.
build, to (building, built, built), bįįł 1. I will build a hogan, hodeeshbįįł. łííł 1. I built a house, kin 'áshłaa. jah 3. I built a fire, didííłjéé'
bullet, bee'eldǫǫh bik'a'.
bull roarer, tsinidi'ni'.
bullsnake, diyóósh.
bumble-bee, tsís'nátsoh.
bump into, to (bumping, bumped, bumped), goh 19. I bumped into the door, dáádíílkał bídégoh. The cars bumped into each other, chidí 'ahídeezgoh.
bun, bááh yázhí.
bundle, t'áadoo le'é 'ałch'į' be'astł'óonii.
bunion, 'akéghos.
burden, hééł.
burglar, 'ani'įįhii.
burlap, tł'oh yishbizh.
Burnham, N. M., t'iistsoh sikaad
burning, to be, tłi'. It is burning, diltłi'.
burnt, díílid.
burn, to (burning, burned, burned), k'ą́ą́ł 2, 3, 4, 5. It will start to burn, didook'ą́ą́ł. It is burning, dook'ą́ą́ł. It stopped burning, ndiník'ą́ą́'. The house burned up, kin 'ałtso 'adíík'ą́ą́'. lił 1, 2. It burned, díílid. I burned it, dííłid. ch'ih. My feet burn, shikee' shiłch'íí'.
burro, télii.
burrow, 'a'áán.
burrow, to (burrowing, burrowed, burrowed), nił 12. The prairie dog is burrowing, dlǫ́ǫ́' 'oonił.
burrowing owl, dlǫ́'átah né'ésh jaa'.
bury, to (burying, buried, buried) 'ááł 8. I buried the pot, 'ásaa' łeeh yí'ą. I buried him, łeeh yíłtį.
bus, chidí diné bee naagéhí.
business, 'anaanish.
but, ndi.
butcher, ná'áł'ahí.
butt, to (butting, butted, butted) goh 17, 18. I butted, 'adzíígo'. I butted him, ségoh.
butter, mandagíiya.
butterfly, k'aalógii.
buttock, 'atł'aa'.
button, yoo'nilchíní.
buy, to (buying, bought, bought),

nih 12. He bought my horse from me, shilį́į' shaa nayiisnii'.
buzzard, jeeshóó'.
by, bee; bąąh; bíighahgi.
by means of it, bee.
bypass, to (bypassing, bypassed, bypassed), dááł 1. I bypassed it, bik'ee 'ąą 'ahéénísdzá. zééł 6. The army bypassed the town, siláago kin dah shijaa'ígíí yik'ee 'ąą 'ahéénízą́.

C

cabbage, ch'il łigaaí.
cactus, hosh.
cactus fruit, hosh bineest'ą'.
cajole, to (cajoling, cajoled, cajoled), chííł 5. He found out that I was cajoling him just to borrow some money, béeso ła' sha'doonił nisingo łí'díshchíí ńt'ę́ę' bił bééhoozin.
cake, bááh łikaní,
calcaneous, 'akétal.
calendar, bik'ehgo náhidizídí.
calf, béégashii yáázh.
calf of the leg, 'ach'ozh.
call, to (calling, called, called), zhiił 1. I called him by name, yízhi'. nih 8. I will call his attention to the fact that his horse is dead, bilį́į' daaztsánígíí bee bi'deeshnih. niił 3. I called him, bíká 'ádííniid. We will call him John, John dabidii'níi dooleeł. gheeł 1. He is called John, John gholghé. What is this called, dííshą' haa gholghé?
callous, shaazh; kébąąh **ntł'iz** go dah **naaznilígíí.**

camel, ghą́ą́'ask'idii.
camera, bee 'ak'inda'a'nilí.
camp, níbaal sinil; t'óó 'átsééd hooghan.
can, haz'ą́. I can make a stone house, tsé bee kin 'ádeeshłíiłgo haz'ą́. It **can** rain today, díí jį nahodoołtį́įłgo haz'ą́.
can (being able, could, been able), 'ąął 3. I cannot do it, doo bíneesh'ą́ą da. I could not do it, doo bínésh'ąąd da. I will not be able to do it, doo bídínéesh'ąął da. I cannot lift you, doo nánidooshtééł 'át'ée da.
cancer, naałdzid.
cancer root, łeeh dool'eez.
candle, 'ak'ah diltłi'í.
candy, 'ałk'ésdisí.
canoe, tsinaa'eeł.
canyon, bikooh; tsékooh.
cañon, bikooh; tsékooh.
Cañoncito, N. M., tó hajiileehí.
cantaloupe, ta'neesk'ání.
canvas, níbaal.
canvas shoes, kéjeehí.
cap, ch'ah bítáa'ji' da'deez'áhígíí.
capillaries, 'ats'oosts'óóz.
capsize, to (capsizing, capsized capsized), ts'ił 3. The boat capsized, tsinaa'eeł náhidéélts'id.
captive, yisnááh.
captor, 'asnááhii.
capture, to (capturing, captured captured), nááł 1. I captured him, séłná.
carbon dioxide, nítch'i díílídígíí.
carcass, 'ats'íís doo hináanii.

card (playing ---), dá'áka'.
cardboard, naaltsoos ntł'izígíí.
carders (for wool), bee ha'nilchaadí.
card, to (carding, carded, carded), chał 1, 2. I am carding, ha'nishchaad. The woman is carding wool, 'asdzání 'aghaa' hainiłchaad.
careful, to be, ził 4. I am careful of it, baa sézid.
carefully, hazhó'ógo; baa hasti'go.
carried on, to be (being, was, been), dah 1. A war is being carried on, 'anaa' baa na'aldeeh.
carrier (of disease), naałniih yił naagháii.
carrot, chąąsht'ezhiitsoh.
carry, to (carrying, carried, carried), 'ááł. I will carry it up, hadeesh'ááł I carried it out, ch'íní'ą. I am going to carry it, dé'ą. You will start to carry it along, didíí'ááł. I started off carrying it, dah dii'ą. I am carrying it along, yish'ááł. I carry a knife, béésh naash'á. He carried it into the house, kin góne' yah 'ayíí'ą. Carry it away, yóó' 'ani'aah! I will carry it as far as your home, nighanji' ndeesh'ááł. I carried it back and forth, 'ałnánásht'ą. I carried them in by making one trip after another yah 'ahéjaa'. nah 13. He carries the tuberculosis, jéí'ádįįh 'éé'díłnah.
cart, tsinaabąąs yázhí bijáád naakiigíí.
cartilage, 'ooshgę́ę́zh.
carton, naaltsoos tsits'aa'.
cartridge, bee'eldǫǫh bik'a'.
cash, t'áá béeso.
cast iron, béésh dit'óódígíí.
castor oil, 'ak'ah 'agháhwiizídígíí.
castrate, to (castrating, castrated, castrated), nił 1. I castrated the lamb, dibé yázhí bicho' hahánil.
casualties, tídáálnáanii.
cat, mósí
catch, to (catching, caught caught), dił 6. I caught the ball, jooł bił dédééł. sił 1. I will catch the horse, łį́į́' deessił. 'ááł (ghééł) 17. I made a big catch of fish, łóó' t'óó 'ahayóí dzíłts'áníghį. loh 2. I catch fish all day long, shá bíighah łóó' 'ahiheshłeeh. k'as 3. I have caught a cold, shiih yíł k'aaz.
caterpillar, ch'osh ditł'ooí; tse'ak'iya'ii'áhii.
cat's cradle, na'atł'o'.
cat-tail, teeł.
cattle, béégashii.
cauliflower, ch'il łigaaí.
cave, tsé'áán.
cave in, to (caving, caved, caved), das 3. The house caved in kin 'ahiih ną́ąłdááz.
celery (wild), haza'aleehtsoh.
celestial space, yá'ąąsh.
cell (biological), hináah bijéí.

cellar, łe'oogeed.
celluloid, tsésǫ' naat'oodí.
cement, hashtł'ish tsé nádleehí.
cement (glue), bee 'ída'diiljeehí dijé'ígíí.
cent, sindao; tsindao.
center, 'ałníí'.
centipede, jáádłánii.
century, t'ááłáhádi neeznádiin ninááháháah.
cereal, ch'il bílástsii' dahólónígíí
ceremony, hatáál; nahaghá. I am performing a ceremony, nahashłá.
cervical, 'ááh sita'.
chain, béésh da'hólzha'í.
chair, bik'idah'asdáhí.
chairman, 'ádah nánídaahii.
chalk, bee 'ak'e'elchíhí.
chamizo, chamise, díghózhiił-báí.
change, to (changing, changed changed), nííł 3, 7. I wish the weather would change, tł'óo'di łahgo 'ánáhodoo'níłę́ę. I will change, łahgo 'ádeeshnííł. Ííł 22. I changed the tire on my car, shichidí bikee' 'ánáshdlaa.
chanter, hataałii.
chapel, sodizin bá hooghan.
chapped, to get (getting, got. gotten), ch'ish 3. My face will get chapped, shinii' didooch'ish
charcoal, t'eesh.
chase, to (chasing, chased, chased), tał 9, 10. The dog started to chase the rabbit, łééchąą'í gah yikéé' yaaltááł.
chatter, to (chattering, chattered, chattered), ch'ał 2. I am chattering, ha'dishch'ał.
chatter-box, ha'diłch'ałí.
cheap, doo 'íłį́į da.
cheat, to (cheating, cheated. cheated), loh 3, 4. He cheated, 'i'deezlo'. I cheated him, bi'délo'.
Cheechilgeetho, N. M., chéch'il łání.
cheek, 'aniitsį'.
cheek bone, 'aniishjaa'.
cheese, géeso.
chef, ch'iyáán 'íił'íní.
cherish, to (cherishing, cherished, cherished), chį' 1, 2. I cherish my possessions, shiyódí baa nishchį'. He cherishes his land bikéyah baa hóchį'.
chest, 'aghid.
chew, to (chewing, chewed, chewed), 'ał 1; chosh 1; ghał 8; kił 9; ts'ah 1. I am chewing it, yish'aał; yishchozh; yishghał, yishkeed; yists'ééh. I am chewing them, yishdeeł.
chewing gum, jeeh.
chewing tobacco, nát'oh ntł'izí
chick, naa'ahóóhai biyázhí.
chickadee, ch'íshiibeezhii.
chicken, naa'ahóóhai.
chicken mite, naa'ahóóhai biya'
chicken pox, 'ąąh ha'ajeeh tó da'diisoołígíí.
chicos, łee' shibéézh.
children, 'áłchíní.
chilli; chile, 'azeedích'íí'.
chimney, ch'ílághi'.
chin, 'ayaats'iin.

China, bináá'ádaałts'ózí bikéyah ntsaaígíí.
chinch bug, tł'oh naadą́ą́' biya'.
Chinese, bináá'ádaałts'ózí diné'é.
Chinle, Ariz., ch'ínílį́.
chip, to (chipping, chipped, chipped), niił 3. I chipped it off, bééłne'. ch'ił. The paint has all chipped off of it, dleesh 'ałtsc béélch'il.
chipmunk, hazéísts'ósii.
Chiricahua Apache, chíshí.
chisel, bee 'iikaałí (cold chisel), tsin bee hahalzhíshí (wood chisel).
chokecherry, didzé dík'ǫ́zhii.
choke, to (choking, choked, choked), nih 6. I will choke you, nizák'ídideeshnih. nah 2, 4. I choked, 'anéshna'. I choked on the water, tó néshna'. dzih 4. He choked on the milk, 'abe' yił deesdzíí'
choose, to (choosing, chose, chosen), 'ááł 5. I chose my younger brother, sitsilí ńdiiłtį́. la 1. I will choose twenty men, diné naadiin yilt'éego náhideeshłah.
chop, to (chopping, chopped chopped), I am chopping wood tsin 'ahidishkaał. niił 2. I will chop it in two with an ax, tsénił bee k'ídeeshniił.
Christians, Christ dayoodláanii.
Christmas, késhmish.
chronic, tsístíín.
chuckle, to (chuckling, chuckled, chuckled), 'įįh. He is chuckling, dlo hahinil'įįh.
church, sodizin bá hooghan.
cicada (17 year), wóóneeshch'įįdii.
cigar, sigháala.
cigaret, cigarette, nát'oh bił da'asdisígíí.
cigaret paper, dá'át'ąą'.
cinch, 'achxoshtł'óól.
cinders, łeeshch'ih.
cinnamon roll, bááh łikaní náhineests'ee'ígíí.
circular, názbąs.
circle, náházbąs.
circular, náházbąsgo.
city, kin łání; kin shijaa'.
claimant (at law), shí níinii.
clamor, hodighosh.
clan, dóone'é.
clap, to (clapping, clapped, clapped), kał 3. I clapped; I clapped my hands, 'ahísékad.
clarification, biyeet'įį'ii; t'áá 'íishjání 'é'élnééh.
clavicle, 'at'og.
claw, 'akéshgaan.
claw, to (clawing, clawed, clawed), ghas 1, 3. I clawed it, nánéghaz.
clay, dleesh (white); bis dootł'izh.
clean, chin bąąh 'ádin; nizhóní.
clean, to (cleaning, cleaned cleaned), gis 1, 2. I cleaned it, ségis; tááségiz. lííł 1. I cleaned (the dirt off of) it, chin bąąh 'ádingo 'íishłaa.
cleanliness, chin 'ąąh 'ádin.

clear, niłtólí; t'áá 'íishjání. I will make it clear to you, t'áá 'íishjání nihá 'ádeeshłííł.
clear off, to (clearing, cleared, cleared), zhoł 1, 2. I wish it would clear off, yóó' 'ahodoolzhołę́ę! It cleared off again, yóó' 'anáhoolzhóód.
clearly, t'áadoo bahat'aadí.
clench, to (clenching, clenched, clenched), lííł 6. I clenched my fist, shíla' 'ałch'į' 'íishłaa.
club footed, késhgolii.
cliff rose, 'awééts'áál.
climb, to (climbing, climbed, climbed), gááł 4. I climbed the mountain, dził bąąh haséyá 'nah 1, 7. I climbed the tree, tsin bąąh hasis'na'. I climbed over it, báátis yish'na'.
clock, jóhonaa'éí ntsaaígíí.
close to the ground, nahashkáá'. The bird is flying close to the ground, tsídii nahashkáá' naat'a'.
close, to (closing, closed, closed) kał 3. Close the door, dádi'nííł kaał! ch'ił 1. I closed my eyes, niishch'iil. I will close it (by putting a lid on it), bidadi'deesh'ááł lííł 6. I closed the book, naaltsoos 'ałch'į' 'áshłaa.
close, t'áá 'áhání.
close together, dit'in.
close call, to have a (having, had, had), leeł 32. I had a close call, shikáa'ji' hazlį́į'.
cloth (cotton), naak'a'at'ą́hí.
clothes, 'éé'.
cloud, k'os.
club, tsihał; bee 'akalí.
coach, to (coaching, coached coached), tįįł 4, 5. I will coach him, ndínéeshtįįł I am coaching; I am a coach, na'nishtin.
coal, łeejin; hot coal, tsíid.
coal mine, łeejin haagééd.
coal miner, łeejin haigédí.
coarse, dich'íizh.
coat, 'éétsoh.
cobbler's nail, ké bił 'adaalkaałí
cobweb, na'ashjé'ii bitł'óól.
cockle bur, ta'neets'éhii.
cocoa, gohwééh hashtł'ishí.
Coconino, góóhníinii.
coddle, to (coddling, coddled, coddled), nih 6. I coddle my baby, she'awéé' biyaa ndishniih.
codliver oil, tóó' bik'ah.
coffee, gohwééh.
coffee pot, jaa'í.
coiled, náhineests'ee'.
coil up, to (coiling; coiled, coiled), zhah 1. The snake is coiling up, tł'iish náhinoolzhééh.
cold, sik'az.
cold(-ness), hak'az.
cold, to get (getting, got, gotten) dlóół 1. I will get cold, shidí'nóodlóół. I am cold, yishdlóóh. I got cold, shi'niidlí. k'as 1, 2. It will get cold (weather), didoołk'as; hodínóok'as. It is cold (weather), deesk'aaz; honeezk'az. It got cold (weather), honiik'aaz.
colt, łé'éyázhí.
collar bone, 'at'og.

collar (harness), 'azéédéetání.
collar, (shirt) zénázt'i'í.
collect oneself, to (collecting collected, collected), doh 38. I regained consciousness and collected myself, shíni' náhásdlįį' dóó bik'iji' shii' hááhwiisdoh.
Comanche, naałání.
comb, bé'ézhóó'.
comb (in weaving), bee 'adzooí.
combat, 'ahigą́.
come, to (coming, came, come) gááł 19. I will come to you, naa deesháááł. gááł 43. When will you come back, hahgoshą' ńdíídááł? gááł 41. I have come for my horse, shilįį' hániyá. **leeł** 15. We will come together (in a meeting), 'áłah diidleeł. dlał 7, 8. The sun came out, jóhonaa'éí ch'ídi'níłdlááad. The sun will come back out, jóhonaa'éí ch'éédi'doodlał
come here, hágo!
commerce, na'iini'; 'ahaanda'iiniih.
commit crime, to (committing committed, committed), t'ááł 2 I committed a crime, 'ádąąh dah hosist'ą́.
complain, to (complaining, complained, complained), łeeł 3. I complained about it, baa saad hoséłįį'. I keep complaining about it, baa saad honishłǫ́.
complaint, saad hólónígíí.
complexion, 'akágí 'ánóolingi.
comprehend, to (comprehending comprehended, comprehended) tįįł 1. I comprehend it, bik'i'diishtįįh.
comprehension, 'ak'i'diitįįh.
comrade, 'ach'ooní.
concern, to (concerning, concerned, concerned), t'ih 6. This doesn't concern you, díí doo nídéét'i' da. You do not concern me, doo shídíínít'i' da.
concrete, hashtł'ish tsé nádleehí
concur, to (concurring, concurred, concurred), leeł 15. The Navaho tribe concurred at Gallup, naabeehó dine'é na'nízhoozhídi 'áłah daazlįį'.
conference, 'áłah 'aleeh.
confidence in, to have (having, had, had), liił 2. We have confidence in the president, wááshindoondi sitíinii baa dzíiníidlí.
confluence, 'ahidiilínígi.
confluent, to be, lį. These rivers are confluent, díí tooh nílínígíí 'ahidiilį.
confusion, 'ił 'ałtaaníná'ákah.
congress, wááshindoondi bee haz'áanii 'ádeił'ínígíí.
congressman, wááshindoondi 'atah bee haz'áanii 'ííł'ínígíí..
conical, dah 'ats'os; heets'óóz
coniferous needle, 'ił
conquer, to (conquering, conquered, conquered), dleeł 3. We will conquer our enemies, nihe'ena'í danilínígíí bik'edadidiidleeł.
conquest, 'ak'ehodeesdlįį'.
consciousness, to regain (regaining, regained, regained), dleeł 2

I regained consciousness, shíni' náhásdlį́į́'.

consideration, 'aa ntsáhákees.

considered, to be (being, was, been), kos 5. It is being considered, baa ntsáhákees.

consider, to (considering, considered, considered), kos 5. I will consider it, baa ntsídeeskos.

conspiracy, 'azéé' deest'ą́.

constantly, t'áá łáhági 'át'éego She wove constantly all day, t'áá łáhági 'át'éego 'atł'óogo 'i'íí'ą́.

constipation, chąą' 'éé'ni'.

constipated, to be (being, was, been), I am constipated, shichaan shéé'ni'.

construct, to (constructing, constructed, constructed), łíí́ł 1. I am constructing a hogan, hooghan 'áshłééh

construction, 'é'élnééh.

contamination, 'i'niiyą́ą́'.

continuation, k'ézt'i'; náás yit'ih

continue, to (continuing, continued, continued), t'ih 15, 16, 17. The war is continuing, 'anaa' náás yit'ih. Now I will continue my work, k'ad shinaanish náás deesht'ih We continued the war, 'anaa' k'ísiilt'i'.

contract, to (contracting, contracted, contracted), nah 12. I will contract a cough, dikos shididoolnah. I have contracted tuberculosis, jéí 'ádįįh shidoolna'.

contraction, 'i'dilnééh (of a disease); 'ałch'į' 'ínééh (of an object).

convalesce, to (convalescing convalesced, convalesced), leeł 26. I am convalescing, yá'át'ééh náásdleeł.

convalescence, yá'át'ééh ná'oodleeł.

convalescent, yá'át'ééh náádleełii.

convention, 'áłah 'aleeh.

conversation, 'ahił hane'.

convict, bínálkáa'ii.

convict, to (convicting, convicted, convicted), kah 3. They convicted him of killing a man, diné ła' yiyiisxį́įgo yéédeiskáá'

conviction, 'ínálkáá'.

cook, ch'iyáán 'íí́ł'íní.

cook, to (cooking, cooked, cooked), t'is 1, 2. The meat is cooked, 'atsį' sit'é. I cooked the meat, 'atsį' séłt'é.

cooked, sit'é.

cookie, bááh łikaní daazganígíí.

cool, sik'ází; honeezk'ází.

cool, to (cooling, cooled, cooled), k'as 2 (to get cold). k'eeł 1, 2. I cooled off the iron, béésh néłk'e'. I cooled off the house, kin góne' honéłk'e'.

cooperation, łá'í 'ídlį́; 'ahíłká 'aná'álqho'

Cooper's hawk, dzílí.

copper, béésh łichíí'ii.

copy, to (copying, copied, copied), łíí́ł 28. I am copying it, be'eshłééh.

cord, tł'óółts'ósí.

corn, naadą́ą́'.
corn (on one's foot), kébąąh nitł'izgo dah naaznilígíí.
corn cob, dá'átsiin.
corner, nástł'ah; náhástł'ah.
cornfield, dá'ák'eh.
Cornfield, Ariz., k'iiłtsoiitah.
corn husk, dá'át'ąą'.
corn leaves, dá'át'ąą'.
corn meal, 'ak'áán dich'ízhí.
cornsilk, naadą́ą́' bitsiigha'.
cornstalk, dá'ákaz.
corn tassel, 'azóól.
corpuscle, dił bighi' naa'eełí.
corral, (sheep) dibé bighan; (horse) łį́į' bighan.
corral chant, 'ił náshjingo hatáál.
correct, to (correcting, corrected, corrected), líił 24. I corrected it, hasht'enáshdlaa. It is not correct, doo 'ákót'ée da.
corrugated, noojí; honoojí.
cost, to (costing, cost, cost), leeł 30. How much does it cost, díkwííshą' bą́ą́h 'ílį?
cot, bikáá' dah 'anitéhí 'áłts'óózígíí.
cotton, ndik'ą'.
cotton cloth, naak'a'at'ą́hí.
cottontail (rabbit), gałbáhí.
cottonwood, t'iis.
cough, to (coughing, coughed coughed), kos 1. I started to cough, hadeskééz. I cough at night, tł'ée'go diskos łeh. I have a cough, diskos; dikos shidoolna'. I cough until I choke, 'ańdískos.
cough syrup, dikos 'azee'.
could, (dooleeł) 'át'é. But they could mine a lot of it, lą'ígo hadeigéed dooleeł ndi 'át'é.
could, haz'ą́. It could rain today, díí jį́ nahodoołtį́įłgo haz'ą́. I could make a stone house, tsé bee kin 'ádeeshłíiłgo haz'ą́. It could be that the car will not be able to make the grade, chidí niinahji' ch'ééh 'ádoot'įįłgo haz'ą́.
count, to (counting, counted counted), tah 1, 2. I am counting them, yíníshta'. I know how to count. 'ííníshta' bééhasin.
counting (it), bił 'ólta'go The man has five children counting the little baby, hastiin 'ashdla' ba'áłchíní, 'awéé' 'áłts'íísígíí 'ałdó' bił 'ólta'go.
country, kéyah.
coupling pin (on a wagon), tsinaabąąs bííshgháán bił 'íí'áhí.
coupling pole (of a wagon), tsinaabąąs bííshgháán.
courthouse, 'aa hwiinít'į bá hooghan.
cousin, 'azeedí; 'alah; 'ił naa'aash; 'ak'is.
Cove, Ariz., k'aabizhii.
covered, to be (being, was, been) kǫǫł 3. It is covered with ice, tin bik'idiilkǫ'.
cover, to (covering, covered, covered), goł 9. I covered it with dirt, łeezh bik'iigeed. tih 1. I will cover you with a blanket, beeldléí nik'ídeeshtih. ził 2. I

covered it by raking snow on it, yas bik'iiziid. jol 1. I will cover it with wool, 'aghaa' bik'iideeshjoł.

covet, to (coveting, coveted, coveted), niił 1. I coveted it, bidánéshniid.

cow, béégashii.

cowboy, 'akał bistłee'ii.

cowboy boots, ké bikétal danineezígíí.

cowboy boot-shoes, ké ndoots'osii bikétal nineezí.

cowpuncher, 'akał bistłee'ii.

coyote, mą'ii.

Coyote Cañon, N. M., mą'ii tééh yítłizhí.

crack, to (cracking, cracked cracked), dlał 1. It cracked, yizdlad. k'is 1. It cracked, yisk'is.

cracked, yizdlad.

cracked, to get (getting, got, gotten), dlał 5. My lips will get cracked, shidaa' ńdoodlał.

cracker, bááh dá'áka'í.

crackling, dilch'ił.

cradle, 'awééts'áál; 'awéé' bits'áál.

cramp, 'adoh dah diik'ąąd.

cramped, to be (being, was, been), k'aash 2. I am cramped from sitting this way so long, kót'éego nízaadgóó sédáago biniinaa ndashishk'aazh.

cramps, to have (having, had, had), k'ąął 2. I have a cramp in my leg, shijáád dah diik'ąąd.

crane, toohji' noołnahii; dééłí.

crane, to (craning, craned, craned), ts'ǫł 6. I craned my neck to see him, yideestséééł biniighé niséts'ǫ́ǫd.

crave, to (craving, craved, craved), leeł 13. I crave tobacco, nát'oh bídinishłį.

crowded, to be (being, was, been) kah 1. It is crowded here, kwii 'ałk'inaakai.

crawl, to (crawling, crawled crawled), 'nah 1, 3, 5, 9, I crawled out from under my blanket, shibeeldléí biyaadęę' hasis'na' I am crawling along, yish'nah. He crawled to the brink of the precipice, tsédáa'ji' nii'na'. I am crawling about, naash'na' The baby crawled into the house, 'awéé' kin góne' yah 'ee'na'.

crazy, to be (being, was, been), gis 4. I am crazy, t'óó diisgis.

cream colored, dinilgai.

cream of wheat (cereal), 'ak'áán dich'ízhí.

credence, 'oodlą́.

crescent (moon), dah yiitą́.

crevice (in rock), tsék'iz.

crib, 'awéé' yii' nitéhí.

cricket, nahak'ízii.

crime, bąąhági 'áhát'į.

crooked, naneeshtł'iizh; digiz.

crooked, to get (getting, got, gotten), gis 3. His arm got crooked, bigaan diigeez.

cross-eyed, bináá' digiz (he is cross-eyed).

crow, gáagii.

crown (of the head), 'atsiit'áád.

Crownpoint, N. M., t'iists'óóz ńdeeshgizh.

crossbeam (of a loom), 'ásitą́ (lower); 'ádah sitą́ (upper).

crotch (of the legs), 'atł'eh.

crumble, to (crumbling, crumbled, crumbled), séí 1. I crumbled the bread, bááh dííséí. zéí 1. The rock crumbled away, tsé 'ałtso díízéí.

crumbly, dizéí.

crush, to (crushing, crushed crushed), jįsh 1. I crushed the tin can, yaadiizíní shéłjįzh.

crushed, shijįzh.

crutches, tsin bee na'adáhí.

Crystal, N. M., tó niłts'ílí.

crystal (rock ---) ,tséghádi'nídínii.

crystalline, niłtólí; niłts'ílí.

cry, to (crying, cried, cried), chah. I am crying, yishchah. What are you crying about, ha'át'ííshą' baa nichah?

cub (bear), shash yáázh.

cucumber, ta'neesk'ání 'áłts'óózígíí.

cuff, (shirt) látsíín názt'i'í; t'ą́ą́' 'ánát'é.

culinary arts, ch'iyáán 'ál'į.

cultivation, k'éé'dílghééh.

cup, bąąh ha'íízhahí.

cured, yilzą́ą́'

cure, to (curing, cured, cured) łááł 2. I cured him, nínádiisá.

curl, to (curling, curled, curled) ch'ił 1, 2 It curled up, yiilch'iil. I curled his hair, bitsii' yiiłch'iil.

curly, yishch'il.

curly haired, chishch'ilí.

currant, k'ínííjíł'ahí.

curriculum, bíhwiidoo'ááłígíí binahat'a'.

curry comb, łį́į́' bee yilzhóhí.

cut, to (cutting, cut, cut), gish 1, 2, 3. I'll cut into it, deeshgish. I cut it in two, 'ahánígizh. I cut it up; I cut it to pieces, nihéłgizh. niił 2. I cut it in two with an ax, tsénił bee k'íníłne'. t'ąs 1 I cut the melon spirally, ta'neesk'ání náhinéłt'ą́ą́z. shih 1. I will cut your hair for you, nitsiighá nádeeshshih.

D

dam, dá'deestł'in.

damage, to (damaging, damaged, damaged), chǫǫł 1 2. I damaged my car, shichidí yíłchǫ'.

damp, yishzhoh.

dampen, to (dampening, dampened, dampened), tł'ish 1. I dampened it, diniiłtł'iizh. tłoh 3. I dampened the rag, 'anilí nísétłéé'.

dance, to (dancing, danced danced), zhish 1. I will dance with you, nił 'adeeshzhish.

dandruff, tsiitah 'aba'.

danger, náhádzid.

dangerous, báhádzid; t'óó baa hasti'. That leaning rock is dangerous, tsé naaniigo dínée'ánígíí t'óó baa hasti'.

daring, t'áadoo yinálדzidii.

dark, to get (getting, got, gotten) hił 4. It has started to get dark, chaho'niiłhéél. It got dark chahóółhéél. It is dark, chahałheeł.

dark colored, diłhił.

darkness, chahałheeł.

dart, to (darting, darted, darted) noł 2. The lizard darts about so fast that it is not vizible, na'ashǫ́'ii naanáálnołgo biniinaa doo yit'į́į da.

dash, to (dashing, dashed, dashed) tał 9 I dashed off after him, bikéé' yaashtáál. tas 3. Dash after my knife, shibéézh bíká yiitas!

date, hashk'aan (fruit).

daughter, 'ach'é'é; 'atsi'.

dawn, to (dawning, dawned, dawned). kááł 1. It is dawning, haiłkaah.

day, jį́; day before yesterday, 'átsé 'adą́ądą́ą́'; on the next day, biiskání; on that very day, t'áá 'éí bijį́.

daybreak, to become (becoming, became, become), kááł 1. It has become daybreak, hayííłką́.

daylight, to become (becoming, became, become), 'įįł 10. Before long it will become daylight, t'áadoo hodina'í 'ałtso hwiidool'įįł. It became daylight, hoos'įįd; 'ałtso hoos'įįd. It is daylight, hool'in.

day school, jį́'ólta'

dead, daaztsą́. My father is dead, shizhé'é yę́ę daaztsą́.

deaf, bijeehkał.

debt, 'ąąh háá'á.

decay, dííłdzid.

decayed, dííłdzid.

decay, to (decaying, decayed, decayed), dził 5. This meat has started to decay, díí 'atsį' bidi'niiłdzid.

decease, 'azéé' hazlį́į́'.

deceased, bizéé' hazlį́į́'ii.

deceive, to (deceiving, deceived, deceived), 'ah 1. I deceived my father, shizhé'é níí'aa'.

December, níłch'itsoh.

deception, 'inót'ááh.

declaration of war, 'ił 'anaa' hazlį́į́'; 'anaa' hwiiniizį́į́'.

declare war, to (declaring, declared, declared), łeeł 2. We declared war on the Japanese, binááʼádaałts'ózí bił 'anaa' dahosiidlį́į́'.

decorate, to (decorating, decorated, decorated), ch'ąh 1. I am decorating it, naashch'ąąh.

decorated, naashch'ąą'.

decoration, na'ach'ąąh.

decrepitude, są́.

deep, 'íídéetą́ą́'; ditą́.

deer, bįįh

defeat, 'ak'ehodeesdlį́į́'.

defeat, to (defeating, defeated, defeated), dleeł 3. We will defeat our enemies, nihe'ena'í bik'edadidiidleeł.

defecate, to (defecating, defecated, defecated), chįįł 1. I defecated, 'ashéchą́ą́'.

defecation, 'achį'.

defense attorney, 'agha'diit'aahii.

deflated, niłtsǫz; niiłtsǫǫz.

defraud, to (defrauding, defrauded, defrauded), loh 3. You defrauded me, shi'dínílo'

dehair, to (dehairing, dehaired, dehaired), dzééł 1, 2. I am now dehairing it, k'ad yisdzééh. I know how to dehair, 'asdzééh bééhasin.

delay, honeezłł'ah.

delayed, to be (being, was, been) tł'ah 4. I was delayed by the rain, nahałtin shineestł'ah.

delay, to (delaying, delayed, delayed), tł'ah 4. What delayed you, ha'át'íishą' nineestł'ah?

demise, 'azéé' hazlį́į́'.

den, tsé'áán.

Denehotso, Ariz., deinihootso.

dense, díłch'il; hodíłch'il; dit'in.

dentist, 'aghoo' yinaalnishí.

depend on, to (depending, depended, depended), liił 5. I am depending on him, ba'ííníshłí. I cannot depend on you, ch'ééh na'ííníshłí (doo naa jóshłíi da).

dependibility, ba'hódlí.

descend, to (descending, descended, descended), gááł 29 I descended the mountain, dził bąąh hadááyá.

descent, hada'oodzá.

desire, 'adááhání.

desire, to (desiring, desired, desired). zį́įł 1. Do you desire water, da' tó nínízin?.

despondent, to become (becoming, became, become), hééł 6. I became despondent, ch'íínáíł shi'niiłhį.

dessicate, to (dessicating, dessicated, dessicated), gą́ą́ł 2. I dessicated the berries, didzé sélgan.

dessicated, sigan; daazgan.

dessication, 'azgan.

destroy, to (destroying, destroyed, destroyed), łaał 1. I destroyed it, nabísésá.

destruction, na'é'ésdzá.

determination, 'íni' nilíinii.

detour, 'ak'ee 'ąą 'ahééhonít'i'.

detour around, to (detouring, detoured, detoured), dááł 1. I detoured around it, bik'ee 'ąą 'ahéénísdzá.

devil, ch'įįdii.

dew, dahtoo'.

dewdrop, dahtoo'.

diaphragm, 'acháshjish.

dice, tsidił. I am playing stick dice, 'adishdił.

die, to (dying, died, died), tsaał 1. I am dying, shi'niitsą́. My father died last night, tł'éédą́ą́' shizhé'é daaztsą́.

different, 'ał'ąą; 'ałtah.

different kinds, 'ał'ąą 'ádaat'éii; 'ałtaas'éí.

difficult, to be (being, was, been) tł'ah 3. The English language is difficult for me, bilagáanaa bizaad 'ayóogo shił nanitł'ah.

difficulty, 'ił nanitł'ah; 'adei 'áhoot'é.

dig, to (digging, dug, dug), gołł 1, 3, 7. I am digging a hole, hahwiishgééd. I am digging a ditch tó yishgoł. I am digging out coal, łeejin haashgééd.

digging stick, gish.

diligently, yéigo; háálgóóshį́į́.

dime, t'ááłá'í dootł'izh.

dip out, to (dipping, dipped, dipped), 'ááł 1. I dipped out the water, tó háákǫ́.

dipper, 'adee'.

dirt, łeezh.

dirty, t'óó baa'ih; t'óó baa hoo'ih

disappearance, 'é'ésdįįd.

disappear, to (disappearing, disappeared, disappeared), dįįł 1 I am in the process of disappearing, 'ááshdįįł. The water has all disappeared, tó 'ałtso 'ásdįįd.

disappointed, to be (being, was, been), kał 6. I was disappointed because you did not come to see me, t'áadoo shaa yíníyáágóó biniinaa shąąh nahóókaad.

disappointment, 'ąąh nahóókaad.

discharge, to (discharging, discharged, discharged), t'eeł 15. I discharged him, 'ats'áánííłt'e' He was discharged, 'ats'áábi'deelt'e'. dǫǫł 1. The gun discharged, bee'eldǫǫh deesdǫǫh.

discontinuation, bik'i'deesdzá, ni'ályaa.

discover, to (discovering, discovered, discovered), gááł 18. Columbus is the man who discovered America, hastiin léi' Columbus gholghéhígíí America yik'í níyá.

discovery, 'ak'í'ídzá; há'deel'į́į́'.

discuss, to (discussing, discussed discussed), t'įįł 1. I am discussing sheep, dibé baa yinísht'į́.

discussion, 'aa náhát'į́; 'aa náhást'įįd.

disease, 'ąąh dahoyooł'aałii.

disgusted to be (being, was, been), 'įįł 1. I am disgusted with whiskey, tódiłhił sé'įįd.

dish, 'ásaa'; łeets'aa'.

disinfectant, ch'osh doo yit'iinii bee naatseedí.

disintegrate, to (disintegrating, disintegrated, disintegrated) tah 1. It disintegrated, diitaa'.

disintegration, 'adiitaa'.

dismount, to (dismounting, dismounted. dismounted), gááł 29 I dismounted from the horse, łį́į́' bikáádę́ę́' hadááyá.

disobedience, doo 'ak'ehól'į́į da

disobey, to (disobeying, disobeyed, disobeyed), 'įįł 7. I disobey him, doo bik'eh honish'įį da.

disperse, to (dispersing, dispersed, dispersed), dah 2. They dispersed, táá'oosdee'.

distance, 'ánízah.

distinct, yit'į́; 'ał'ąą 'át'é.

distribute, to (distributing, distributed, distributed), nih 9, 10. I distributed sheep on the Navaho reservation, naabeehó bikéyah bikáa'gi dibé nisénii'. I distributed sheep among the Navaho, dibé naabeehó bitaasénii'.

distribution, na'a'niih.

disturb the peace, to (disturbing, disturbed, disturbed), I disturbed the peace last night, tł'éédą́ą́' tsi'hahósá.

disturbance of the peace, tsi'hahóóyá.

ditch, tó yígeed.

dive, to (diving, dived, dived), nol 1. I dived into the water, tółtł'ááh yishnóód.

divide, to (dividing, divided, divided), 'ááł 14. I will divide it in two equal parts, 'ałts'ádeesh'ááł. I will divide them up, 'ałts'ádeeshnił.

division, 'ałts'á'ii'nííł.

divorce, to (divorcing, divorced, divorced), gááł 45, 46. We divorced each other; we got divorced, 'ałts'ánáníit'áázh. I divorced my wife, she'esdzáán bits'ánánísdzá.

dizziness, 'ił náhodigháah; 'ił náhodééyá.

dizzy, to get (getting, got, gotten), gááł 48. I am dizzy, shił náhodééyá. I always get dizzy, t'áá 'áłaji' shił nínáhodigháah.

do, to (doing, did, done), nííł 1. I will do whatever you tell me to do, t'áá 'áshidiníníigíí 'ádeesh nííł. What are you trying to do, haalá 'ánínééh?! gááł 33. I am doing my work, shinaanish baa naashá. What are you doing ha'át'íishą' baa naniná? t'ih 8. I have nothing to do with it, doo shídéét'i' da. lííł 4. I did it that way; I did it right, 'ákwíishłaa.

doctor, 'azee' 'ííł'íní.

dodge, to (dodging, dodged dodged), ghis 3. I dodged when he threw the stone at me, tsé yee shííníiłne'go désghiz.

doe, bįįh tsa'ii.

dog, łééchąą'í.

dog lice, łééchąą'í biya'.

doll, 'awééshchíín.

dollar, t'ááłá'í béeso.

domestication, 'azhǫǫh.

donation, 'aa yílyáii; 'a'ílghé.

done, to get (getting, got, gotten) t'is 2. The meat is getting done, 'atsį' k'adęę yit'ees. The meat is done, 'atsį' sit'é.

don't, t'áadoo. Don't talk, t'áadoo yáníłti'í!

door, dáádílkał.

doorway, ch'é'étiin.

dooryard, ch'é'édą́ą́'.

dormitory, da'njah.

dot, dah 'alzhin.

double tree, 'atł'eeyah dah siníł bá ní'áhígíí.

dough, taos'nii'.

doughnut. bááh łikaní.

dove (mourning, or turtle), hasbídí.

down, (bird) 'ats'os.

down, hadah; bidah.

down here, kóyaa.

down there, 'ákóyaa.

dozen, naakits'áadahgo.

doze, to (dozing, dozed, dozed), ghił 4. I dozed (off), 'aneeshghil.

drain off. to (draining, drained, drained), goł 4. I drained the water off of my land, shikéyah bikáá'dóó tó déégeed.

dragon fly, tániil'áíí.

drag, to (dragging, dragged, dragged). shoł 1, 2, 6. I am going to drag it, déshóód. I am dragging it, yishshoł. I dragged the road, 'atiingóó ni'shéshóód.

drawn back, ją'. I am sitting with my legs drawn back, 'ahadíínishją'go sédá.

dribble, to (dribbling, dribbled dribbled) sas 1. I am dribbling sand along, séí yissas.

dreadful, hóghéé'; bééhádzid.

dream, na'iigeeł; na'iidzeeł.

dream, to (dreaming, dreamed or dreamt, dreamed), ghił 1. I dreamed (dreamt) about you naa naiségheel.

dress, tł'aakał.

dress, to (dressing, dressed, dressed), 'níłł 17. I am dressing, háádísh'nééh gááł 44. I dressed (I got back into my clothes), she'éé' biih náásdzá.

dried, sigan. Cut and dried melon, ta'neesk'ání náhineest'ą́ąz dóó sigan.

dried up, sigan; yíłtseii.

drift, to (drifting, drifted, drifted), doh 6. The clouds are drifting along, k'os deíldoh. zhoł 3. The cloud is drifting along up above, k'os ghódahgo yilzhoł.

drink, to (drinking, drank drunk), dlį́į́ł 1, 2. I drank the milk, 'abe' yishdlą́ą́'. I do not drink, shí doo 'ashdlą́ą da.

drip, to (dripping, dripped, dripped), ch'ął 1 Water is dripping in here, kóne' tó nahidilch'ą́ą́ł.

drive, to (driving, drove, driven), bąs 1, 2,4. 5, 7, 8, 9, 10. I drove the car up the mountain, dził bąąh chidí háálbą́ą́z. I drove off in the car, chidí dah diilbą́ą́z. I will drive the car out of the garage, chidí bá hooghandę́ę́' ch'ídeesbąs. I am driving along in a car; I am driving the car along, chidí yisbąs. I drove the car into the garage, chidí chidí bá hooghan góne' yah 'ííłbą́ą́z. I drove to Gallup and back, na'nízhoozhígóó ni'séłbą́ą́z. Where are you driving, háágóósh 'adíníłbą́ą́z. chééł 1. I drove the horse out of the corral, łį́į́' łį́į́' bighandę́ę́' ch'íninííłchą́ą́'. yoł 1. I am driving the little group of cattle around, béégashii nanisood. kał 16. He drove the wolves off with his gun, bibee'eldǫǫh yee mą'iitsoh 'ák'iinoolkaad. (chééł 3. I drove the wolf off, mą'iitsoh 'ák'ineshchą́ą́'.)

drizzle, to (drizzling, drizzled drizzled), zhoł 4. It is drizzling, n'dizhoł.

drill, béésh bee bigháda'a'nilí.

drop, to (dropping, dropped. dropped). 'ał 1; dił 4; ;joł 3; kał 4; nił 11; niił 5; tłoh 4; t'eeł. I am in the act of dropping it, naash'áád; naashdeeł; naash jooł; naashkaad; naashnííł naashne'; naashtłeeh; hadaasht'e'.

drown, to (drowning, drowned drowned), hééł 4. He nearly drowned, k'asdą́ą́' tó biisxį́.

ghą́ą́ł 3. k'asdą́ą́' tó bíighą́ą́' they nearly drowned.

drowsiness, bił.

drowsy, to be (being, was, been), zįįł 2. I am drowsy, bił nisin.

drug, 'azee'.

druggist, 'azee' nayiiłniihí.

drugstore, 'azee' bá hooghan.

drum, 'ásaa' dádeestł'ónígíí.

drumstick, 'ásaa' bee yiltązhí.

drunk, to make (making, made, made), łaał 3 It made me drunk, tsi'sideesá.

drunk, to be (being, was, been), he is drunk, 'oodlą́ą́'; tsí'naaghá.

drunkard, 'adláanii.

dry, yíłtseii; hóółtseii; sigan; hazgan.

dry, to (drying, dried, dried), gą́ą́ł 1, 2 I dried the meat, 'atsį' séłgan. The meat dried up, 'atsį' sigan. tsih 1, 3. I dried my shirt, she'éé' náátseii.

dry, to get (getting, got, gotten), gą́ą́ł 1. It will get dry, doogą́ą́ł. tsih 1. I will get dry again, ńdeestsih. I am dry yínístseii.

duck, naal'eełí.

duck, to (ducking, ducked, ducked), nííł 14. I ducked when he threw a stone at me, tsé yee shííníiłne'go yaa 'ásdzaa.

dumpling, k'íneeshbízhii.

duodenum, 'abid díkiní; 'abid dijoolí.

durability, 'adina'.

dusk, to become (becoming, became, become), jį́įł 4. It has become dusk, hiłiijį́į́'.

dutch oven, 'ásaa' ditání.

dwell, to (dwelling, dwelt, dwelt), t'įįł 5. I dwell in Gallup, na'nízhoozhídi kééhasht'į. The Navaho dwell in hogans, naabeehó hooghan bii' dabighan.

dwindle, to (dwindling, dwindled dwindled), dįįł 1. My money is dwindling, shibéeso 'áádįįł. My money has all dwindled away, shibéeso 'ałtso 'ásdįįd.

E

each, t'áá 'ákwíí. Each day, t'áá 'ákwíí jį.

eagle, 'atsá.

eagle trap, 'ood.

ear, 'ajaa'.

ear (inner ---), 'ajaaghi'.

earache, 'ajaaghi' hodiniih.

eardrum, 'ajaaghi' dáádiníbaalí

ear lobe, 'ajaa'.

earring, jaatł'óół.

earth, nahasdzáán; ni'.

earthenware, łeets'aa'.

earthquake, ni' ndaha'nánígíí.

east, ha'a'aah.

easterly, ha'a'aahdę́ę́'go.

eastern, ha'a'aah biyaajígo.

easterner, ha'a'aah biyaadę́ę́' naaghái.

eastward, ha'a'aahjigo; ha'a'aah bich'ijigo.

eat, to (eating, ate, eaten), ghį́įł 1, 2. I am eating it, yishą́. I have eaten, 'ííyą́ą́'. 'ał 1; chosh 1; ghał 8; kił 9; ts'ah 1. I ate it, yí'aal; yíłchozh; yishghal; yish-

kid; yíłts'ee'. dił 1. I ate them, yishdééł.
eclipse, jóhonaa'éí daaztsą́ (--- of the sun); 'ooljéé' daaztsą́ (--- of the moon).
economize on, to (economizing economized, economized), zį́įł 5. I am economizing on it, t'áá bąąh hą́ą́h nisin.
economy bąąh hą́ą́h hasin.
education, 'íhoo'aah.
even though, 'azhą́ --- ndi.
effort, to make an (making, made, made), dził 1 I made an effort, désdzil. tah 1. I made an effort, nabínétą́ą́'.
effect on, to have an (having, had, had), That has no effect on me, 'éí doo shidééłníi da. The file has no effect on the ax, tsé-nił bee'ach'iishí doo bidééłníi da
effervescent, dilchxosh.
egg, 'ayęęzhii.
egg shell, 'ayęęzhii bits'iil.
egret (snowy ---), toohji' ndii-gaii; toohk'indiigaii.
ewe, dibé tsa'ii.
elbow, 'ach'oozhlaa'.
electricity. 'atsiniltł'ish
elk, dzééh.
elusive, he is ---, nanit'in.
embarrassment, yá hásin.
emergency, nisihwiinídééł.
employ, to (employing, employ-ed, employed) 'ááł 15. I employ-ed him, naanish baa diní'ą́
employment, naanish; naanish 'aa deet'aah.
enchantment, 'adigąsh.
encountering him, bidááh.
encourage, to (encouraging, en-couraged, encouraged), łííł 7. I will encourage you, t'áá nił ha-sihgo 'ádeeshłííł.
encouragement, t'áá 'ił hasih.
encounter, to (encountering, en-countered, encountered), gááł 12, 13, 27. I encountered him, bidááh níyá. I encountered him, bił 'ahidiit'áázh.
end, to (ending, ended, ended), t'ih 13, 14. I ended it, niníłt'i'. It ended, ninít'i'. zhish 5. The cold weather ended, deesk'aaz-go nihoolzhiizh.
endless, doo ninít'i'í.
endurance, 'í'níłdzil.
enemy, 'ana'í.
energy, 'áhóódziil.
engine (of a car), chidí bitsii-ts'iin.
enjoyment, 'ił honeeni.
enjoy, to (enjoying, enjoyed, en-joyed), niił 1. I enjoy reading, 'ííníshta'go baa shił honeeni.
ennui, 'ádahodeedlá; k'íhodi-tééh.
enter, to (entering, entered, en-tered), gááł 30. I entered the house, kin góne' yah 'ííyá. gááł 27. I entered the boat, tsinaa-'eeł biih yíyá.
entry, yah 'o'oodzá; 'iih 'oodzá; 'atah 'ídzá.
envious, to be (being, was, been), ch'į́įd 1, 2. He is envious of my car, shichidí yoołch'į́įd. He is just envious, t'óó 'oołch'į́įd.

envy, to (envying, envied, envied), ch'į́įd 1, 2. He envies me my car, chidí biniinaa shooł-ch'į́įd.
envy, 'oolch'į́įd.
epidemic, na'ałniih.
epiglottis, 'adájóózh.
erase, to (erasing, erased, erased), chǫǫł 3. I erased it, k'éé'ííł-chǫ'.
eraser, bee k'éé'álchxǫǫhí.
erasure, k'éé'oolchǫ'.
erect, to (erecting, erected, erected), lííł 1. I erected a home, kin 'ííshłaa.
evidently, t'áadoo bahat'aadí,
erode, to (eroding, eroded, eroded), zhash. The rock eroded away, tsé ninízhaazh.
erosion, tó dóó níyol 'ooshashígíí
esophagus, 'azágí.
ether, 'azee' bee 'iilgháshí.
evening, to become (becoming, became, become), 'ááł 8. It has become evening, yaa 'adeez'ą́.
evening star, sǫ'tsoh.
evening twilight, nahootsoii.
every, t'áá 'ákwíí. Every day, t'áá 'ákwíí jį́.
every once in a while, t'óó náhodi'naahgo; łáháda.
everything, t'áá 'ałtsoní.
everywhere, t'áá 'ałtsogo. t'áá 'íishjání.
evil, doo yá'áshǫ́ǫ da.
eye, 'anáá'.
eyebrow, 'anáts'iin.
eyeglasses, nák'eesinilí.
eyelash, 'anádiz.
eyelid, 'anáziz.
eye socket, 'anák'ee.
eyetooth, 'aghózhah.
examine, to (examining, examined, examined), sił 1. I examined it, háásid.
examination, haalzííd; 'ééhoozį́įh; níl'į́; naalkaah.
excavation, hahwiigééd; hahwiis'nilígi.
excessive, 'adei'ánéelą́ą́'.
exceedingly, 'ayóigo; 'ayóogo.
excel, to (excelling, excelled, excelled), yóí. I excel at it, honishyóí. I excel at running, t'áá hayóí dinishgho'.
excellent, t'áá 'íighisíí yá'át'ééh; 'agháadi yá'át'ééh.
except, t'áá hazhó'ó.
excess, 'adei'ít'éii; ch'ínííłna'ígíí.
excited, to get (getting, got, gotten), dįįł 8. I got excited when I saw the airplane fall, chidí naat'a'í hadah 'eelts'idgo yiiłtsą́ą́ ńt'ę́ę́' shił 'áhásdįįd. chah 6. I got sexually excited, ń'dishcha'
excitement, yíní 'ádin.
excrement, chąą'.
exhale, to (exhaling, exhaled exhaled), dzih 2. Exhale, háánídziih!
exhalation, háá'iidziih.
exhibition, daníl'înígíí.
exhumation, háá'ált'e'
exhume, to (exhuming, exhumed, exhumed), t'eeł 14. I exhumed the body, 'ats'íís yę́ę hanááłt'e'. goł 2. My father's bo-

dy was exhumed, shizhé'é bits'íís yę́ę hanábi'doogeed.

exist, to (existing, existed, existed), leeł 7. I exist, honishłǫ́. There is (there exists) water, tó hólǫ́. There are many races of men on earth, nahasdzáán bikáa'gi dine'é t'óó 'ahayóí 'ał'ąą 'ádaat'éego dahólǫ́.

existence, hódlǫ́.

existence, to come into (coming, came, come), leeł 1, 19 It is said that the world started to come into existence countless years ago, doo jóołta' 'ánéeląą' náá-haiídą́ą́' nahasdzáán hodeezlį́į́', jiní. A baby came into existence, 'awéé' hazlį́į́'. There will be war, 'anaa' hodooleeł.

expand, to (expanding, expanded, expanded), nííł 13. The horned toad is expanding, na'ashǫ́'ii dich'ízhii 'ąą kwááníít.

expansion, 'ąą 'é'édzaa.

exit, ch'é'étiin.

expect him, to (expecting, expected, expected), liił 4. I am expecting him, neíníshłí.

expectant, to be (being, was, been), liił 3. I am expectant; I am expecting someone, na'ííníshłí. I am expectant; I am an expectant mother, yistsą́.

expectation, na'ólní.

expectoration, dijah.

explain, to (explaining, explained, explained), nih 4. I will explain the war to you, 'anaa' hazhó'ó bee nił hodeeshnih.

explanation, hazhó'ó baa hane'

explode, to (exploding, exploded, exploded), dǫǫł The gun powder exploded, bee'eldǫǫh bikǫ' deesdǫǫh.

explosion, 'adeesdǫǫh.

extend, to (extending, extended, extended), 'á. It extends (vertically), háá'á; (perpendicularly) yaa'á; (in), 'íí'á; (horizontally), ní'á; (downward), deez'á; (across), naní'á. zhosh 1. I sat down and extended my legs, nédá dóó k'ídéshzhoozh.

extension, ha'íí'á; 'aneel'ą́.

extinct, 'ádin; 'ásdįįd.

extinct, to become (becoming, became, become), dįįł 1. The bighorn sheep became extinct in the Navaho country, naabeehó bikéyah bikáa'gi tsétah dibé 'ałtso 'ádaasdįįd.

extract, to, (extracting, extracted, extracted), 'ááł 1. He extracted my tooth, shighoo' hayíí'ą́.

extraction, ha'oot'ą́.

extreme, 'agháadi; 'álátah.

exudation, na'íílį́.

F

face, 'anii'.

face, to make a (making, made, made), 'nih 5. The girl made a face at me (blinked at me), 'at'ééd shidees'nih.

factory, t'áadoo le'é 'ádaal'į́įgi.

fail, to (failing, failed, failed) 'įįł 2. I failed at it, ch'ééh 'ííł'įįd. t'įįł 4. I failed, ch'ééh 'íít'įįd.

failure, ch'ééh 'é'él'į.

fall, 'aak'eed; 'aak'eego.

fall, to (falling, fell, fallen), das 2; dah 2; dił 2; hęsh 1; joł 2; kǫs 1; ts'ił 1. It fell down, náá łdááz; náádéél; nááłhęęzh; náájool; náákę́ę́z; náálts'id They are falling, nanidééh. The hogan fell in, hooghan 'ahiih nááłdááz. das 1; dah 1; kǫs 3; nah 14; tłish 1; ts'ił 2. It fell out of my hand, shílák'e hááłdááz; háákę́ę́z; haana'; háátłizh; haalts'id. kǫs 2. The pole fell over sideways, tsin naa'ííkę́ę́z chił 5. I fell on him hands first, bik'idiishchid. goh 3, 5, 6. I fell down, hadáágo'. I fell into the water, tó biih yígo'. I fell down and hit the ground, ni'ji' nikídégoh. tłish 11. I fell down, hadáátłizh. I fell out of the car, chidí bighi'dę́ę́' ch'ínítłizh. I fell into the water, tó biih yítłizh. I fell under the power of an evil man, diné doo yá'áshóonii biyaa 'íítłizh. The French people fel' under the power of their enemies, French dine'é be'ena'í yiyaa 'aníídee'.

falsehood, yooch'íid; ghooch'íid

fame, 'éého'dílzin.

family unit, t'ááłá'í hooghanígíí.

famous, to become (becoming, became, become), zįįł 12. It became famous, béého'doolzįįd. It is famous, bééhö'dílzin.

far, nízaad; doo deighánígóó

farm, to (farming, farmed, farmed), lééł 6. The Pueblos farm (are farmers), kiis'áanii k'ééda'didléeh.

farmer, k'éé'dídléhí.

Farmington, N. M., tóta'.

farther, biláah 'ánízáád.

farther on, yówehédi; t'ah náásídi; nówehédi.

farthest, 'aláahdi; 'aláah 'ánízáád.

fat, 'ak'ah.

fat, to get (getting, got, gotten), k'ah 1. I will get fat, dínéeshk'ah. I am fat, néshk'ah.

father, 'azhé'é; 'ataa'.

fatigue, ch'ééh 'adeesdzá.

fatten, to (fattening, fattened, fattened), k'ah 3. I have fattened my sheep, shidibé 'ałtso nélk'ah.

fattening, 'anilk'ah; bee 'anilk'ahii.

faults, (his ---), ba'át'e'.

faultless, ba'át'e' 'ádingo.

favorite, 'agháadi.

fawn, bįįh yáázh.

fear, ná'ádzid.

fear, to (fearing, feared, feared), dzííł 1. I do not fear you, doo ninásdzid da.

fearful, to be (being, was, been), dzííł 2. He is very fearful, 'ayóo náldzid.

fearless, t'áadoo yináldzidii; doo bił ghée'ii.

feather, 'at'a'; 'ats'os.

February, 'atsá biyáázh.

fecal matter, chǫǫ'.

feces, chǫǫ'.

feed bag, łį́į' yii' 'a'ahí.

feed, to (feeding, fed, fed), sį́įł 1. I fed the baby, 'awéé' bi'iissą́. tsoł 3. I will feed you; I will give you food, na'deestsoł.

feel, to (feeling, felt, felt), nih 3. I felt his face, binii' bídéshnii'. ts'íid. I do not feel well, shitah doo hats'íid da. I feel well now, k'ad shitah yá'áhoot'ééh. How do you feel, haa nít'é?

feet, 'akee'.

felloes (of a wagon wheel), tsinaabąąs bijáád tsin bináz'áhígíí.

femur, 'ajáád bita' sitání.

fence, 'anít'i'.

fence, to put up a (putting, put, put), t'ih 5. I am putting up a fence, 'eesht'ih.

fertilize, to (fertilizing, fertilized, fertilized), líít 16. I am fertilizing the field, nanise' bich'iyą' dá'ák'eh bąąh 'áshłééh.

fertilizer, nanise' bich'iyą'.

few, t'áá díkwíí; 'áłch'į́įdí.

fifteen cents, gíinisi.

fig, hashk'aan.

fight, to (fighting, fought fought), ghoł 19. I fought with him, bił 'ałk'iishghod. gą́ą́ł 2. I fought with him, bił 'aheeshgą́ą́'.

file, bee 'ach'iishí.

file, to (filing, filed, filed), ch'ish 1, 2. I will file it, deeshch'ish. I filed the nail in two, 'ił 'adaalkaałí k'ínich'iizh.

fill, to (filling, filled, filled), bįįł 2. I filled it with water, tó bii' hadééłbįįd.

filthy, t'óó baa'ih; t'óó nichxǫ́'í; nichxǫ́ǫ́'í.

find, to (finding, found, found), 'ááł 5. I found a dollar, t'ááłá'í béeso ńdii'ą́. gááł 18. I found a cave, tsé'áán ła' bik'íníyá. ch'ił 5. My hat was lost, but I found it among the clothes, shich'ah yóó' 'eelts'id ńt'ę́ę́' 'éé' bitahgi bik'í'ních'id. 'į́įł 5. He stole my horse, but I found him out, shilį́į' yineez'į́į' ndi hadinish'į́į'. zįįł 13. I will find out for you, ná shił béèhodoozįįł. kah 2. I found out about the stars, sǫ' nisééłkáá'.

finish, to (finishing, finished, finished), t'ih 13. They have not yet finished the song, sin t'ah doo ndayííłt'éeh da. I have finished eating, 'ałtso 'ííyą́ą́'. I have finished building my house, shikin 'ałtso 'ííshłaa.

fingernail, 'áláshgaan.

finger, 'ála'; 'álázhoozh.

fire, kǫ'.

fire, to make (making, made, made), k'ą́ął 1. I made fire with a firedrill, 'asééłk'ą́.

fire, to build a (building, built, built), jah 3, 4. I built a fire, didííłjéé'. I built the fire back up, déédííłjéé'.

fire, to set (setting, set, set), tłił 4. I set fire to the paper, naaltsoos diiłtłah.

firearm, bee'eldǫǫh.
firecracker, naaltsoos dadildonígíí.
fire engine, kǫ' yiniłtsésí.
fire extinguisher, kǫ' bee niltsésí
fireplace, kǫ'k'eh.
fireside, honibąąh.
firewood, chizh.
firm, niłdzil.
first, 'átsé; 'áłtsé.
first aid, 'átsé choo'įįhii.
fish, łóó'.
fit, 'ashch'ąh.
fix, to (fixing, fixed, fixed), łííł 24. I fixed my car, shichidí hasht'enáshdlaa.
flagellation, ná'níltsxis.
Flagstaff, Ariz. kin łání.
flake off, to (flaking, flaked, flaked), ch'ił. My skin is flaking off, shikágí bélch'iił.
flash, 'anáháta'; jishgish.
flash, to (flashing, flashed flashed), 2. The lightning is flashing, 'anáháta'. chih 4. It flashed red, dah yiichii'. tł'ish 8. It flashed blue, dah diitł'iizh
flashlight, bee n'dildlaadí.
flat, niteel; (tire) niłtsǫz, niiłtsǫǫz.
flat iron, bee k'éé'áldǫǫhí.
flatulence, 'atsą na'alyol.
flatulent, to be (being, was, been), tł'ił. I am flatulent, 'ashtł'iid.
flatulent expulsion, tł'id.
flax, látah 'adijoolí.
fleece, 'aghaa'.
fleet lizard, naalnoodí.
flesh, 'atsį'.
flexible, naat'ood.
flexibility, naat'ood.
flint, tsé 'ághózí.
flint (igniter ---), tsétł'ééł.
flip, to (flipping, flipped, flipped), tąsh 1. I flipped the marble, máázo shéłtąsh.
flirtation, 'aljił.
float, to (floating, floated, floated), 'oł 1. I am floating about, dah naash'eeł
flour, 'ak'áán.
flow, to (flowing, flowed, flowed) goh 10, 11, 12, 13, 14, 15, 16. It will start to flow along, didoogoh. It is flowing along, yigoh. It flowed up out, háágo'. It stopped flowing, ninígo'. It flowed away, yóó' 'íígo'. It flowed over, ghó'áągo'. lį. It is flowing along, nílį. It is flowing out, ch'ínílį. I am making the water flow (along), tó yíníshłį.
fluffy, yilzhólí.
flutter, to (fluttering, fluttered, fluttered), dlo'. My eye fluttered, shináá' dahadlo'.
fly, tsé'édǫ'ii.
fly, to (flying, flew, flown), t'ah 1, 3, 4, 5, 6, 7, 8. The bird flew off, tsídii dah diit'a' (tsídii yóó' 'eet'a'). I am flying along, yisht'ah. I will fly to Washington, wááshindoongóó shił 'adoot'ah. The bird is flying about, tsídii naat'a'. I flew the airplane about, chidí naat'a'í niséłt'a .
fog, 'áhí.

foggy, 'áhí bee chahałheeł; 'áhí dah 'oojoł.
fold to (folding, folded, folded), lííł 6. I folded the paper, naaltsoos 'ałch'į' 'íishłaa. lééł 2. I will fold the blanket, beeldléí 'ahą́ą́h dínéeshłééł.
food, ch'iyáán; ch'iyą'.
fool, to (fooling, fooled, fooled), 'ah 1. I fooled him when I told him I had no money, shibéeso 'ádin bidishníigo níí'aa'.
foot (linear), 'adées'eez.
foot, 'akee'.
footprint, kék'eh.
for (him, it), bá; bideená; bik'é; biniighé; bíká; biba'.
for (because), háálá.
for rent, bik'e ni'iiłghéego 'a'ít'aah biniighé.
for sale, na'iini' biniighé.
forbidden, doo bee haz'ą́ą da. Smoking is forbidden in church, sodizin bá hooghan góne' ná'át'oh doo bee haz'ą́ą da.
forego, to (foregoing, forewent, foregone), 'aah 19. I have foregone the pleasure of smoking because it is not good for me, ná'ásht'ohgo baa shił honeeni nít'ę́ę́' yóó 'adíí'ą́, háálá doo shá yá'át'éeh da.
forehead, 'átáá'.
forever, hool'áágóó.
forget, to (forgetting, forgot, forgotten), nah 1. I have forgotten him, baa yisénah. Don't forget about it, t'ááká baa yóónééh!
forgotten, to be (being, was, been), 'nah 1. I will be forgotten, shaa hodiyoo'nah.
fork, bíla' táá'ii.
formerly, ch'óóshdą́ą́dą́ą́'.
fornication, 'ak'ééd; 'ashtéézh.
Fort Defiance, Ariz., tséhootsooí
Fort Sumner, N. M., hwééldi.
Fort Wingate, N. M., shash bitoo
forward, náás.
foxtail grass, zéé'iilgho'ii.
fracture, k'é'éltǫ'; k'ídi'nídéél.
fracture (compound ---), k'ídi'nídéél dóó binaa tídiilyaa.
fracture (compression ---), shijįzhgo k'é'éltǫ'.
fracture (epiphyseal ---), 'ooshgę́ę́zh bee tsin 'aheshjéé' gónaa k'é'éltǫ'.
fracture (longitudinal ---), náasee ts'in 'ałk'íniizhoozh.
fracture (multiple ---), ts'in niheestǫ'.
fracture (oblique ---), 'ałnáháádláád.
fracture (transverse ---), naaniigo k'é'éltǫ'.
fragile, dit'ódí; di'įdí.
fragility, 'aa hasti'.
fragmentation, 'adiitaa'; 'azts'il.
fraud, 'i'deesdlo'; 'ina'adlo'.
free (gratis), t'áá jíík'e; t'áá níík'e. He gave it to me free, t'áá jíík'e shaa yiní'ą́.
freeze, to (freezing, froze, frozen), tįįł 1, 2. I froze, sistin. I froze it, séłtin.
frequently, t'áá 'ahą́ą́h.
Friday, 'ashdla'ajį́ nda'anish.
friend, 'ak'is.

friendly, to be (being, was, been) nih 1. I am very friendly with him, 'ayóigo k'é ghósh'ní.
friendship, k'é 'ahó'ní.
frigidity, hak'az.
fringe, 'ajánil (of a shawl); 'ąąh háát'i' (of a saddle).
Fruitland, N. M., niinah nízaad.
frog, ch'ał nineezí; ch'ał.
from, -dę́ę́'; -dóó.
from now on, kodóó náás hodeeshzhiizhgóó.
from there, 'áádę́ę́'; 'áádóó; 'aadę́ę́'; 'aadóó; ghónáásdóó.
from there on, 'áádóó.
frost, sho.
frost, to (frosting, frosted, frosted), gah 3. It frosted last night, tł'éédą́ą́' sho yiigaii.
fruit, tsin bineest'ą'; dried fruit, tsin bineest'ą' daazganígíí, fresh fruit, tsin bineest'ą' 'ádaaniidí.
frying pan, tsee'é.
full, to get (getting, got, gotten), bį́į́ł 1. My shoes got full of sand, shikee' séí bii' hadéébį́įd. It is full of water, tó bii' hadeezbin. chał 4. I got full; I am full, nániichaad.
full moon, haníibą́ą́z.
fumble for, to (fumbling, fumbled, fumbled), ził 5. I am fumbling for money in my pocket, siza'azis góne' béeso hahassíid. I fumbled for it, hahosézíid.
fun, to have (having, had, had), niił 5. I am having fun, baa shił honeeni.
function, to (functioning, functioned, functioned), nísh 2. My car doesn't function well, shichidí doo yá'át'éehgo naalnish da.
funny, baa dlo hasin.
furthermost, 'alááhjí.
furrowed, yíldzis.
furuncle, yilch'ozh.
futilely, ch'ééh.

G

gain weight, to (gaining, gained, gained), k'ah 2. I am gaining weight, shi'niilk'aii.
gall, 'atł'izh.
Gallup, N. M., na'nízhoozhí.
galoshes, ké'achogii.
game corral, needzį́į́'.
gamble's oak, chéch'il.
Ganado, Ariz., lók'aahnteel.
gapped, deeshgizh; ńdeeshgizh
garbage, ch'iyáán doo bidi'nidzinígíí.
garble, to (garbling, garbled, garbled), tih 3. He garbles his speech, doo hats'íí yáłti' da.
garden, dá'ák'eh.
gargle, to (gargling, gargled, gargled), dził 1, 2. I am gargling the water, tó shidághi' nanisdzid. I am gargling, shidághi' na'nisdzid.
garter, yistłeetł'óól.
garter (sash —), jánézhí.
gasoline, chidí bitoo'.
gate, dáńdítį́hí.
gather, to (gathering, gathered, gathered), łííł 14. I will gather them together, 'áłah 'ádeeshłííł. leeł 15. The Navaho gathered

at Gallup, naabeehó na'nízhoozhídi 'áłah silįį'. lah 1. I am gathering firewood, chizh náháshłááh.

gelding, łįį' bikq'ii.

generate, to (generating, generated, generated), naał 1. We generate electricity by means of water, tó bee 'atsiniltł'ish dahiilnaah.

generation, náás 'oochíłígíí (geneologic); 'atsiniltł'ish hiilnaał (of electricity).

genitalia (male), 'acho'; (female) 'atsxil.

genuflection, ntsi'deesgo'.

germ, ch'osh doo yit'íinii.

gesticulation, na'achid.

gesture, to (gesturing, gestured, gestured), chił 3. I am talking by means of gestures, naashchidgo bee yáshti'.

get, to (getting, got, gotten), t'eeł 9. I got this horse from a Navaho, díí łįį' naabeehó bits'ą́ą́dę́ę́' shóíséłt'e'. **get out,** 'ááł 1. He got out his knife, bibéézh hayíí'ą. gááł 2. I will get out of here, kodóó ch'ídeesháááł. dįįł 1. I got out of money, shibéeso 'ásdįįd. gááł 29 I got out of the car, chidí bighi'dę́ę́' hadááyá. **get away,** ghoł 10. The horse got away, łįį' yóó' 'eelghod. 'ááł 1. I got his wife away from him, be'esdzáán biyaa háátłtį. **get down,** ghééł 1. I got the pack down, hééł n'diighį. gááł 29. Get down off of the horse, łįį' bikáádę́ę́' hadanináah! **get even,** 'nííł 15. I will get even with you, nił k'éédideesh'nííł. **get lost,** gááł 30. I got lost, yóó' 'ííyá. **get skinned,** kił 10; t'oł 11. My hand got skinned, shíla' tsiih nálki'; shíla' tsiih nát'o'. **get up,** gááł 11. I will get up, ńdideeshdááł. 'nah 4. I got up, ńdiish'na'.

ghost, ch'įįdii.

giant, yé'iitsoh.

gift, 'aa yílyáii.

gila monster, tiníléí.

giraffe, tsinlátah 'ayánii.

girdle (for a horse), 'achxoshtł'óól.

girl, 'at'ééd.

give, to (giving, gave, given), 'ááł 7. I will give it to you, naa deesh'ááł (deeshghééł, deeshjoł deeshkááł, deeshłééł, deeshtééł deeshtįįł, deeshtłoh, deestsos) I will give them to you, naa deeshjih (deeshnił) lííł 29. I will give him another chance, bá 'ashja náá'deeshdlííł. I gave him a chance (an opportunity), bá 'ashja 'iishłaa. 'įįł 4. The Mexican gives whiskey to the Navaho on the sly, naakaii tódiłhił naabeehó yaa néinił'įįh. **give up, to** (giving, gave, given), 'ááł 19. I will give up smoking, ná'áshtǫ'oh yóó' 'adideesh'ááł gááł 9. I have given up drinking, 'ashdlánę́ę bik'ídéyá. 'ááł 16 He overcame me, so I gave up, shik'ehdeesdlįį'go biniinaa t'óó baa diní'ą́. t'įįł 3. Our enemies have given up, nihe'ena'í 'áádahoost'įįd. t'ááł 7. I gave up to him, t'óó baa 'ádinisht'ą́.

glance, to (glancing, glanced, glanced), tał 5. The bullet glanced from the rock, bee'eldǫǫh bik'a' tsé yits'ánáltáál.

gland, 'akááz.

glacier, tin 'ak'idilkǫǫh gholghéii.

glaciation, tin 'ak'idilkǫǫh gholghéii.

glass (tumbler), tózis.

glass, tsésǫ'.

glitter, to (glittering, glittered, glittered), sxǫs. The stars are glittering, sǫ' dadisxǫs.

glittering, disxǫs; bits'ádi'nílííd.

glottis, 'adáziz.

glossy, bízdílid.

glove, lájish.

glow worm, ch'osh bikǫ'ii.

glue, bee 'ahída'diiljeehí.

glue, to (gluing, glued, glued), jah 2. I glued them together, 'ahídiiłjéé'.

gnat, ts'í'ii.

go, to (going, went, gone), gááł 18. I went to Gallup, na'nízhoozhígóó níyá. **go among,** 37. I went among the Mexicans, naakaii bitaaséyá. **go after,** 38. I am going after water, tó háásháál. **go back** 43. When will you go back, hahgoshą' ńdíídááł? **go on horseback,** 50. I went on horseback, łį́į' shił níyá. **go out,** 2. I will go out of the house, kin bighi'dę́ę́' ch'ídeesháał. tsis 1. The fire went out, kǫ' neeztsiz. **go up,** 4. I went up the mountain, dził bąąh haséyá.

goat, tł'ízí; tł'ízí chǫǫh (billy).

gobble up, to (gobbling, gobbled gobbled), mał 1, 2. The dog gobbled up the meat, łééchąą'í 'atsį' 'ałtso 'ayiizmal.

goiter, 'ayaayááh dah 'iighe'.

gold, 'óola.

goldfinch, tsídiiłtsooí.

good, yá'át'ééh; łikan; nizhóní.

good looking, bíighis.

goods, naalghéhé.

goose, naal'eełí.

gopher, na'azísí.

gopher-snake, diyóósh.

gorilla, magítsoh; mogítsoh.

gorge, tsékooh; bikooh.

goshawk (western ---), giníłbáhí

gossip, 'aseezį́.

gossip, to (gossiping, gossiped, gossiped), dzin. I gossip, 'aseezíń nisdzin.

gourd, 'adee'

govern, to (governing, governed, governed), 'aał 4. I govern them, bá nahash'á.

government, 'á nahat'áii; 'á naha'áii; 'á ndaha'áii.

governor, 'á naha'áii.

governing body, 'á ndaha'áii.

grab, 'ashjih.

grab, to (grabbing, grabbed, grabbed), jih 1. I grabbed it, shéjih. sił 1. I grabbed it, sésił.

grama grass, tł'oh nástasí.

Grand Cañon, Ariz., bidáá' ha'azt'i'.

grandaddy long legs, na'ashjé'ii bijáád danineezí.

grandchild, 'atsóí.

grandfather, 'acheii; 'análí.

grandmother, 'amá sání; 'análí.

grape, ch'il na'atł'o'ii.

grape (Oregon —), chéch'il nitł'izí yilt'ąą'í.

grapevine, ch'il na'atł'o'ii.

grate, to (grating, grated, grated), ch'ish 1. I grated the cheese, géeso yích'iizh.

grave, jishcháá'.

gravel, tsézéí.

graveyard, jishcháá'.

gravy, 'atoo'.

gray, łibá; halbá.

gray lizard, na'ashǫ́'iiłbáhí.

graze, to (grazing, grazed, grazed), chosh 2. The sheep are grazing, dibé da'ałchozh.

grease, 'ak'ah.

grease (axle —), 'ajéé'.

grease, to (greasing, greased, greased), jah 1. I will grease my car, shichidí ńdeeshjah.

grease gun, bee ná'ájeehí.

Greasewood, Ariz., dóghózhii bii' tó.

greasewood, dóghózhii.

great grandmother, 'achó.

green, dootł'izh; hodootł'izh.

green lizard, na'ashǫ́'ii dootł'izhí.

greenish, dinooltł'izh.

griddle, tsét'ees.

grime, chin.

grimy, chin bąąh t'óó 'ahayóí.

grind, to (grinding, ground, ground), k'ááł 1. I ground the wheat, tł'oh naadą́ą́' yík'ą. k'ash 1. I ground the ax, tsénił yík'aazh.

grinding sound, k'azh.

grindstone, tsé bee 'ak'aashí.

gristle, 'ooshgę́ę́zh.

grizzly bear, shashtsoh.

grope, to (groping, groped, groped), sił 5. I am groping in my pocket for money, siza'azis góne' béeso hahassiid. sił 4. I groped my way out on account of the dark, chahałheełgo biniinaa hweessiłgo ch'íníyá. I am groping my way along, hweessił.

ground, ni'. On the ground, ni'ji'; ni'góó. Close to the ground, nahashkáá'.

ground lichen, ni' hadláád.

grow, to (growing, grew, grown), sééł 1. I am growing, neesséél. I grew up, nininísą. t'įįł 2. I grew some corn, naadą́ą́' ła' nánéłt'ą.

grasp, to (grasping, grasped, grasped), jih 1 I grasped it, shéjih. sił 1. I grasped it, sésił. tsah 1. I grasped it with my teeth, sétsah.

grass, tł'oh.

grasshopper, nahachagii.

guano, tsídii bichaan.

guidance, 'á hoot'į.

guide, to (guiding, guided, guided), loh 8, 9, 10. I am guiding the car, chidí yishłoh. I am

guiding, 'eeshłoh. 'įįł 6. I am guiding him; I am acting as guide for him, bá hweesh'į.
gullet, 'azágí.
gullibility, t'áá bíhólníhígíí ghoodlą́.
gullible, t'áá bíhólníhígíí yoodlą́.
gully, cháshk'eh hats'ózí.
gum (of teeth), 'aghótsíín.
gun, bee'eldǫǫh.
gunny sack, tł'oh yishbizh.
gun sight, bik'eh 'adilt'ohí.
gunstock, bee'eldǫǫh bitsiin.
gunpowder, bee'eldǫǫh bikǫ'.
gyp, to (gyping, gyped, gyped), loh 3. He gyped me out of a dime, t'ááłá'í dootł'izh yee shi'deezlo'.
loh 3. I was gyped, shi'deesdlo'.

H

hail, níló.
hail, to (hailing, hailed, hailed), tį́į́ł 6. It is hailing, níló naałtin.
hailstorm, níló naałtin.
hair, 'atsii'; 'atsiighá.
hairbrush, bé'ézhóó'.
hair-cord (for tying up the hair), tsiitł'óół.
hairy, ditł'o; dits'oz; disho; di'il; di'ilí.
half dollar, dį́į́ yáál.
half moon, 'ałníí' béélhéél.
halo, (around the sun) jóhonaa'éí biná'ástł'éé'; shá bítł'ájiiłchii'; (around the moon) 'ooljéé' biná'ástł'éé'.
halter, 'anik'idé'ání.
hames (of harness), 'azéédéenilí.
hammer, bee 'atsidí.
hamper, to (hampering, hampered, hampered), tł'ah 4. The rain hampered me, nahałtin shineestł'ah.
hand, 'ála'.
handicap, honeeztł'ah.
handicapped, to be (being, was, been), tł'ah 2. I am handicapped by my baby, she'awéé' baa nanishtł'ah.
handle (of a pitcher, or water bottle), bitáshja.
handle, bitsiin.
handsome, bíighis.
hang up, to (hanging, hung, hung), ch'ą́ął 2. I am hanging suspended, dah naashch'ą́ął
'ááł 16. I hung up my hat, shich'ah dah hidii'ą́. bał 1. I will hang the cloth, naak'a'at'ą́hí dideeshbał.
hanged, to be (being, was, been) dloh. The criminal was hanged, diné doo yá'áshóonii dah bi'diidlo'.
handmade, t'áá yílá bee 'ályaa.
happen, to (happening, happened, happened), níít 9, 10. What happened to you, haalá yinidzaa? What is happening, haada hat'į́? What happened, haa hóót'įįd? It happened thus, kóhóót'įįd.
happiness, 'ił hózhǫ́.
happy, to be (being, was, been), zhǫǫł 1. I am happy about it, baa shił hózhǫ́.

happy, to become (becoming, became, become), zhǫǫł 1. I became happy about it, baa shił hóózhǫǫd.

hard, nitł'iz; nanitł'ah; yéigo. I am hard to beat, doo ts'íid 'ánísht'ée da.

hard, to get (getting, got, gotten) tł'is 1. The ground will get hard, ni' hodootł'is.

harden, to (hardening, hardened, hardened), tł'is 2. It is hardening, yitł'is. I hardened it, séłtł'is.

harm, to (harming, harmed harmed), líił 30. I harmed him, 'atíishłaa. neeł 3. Don't harm me, t'áadoo shee naninéhí!

harmful, to be (being, was, been) líił 32. Whiskey is a harmful thing, tódiłhił 'até'éł'íinii 'át'é.

harmfulness, 'até'éł'íinii.

harness, 'ak'inaazt'i'.

harrow, 'ak'inaalzhoodí.

hat, ch'ah.

hatband, ch'ah binázt'i'í.

hatchet, tsénił yázhí.

hate, to (hating, hated, hated), łaał 1. I hate him, jooshłá. I came to hate him, jiiséłáá'.

hated, to be universally. din. He is universally hated; he is held in contempt, doo yildin da.

hatred, joodlá.

have, to (having, had, had), leeł 23. I have a knife, béésh shee hóló. I used to have it, shee hólǫ́ǫ ńt'ę́ę́'. ghį́įł 1. I had fish to eat łóó' bił 'íįyą́ą́'. niił I have fun swimming, na'ashkǫ́ǫ'go baa shił honeeni.

hawk (western red tail —), 'atseełtsoii.

hay fork, tł'oh bee naaljoołí.

head, 'atsiits'iin.

head off, to (heading, headed, headed), gááł 24. I headed off the sheep, dibé bidááh niníyá.

headband, tsiinázt'i'í.

heald sticks, 'ii' sinil.

health, shánah.

healthy, to be (being, was, been), leeł 5. I am healthy, shánah nishłį́. t'eeł 8. He is healthy, bitah yá'áhoot'ééh.

hear, to (hearing, heard, heard), ts'į́įł 6, 7. I heard it, diséts'ą́ą́'. I heard, 'adiséts'ą́ą́'.

hear about, to (hearing, heard, heard), nih 1. I heard about the Yei Bichei, na'akaigo yínii'.

heart, 'ajéí díshjool.

heartburn, 'aghi' hodilid.

heart shaped, heets'óóz.

heat, hado.

heat (sexual), na'acha'.

heat, to come into (coming, came, come), chah 6. The ewe has come into heat, dibé tsa'ii ń'diilcha'

heat, to (heating, heated, heated), doh. 7. I heated the water, tó niiłdoii. doh 8. I heated my home, shighan góne' honiiłdoii. gah 9. I heated the iron, béésh niiłgaii.

heaven, yá'ąąsh.

heavy, nidaaz.

heavy, to be (being, was, been), daaz, dáás. I am heavy, nisdaaz. I am heavier than you, nilááh 'ánísdáás.

heel bone, 'akétal.

held, back, to be (being, was, been), tł'ah 2. The rain held mę back, nahałtin shineestł'ah

held, to be (being, was, been), leeł 28. A meeting was held, 'áłah 'azlíį́'.

help, 'áká 'e'elgheed.

help, to (helping, helped, helped), ghoł 11. I will help you, níká 'adeeshghoł. doh 9. My education helps me, 'íínísht'a'gc bee shich'į' nahaldoh.

hem, t'ą́ą́' 'ánát'é.

hemorrhage, 'aghi'dę́ę́' diłt.

hen, naa'ahóóhai bi'áadii.

herd, to (herding, herded, herded), kał 10, 11, 12, 13, 14, 15. I will herd them out, ch'ídínéeshkał. I am herding them along, neeshkał. I herded them back, ńdínéłkaad. I am herding them, nanishkaad. I am herding, na'nishkaad.

hereabout, kwii; kǫ́ǫ́; kóoní.

here and there, 'ákǫ́ǫ́. Here and there stands a tree, 'ákǫ́ǫ́ tsin 'adaaz'á.

here inside, kóne'.

heron (blue ---), táłtł'ááh 'aléeh.

hesitate, to (hesitating, hesitated, hesitated), leeł 6. Don't hesitate about speaking to her, t'áadoo bich'į' ni' nílíní, bich'į' yáníłti'!

hesitant, to be (being, was, been) leeł 6. I am hesitant about it, bich'į' ni' nishłį. tiił 1. I am **here,** kwe'é; kwii; kodi; dzą́ądi; na'; haah; ghóshdę́ę́'.

hesitant, yishtiih. I wanted to ask him for a quarter, but I felt hesitant about doing so, naaki yáál bíídéeshkił nisin ńt'ę́ę́', t'óó bich'į' yítiid. tih 5. He is hesitant in speech, doo hah yáłti' da.

hesitation, ni' 'ídlį.

hiccough, to (hiccoughing, hiccoughed, hiccoughed), nah 3. I am hiccoughing; I have the hiccoughs, ná'níshnah.

hide, 'asgą'; 'akágí.

hide, to (hiding, hid, hidden), t'íįł 1. I am hiding (hidden) from him, bits'ą́ą nanisht'in. 'íįł 3. I will hide it from you, nits'ą́ą ńdidínéesh'íįł.

high top shoes, ké ndoots'osíí.

hill, deesk'id; dah yisk'id.

hip, 'ak'ai'.

hire, to (hiring, hired, hired), 'ááł 15. I hired him, naanish baa diní'ą.

hirsute, ditł'o; disho.

hit, to (hitting, hit, hit), ts'íįł 1. I will hit him with my fist, ńdideests'íįł (once); ńdínéests'íįł (many times). hał 3. I hit him with a club, ńdííłhaal. I am hitting him (repeatedly) with a club nánishhał.

hitch, to (hitching, hitched hitched), nił 18. I hitched the

horses to the wagon, łį́į́' tsinaabąąs bighą́ą́h déénil.
hitched to, bighą́ą́h.
hoax, to (hoaxing, hoaxed, hoaxed), 'ah 1. I hoaxed him, níí'aa'.
hobbles, łį́į́' bihétł'óól.
hoe, bééhágod.
hoe, to (hoeing, hoed, hoed), goł 10. I am hoeing, náháshgod.
hog, bisóodi.
hogan, hooghan.
Holbrook, Ariz., t'iisyaakin.
hold, to (holding, held, held), 'á 2. I am holding the stick out, tsin háát'á. 'á 3. I am holding the stick up (vertically), tsin yaał'á. 'á 4. I am holding the stick out (horizontally), tsin déł'á (ch'íníł'á). 'á 6. I am holding the gun pointed at (against) him, bee'eldǫǫh bidiił'á. t'ááł 5. I am holding my head against it, bidíníish'ą́. bał 2. I am holding up the cloth, naak'a'at'ąhí yíníshbaal. ch'ah 2. I am holding my mouth open, díníshch'ah. tą' I am holding it; I am holding on to it; I have ahold of it, yíníshtą'. tł'ah 2. I will not hold you back, shí doo ndínéeshtł'ah da. tsah 2. I am holding it in my teeth, yínístsa'. ts'ih 2. I am holding it with my nails, yínísts'i'. sįįł 6. I am holding it down, yaa 'íínísin. sįįł 5. I am holding my breath, shiyol t'ą́ą́' 'íínísin. I am held in contempt by everybody, doo yishdin da.
hole, 'a'áán; bigháhoodzánígíí
hollow, bii' halts'aa'; bii' hoodzą́
holster, bee'eldǫǫh bizis.
home, hooghan.
homeless, to be (being, was, been), gááł 52. I am homeless, t'áá bita'ígi naashá.
homelessness, t'áá bita'ígi na'adáh.
honey, tsís'ná bitł'izh.
hoof, 'akéshgaan.
hoop, tsibąąs
hop, to (hopping, hopped, hopped), chah 1, 2, 3, 4. I am hopping along, heeshchah. I am hopping about, nahashcha' t'eeł 18. I am hopping about on one foot, nahásht'e'.
horned toad, na'ashǫ́'ii dich'ízhii.
horn, 'adee'.
horse, łį́į́'; łį́į́' łį́'ígíí. Blue gray horse, łį́į́' dootł'izhii; bay horse, łį́į́' łichíí'ii; black horse, łį́į́shzhiin; brown horse, łį́į́shtłizhii; buckskin, tsiigha' łizhinii; dark bay horse, łį́į́' dinilzhinii; mouse colored horse, łį́į́łhinii; paint (pinto), łį́į́łkiizh; palomino, tsiigha' łigaii; roan horse, łį́į́' łibáii; roan with red mane and tail, tsiigha' łichíí'ii; sorrel, łį́į́' łitsoii; spotted horse, łį́į́stł'inii.
horsefly, łį́į́' bitsís'ná; tł'ézhii.
horseshoe, łį́į́' bikee'.
horseshoe shaped, názhah.
hot, to be (being, was, been), sido; dich'íí'. doh 3. I am hot, shił deesdoi. It is hot (weather), deesdoi. gah 5, 8. It is hot (wea-

ther), honeezgai. The iron is hot, béésh neezgai.

hot, to become (becoming, became, become), doh 2. It will become hot (weather), hodínóodoh. gah 8. The iron became hot, béésh niigaii. gah 5. It will become hot (weather), hodínóogah.

hotcake, tsé'ást'éí.

hotel, da'njah.

hour, 'ahéé'ilkid.

house, kin.

how, haa; haashą'; haash; daa; haait'éegoshą'; hait'áo; ha'át'éegoshą'.

how long ago? hádą́ą'shą'?

how much? how many? díkwííshą'; díkwíísh; díkwíí; haa néelt'e'; haa néelą́ą'?

hub (wagon), tsinaabąąs bijáád bitsiits'iin.

Huerfano, N. M., hanáádlį.

hug, to (hugging, hugged, hugged), tą'. I am hugging her, shijéí bíínishtą'.

humerus, 'agaan bita' sitání.

humid, ditłéé'.

humidification, ná'áltłeeh.

humming bird, dah yiitįhí.

humor, to regain one's good (regaining, regained, regained) jǫǫł. I have regained my good humor; I am back in a good humor, shił náhoojǫǫd. I am regaining my good humor; I am getting back in a good humor, shił náhoojǫǫł.

hunchback, chooghiní.

hunger, dichin; hodichin.

hungry, to get (getting, got, gotten), leeł 11. I will get hungry, dichin deeshłeeł. I am hungry, dichin nishłį.

hurt, to (hurting, hurt, hurt), niih 2. My hand hurts, shíla' diniih. gah 7. My tooth hurts me, shighoo' shił honeesgai. niił 2. I hurt myself, tí'ádiishyaa. Don't hurt yourself, t'áadoo tí'ídíl'íní!

hurt, to get (getting, got, gotten) nih 1. I got hurt, 'ádadénih.

hunt, to (hunting, hunted, hunted), zhah 1, 2. I went hunting, nishéshzhee'. I went hunting deer; I went deer hunting, bįįh hashéshzhee'.

Hunter's Point, Ariz., tsénáshchii'.

hysteria, 'ashch'ąh

I

ice, tin.

Ignacio, Colo., bíina.

ilium, 'ak'aashjaa'.

ill, to be (being, was, been), 'ááł 8. I am ill, shąąh dahaz'ą́. tsaał 1. I am ill, daastsaah.

illness, 'ąąh dahaz'ą́; da'atsaah.

imagine, to (imagining, imagined, imagined), nííł 11. He just imagines it, t'óó bił 'át'į. I thought I saw a coyote, but I just imagined it, mą'ii yiiłtsą́ nisin ńt'ę́ę́, t'óó shił 'ádzaa lá.

imagination, t'óó 'ił 'át'į.

immunity, bee 'adighin.

impossibility, doo 'ihónéedzą́ą da.
impossible, doo bihónéedzą́ą da.
in, bii'; bighi'.
in addition, ba'aan.
in a little while, 'át'áhígo.
in front of it, bidáahgi; bich'ą́ąh; bilą́ąji'; bighą́ąh.
in his way, bich'ą́ąh.
in many ways, t'áá łą́ągóó.
in many places, t'áá łą́ągóó.
in several directions, da'níłts'ą́ą'góó.
in some places, łahgóó.
in other places, łahgóó.
in the direction of, -jígo; -jigo.
in vain, ch'ééh.
incapability, 'a'oh honee'ą́.
incense, 'ayah didi'nił.
inch, 'asdzoh. Six inches, hastą́ądi 'asdzoh.
incise, to (incising, incised, incised), gish 1. I made an incision in it; I incised it, shégish.
incision, yishgish; 'ashgish.
incorrect, doo 'ákót'ée da.
increase, to (increasing, increased, increased), lą́ął 1. We are increasing (in number), yiidlą́ął łą́ął 1. I increased (the number of) my sheep, shidibé yíłą́ąd. nííł 13. I am increasing my size, 'ąą kwááshnííł.
incubator, bighi' 'iilnaahí.
Indian paint brush, dah yiitįhídą́ą'.
individual, t'áá łá'í sízínígíí; t'áá łá'í ní'ánígo; t'ááłá'í nízínígo.

infantile paralysis, --- sigan. He had infantile paralysis in the leg, bijáád sigan.
infection, 'i'niiyą́ą'.
infirmity, da'atsaah; 'ąąh dahaz'ą́.
inflammable, łikon.
influenza, tahoniigááh ntsaaígíí
inhabit, to (inhabiting, inhabited, inhabited), t'įįł 5. The Negroes inhabit Africa, Africa bikáa'gi naakaii łizhinii kéédahat'į́.
inhabitants, kéédahat'íinii.
inhalation, 'i'iidziih.
inhale, to (inhaling, inhaled, inhaled), dzih 1. I inhaled the smoke, łid bił 'eesdzíí'. Inhale, 'anidziih!
injection, 'ii' 'alt'ood.
injured, to be (being, was, been), nih 1. I was injured, 'ádadénih.
injurious, to be (being, was, been), lííł 32. Tobacco is not really injurious, nát'oh doo ts'ídá 'até'éł'įį da.
injury, tí'iilyaa.
inquire, to (inquiring, inquired, inquired), kił 2. I will inquire of him, nabídídéeshkił.
inquiry, na'ídíkid.
inquisition, na'ídíkid.
insanity, diigis.
inscription, 'ak'e'eshchį́.
inside, yah; góne'; ghóne'.
inspect, to (inspecting, inspected, inspected), sił 1. I inspected it, háásid.

inspection, haalzíid; níl'į; naalkaah; 'ééhoozįįh.
inspector, ha'asidí
instruction, na'nitin.
insufficiency, 'a'oh neel'ą́.
insufficient, to be (being, was, been), 'ą́ął 5. The rain is insufficient for the corn, nahałtin naadą́ą́' yi'oh neel'ą́.
interest, 'óhoneedlį; (on a debt) 'ínáóltą'í.
interested in, to be (being, was, been), I am interested in the war, 'anaa' bíneeshdlį.
interesting, to be (being, was been), zįįł 8. It is interesting to me t'óó baa ná nisin. What is so interesting, ha'át'íí lá baa ná hasin?
interment, łe'alteeh.
interminable, doo ninít'i'í.
interpret, to (interpreting, interpreted, interpreted), nih 2. I will interpret for you, nihita' hodeeshnih.
interrelated, to be (being, was, been), t'ih 7. Fire and smoke are interrelated, kǫ' dóó łid 'ahídéét'i'
intestine, 'ach'íí'.
intestine (small ---), 'ach'íí' dootł'izhí
intestine (large ---), 'ach'íídííl.
into, biih.
intoxicate, to (intoxicating, intoxicated, intoxicated), łááł 3. Whiskey intoxicates me, tódiłhił tsí'shidiiłááh łeh.
invalid, ka naagháii.
investigate, to (investigating, investigated, investigated), kah 2. I investigated the stars, sǫ' nisétkáá'.
investigation, na'alkaah.
involved in, to become (becoming, became, become), leeł 10. We have become involved in the war, 'anaa' bee 'atah dasiidlį́į́'.
involvement, 'atah 'asdlį́į́'.
iodine, 'azee' 'adiłidí łizhinígíí
iron, béésh dootł'izh; béésh.
iron ore, tsé ndaaz.
ironwood, mą'iidą́ą́'; k'iishzhínii
iron, to (ironing, ironed, ironed), kǫǫł 2. I ironed my shirt, she'éé' ńdiiłkǫ'.
irascibility, 'ayóo yíní si'ą́.
irrigate, to (irrigating, irrigated irrigated), hęsh 2. I irrigated my corn, shinaadą́ą́' bitah na'níłhęęzh.
irrigation, na'nighęsh.
Isleta, N. M., naatoohó.
isn't it? ya'? It is cold, isn't it? deesk'aaz ya'?
itch, 'akáá' yihę́ę́s.
itch, to (itching, itched, itched), hęs. My hand itches, shíla' yihę́ę́s.
Iyanbito, N. M., 'ayání bito'.

J

jabber, to (jabbering, jabbered jabbered), ch'ał 2. I am jabbering, ha'dishch'ał.
jabberer, ha'diłch'ałí.
jack (auto ---,), chidí bee dah ńdiit'áhí.

jacket, 'éétsoh 'áłts'íísígíí.
jackrabbit, gahtsoh.
jail, 'awáalya.
jailbird, 'awáalyaaí.
jailer, 'awáalya yaa 'áhályání.
January, yas niłt'ees.
Japan, bináá'ádaałts'ózí bikéyah.
Japanese, bináá'ádaałts'ózí dine'é.
javelin, tsin 'anáhálgháhí.
jaw, 'ayaats'iin.
jealous, to be (being, was, been), zįįł 7. I am jealous, łe' nisin. I am jealous of my wife, she'esdzáán baa łe' nisin.
jealousy, łe' hasin.
jelly cake, neesdog.
Jemez, N. M., mą'ii deeshgiizh.
Jemez (people), mą'ii deeshgiizhnii.
jerky, ditsxiz.
jerky (dried meat), 'ałk'íniilgizh
jest, nahat'i'.
jet, bááshzhinii.
jet-black, diłhił.
Jicarilla Apache, beehai.
jimson weed, ch'óhojilghééh.
job, naanish.
join, to (joining, joined, joined), gááł 28. I joined the army, siláago bíiyá (or bitah níyá).
joints, 'ahadit'áán.
joy, 'ił hózhǫ́.
judge, 'ánihwii'aahii.
jug, tóshjeeh.
July, ya'iishjáástsoh; 'e'eeshjáástsoh.
jump, to (jumping, jumped, jumped), jįįł 1, 2. I jumped over the log, tsin bitis dah néshjį́d. I jumped back, t'ą́ąji' dah néshjį́d. chah 5. I am jumping at the limb, tsin bigaan bich'į' yááhiishchah.
jumping spider, na'ashjé'ii nahacha'ígíí.
June, ya'iishjááshchilí; 'e'eeshjááshchilí.
June bug, tááłchaa'.
juniper, gad; gad ni'eełii.
just, t'áá.
just in fun, t'áá 'ádzaagóó; t'óó

K

Kaibito, Ariz., k'ai' bii' tó.
kangaroo mouse, nahasht'e'i 'áłts'íísígíí.
kangaroo rat, nahasht'e'ii.
Kayenta, Ariz., tó dínéeshzhee'.
Keam's Cañon, Ariz., lók'aa' deeshjin.
keep, to (keeping, kept, kept), zįįł 4. I keep my car running well, shichidí nizhónígo diits'a'go 'íínísin. I keep my home clean inside, shighan góne' hózhónígo 'áhwíínísin. 'ááł 12. I keep my gun in the house, shibee'eldǫǫh shighan góne' séłtą́. nih 2. We kept each other by talking, 'ahił hahodínéelne'.
keg, tóshjeeh.
kennel, łééchąą'í bighan.
kerchief, zéédéełdoi; zéédéełtsooz.
kernal (of corn), naadą́ą' bighoo'
kerosene, 'ak'ahkǫ'.
key, bee 'ąą ńdítįhí.
keyhole, bee 'ąą ńdítįhí bá 'ahoodzánígíí.

kick, to (kicking, kicked, kicked), tał 1, 2, 3 I kicked; I let fly a kick, 'adzíítáál. I kicked him; I gave him a kick, sétał. I kicked him one time after another; I gave him a kicking, nánéétáál.

kid, tł'ízí yázhí.

kidney, 'achá'áshk'azhí.

kill, to (killing, killed, killed), hééł 1 I killed him, séłhį. ghééł 1. I nearly killed myself, k'asdą́ą́' 'ádiyéshghį. ghą́ą́ł 1. I killed many prairie dogs, dlǫ́ǫ́ t'óó 'ahayóí yíghą́ą́'. tsił 1. We killed the cattle, béégashii nisiiltseed.

kin, 'ak'éí.

kind of, t'óó bíyó. It is kind of cold, t'óó bíyó deesk'aaz.

kind, to be (being, was, been), baał 1. I am kind to animals, naaldlooshii baa jiinishba' łeh.

kindness, jooba'; 'á 'áhwiinít'į.

king bolt (of a wagon), tsinaabąąs bits'a' bá ní'áhí bił 'íí'áhí.

Kinlichee, Ariz., kin dah łichí'í.

Kiowa, kaawa.

kiss, to (kissing, kissed, kissed), t'ááł 6. I kissed her, biznesht'ą. ts'ǫs 1. I will kiss you, nideests'ǫs.

kitfox, mą'ii dootł'izhí.

Klagetoh, Ariz., łeeghi'tó.

knee, 'agod.

kneecap, 'agod dist'ání.

kneel, to (kneeling, knelt, knelt), goh 8. I knelt on the ground, ni'góó ntsidinígo'.

kneeling, to be (is, was, been), goh 9. I am kneeling, ntsidííníshgo'.

knife, béésh.

knock over, to (knocking, knocked, knocked), goh 7; niił 7; ghééł 2; kał 5; t'eeł 17. I knocked it over, naa'íígo'; naa'ííłne'; naa'ííghį; naa'ííłkaad; naa'ííłne'; naa'ííłt'e'. nił 3. I knocked them over, naa'ahénil. hał 3. I knocked him over with a club, ńdííłhaal.

knot, shaazh.

know, to (knowing, knew, known) chįįh. I know how, yiishchįįh. zįįł 13. I know about it, shił bééhózin. sįįł 2. I know him, bééhasin. I know how to shoot, 'adishdon bééhasin.

knowledge, bíhoo'ą́ą'ii.

known, to make (making, made, made), 'ááł 2. I made known the fact that our enemies attacked us, nihe'ena'í nihik'iijé'ígíí ch'íní'ą.

knuckles, 'ála' 'ahą́ąh dadé'áhígíí.

kodak, bee 'ak'inda'a'nilí.

kotex, tł'eestsooz.

L

lad, 'ashkii.

ladder, haaz'éí.

lake, tooh; tónteel; be'ak'id.

Lake Valley, N. M., be'ak'id halgaii.

lamb, dibé yázhí.

lampwick. 'ak'ahkǫ' biih yít'i'í.

land, kéyah.

language, saad.
languish, to (languishing, languished, languished), hééł 6. I am languishing in jail, 'awáálya sétįįgo biniinaa ch'íínáíí shi'niiłhį.
lap, 'atsék'ee.
lap against, to (lapping, lapped, lapped), k'oł 2. The water is lapping against the boat, tsinaa'eeł tó bídílk'oł.
lap up, to (lapping, lapped, lapped), ch'ał 1. The cat is lapping up the milk, mósí 'abe' yiłch'al.
larceny, 'ani'įį'; 'agha'ílghé.
lard, 'ak'ah.
large, nitsaa; -tsoh; 'áníłtso; nitsxaaz; 'áníldííl.
large, to be (being, was, been), tso 1. I am large, 'ánístso. dííl 1. I am large, 'áníshdííl. tsxaaz 1. I am large (fully grown), nistsxaaz; 'ánístsxááz.
lariat, tł'óół.
larkspur (purple ---), tádídíín dootł'izh.
lasso, to (lassoing, lassoed, lassoed). loh 1. I lassoed the horse, łįį' séloh.
last, to (lasting, lasted, lasted), naał 4, 5. I will not last long, doo shee hodidoonaał da. I did not last long, t'áadoo shee hodíína'í. The water will last, tó didoonaał.
laugh, to (laughing laughed, laughed), dloh 2. I am laughing at him, baa yishdloh. I feel like laughing, dlo nisin.
laundry, da'iigis bá hooghan; da'iigisgi.
laundress, 'asdzání da'iigisígíí.
laundry man, diné da'iigisí.
lava, tsézhin; chézhin.
law, bee haz'áanii
lawyer, 'agha'diit'aahii.
lay, to (laying, laying, laid), tééł 3. I laid the baby on the bed, 'awéé' tsásk'eh bikáa'gi binéłtį. 'ááł 9. I laid the baby down, 'awéé' ni' niníłtį.
laxative, 'agháhwiizídí.
lazy, to be (being, was, been) ghéé' 2. I am lazy, shił hóghéé'. gis 4. I am lazy, diisgis. 'aał 7. I am lazy; I do not follow orders, doo yish'áa da.
laziness, 'ił hóghéé'.
lead, dilghįhí.
lead, to (leading, led, led), lóós 1, 3, 4. I started off leading the horse, łįį' dah diilóóz. I am leading it along, yisłóós. I led your horse to you, nilįį' naa nílóóz. 'ish 1, 2, 4. Lead the horses to me, łįį' shaa ní'éésh. I am leading them along, yish'ish.
leader, naat'áanii.
leaf, 'at'ąą'.
lean, to (leaning, leaned, leaned), shosh 3. I leaned the poles against the house, tsin kin bíniishoozh. The lumber is leaning over there, 'áadi tsin niheshjíí' kíniizhoozh. I leaned in through the door, ch'é'étiindóó yah 'ahííníshtį.

leaning, naanii dínée'ą́; naanii dínéetį.

learn, to (learning, learned, learned), 'ááł 1. I am learning English, bilagáanaa bizaad bíhoosh'aah. nih 1. I learned of the war from my brother, shínaaí bits'ą́ą́dóó 'anaa' yínii'.

leather, 'akał.

leaves, 'at'ąą'

left out, to be (being, was, been), chééł 5. When sheep were being distributed amongst us I was left out, dibé nihitaabi'di'niihgo shí'íícháą́'.

left, to be (being, was, been), dzih 8. I am the only one left, shí t'éiyá yisdziih. How many are left, díkwííshą' yidziih?

left, to have (having, had, had), dzih 8. How many do you have left, díkwííshą' nidziih? I have two cartridges left, bee'eldǫǫh bik'a' naaki yisdziih.

left handed, to be (being, was, been), tł'ah. I am left handed, nishtł'ah.

leg, 'ajáád.

legerdemain, 'álííl.

legging, jáád bąąh niná'niłí.

lemon, ch'il łitsooí dík'ǫ́zhígíí.

lend, to (lending, lent, lent), 'ááł 10. I lent him a dollar, t'áála'í béeso ba'ní'ą́.

length, náásee.

lengthwise, náásee.

leopard, náshdóítsoh łikizhí.

lesson, bíhwiidoo'áłígíí.

let, -ni'; le'. Let him eat, bíni' 'adooghįįł! Let there be light, 'adinídíín le'!

let go, to (letting, let, let), chił 4. Let go of the stick, tsin bidíchííd!

let, to (letting, let, let), 'ááł 18. I will let you stay all night here, t'áá kwe'é niidoołkááł biniighé nadi'deesh'ááł.

lettuce, ch'il łigaaí.

Leupp, Ariz., tsiizizii.

liar, biyooch'ídí.

lichen, dlááď; ni' hadlááď.

lick, to (licking, licked, licked), nał 1. I licked my lips, sizábąąh yíłnááď.

lid, 'adáádit'áhí.

lie, yooch'ííd; ghooch'ííd.

lie, to (lying, lied, lied), ch'ííd. You are lying; you are a liar, niyooch'ííd.

lie (down), to (lying, lay, lain), tééł 1, 2. I will lie down, dínéeshtééł. I lay down, nétį. I am lying down, sétį. I lay with her, bił nétéézh.

lift, to (lifting, lifted, lifted), 'ááł 5. I lifted the rock, tsé ńdii'ą́.

ligament, 'ats'id.

light, 'adinídíín.

light (in weight), 'aszólí.

lighten, to (lightening, lightened, lightened), ch'ił. It lightened, 'adeeshch'ił.

light gray, dinilbá.

lightning, 'atsiniltł'ish.

like, -gi 'át'éego. I am lazy like you, nigi 'át'éego shił hóghéé'.

like, to (liking, liked, liked), niił 1. I like to read, 'ííníshta'go baa shił honeeni. I like coffee, gohwééh 'ayóogo shił łikan. I like this milk, díí 'abe' shił yá'át'ééh. I like you, shił yá'ánít'ééh.

limb, 'ats'áoz'a'.

limp, to (limping, limped, limped), hoł 2. I am limping about, na'nishhod.

line up, to (lining, lined, lined), We lined up for food, ch'iyáán biniighé deet'i'.

liniment 'azee'étłohí.

lion, náshdóítsoh bitsiiji' dadití'ooígíí.

lip, 'adaa'.

lisp, to (lisping, lisped, lisped), tih 2. I lisp, sitsoo' bee yáshti'.

listen, to (listening, listened, listened), ts'į́ł 8, 9. I am listening to him, yínísts'ą́ą́'. Listen, 'íísíníłts'ą́ą́!

little, yázhí; yáázh; 'áłts'íísí; 'áłch'į́įdí.

little, to be (being, was, been), ts'íísí. I am little, 'ánísts'íísí.

little bit, t'áá 'áłch'į́įdígo; t'įįhdígo.

little while, t'óó kónígháníji'.

live, to (living, lived, lived), t'įįł 5. I have lived here for five years, kwe'é kééhasht'įįgo 'ashdla' nááhai. Where do you live, háadishą' nighan? I live in a hogan, hooghan bii' shighan.

liver, 'azid.

liver lipped, bidaa' ń'deeshchid.

lizard, na'ashǫ́'ii.

lizard (rock ---), tsék'ina'azólii.

loan, 'a'ílyá.

loan, to (loaning, loaned, loaned), 'ááł 10. I will loan you my horse, shilį́į́' na'deeshtééł.

loco weed, ch'il 'aghání.

locust (17 year ---), wóóneeshch'įįdii.

loiter, to (loitering, loitered, loitered), dlááł 1. Don't go loitering along the way, 'atiingóó t'áadoo 'áhodiyíídláłí! Don't loiter, t'áadoo na'áhodiyídláhí!

lonesome, to be (being, was, been), ts'íid. I am lonesome, doo shił hats'íid da.

lonesome, to get (getting, got, gotten), ts'íid. I will get lonesome here, kwe'é doo shił hodoots'íid da.

lonesomeness, doo 'ił hats'íid da.

long, neez; nineez; 'áłts'óózí; -ts'óóz.

long and slender, to be (being, was, been), I am (long and) slender, 'ánísts'óózí. It is long and slender, 'áłts'óózí.

long ago, 'ałk'idą́ą́'.

long time, (a), t'áá shiidą́ą'dii. I have been living here for a long time, t'áá shiidą́ą'dii kwe'é kééhasht'į.

long way (a ---), doo deighánígóó; nízaa(d)góó.

look, to (looking, looked, looked), 'įįł. Look, díní'į́į́'! I am looking at the ring, yoostsah nésh'į. lin. You look tired, ch'ééh díníyá nahonílin. It looks like a dog, łééchąą'í nahalin. They look alike, 'ahinoolin.

look about, to (looking, looked, looked), ghał 5. I stood up and looked about, yiizį' dóó niséghal

look around quickly, to (looking, looked, looked), niił 9. The prairie dog stuck its head out of the hole and looked around quickly, dlǫ́ǫ́' 'a'áándę́ę́' hanoolne' dóó naneesne'.

look for, to (looking, looked, looked), 'įįł 2. I am looking for my horse, shilį́į́' hádésh'į́į́'. taał 1. I am looking for (searching for) my hat, shich'ah hanishtá.

look in quickly, to (looking, looked, looked), niił 11. I opened the door and looked in quickly, dáádílkał 'ąą 'íishłaa dóó yah 'aneesne'.

look in slowly, to (looking, looked, looked), t'ááł 8. I opened the door and looked in (slowly), dáádílkał 'ąą 'íishłaa dóó yah 'aneesht'ą́.

look out quickly, to (looking, looked, looked), niił 10. I looked quickly out the door, dáádílkałdę́ę́' ch'íninishne'.

look up, to (looking, looked, looked), niił 2. I looked up when he entered, yah 'íiyáago dei'ásdzaa.

look up quickly, to (looking, looked, looked), niił 8. He looked up quickly when I came in, shí yah 'íiyáago hanoolne'.

loom, dah 'iistł'ǫ́.

loop (belt ---), sis bigháńt'i'í.

loosen, to (loosening, loosened, loosened), tłóół 1. I loosened my belt, siziiz diniiłtłóó'. I loosened the bow string, 'ałtį́įtł'óól ńdiniiłtłóó'.

lose, to (losing, lost, lost), 'ał 2; dił 3; niił 6; nił 10; t'eeł 11. I lost it, yóó' 'íí'ah; yóó' 'ííłdéél; yóó' 'ííłne'; yóó' 'ííłt'e'. I lost them, yóó' 'íínil. bįįł 3. I lost my horse (gambling), shilį́į́' shaoozbą́. ts'iiní. I am losing weight, shi'niits'iiní.

lose, to (losing, lost, lost), neeł 4. Our enemies are slowly losing, nihe'ena'í tąądee baa honéeneeł

louse, yaa'.

love, 'ayóí 'ó'ó'ní.

love, to (loving, loved, loved), nih 1 I love her, 'ayóí 'óosh'ní.

low, ghóyah; nahashkáá'.

lubricate, to (lubricating, lubricated, lubricated), jah 1. I lubricated the wheels on my car, shichidí bijáád shéjéé'

lubrication, ná'ájeeh.

Lukachukai, Ariz., lók'aa'ch'égai.

lukewarm, sizílí.

lumbar, 'atsézííl.

lumber, tsin niheshjíí'.

lung, 'ajéí yilzólii.

lupine (blue flowered ---), 'azeediilch'íłii; łį́įdą́ą́'.

lure, 'ina'adlo'.

lure, to (luring, lured, lured), 'ah 2. I lured him into the house and killed him, kin góne' yah 'a-

biníí'aa' dóó sétłhį.
lustrous, bízdílid.
luster, 'ak'inizdidlaad.

M

magic, 'álííl.
maggot, ch'osh.
magpie, 'aa'ą'ii.
mahogany (mountain —), tsé'ásdaazii.
maiden, ch'ikę́ę́h; 'at'ééd.
mail carrier, naaltsoos neighéhí
maintain, to (maintaining, maintained, maintained), zį́į́ł 10. I maintain my strength, sidziilgo 'ádíį'níszin. sį́į́ł 4. I maintain my car in good running order, shichidí nizhónígo diits'a'go 'íínísin.
maintenance, 'óolzin.
make, to (making, made, made), lííł 1, 2, 4. I made a hogan, hooghan 'áshłaa. I made another hogan, hooghan ła' 'ánáánáshdlaa. I made it correctly, t'áá 'ákwíishłaa. nííł 1. I made myself a leader, naat'áanii 'í'diishyaa. sih 1, 2. I made a mistake, 'asésiih.
mammary gland, 'abe' 'astse'.
man, hastiin; diné.
manage, to (managing, managed, managed), ch'id 1, 2. I manage my sheep well, shidibé yá'át'éehgo naashch'id.
management, na'ach'id.
mane, 'atsiigha'.
mano, tsédaashch'íní.
manure, ndaaldlooshii bichaan.
many, łą́; łání; lą'í; t'óó 'ahayóí.
Many Farms, Ariz., dá'ák'ehalání.
many kinds, lą'í 'ałtah 'ádaat'éii
many times, lą'ídi; t'óó 'ahayóídi
March, ghóózhch'į́į́d.
mare, łį́į' tsa'ii.
Mariano Lake, N. M., be'ak'id hóteelí.
mark, to (marking, marked, marked), zoh 1. I marked; I made a mark, 'asézoh.
market, to (marketing, marketed, marketed), 'ááł 27. I marketed my sheep; I hauled my sheep to market, shidibé kį́įh yíghį.
market, kin; na'iini' bá haz'ą́ągi.
marriage, 'ahá'iigeh.
married, to get (getting, got, gotten), gheh 1. Tomorrow I will get married, yiską́ągo 'adeeshheh.
marrow, 'aghol.
marry, to (marrying, married, married), gheh 3. I married her, bá'séghehh.
marsh hawk, ch'iltaat'agii.
massacre, na'aztseed.
massacre, to (massacring, massacred, massacred), tsił 1. We sneaked up on our enemy and massacred many of them, nihe'ena'í baa ndasii'na' dóó t'óó 'ahayói ndasiiltseed.
mastication, 'at'aał.
masturbation, 'ák'inálchį́įh.
mature, to (maturing, matured, matured), t'į́įł 1. The corn has

all matured, naadą́ą́' 'ałtsc neest'ą.

match, tsitł'éłí.

mattock, ch'il bee yildéhí.

mattress, tsásk'eh bikáá' dah naazghínígíí.

matrimony, 'ahá'iigeh.

maturation, 'aneest'ą; 'aneeyą́.

May, t'ą́ą́tsoh.

may, shį́į́; daats'í. You may be strong, but it is possible that you cannot lift this rock, nidziil shį́į́ ndi díí tsé doo dah didíí'áałgóó haz'ą́. I may get home before sundown, t'áadoo 'e'e'aahí shį́į́ hooghandi ńdeeshdááł. I may go tomorrow, or maybe the day after tomorrow, yiską́ągo daats'í doodaii' naaki yiską́ągo daats'í dah dideeshááł.

maybe, sha'shin; daats'í; shį́į́.

meadow, hootso.

meadow lark, tsiyahghozhii.

mean, to (meaning, meant meant), gheeł. Stone means tsé, stone t'éiyá tsé 'óolghé. What does gah mean, gahshą' ha'át'íí 'óolghé? It is cold --- I mean hot, deesk'aaz --- deesdoi dishní nisin What do you mean by saying that you saw him, yiiłtsą́ dinínigííshą' ha'át'íí dishní nínízingo 'ádíní? ké. I am mean, hashishké.

measure, to (measuring, measured, measured), 'ąął 4. I am measuring my foot, shikee' bí'neesh'ąąh.

measurement, 'í'neel'ąąh.

measuring worm, wóóshighishí.

measles, łichíí'go 'ąąh hadaajeehígíí.

meat, 'atsį'.

meatus, 'íích'ah.

medicine, 'azee'.

medicine pouch, jish.

meeting, 'áłah 'aleeh.

meet, to (meeting, met, met), gááł 12, 13. I will meet you at two o'clock, naakidi 'azlį́į'go nił 'ahidideesh'ash. I met them in Gallup, na'nízhoozhídi bił 'ahidiikai. I went to meet him, bidááh níyá. leeł 15. We will meet (in assembly) at Window Rock, tséghálhoodzánígi 'áłah dadiidleeł.

melancholy, yíníí ł na'adá.

melancholy, to be (being, was, been), gááł 34. I am melancholy, yíníił naashá. hééł 6. I am dying of melancholy, ch'ííníí shi'niiłhį.

melt, to (melting, melted, melted), ghįh 1. It is melting, yighįh. hįh 1. I am melting it, yishhį́įh.

membership, 'ałah 'ídlį.

mend, to (mending, mended, mended), łííł 3. I mended the pot, 'ásaa' 'ánáshdlaa.

menfolk, hastóí.

meninges, 'atsiighąą' bik'ésti' ígíí.

menstruate, to (menstruating menstruated, menstruated) daał 1 I have menstruated for the first time, kinisísda'. I am

menstruating, chooghin sélį́į́ (nishłį́).
menstruation, chooghin.
merchandise, naalghéhé.
merchant, naalghéhé yá sidáhí.
merciful, to be (being, was, been), baał. I am merciful, jiinishba'.
mercurochrome, 'azee' 'iiłchíhígíí.
mercury, béésh tózháanii.
mercy, jooba'.
merely, t'óó.
mesa, dah 'azką́.
Mescalero Apache, naashgalí.
metamorphosis, łahgo 'é'é'nééh
metate, tsédaashjéé'.
Mexican, naakaii.
Mexican Spring, N. M., naakaii bito'.
microbe, ch'osh doo yit'íinii.
microscope, ch'osh doo yit'íinii bee níl'íní.
midafternoon, to become (becoming, became, become) ch'įįł 1. It has become midafternoon, hííłch'į'.
midday, 'ałní'ní'ą́.
middle, 'ałníí'.
midmorning, to become (becoming, became, become) 'ááł 5. It has become midmorning, dah 'adii'ą́.
midnight, tł'é'ííłníí'.
midnight, to become (becoming, became, become), níí' 1. **It has** become midnight, **tł'é'ííłníí'**.
midwife, 'awéé' hayiidzį́įsii.
might, sha'shin; -go da 'át'é. It might be that I will have to go to the army, siláagogóó deesháałgo da 'át'é. The bridge might have been washed away, tsé'naa na'nízhoozh 'íí'éél sha'shin. I might write to you, nich'į' 'ak'e'deeshchííłgo da 'át'é.
mile, tsin sitą́.
milk, 'abe'.
milk, to (milking, milked, milked), nih 1, 4. I milked the cow, béégashii sénih. I am milking, 'iishnih.
Milky Way, łees'áán yílzhódí; yikáísdáhí.
milkweed, ch'il 'abe'é.
millstone, (lower) tsédaashjéé', (upper) tsédaashch'íní.
mind, to have one's --- set on (having, had, had), t'ih 19. I have my mind set on going with you, nił deesh'ashígíí shíni' bidiit'i'.
mine, ha'agééd.
mine, to (mining, mined, mined), goł 1. I am mining coal, łeejin haashgééd.
mineral, t'áadoo le'é łeeghi' dahólónígíí.
mirage, hadahoneeyánígíí.
mirror, bii'adést'į́į́'.
misbehave, to (misbehaving misbehaved, misbehaved), nííł 5. I misbehaved, bąąhági 'ásdzaa.
misbehaviour, bąąhági 'áhát'į.
miscarriage, 'atsą́ ha'íí'éél
mischief, 'ádílááh.

mischievous, to be (being, was, been). I am mischievous, she'ádílááh. héé ł 7. I am full of mischief; I am mischievous, 'ádílááh shi'niiłhį.

miss, to (missing, missed, missed), I missed the rabbit, gah sésiih. I missed part of my sheep, shidibé łaji' bíhosésa'.

mist, 'áhí.

mistake, 'oodzíí'.

mistletoe, dahts'aa'.

mite, yaa'.

mix, to (mixing, mixed, mixed), nih 1. I mixed the mud, hashtł'ish taisénii'. joł 4. I mixed the white wool with the black, 'aghaa' łigaaígíí 'aghaa' łizhin ígíí bił 'ałtaaníshéłjool.

mixed, 'ałtah The sand is mixed with stones, séí tsé bił 'ałtah 'át'é.

mixed up, to get (getting, got, gotten), kah 2. He taught me so many things that I got mixed up, lą'í yee nashineeztą́ą́' ńt'ę́ę́' 'ałtso shił 'ałtaanáskai. The sheep got mixed up for me, dibé shił 'ałtaanáskai.

mixture, 'ałtah 'áát'eełii; 'ahídéi'nilii; 'ahídeidziidígíí (liquid)

moccasin, kélchí.

moccasin (woman's high ---), kéntsaaígíí.

moccasin game, késhjéé'.

mocking bird, zahalánii.

Moenave, Ariz., kin łigaaí.

moisten, to (moistening, moistened, moistened), shoh 1. I will moisten it, ńdeeshshoh.

molasses, dá'ákaz bitoo' łizhinígíí.

mold, dláád.

molestation, 'aa hwiinít'į.

Monday, damíįgo biiskání.

money, béeso.

month, náhidizídígíí.

monthly, t'áá náhidizíid bik'eh ('áhooníłígíí).

monument, bee 'ééhániih biniighé 'ályaaígíí.

moody, to be (being, was, been), héé ł. He is moody, ch'íínáíí béé'niilghééh.

moon, 'ooljéé'; tł'éhonaa'éí.

moonlight, 'ooljéé' bee 'adinídínígíí.

moose, deeteeł.

mormon tea, tł'ohazihii.

morning, 'ahbíní; 'abíní.

mosquito, ts'í'ii danineezí.

moss, tátł'id.

moth, 'iich'ąhii.

moth (clothing ---), ch'osh 'ałchozhii.

mother, 'amá.

motionless, t'áadoo naha'nání.

motionless, to be (being, was, been), zih 1, 2. I am motionless, 'áhodííníszéé'. I am standing motionless, t'áadoo nahash'nání sézį.

mound, dah yisk'id; yanáalk'id.

mountain, dził.

mountain goat, tł'ízí da'ałchiní

mountain lion, náshdóítsoh.

mountain sheep, tsétah dibé.

mouse, na'ats'ǫǫsí; jį 'ani'įįhí.
mouth, 'azéé'.
move the bowels, to (moving, moved, moved), chįįł 1. I have moved my bowels, 'ashéchą́ą́'.
move, to (moving, moved, moved), 'nééł 1, 3, 4, 5. I will move to Gallup, na'nízhoozhígóó deesh'nééł. 'naał 1. I am moving my arm, shigaan bee nahash'ná. zééł 1, 2. The enemy started moving against us, nihe'ena'í nihich'į' ńdiizą́. zhoł 3. The clouds are moving along, k'os deílzhood.
move against, to (moving, moved, moved), ghoł 21. The enemy moved against us, nihe'ena'í nihaa tiih yíjéé'.
move in, to (moving, moved, moved), joł 6 The fog will move in, 'áhí 'i'doojoł. A cloud moved in and obscured the sun, k'os jóhonaa'éí yich'ą́ą́h 'i'íijool.
move slowly, to (moving, moved, moved), kił 4, 5, 6. The sun is moving slowly along, jóhonaa'éí yilkił.
movement, na'ii'ná.
mow, to (mowing, mowed, mowed), shih 1. I mowed the grass, tł'oh yíshéé'.
much, łą́; łání; lą'í; t'óó 'ahayóí.
mucilage, bee 'ahída'diiljeehí.
mud, hashtł'ish.
mule, dzaanéez.
mummification, 'ats'íís yiganígíí
mummify, to (mummifying mummified, mummified), gą́ą́ł 1. His body mummified, bits'íís yę́ę sigan (silįį́').
mumps, 'ayaayááh niichaad.
murder, 'iilghé.
murder, to (murdering, murdered, murdered), hééł 2. A gangster murdered another man for his money, diné doo yá'áshóonii diné náánáła' bibéeso hólǫ́ǫgo biniinaa yiyiisxį. tsił 1. These men were murdered, díí hastóí nabi'diztseed.
murderer, 'iisxíinii.
muscle, 'adoh.
mushy, tózháán.
muskeg, nahodits'ǫ'.
muskmelon, ta'neesk'ání.
muskrat, tábąąh mą'ii.
muss, to (mussing, mussed, mussed), chǫǫł 1. I will muss (up) your hair, nitsii' deeshchǫǫł.
must, yá'át'ééh; sha'shin; shįį I must go now, k'ad yisháałgo yá'át'ééh. I must get to the store at noon, 'ałní'ní'ą́ągo naalghéhé bá hooghandi níyáago yá'át'ééh I must be getting old, hashi'niitih sha'shin. It must be cold up north, náhookǫs biyaadi shįį deesk'aaz. You must be tired ch'ééh díníyá sha'shin.

N

nail, 'ił 'adaalkaałí.
name, yízhí; 'ázhi'.
mustache, 'adághaa'; dághá.
name, to (naming, named, named), zhiił 1, 2. I named him John, John yízhi'. I named off

plants, ch'il bitaa'íízhi'. łííł 1. I named him; I gave him a name, bízhi' bá 'ííshłaa.

nares, 'ánìí'.

nasal mucus, né'éshto'; 'ané'éshtił.

Naschiti, N. M., nahashch'idí.

nation, dine'é.

naughty, (he is ---) be'ádíláàh.

nausea, ná'ákwih.

nauseated, to become (becoming, became, become), 'į́įł 1. I become nauseated by whiskey tódiłhił nász'į́įh łeh.

Nava, N. M., bis deez'áhí.

Navaho, naabeehó; t'áá diné.

Navaho Mountain, Utah, naatsis'áán.

Navaho tea, ch'il gohwéhé.

navel, 'ats'éé'.

near, t'áá 'áhání.

nearby, t'áá 'áhánígi; t'áá 'áhánídę́ę́'; t'áá 'ághídígi.

nearly, k'asdą́ą́'; k'adę́ę.

necessary, t'áá 'ákónéehee.

necessity, t'áá 'ákónéehee 'át'éii

neck. 'ak'os.

neckerchief, zéédéełdoi; zéédéełtsooz.

necklace, yoo'.

necktie, zéédéet'i'í; zéénázt'i'í.

neck yoke, 'adááh gónaa dah sitánígíí.

need, to (needing, needed, needed), leeł 13. I need (want badly) tobacco, nát'oh bídinishłį́.

needle, tsahts'ósí.

negro, naakaii łizhinii.

neighbor, bił kééhojit'íinii.

nephew, 'ada'; 'ayáázh.

nerve, 'ats'oos.

nest, (bird's) tsídii bit'oh; 'at'oh

Newcome, N. M., bis deez'áhí.

new, 'ániid.

new moon, (first quarter) dah yiitą́; (last quarter) chahałheeł náádzá.

next day (on the ---), biiskání.

nibble, to (nibbling, nibbled nibbled), gháásh 1. The mouse is nibbling the cheese, na'ats'ǫǫsí géeso yigháázh.

nice, nizhóní; yá'át'ééh; t'óó ts'íid; t'áá hats'íid.

nickle (coin), łitso.

niece, 'amá yázhí; 'ach'é'é.

night, tł'éé'. At night. tł'ée'go; last night, tł'éédą́ą́'; on that night, t'áá 'éí bitł'éé'; tonight, díí tł'éé'; tł'éédą́ą́'.

nighthawk, biizhii.

nightmare, 'ak'i'iilchį́.

nightmare, to have a (having had, had), chííł 3. I had a nightmare, shik'i'iilchį́.

no, dooda; nda; doodahéi.

noise, hahóó'á.

noiseless, yiszéé; haszéé'; hodéezghéél

noiselessly, t'áadoo 'íits'a'í.

noise, to make (making, made made), 'á 10. Don't make so much noise, t'áadoo hahwíínił'áhí! ts'į́įł 1, 2, 3. The car is making a noise, chidí diits'a' There was a great noise, yéigo hodiists'ą́ą́'. There is a noise 'iits'a'. I wish it would make a loud noise, yéigo 'óots'ą́ą́' laanaa.

noisy, to be (being, was, been), 'á 10. I am noisy, hahwíínísh'á. Don't be so noisy, t'áadoo hahwíínít'áhí!

none, 'ádin.

nook, nástł'ah.

noon, to be (being, was, been), áát 7. It will soon be noon, t'áadoo hodina'í 'ałní'doo'ááł. It is nearly noon, k'adę́ę́ 'ałné'é'aah

noose, łoh.

north, náhookǫs.

northern, náhookǫsjí; náhookǫsjígo; náhookǫs bich'ijígo; náhookǫs biyaadi; náhookǫs biyaajígo

northward, náhookǫsjigo.

nose, 'áchį́į́h.

nosedrops, níí'iidzi'

nostril, 'áchį́įshtah.

not, doo ---da. It is not sweet, doo łikan da.

not even, doo --- ndi. It is not even worth one dollar, t'áálá'í béeso ndi doo bą́ą́h 'ílį́į da. It is not even sweet, doo łikan da ndi.

nothing, 'ádin.

November, níłch'its'ósí.

now, k'ad.

nowhere, doo háájí da.

number, 'anéelt'e'; nóomba.

numerous, t'óó 'ahayóí; lą'í.

nuthatch (pygmy ---), tsiishgaii

O

oak, chéch'il.

oar, bee na'al'eełí.

oatmeal, taaskaal.

obedience, 'ak'eh hól'į́.

obey, to (obeying, obeyed, obeyed), 'įįł 7. I will obey him, bik'eh honish'į́į dooleeł.

oblivion, to pass into (passing, passed, passed), nah 1. His name has passed into oblivion, bízhi' baa hoyoos'nah.

obscure, doo yit'į́į da; doo hoot'į́į da; doo bééhó'dílzin da.

obscure, to (obscuring, obscured obscured), joł 6. A cloud obscured the sun, k'os jóhonaa'éí yich'ą́ą́h 'i'íí́jool.

obscurity, chahałheeł.

obtain, to (obtaining, obtained obrained), t'eeł 9. I obtained a dollar from him, t'áálá'í béesc bits'ą́ą́dę́ę́' shóíséłt'e'.

obviously, t'áadoo bahat'aadí, t'áá 'íí́shjání.

occiput, 'atsiiyah.

occupy, to (occupying, occupied occupied), I occupy a hogan hooghan bii' shighan. I am occupied, shinaanish hólǫ́.

occur, to (occurring, occurred occured), nííł 10a, 10b, 10c, 10 d. What occured, haa hóót'įįd? This is what occured, jó kóhóót'įid.

occurrence, 'áhoodzaaígíí; 'áhóót'įįdígíí.

ocean, tónteel.

ochre (yellow), łeetsoii.

o'clock, it is two o'clock, naakidi 'azlį́į'.

October, ghąąji'.

ocular area, 'anák'ee.

offensive odor, niłchxon.
offer, to (offering, offered, offered), kąął 2. I am offering it (for sale), bí'ooshkąąh.
oil, 'ak'ahkǫ'.
oil drum, na'aldoní.
ok (okay), hágoshį́į́; lą́'ąą'; lą́, t'áá 'áko. That is ok, 'éí t'áá 'áko.
old age, są́.
old, to be (being, was, been), hah 6. How old are you, díkwííshą' ninááhai? I am twenty years old, naadiin shinááhai. tih This shirt is old, díí 'éé' haastih.
oleomargarine, mandagíiya.
on it, bikáa'gi; bik'i.
on account of it, biniinaa; bik'ee.
on one's back, tsédei.
on the floor, ni'ji'; ni'góó.
on the ground, ni'ji'; ni'góó.
on one's face, tsé'yaa.
on the other side, ghónaaní; łahjí.
once, łah; t'ááłáhádi.
only, t'éiyá; t'éí; 'éiyá; t'áá bízhání.
ooze, to (oozing, oozed, oozed) lį́. The sap is oozing out of the tree, tsin bitoo' bąąh háálį́ The resin is oozing out of the piñon, deestsiin bijeeh bąąh háálį́.
open, to (opening, opened opened), lííł 15. I opened the door, dáádílkaał 'ąą 'ííshłaa. tį́į́ł 7. I opened the door dáádílkał 'ąą dinítą́. nííł 6. The door opened, dáádílkał 'ąą 'ádzaa The door is open, dáádílkał 'ąą 'át'é. 'į́į́ł 1. I have my eyes open, dínísh'į́į́'. ghał 4. I opened my eyes, déghal. ch'ah 1. Open your mouth, diich'ééh! I have my mouth open, díníshch'ah.
opportunity, 'ashja'. There is opportunity for work, naanish 'ashja' 'iilaa.
opportunity, to give an (giving gave, given), lííł 29. I gave him an opportunity, bá 'ashja'iishłaa. Opportunity knocks but once, 'ashja'ał'íini t'ááłáhádi 'ashja'iił'į́į́h.
opposite him, binaashii.
or, doodaii'.
orange, ch'il łitsooí.
orator, nanit'áii.
order, 'al'á; 'áká 'é'élnééh.
order, to (ordering, ordered, ordered), lííł 26. I ordered a gun, bee'eldǫǫh bíká 'í'iishłaa. 'aał 2. I ordered him to go away, yóó' 'íít'a'.
origin, háát'i' silį́'ígíí.
original, ts'ídá 'áłtséedi.
originally, ch'óóshdą́ą́dą́ą́'.
other one, ła'; ła'ígíí.
otherwise, łahgo; doodaii'.
otter, tábąąstíín.
ought to, ńt'ę́ę́'; dooleeł ńt'ę́ę́'. I ought to go now, k'ad dah diishááh ńt'ę́ę́'. People ought to eat more vegetables, diné ch'il daadánígíí t'áá łánígo deiyą́ągo yá'át'ééh dooleeł ńt'ę́ę́'. I fixed the car; it ought to run now, chidí 'ałtso 'ánéishdlaa; k'ad shį́į́

didoots'į́į́ł. We ought to have paid the man, hastiin bich'į' nida'diilghééł ńt'ę́ę́' (hastiin bich'į' nda'siilyáago yá'át'ééh dooleeł ńt'ę́ę́).

outdoors, tł'óo'di.

out of breath, to get (getting, got gotten), leeł 12. I got out of breath, yisdah séłį́į́'.

outhouse, kin bii' nii'oh ńda'adáhígíí; chǫǫ' bá hooghan.

outline, 'agháadi 'ádaat'éii.

outline, to (outlining, outlined outlined), nih 3. I outlined it to him, 'agháadi 'ádaat'é nahalinígíí bee bił hweeshne'.

outside, tł'óo'di; tł'óó'góó.

outsider, binaadę́ę́' danilíinii; 'ana'í.

oven (outdoor ---), bááh bighan.

over it, bitis; báátis.

overawed, to be (being, was, been), tiił 3. I am overawed by him, bį́ká sísti'.

over, to be (being, was, been), zhish 5, 6. The cold is over, deesk'aaz bił yóó' 'ahoolzhiizh. t'ih 14. The sing is over, hatáál ninít'i'.

overcoat, 'éénééz.

overcome, to (overcoming, over came, overcome), dleeł 3, 4. I overcame him, bik'ehdéshdlį́į́' I was overcome, shik'ehodeesdlį́į́'. doh 4. I was overcome by the heat, shił niníłdoii.

overdrink, to (overdrinking, overdrank, overdrunk), dlį́į́ł 3. I overdrank last night, tł'éédą́ą́ 'áde'eeshdlą́ą́'.

overeat, to (overeating, overate, overeaten), dį́į́ł 1. I have overeaten, 'áde'eeshdą́ą́'.

overflow, to (overflowing, overflowed, overflowed), goh 16. It overflowed, ghó'ą́ą́go'.

overseas, tónteel ghónaanídi.

overshoes, ké'achogii.

overturn, to (overturning, overturned, overturned), ts'ił 3. My car overturned with me, shichidí shił náhidéélts'id.

have, to (having, had, had), leeł 23. I have a knife, béésh shee hólǫ́.

overwhelm, to (overwhelming overwhelmed, overwhelmed) leeł 18. His difficulties have overwhelmed him, bich'į' nahwiis'ná'ígíí bidei 'ánéelą́ą́' silį́į́'.

owe, to (owing, owed, owed), 'á 9. I owe him two dollars, naaki béeso shąąh hayííł'á. You owe me five dollars, 'ashdla' béeso nąąh hááł'á.

owing to (the fact that), bee 'át'é

owl, né'éshjaa'.

owlet, né'éshjaa yáázh.

owl's claw, yisdá beegą́.

own, to (owning, owned, owned) leeł 23. I own a car, chidí shee hólǫ́.

oxford shoes, kétsiiní.

oxygen, níłch'i yá'át'éehii.

P

pace, 'adées'eez.

pace off, to (pacing, paced, paced), 'is 3. I paced off the distance between the house and the field, kin dóó dá'ák'ehji' ndinis'eez.

pack, héél.

pack, to (packing, packed, packed), líít 12. I will pack the clothing into the car, 'éé' chidí bii' héél 'ádeeshłííł.

padlock, 'ił dah nát'áhí.

pail, naadlo'í; tó bee naakáhí.

pain, diniih.

pain, to (paining, pained, pained), gah 7. My tooth pains me, shighoo' shił honeesgai.

pain, to be in (being, was, been), gah 6. I am in pain, shił honeezgai.

paint, to (painting, painted painted), dleesh 1, 2. I painted my house, shikin shédléézh. I am painting, 'ashdleesh. ch'ąh. I painted a picture, ni'shéch'ąą'

painted cup, dah yiitłhídą́ą́'.

Painted Desert, Ariz., halchíítah

painting, na'ashch'ąą'ígíí.

Paiute, báyóodzin.

palate, 'azahat'ágí.

palm (of the hand), 'álátł ááh.

pan, 'ásaa'.

pancreas, 'alohk'e'.

panic, 'ił hóóghéé'.

pant, to (panting, panted, panted), ghih. I am panting, dishhih.

pants, tł'aaji'éé'.

Pápago, kégiizhí.

paper, naaltsoos.

papoose, 'awéé'.

parachute, bee hadah dah ń'diilgho'í.

parallel to it, báátk'iisjí; bííghahgóó.

parents, 'ashchíinii.

park, to (parking, parked, parked), bąs 12, 13. I parked my car, shichidí niníłbą́ą́z. I will park right here, t'áá kwe'é n'deesbąs.

part (of it), łahji'; łaji'.

parts, 'ééhéestł'inígíí.

partner, 'ach'ooní.

pass, to (passing, passed, passed) kił 7, 8. An hour passed, t'ááłáhádi 'ahéé'ílkid. ził 1, 2. A month passed, t'ááłáhádi ńdeezid. The months are passing, náhidizííd 'nah 1. He has passed into oblivion, baa hoyoos'nah. nił 1. An epidemic of infuenza passed among them, tahoniigááh ntsaaígíí bitaadaasniih. kááł 2. I passed the night there, 'ákwe'é shiiską́. leeł 29. He passed away, bizéé' hazlį́į́'. ghoł 3. I passed his car, bichidí bííghah ch'íníshghod. I passed the tree, tsin bííghahgóó ch'íníyá. I passed the night out in the open, t'áá bita'ígi shiiską́.

patch, to (patching, patched, patched), 'ááł 12. I patched the tire, chidí bikee' bidadi'ní'ą́.

patrol, to (patrolling, patrolled, patrolled), sił 2. The soldiers are patrolling the beach, siláago tábąąhgóó hada'asíid.

pavement, tsé sikaad.

pawn, 'ąąh 'azlá.

pawn, to (pawning, pawned pawned), 'ááł 9. I pawned my

bracelet, shilátsíní 'ąąh ninítą.

pay, to (paying, paid, paid), **łééł** 3. We paid him for the car, chidí bik'é bich'į' na'niilyá.

payment, 'ach'į' na'ílyá.

pea, naa'ołí nímazí.

peach, didzétsoh.

pear, bitsee' hólóní.

pebble, tsé yázhí.

peck, to (pecking, pecked, pecked), tąsh 1, 2. The chicken is walking around pecking the corn, naa'ahóóhai naadą́ą́' yitaa 'ałtązhgo naaghá. The woodpecker is pecking the tree, tsįįłkałii tsin néiniłtąsh.

pedagogy, na'nitin.

peek, to (peeking, peeked, peeked), ts'ǫł 6. I peeked through the hole, bigháhoodzánígíí binikádę́ę́' niséts'ǫ́ǫ́d.

peel, to (peeling, peeled, peeled) ch'ił 1. The paint is peeling off of the house, kin bee yidleeshí kin bee yidléézhę́ę bélch'iił. k'įh. I am peeling the potato, nímasiitsoh béshk'į́įh.

peeling, 'élk'į́į'ígíí.

peep, to (peeping, peeped, peeped), ts'ǫł 6. I peeped from behind the tree, tsin bine'dę́ę́' nisétsʼǫ́ǫ́d.

peeved, to be (being, was, been), nih 3. I am peeved at him, bik'ee dinishniih.

pelt, 'asgą'; 'akágí.

pelvic bone, 'ak'ai'.

pelvis, 'ak'aashjaa'.

pencil, bee 'ak'e'elchíhí.

pendant, názhahí.

penis, 'aziz.

penitentiary, 'awáalya hótsaaí.

penny, sendao; tsindao.

pepless, t'áá bíích'į́įdii. I have no pep; I am "poohed out," **t'áá** shíích'į́įdii.

pepper, 'azeedích'íí'.

peppermint (plant), 'azeeniłchin

percolator, gohwééh bee yibézhí.

per day, t'ááła'ajį

perform (a ceremony), to (performing, performed, performed) łaał 2. I am performing a ceremony, nahashłá.

period, to be a (being, was, been) zhish 2. 4. A period of cold weather will start, deesk'aazgo hodidoolzhish. There will be a period of cold weather, deesk'aazgo hodoolzhish. There was a period of cold weather, deesk'aazgo nihoolzhiizh. There was a period during which the Navaho were raiders, naabeehó ndaabaahgo nahashzhiizh.

permissible, bee haz'ą. Smoking is permissible in the house, kin góne' ná'át'oh t'áá bee haz'ą.

permission, 'a'deet'ą.

permit, 'a'deet'ą

permit, to (permitting, permitted permitted), 'ááł 18. I permitted him to spend the night at my home, shighan góne' biidoołkááł biniighé badi'ní'ą.

perspiration, 'átásiil.

perspire, to (perspiring, perspired, perspired), leeł 31. I am perspiring, tó shąąh hazlį́į́'. tił 2. I am perspiring all over, tó shąąh haateeł.

persuade, to (persuading, persuaded, persuaded), t'ááł 9. I persuaded him to give it to me, shaa ní'aah bidishníigo bighadi'nisht'ą́.

persuasion, 'agha'deet'ą́.

pet, to (petting, petted, petted), kał 18. I am petting the dog, łééchąą'í náníshkad.

petition, ghókeed; bee ghókeedígíí.

Petrified Forest, Ariz., sahdiibis

phases of the moon, 'ooljéé' łahgo 'ánáá'nííł.

phoebe, dibé nii'í.

phonograph, béésh hataałí.

photograph, 'e'elyaa.

photograph, to (photographing photographed, photographed) tééł 2. I will photograph you, naaltsoos bik'i ndeeshtééł. lííł 28. Shall I photograph you, ne'eshłééh ya'?

photographer, 'e'eł'iinii.

photography, 'e'el'į́įgi.

pick, 'ałts'ą́ą́' deeníní.

pick, to (picking, picked, picked), nish 1. I picked the plants, ch'il yínizh. beeł 3. I am picking apples, bilasáanaa yíníshbé. 'ááł 5. I will pick up your hat for you, nich'ah ná ńdideesh'ááł. ts'ih. He picks on me, shé'éts'ih.

picture, naaltsoos bikáá' 'e'elyaaígíí

picture, to take a (taking, took, taken), tééł 2. I took your picture, naaltsoos bik'i nininíłtį́. lííł 28. I will take his picture, bi'deeshłííł.

pie, masdéél.

pig, bisóodi.

piki, tsé'ást'éí dootł'izhígíí (blue) łigaaígíí (white).

pile, yistł'in; yanáa'á.

pile, to (piling, piled, piled), tł'į́įł 1, 2, 3, 4. I am piling stones along, tsé yishtł'in. I have finished piling them now, k'ad 'ałtso ninítł'in.

pillow, tsiis'áál.

Pima, kétł'áhí.

pimple, ne'etsah.

pinch, to (pinching, pinched, pinched), I pinched him, séts'ih

pine away, to (pining, pined, pined), hééł 6. He is pining away, ch'íínáíí bi'niiłhį́.

Pinedale, N. M., tó bééhwiisganí

pinedrop, ndoochii'.

pine cone, neeshch'ííts'iil.

Pine Springs, Ariz., t'iis 'íí'áhí.

pine tick, ńdíshchíí' biya'.

pine tree, ńdíshchíí'.

pink, dinilchíí'.

Piñon, Ariz., be'ak'id baa 'ahoodzání.

piñon jay, ts'ání.

piñon tree, chá'oł.

pipe (tobacco ---), nát'ostse'.

pistol, bee'eldǫǫh yázhí.

pit, łe'oogeed.

pitch, jeeh.
pitchfork, tł'oh bee naaljoołí.
place, to (placing, placed, placed), 'áál 9. I placed it on the ground, ni'ji' ninish'aah. nih 4. I placed my hands on it, bik'idiishnii'. sį́ł 1. I placed the sheep on its feet, dibé biisį'. t'áál 4. I placed my head against it, bidíníisht'ą.
placenta, 'awéé' biyaałáí.
plan, nahat'á.
plan, to (planning, planned planned), 'aał 4. I am planning; I am making plans, nahash'á.
plant, to (planting, planted planted), lééł 6. I am planting now, k'ad k'i'dishłéh. lééł 5. I planted corn yesterday, 'adą́ą́dą́ą́' naadą́ą́' k'idíílá.
plane (wood ---), tsin bee diilkǫǫhí.
plant, nanise'; ch'il.
play, to (playing, played, played), neeł 1. I want to play with you, nił ndeeshneeł nisin. I am playing a trumpet, dilní bee naashné.
plaything, daané'é.
pleat, noot'ish.
Pleiades, dilghéhé.
pleura, 'ajéí yilzólii bik'ésti'ígíí.
pliable, dit'ódí.
pliers, bee 'ótsa'í.
plot, to (plotting, plotted, plotted), 'ááł 1. He plotted against me, sizéé' yideez'ą.
plow, bee nihwiildlaadí.
plow, to (plowing, plowed, plowed), dlał 6. I am plowing, nihwiishdlaad.
pluck, to (plucking, plucked plucked), nish 1. I am plucking my beard, shidághaa' yishnizh.
plum, didzétsoh dík'ǫzhígíí.
plum (wild ---), didzé.
plug tobacco, nát'oh ntł'izí.
pneumonia, 'ajéí yilzólii biih yíłk'aaz.
pocket, 'aza'azis.
pocketbook, béeso bizis.
pocket knife, biih nágho'í.
pod, bits'a'.
point, to (pointing, pointed, pointed), tsih 1. I pointed my gun at him, shibee'eldǫǫh bidiitsih. tsih 3. I am pointing with a stick, tsin bee dah 'astsih. 'á 6. I have it pointed at you, nidiił'á.
poison, 'azee' bááhádzidii; 'áńt'į́įh.
poison ivy, k'íshíshjį́įzh.
poke, to (poking, poked, poked), shish 1. I am poking the fire, kǫ' nánishshish.
poker (for fire), honishgish.
polar bear, shash łigai.
pole, tsin; gish.
poles (upper and lower poles of the loom), 'atł'ó tsin.
pollen, tádídíín.
policeman, yah 'i'iiníiłii.
pollution, 'i'niiyą́ą'.
pond, be'ak'id.
poor, 'aa hojoobá'í. I am poor, shaahojoobá'í; té'é'į shi'niiłhį.

porcupine, dahsání.
possibility, 'ihónéedzą́.
possible, bihónéedzą́.
possibly, sha'shin; daats'í
possess, to (possessing, possessed, possessed), leeł 23. I possess a car, shichidí hólǫ́.
possession, to come into (coming, came, come), leeł 23. I came into possession of a lot of money, béeso t'óó 'ahayóígo shee hazlį́į́'.
possession, yódí; 'ee hólónígíí.
possessor, bee hólóonii.
potato, nímasiitsoh.
potshard, kits'iil; 'ásaats'iil.
pouch, dah na'aghizii.
pound (weight), dah 'adiidloh.
pound, to (pounding, pounded, pounded), niił 1. I am pounding it with a rock, tsé bee náníshne'. niił 3. I pounded the bark off of it, bikásht'óózh béélne'. tsił 1 2. I am pounding the silver, béésh łigaii yistsid.
pour, to (pouring, poured, poured), ził 3. I poured the water into the dish, 'ásaa' bighi'ji' tó yaaziid.
poverty, té'é'į. He is poverty-stricken, té'é'į bi'niiłhį.
prairie, halgai; hóteel.
prairie dog, dlǫ́ǫ́'.
pray, to (praying, prayed, prayed), zįįł 11. I am praying, sodiszin.
prayer, sodizin.
prayer, to be (is, was, been), zįįł 11. There will be prayer tonight, díí tł'éé' sohodidoozįįł.
prayer-stick, k'eet'áán.
pregnancy, 'ootsą́.
pregnant, to get (getting, got, gotten), tsąął 1, 2. I wish that I could get pregnant, 'i'noostsąąh laanaa. I will get you pregnant, shá 'idí'nííltsąął.
preparation, hasht'ehodi'nééh.
prepare, to (preparing, prepared, prepared), lííł 25. I will prepare my bed now, k'ad sitsásk'eh hasht'edeeshłííł.
prepuce, 'acho' bizis.
present, to be (being, was, been), nááł. I was present at the Yei Bichei, shíínááł na'askai.
pretty, nizhóní; bííghis; yá'át'ééh.
pretty, to be (being, was, been), I am pretty, nishzhóní. This is a pretty place díí kwe'é hózhóní.
prevention, honeeztł'ah.
prevent, to (preventing, prevented, prevented), tł'ah 4. I prevented him from going, shí nétł'ahgo biniinaa t'áadoo deeyáa da
prickly pear, hosh niteelí.
primrose (evening ---), tł'é'iigáhí.
prisoner, 'awáalyaaí.
probably, shį́į; t'áá shį́į.
produce ,to (producing, produced, produced), lííł 1. We are producing more airplanes than our enemies, nihe'ena'í biláąh 'át'éego chidí naat'a'í 'ádeiil'į.
production, (of manufactured goods) 'ál'į; (agricultural) 'anilt'ą́.

profession, nahaghá; 'inaanish.
progress, to (progressing, progressed, progressed), gáát 26 The Navaho are progressing, naabeehó náás yikah.
prohibit, to (prohibiting, prohibited, prohibited), 'áát 17. I will prohibit smoking to him, ná'át'oh bits'ádideesh'ááł.
prohibition, 'ats'ádeet'ą
project, to (projecting, projected, projected), 'á. It projects up vertically, háá'á; yaa'á.
pronged, deeshzha.
property, 'inchxǫ́'í.
propitiate, to (propitiating, propitiated, propitiated), hił 3. We will propitiate the god with prayers, diné dighinii sodizin bee bididiilghił.
propitiation, 'adiigheeł.
prostate gland, 'alizh bikááz.
prostrate oneself, to (prostrating prostrated, prostrated), ghał 1 I prostrated myself on the floor, ni'ji' néshghal.
prostration, 'aneesghal.
prostitute, 'ałjiłnii; kin yąąh sizíní.
protection, 'ach'ą́ąh na'adáh.
protect, to (protecting, protected, protected), gááł (gaał) 36. I will protect you, nich'ą́ąh nideeshaał.
provide, to (providing, provided, provided), dzil 6, 7. I provide for my family, sha'áłchíní bik'iisdził.
provision, 'ak'ina'adzil.
provisions, bidookįįłii; chodedoo'įįłígíí; ch'iyáán.
prune, ch'il na'atł'o'iitsoh.
Pueblo Indian, kiis'áanii.
Pueblo Pintado, N. M., kinteel.
Puertocito, N. M., t'iistsoh.
pull, to (pulling, pulled, pulled), 'ááł 1. I pulled out my knife, shibéézh háá'ą. dlał 1. I pulled the rope in two, tł'óół k'íníłdláád. dzį́s 1, 2, 3. I am pulling the log along, tsin yisdzį́s. tį́ł 8. I pulled the nail, 'ił 'adaalkaałí háátą. ts'ǫł 1, 2. I pulled out the plant, ch'il háátts'ǫ́ǫd. ts'ǫł 3, 4. I pulled the wire taut, béésh 'áłts'óózí déłts'ǫ́ǫd.
pulse, 'ats'oos yita'.
pump (water ---), tó hahalt'ood.
pump ,to (pumping, pumped, pumped), soł 3. I pumped up my tire, shichidí bikee' bii'íísol. t'oł I pumped the water out, tó háált'óód.
pumpkin, naaghízí.
punch, bee 'aghádadzilne'é.
punish, to (punishing, punished punished), łį́į́ł 30. You did not behave so I punished you, doo 'ákwii 'ánít'įį dago biniinaa 'atíniishłaa.
punishment, 'até'él'į.
pupil (of the eye), 'anázhiin.
puppy, łééchąą yázhí.
purchase, 'aa nahanii.
purgative, 'agháhwiizídí.
purple four o'clock, tsídídééh.
purse, béeso bizis.
pus, his.

push, to (pushing, pushed, pushed), ghił 1, 2. I am pushing the wheelbarrow about, nabégilí nabéshhil. Push it to me, shich'į' nibíníghííł! goh 4. I pushed him down from the rock, tsé bikáádę́ę' hadááłgo'.

put, to (putting, put, put), 'ááł 2. I put it out, ch'íní'ą́. 'ááł 8. I put it in the water, taah yí'ą́. 'ááł 9. I put it down, ni' niní'ą́. I put it away, hasht'e' niní'ą́. 'ááł 10. I put my hat on, shich'ah 'ák'idesht'ą́. 'ááł 11. I put it under it, biyaa 'íí'ą́. 'ááł 12. I put a lid on it, bidadi'ní'ą́. 'ááł 25. I put it in the fire didíí'ą́. bąs 7. I will put the car in the garage, chidí chidí bá hooghan góne' yah 'adeesbąs. gááł 44. I put my clothes back on, shi'éé' biih násdzá. loh 6, 7. I put the brake to it, bídiilo'. I put on the brake, 'ídiilo'. t'eeł 10. I put the horse in the corral, łį́į' łį́į' bighan góne' yah 'ííłt'e'. t'is 1, 2. I will put my shoes (back) on, kéńdeest'is. tsis 2. I put out the fire, kǫ' néłtsiz. zis 1. I am putting on my belt, 'ákászis.

Q

quadruped, naaldlooshii.

quail, díłdánii.

quarrelsome, to be (being, was, been), 'ááł 21. I am quarrelsome, 'ayóo shíní si'ą́.

queen bolt (of a wagon), ' atł'eeyah dah sinilí bił 'íí'áhígíí.

quickly, hah; hahí; tsį́įłgo.

quick-tempered, to be (being, was, been), ts'íid 6. I am quick-tempered, doo yists'íid da.

quiet, to become (becoming, became, become), zih 1, 2. I became quiet, 'áhodiiszee'. I am quiet, 'áhodíníszéé'.

quilt, golchóón.

quirt, bee 'atsxis.

quit, to (quitting, quit, quit), gááł 9. I quit smoking, ná'ásht'ohę́ę bik'idéyá. t'į́įł 3. I was working, but I quit, naashnish ńt'ę́ę' 'ááhosist'į́įd.

quiver, k'aaghééł.

R

rabbit, gah.

rabbit brush (big), k'iiłtsoii; (small) k'iiłtsoii dijoolí.

race, (of men), dine'é. The races of man, diné 'ałtah 'áát'eełii; footrace, 'ałha'dit'aash.

race, to (racing, raced, raced), t'ash 1. I raced with him, bił 'ahadésht'áázh.

rag, 'anilí.

raid, to (raiding, raided, raided), bah 1, 2, 3, 4. I am going on a raid, débaa'. I went about raiding, nisébaa'. I am on my way returning from war, náashbah. Our soldiers raided the city, nihisiláago kįįh daazbaa'.

railroad track, kǫ' na'ałbąąsii bitiin.

rain, níłtsą́; nahałtin.

rain, to (raining, rained, rained), tį́įł 2, 3, 4, 5. It started to rain, nikihǫníłtą. It is raining, nahałtin. There comes the rain, 'aadę́ę́' hoołtį́į́ł. It has stopped raining, yóó' 'ahóółtą.

rainbow, náátsʼíílid.

raise, to (raising, raised, raised), lííł 13. Raise up that sheep's head, 'eii dibé bitsii' dei'áníléeh! nííł 2. The lady raised her head and looked at me, 'asdzą́ą́ dei'ádzaa dóó shinéélʼį́į́'. sééł 2. I raised an orphan boy, 'ashkii bik'éí 'ádingo binésą. t'į́į́ł 2. I raised a lot of corn, naadą́ą́' t'óó 'ahayóí nánéłt'ą.

rake, bee náhwiidzídí.

rake, to (raking, raked, raked) ził 1. I raked the leaves together, 'at'ąą' 'ahaníníziid.

ram, deenásts'aa'.

ram, to (ramming, rammed rammed), goh 18. I rammed him, ségoh.

Ramah, N. M., tł'ohchiní.

rank, 'ídlį́į́ góne'.

rank, to (ranking, ranked, ranked), leeł 17. We ranked third among them, táá' góne' bee 'atah siidlį́į́'.

rape, 'ił ni'ídéél.

rape, to (raping, raped, raped), dił 5. He raped the girl, 'at'ééd yił ninídéél.

rapidly, tsį́į́ł; tsį́į́łgo; hah; hahí.

rarely, łáháda.

rasp, tsin bee yigołí.

rasp, to (rasping, rasped, rasped), ch'ish 1. I am rasping it, yishch'iish.

rat, łé'étsoh.

rattle, 'aghááł. Hide rattle, 'akał 'aghááł. Gourd rattle, 'aghááł nímazígíí. Hoof rattle 'akéshgaan 'aghááł.

rattlepod, dá'ághálii.

rattlesnake, tł'iish 'ánínígíí.

raw, t'áá t'éehgo.

razor, dághá bee yilzhéhí.

reach, to (reaching, reached, reached), 'ąął 1. The water reaches the top of the hogan, tó hooghan bikáa'ji' neel'ą. chił I reached for my hat, shich'ah bíká déchid.

read, to (reading, read, read), tah 1, 2. I am reading a book, naaltsoos yíníshta'. I know how to read, 'íníshta' bééhasin.

readiness, to keep in (keeping, kept, kept), I keep myself always in readiness, t'áá 'áłaji' hasht'e' 'ádííníszin.

ready, to get (getting, got, gotten), 'nííł 16. I got ready to go to Gallup, na'nízhoozhígóó deesháál biniighé hasht'ediisdzaa

really, t'áá 'aaníí; ts'ídá; 'ayóogo; t'áá 'íighisíí.

reassemble, to (reassembling reassembled, reassembled), 'nił 6. I reassembled my car, shichidí 'ahiih náásh'nil.

reassembly, 'ahiih ná'á'nííł.

reassured, to be (being, was, been), I was reassured (by the comforting news), t'áá hats'íidgo shił hóóne'.

recede, to (receding, receded, receded), 'ąął The water is receding, tó yaa ná'nool'ąął.

recently, 'ánííd; 'ániid.

reconnaissance, ha'alzííd.

reconstruction, 'áná'álnééh.

recover, to (recovering, recovered, recovered), leeł 25, 26. I recovered my health, shánah nísísdlį́į́'. I recovered; I got well, yá'át'ééh nísísdlį́į́'.

recovery, yá'át'ééh ná'ádleeh.

recreation, na'a'ne'; háá'álghį́į́h

rectum, 'ajilchii'.

red, łichíí'; halchíí'.

red, to be (being, was, been), chih. I am red, łinishchíí'.

red, to dye (dyeing, dyed, dyed). chih 3. I dyed the wool red, 'aghaa' yiiłchii'.

red, to get (getting, got, gotten), chih 1. The cloud got red, k'os yiichii' (łichíí' silį́į́').

Red Lake Ariz., be'ak'id halchíí'; tó łání.

Red Rock, Ariz., tsé łichíí' dah 'azkání.

redden, to (reddening, reddened, reddened), chih 3. I reddened my lips, sizábąąh yiiłchii'.

redeem, to (redeeming, redeemed, redeemed), 'ááł 22. I redeemed my watch; I took my watch back out of pawn, shijóhonaa'éí hanáásht'ą́.

reed, lók'aa'.

reed (cane ---), lók'aatsoh.

refrigerator, bee 'azk'azí.

reestablished, to be (being, was, been), dleeł 1. Peace will be reestablished, k'énáhodoodleeł.

Rehoboth, N. M., tséyaa niichii'.

rein, 'azaatł'óól.

rekindle, to (rekindling, rekindled, rekindled), jah 4. I rekindled the fire, déédííłjéé'.

relative, 'ak'éí.

reliability, ba'hódlí.

release, 'éé'ílnii'.

release, to (releasing, released, released), chił 4. We will release the captives, yisnááh bididiichił 'nił 7. I released the prisoners, 'awáályaaí ch'éénísh'nil. t'eeł 13. I released the prisoner, 'awáályaaí ch'ééníłt'e'.

remove, to (removing, removed, removed), 'ááł 11. He removed the stone that was on the road, tsé 'atiin bikáa'gi si'ánę́ę nahji' 'ayíí'ą́.

rely on ,to (relying, relied, relied) liił 5. I cannot rely on you, ch'ééh na'íínísh łí.

remainder, yidzíí'ígíí.

remarkably, 'ayóí; 'ayóígo; 'ayóogo.

remember, to (remembering, remembered, remembered), nih 2 I remember you, nénáshniih.

repair, to (repairing, repaired repaired), lííł 3. I repaired my tire, shichidí bikee' 'ánáshdlaa.

repay, to (repaying, repayed, repayed), lééł 4. I repaid him; I paid him back, bich'į' niná'níshdlá.

repayment, 'ach'į' niná'ílyá.

replace, to (replacing, replaced, replaced), 'nił 2; 'ááł 11c. I replaced the poor sheep with good sheep, dibé doo yá'ádaat'éhígíí dibé yá'ádaat'éhígíí bich'ą́ąhji' anáásh'nil. gááł 31. I will replace you; I will take your place, nikék'ehji' 'adeesháál.

reptile, na'ashǫ́'ii.

research, na'alkaah.

research, to do (doing, did, done) kah 2. I did research on bacteria, ch'osh doo yit'íinii nisélkáá'.

resemble, to (resembling, resembled, resembled), lin 1, 2, 3. It resembles a dog, łééchąą'í nahalin. We resemble each other, 'ahiniidlin.

reservoir, dá'deestł'in.

reside, to (residing, resided, resided), t'į́įł 5. I reside here, kwe'é kééhasht'į.

residence, hooghangi; kééhat'į́įgi.

resident, kééhat'íinii.

resilient, naats'ǫǫd.

resin, jeeh.

resistance, to have (having, had, had), dził 2. I have resistance against tuberculosis, jéí'ádįįh bínísdzil.

resistance, 'í'níłdzil.

resources, 'iiná bá siláii.

respectability, 'ach'į' hasti'.

respectable, bich'į' hasti'.

respiration, ń'dídzih.

rest, to (resting, rested, rested) ghįh 3. I am resting, hanáshghį́įh.

restate, to (restating, restated, restated), 'ááł 2. I restated it to him, bił ch'ínáání'ą́.

restatement, ch'ínáánát'aah.

resume, to (resuming, resumed resumed), t'ih 15. The war resumed, 'anaa' hanáánáát'i'.

resumption, hanáánáát'i'ígíí.

resuscitate, to (resuscitating, resuscitated, resuscitated), 'naał 3. I resuscitated; I came back to life, náhiish'na'.

resuscitation, ná'ii'na'; náá'diilzá.

reticence, 'áká hásti'.

reticent, to be (being, was, been) tiił 3. I am reticent toward him, bíká sísti'.

retribution, 'ach'į' niná'ílyá.

return, to (returning, returned returned), gááł 43. I returned yesterday, 'adą́ądą́ą' nánísdzá. I will return the book to you, naaltsoos naa ńdeesht'ááł.

revert, to (reverting, reverted, reverted), leeł 9. When you die you will revert to dust, dasínítsą́ągo łeezh ńdíídleeł.

revolution, ndaha'áhígíí bik'iji' hóóchi' dóó ła' niná'níił; náánáłahgo 'át'éego 'iiná; ná'ooghis.

revolve, to (revolving, revolved revolved), kǫs 4. The stick is revolving, tsin náhookǫs.

revolver, bee'eldǫǫh yázhí.

rheumatism (chronic —), 'agizii

rib, 'átsą́ą'.

ribbon, lashdóón.

rice, 'alóós.

rich, to be (being, was, been), t'įįł 6, 7. I am rich, 'asht'į. I am rich in horses, łį́į' yisht'į.

rid of, to get (getting, got, gotten), dįįł 3, 4. I got rid of my old ewes, shidibé tsa'ii hadaastihígíí 'áséłdįįd.

riddance, 'é'ésdįįd; 'ábi'disdįįd; nahji' kó'élyaa.

ride, to (riding, rode, ridden), dlosh 5. I am riding around on horseback; I am trotting around on a horse, łį́į' shił naaldloosh. ghoł 22. I went riding in my car, shichidí shił naasghod. tį́įł 3, 4. I am riding along on horseback; I am galloping along on horseback, łį́į' shił nooltį́įł.

ridge, deesk'id; yílk'id.

rifle, bee'eldǫǫh nineezígíí.

right, to be (being, was, been) lííł 1. I did it right; I am right, t'áá 'ákó 'íishłaa. That is right. t'áá 'ákót'é.

right side up, to put (putting, put put), sįįł 1. I put (or turned) my car right side up, shichidí nábiisį'.

rim (of a wagon wheel), tsinaabąąs bijáád béésh bináz'áhígíí.

ring (finger ---), yoostsah.

ring around the moon, 'ooljéé' biná'ástłéé'.

ring around the sun, jóhonaa'éí biná'ástłéé'.

ring, to (ringing, rang, rung), ts'į́įł 10. My ears are ringing, shijaaghi' zííl yiits'a'.

ringed by hills, binásk'id.

rip, 'i'íídláád.

rip, to (ripping, ripped, ripped), dlał 3. I ripped the cloth, naak'a'at'ąhí 'ahánííłdláád. zǫ́ǫ́s 1. I ripped it (roughly), 'íízǫ́ǫ́z. ghaz 1. The puma ripped me with a raking blow of his claws, náshdóítsoh tsiih shííghaz.

rise, to (rising, rose, risen), 'ááł 4. The sun has risen, ha'íí'ą́. 'ąął 2. The water is rising, tó deí 'anool'ąął. gááł 11. I rose; I got up, ńdiisdzá.

ripen, to (ripening, ripened, ripened), t'įįł, The corn is nearly ripe, naadą́ą́' k'adę́ę nit'ą́. The apples have ripened, bilasáanaa daneest'ą́.

risk one's life, to (risking, risked, risked,), t'ááł 11. I risked my life to save him, niná'ádinisht'ąągo yisdáálóóz.

river, tooh nílíní.

road, 'atiin.

roadrunner, naatsédlózii.

roam, to (roaming, roamed roamed), leeł 1. I spent the year roaming the Navaho country, naabeehó bikéyah bikáa'gi nahashłe'go shééhai.

roast, to (roasting, roasted, roasted), t'is 1. I roasted the meat, 'atsį' séłt'é.

roasted, sit'é.

robbery, 'agha'ílghé; 'ani'į́į'.

robin, téélhalchí'í.

rock, tsé.

rock, to (rocking, rocked, rocked), hoł 1. I rocked the chair back and forth, bik'idah'asdáhí ndí'néłhod.
rock cave, tsé'áán.
Rock Point, Ariz., tsé łichíí' deez'áhí.
roll, to (rolling, rolled, rolled), bąs. The hoop is rolling along, bąąs yibąs. I am rolling it along, yisbąs. mas. I rolled into the hole, 'a'áán góne' yah 'íímááz. I rolled the rock into the hogan, tsé hooghan góne' yah 'ííłmááz.
rooster, naa'ahóóhai bikǫ'ii.
root, 'akétł'óól.
rope, tł'óół.
rope, to (roping, roped, roped), loh 1. I roped the cow, béégashii séloh.
rosin, jeeh; jeesáá'.
rot, to (rotting, rotted, rotted), dził 5. The meat has started to rot, 'atsį' bidi'niiłdzid.
rotten, dííłdzid.
rough, dich'íízh; dighol; hodighol.
Rough Rock, Ariz., tséch'ízhí.
round, nímaz; dijool; názbąs, níghiz.
round and slender, níghiz.
round, to be (being, was, been), joł 7 I am round like a ball; I am "chunky," dinishjool.
round trip, to make a (making, made, made), gááł (gaał), 32. I made a round trip to Gallup, na'nízhoozhígóó niséyá.
route, to open a (opening, opened, opened), t'ih 9. A route was opened to Alaska, Alaska bich'į' 'ahóót'i'.
rubber, jeeh dígházii.
rubber plant, né'éshjaa' yılkee'í.
rug, diyogí.
rugged, noojí; honoojí.
rugose, niiłtsǫǫz.
ruin, to (ruining, ruined, ruined), chǫǫł 1. I ruined my book, shinaaltsoos yíłchǫ'.
ruination, 'ííchxǫ'.
ruler, bee 'ída'neel'ąąhí.
rump, 'atł'aa .
run, to (running, ran, run), ghoł I ran past him, bíighah (bíighahgóó) ch'íníshghod. ,I ran out, ch'íníshghod. I outran him, baa diishghod. I will run away, yóó' 'adeeshghoł. I ran back, nánishghod. dįįł 1. I ran out of gas, chidí bitoo' shee 'ásdįįd. kah 1. The criminal was run down, diné doo yá'áshóonii bélkáá'. lį. It is running over, ghó'ąnílį. nah 11. The water runs off here, kodóó tó yóó' 'anánah. t'ash 1. I will run a race with you, nił 'ahadideesht'ash. tł'eeł 3. I am running along at a dog trot, yishtł'ééł. ts'įįł 4. The car is running, chidí diits'a'.
run into, to (running, ran, run), goh 19, 20. My car ran into a tree with me, shichidí tsin shił yídeezgoh. The cars ran into each other, chidí 'ahídeezgoh.
runner, to be a (being, was, been)

ghoł 14. I am a (fast) runner, dinishgho'.

rush about, to (rushing, rushed, rushed), tłish 12. He is rushing about in the house looking for his gun, bibee'eldǫǫh hainitáago kin góne' naanáátłish. He is in a rush, hah naaghá.

rust, to (rusting, rusted, rusted), chxih (under chih) 1. My knife rusted, shibéézh ńdiniichxii'.

rutted, hodighol.

S

sack, 'azis.

saddle, łį́į' bighéél.

saddle, to (saddling, saddled saddled), nił 17. I saddled my horse, shilį́į' bik'i dah 'asénˈlı

saddle horn, łį́į' bighéél bidááhdę́ę́' háá'áhígíí.

saddle horse, łį́į' na'aghéhí.

saddle tree, łį́į' bighéél bidááhdę́ę́' háá'áhígíí.

sage, ts'ah.

sagebrush, ts'ah.

sail, to (sailing, sailed, sailed), 'oł 5, 7, 8, 10, 12, 17. I set sail for the other side of the sea, tónteel ghónaanígóó dah 'adiił'éél. I am sailing the boat along, tsinaa'eeł yish'oł. I am sailing along, 'eesh'oł. I sailed to Europe, kéyah Europe gholghéeji' 'aníł'éél. I sailed as far as Cuba, Cuba hoolghéeji' ni'níł'éél. I sailed (made a voyage) to Europe kéyah Europe gholghéeji' shił 'aní'éél. sał 1, 2. The cloud is sailing along, k'os yisał.

sailor na'ał'eełí.

salamander, tsxilghááh.

sale, na'iini'; 'ach'į' nahaniih.

saliva, 'azhéé'.

salt, 'áshįįh.

Salt Lake, N. M., 'áshįįh.

salvation, yisdá 'álteeh.

salve, tłah.

same, 'aheełt'é. Same in length, 'aheeníłnééz; same in height or in size, 'aheeníłtso, 'aheeníldíil; same in width, 'aheeníłtsáaz; same in thickness or depth, 'aheedéetą́ą́'; same in weight, 'aheeníłdáás; same in appearance 'ahinoolin.

sanatorium (tuberculosis ---) jéí'ádįįh bá hooghan.

sanctified, to be (being, was, been), ghįįł 1. I will be sanctified by that, 'éí bee dideeshhįįł.

sand, séí.

Sanders, Ariz., łichíí' deez'áhí.

sand painting, 'iikááh.

sandpaper, naaltsoos bee 'ach'iishí.

sandpaper, to (sandpapering sandpapered, sandpapered), ch'ish 1. I will sandpaper it, naaltsoos bee 'ach'iishígíí bee deeshch'ish.

San Juan Pueblo, N. M., kin łichíí'. San Juan people, kin łichíí'nii.

Sanostee, N. M., tsé 'ałnáozt'i'í.

sand sage, ch'ilzhóó'.

Santa Clara Pueblo, N. M., 'anaashashí

Santa Fe, N. M., yootó.

sarcastic, to (being, was, been), tih 4. I am sarcastic, bik'e'diniihgo yáshti'.

sash, sis łichí'í.

satiation, 'ee ná'ádįįh.

satisfaction, hwiih. I am satisfied, hwiih sélįį'; shił hwiih.

Saturday, yiską́ damįįgo.

sausage, náshgǫzh.

save, to (saving, saved, saved), 'ááł 19. I saved him, yisdá yíłtį. lóós 5. I saved him; I led him to safety, yisdáálóóz.

saviour, yisdá'iiníiłii.

saw, bee 'ach'iishí; tsin bee nihijíhí; tsin bee nihech'iishí.

saw, to (sawing, sawed, sawed), ch'ish 1, 2. I sawed it in two, k'íních'iizh.

sawmill, ni'iijíhí.

Sawmill, Ariz., ni'iijíhí.

say, to (saying, said, said), niił 1, 2, 4, 5. Say "fish," "fish" diní! What did he say, ha'át'íishą' dííniid? He said, "I'll eat you up," "ndeeshghał," ní. I said to him that he was lazy, 'ayóogo nił hóghéé' bidííniid.

scabbard, (gun ---) bee'eldǫǫh bizis; (knife ---), béésh bizis.

scale off, to (scaling, scaled, scaled), ch'ił 1. The bark is scaling off of the tree, tsin baháshť'óózh bélch'iił.

scales (for weighing), bee dah ní'diidlohí.

scalp, tsiiziz.

scapula, 'agąąstsiin.

scar, sid.

scarce, to be (being, was, been), ghéé'. Water is scarce here, kwii tó bídin hóghéé'.

scarab, chąąneiłhizii.

scarcity, 'ádin hóghéé'.

scare, to (scaring, scared, scared), his 3. I will scare him, tsíbidideesxis.

scarlet fever, tahoniigááh łichíi'go naałniihígíí.

scent about, to (scenting, scented, scented), chį́į́ł 5. The coyote is scenting about, mą'ii ndilcháą́'.

school, 'ólta'.

schoolteacher, bá'ólta'í.

school, to go to (going, went, gone), tah 2. I have gone to school, 'ííłta'.

scissors, béésh 'ahédiłí.

scold, to (scolding, scolded scolded), ké. He is scolding me, shich'a hashké.

scorpion, séígo'.

scraper, bee hahwiikaahí.

scratch, to (scratching, scratched, scratched), ch'ił 4. I scratchmy hand open, shíla' tsiih yích'id. ch'ił 1. I scratched for water, tó bíká hahoyéch'id. ch'ił 3. I am scratching myself, 'ádíshch'id. ghas 1, 2. The cat scratched me, mósí shisghas The cat scratched me up, mósí náshineesghaz.

screech owl, tsidiłdǫǫhii.

screw, 'ił 'adaagizí.

screw, to (screwing, screwed, screwed), gis 2. I screwed it in, bił 'íígiz.
screwdriver, bee 'ił 'ada'agizí tsin bighááh dé'áhígíí.
scripture, 'ak'e'eshchį.
scrub, to (scrubbing, scrubbed, scrubbed), gis 2. I scrubbed the table, bikáá'adání tááségiz.
scrub oak, chéch'il ntł'izí.
scythe, tł'oh bee yilzhéhí.
sea, tónteel.
search, ha'ntá.
search for, to (searching, searched, searched), taał 1, 2. I am searching for my hat, shich'ah hanishtá.
seashore, tónteel bibąąhgi.
Seba Dalkai, Ariz., séí bídaagai.
see, to (seeing, saw, seen), 'įįł 4, 5. I see the mountain, dził yish'į. I do not see very well, doo hózhǫ́ 'eesh'įį da. tseeł 1. I saw him, yiiłtsą́. We will see each other again, náá'ahidiiltseeł.
seed, 'ak'ǫ́ǫ́'; 'anáá'; k'eelghéíí.
seldom, łáháda.
self sufficiency, t'áá hó 'ák'ina'adzil.
self sufficient, to be (being, was, been), dził 4. I am self sufficient, t'áá shí 'ák'inasdzil.
sell, to (selling, sold, sold), nih 12. I sold my car to him, shichidí bich'į' naháłnii'.
semen, 'íígąsh.
seminal fluid, 'íígąsh.
send, to (sending, sent, sent), 'aał 1, 3. I sent him to town, kintahgóó 'ííł'a'.
senectitude, są́.
separate, 'ał'ąą.
separate, to (separating, separated, separated), lah 2. I separated the white wool from the dark wool, 'aghaa' łigaaígíí 'aghaa łizhinígíí bits'áhálá'. gááł 22, 23. I will separate from you, nits'ádeesháál. We separated from each other, 'ałts'áníit'áázh
September, bini'ant'ą́ą́tsoh.
serpentine, naneeshtł'iizh; nahoneeshtł'iizh.
service berry, didzé dit'ódii.
set (of a ring), yoostsah bináá'.
set, to (setting, set, set), 'ááł 9. The sun has set, 'i'íí'ą́. 'ááł 9. I have set it down on the ground, ni'ji' niní'ą́. I set it down on it, bik'ininí'ą́. 'ááł 26. I set it up (on the shelf), dah sé'ą́. kááł 1, 2, 3. I set the posts in a line, tsin níłkáál. I set the posts in a circle tsin nánéłkáál. t'ih 1, 3. I set the wire in the form of a circle, béésh 'áłts'óózí níséłt'i'. I set the wire in a line, béésh 'áłts'óózí déłt'i'. shosh 2. I set the lumber in a leaning position, tsin niheshjíí' k'íniishoozh. tsih 2. I set the post, tsin 'íítsih.
Seven Sisters, dilghéhí.
several, díkwííshįį.
sew, to (sewing, sewed, sewed or sewn), kał 7, 8, 9. I am sewing it, náshkad. I am sewing, ná'áshkad. I sewed them together, 'ahídiiłkad.

sewing machine, béésh ná'áłkadí.

sexual intercourse, 'ak'ééd; 'ashtéézh.

sexual intercourse, to have (having, had, had), k'ił 1, 2. I had sexual intercourse, 'asék'ééd. I had sexual intercourse with her, sék'ééd.

shabbiness, ń'díít'óód.

shadow, chaha'oh; chahash'oh.

shake, to (shaking, shook shook), tsis 3. I am shaking, dinistsiz. ghał 1. I shook the rug, divogí yígháád. nih 5. I shook hands with him, bílák'ee deeshnii'.

shaky, ditsxiz; ditłid.

shall I? ya'?

shallow, 'áłt'ą'í; doo ditą́ą da.

shaman, hataałii.

shame, yáhásin.

share, to (sharing, shared, shared), 'ááł 14. We shared the loaf of bread, bááh 'ałts'áníit'ą́. tsoł 3. We shared the bread, bááh 'aha'niiltsood.

sharp, deení My eyes are sharp, shináá' deení. The knife is very sharp, béésh 'ayóo deení.

shatter, to (shattering, shattered, shattered), tah, 1, 2. The bottle fell and shattered, tózis náálts'id dóó diitaa'. I shattered the window, tsésǫ' dííłtaa'. ts'ił 1, 2. The dish shattered, łeets'aa' sits'il. I shattered the pot, 'ásaa' séłts'il.

shattered, sits'il; diitaa'.

shave, to (shaving, shaved, shaved), zhih 1. I am shaving, 'ádíshzhééh

shawl, dáábalii.

shear, to (shearing, sheared, sheared or shorn), gish 4. I will shear my sheep, shidibé tádideeshgish.

shears, bee tá'digéshí.

sheath, béésh bizis.

sheep, dibé.

sheep louse, dibé biya' dootł'izhí

sheep tick, dibé biya'.

sheepskin bedding, yaateeł.

shell, to (shelling, shelled, shelled), hał 1, 2. I am shelling corn, naadą́ą' yishhał. I am shelling, 'ashhaał.

sheriff, yah 'i'iiníiłii.

shin, 'ajáástis.

shine, to (shining, shined, shone) díín. The sun is shining, jóhonaa'éí 'adiníłdíín. It shines (with luster), bik'inizdidlaad. lííł 9. I shined my shoes, shikee' bízdílidgo 'ííshłaa.

shinny game, ni'dilkalí.

shiny, bízdílid; bik'inizdidlaad.

Shiprock, N. M., naat'áaniinééz.

Shiprock Pinnacle, N. M., tsé bit'a'í.

shirt, deiji'éé'.

shirt tail, deiji'éé' yaago deet'i'ígíí.

shiver, to (shivering, shivered, shivered), tsis 4. I am shivering, dah dinistsiz.

shoat, bisóodi yázhí.

shod, ké bii' 'ast'eez; łį́į' bikee' hólǫ́.

shoe, ké.

shoehorn, bee kééh ná'át'isí.

shoelace, kétł'óól.

shoe polish, (red, brown) ké bee néilchíhí; (black) ké bee néilzhíhí.

Shonto, Ariz., shą́ą́'tóhí.

shoot, to (shooting, shot, shot), dǫǫł 2. I shot a rabbit, gah biłʼadéłdǫǫh. I know how to shoot, 'adishdon bééhasin. dǫǫł 4. I shot at the bear, shash yínííłdon. kah 1 I shot the deer (with an arrow), bįįh séłkah. sih 1. I am shooting (an arrow), 'e'essííh t'oh 1. I shot the deer (with an arrow), bįįh séłt'oh.

shore, tábąąhgi.

short, 'agod; doo nineez da.

short crimped wool, 'aghaa' 'áhánígo yishch'il.

shoulder, 'aghos.

shoulder blade, 'agąąstsiin.

shout, hodighosh.

shout, to (shouting, shouted, shouted), ghosh 2. I shouted out, hadeshghaazh. ghosh 3. I am shouting for him, bíká dishghosh. I am shouting at him, bich'į' dishghosh.

shovel, łeezh bee hahalkaadí.

show, to (showing, showed showed or shown), 'įįł 3. Come to my house and I will show you my gun, shighandi díínááł dóó shibee'eldǫǫh díníít'įįł.

shuffle, to (shuffling, shuffled, shuffled), t'ááł 10. I shuffled the cards, dá'áka' 'ahiih nááshtʼą́.

shy, to be (being, was, been), zįįł 6. I am shy, yá nisin.

sibling (of opposite sex), 'alah.

sibling (of the same sex), 'ak'is.

sick, to be (being, was, been), tsaał 1. I am sick, daastsaah. 'aał 8. I am sick, shąąh dahaz'ą́.

sick, to get (getting, got, gotten), 'aał 8. I got sick, shąąh dahoo'a'.

sickliness, ka na'adáh.

sickly, to be (being, was, been), gááł 35. I am sickly, ka naashá.

sickness, 'ąąh dahaz'ą́; da'atsaah.

side (of body), 'atságah.

sideways, naanii; naa-.

sieve, bee 'aghá'níldéhí.

sift, to (sifting, sifted, sifted), dah 4. I sifted the flour, 'ak'áán bigháníníłdee'.

sigh, to (sighing, sighed, sighed), dzoł 1. I sighed, 'ádił hanáásdzol.

silent, to become (becoming, became, become), hił 1. I became silent, diiłheel. It became silent, hodiiłheel. I am silent, díníshhéél.

silver, béésh łigaii.

silver beads, yoo' nímazí.

silver belt, béésh łigaii sis; (with large conchas), sis ntsaaígíí; (with small conchas), sis yázhí.

silversmith, béésh łigaii yitsidí.

similar (in appearance), 'ahinoolin; 'ahidanoolin; similar in quality, 'aheełt'é; 'ahidaałt'é.

simultaneously, t'áá 'ahąąh.

sin, to (sinning, sinned, sinned), níił 5. I sinned, bąąhági 'ásdzaa

sin, bąąhági 'át'éii.

sinew, 'ats'id.

sing, to (singing, sang, sung), 'ááł 2, 3. I started singing a song, sin hadíí'ą. I started singing, ha'díí'ą k'ash 1. I am singing at the top of my voice, yishk'aash. tał 11. I sang, hóótááł. I will sing a song, sin bee hodeeshtał.

singe, to (singeing, singed, singed), zis 1. I singed the porcupine, dahsání yízeez.

singer, hataałii.

single tree, 'atł'eeyah dah sinilí.

sister (elder ---), 'ádí; (younger ---). 'adeezhí.

sit down, to (sitting, sat, sat), daał 1. I sat down, nédá. We two sat down, neeké. We (all) sat down, dineebin. I am sitting, sédá.

six bits, hastą́ą́ yááł.

skate, to (skating, skated, skated), I am skating, naashteeł. I went skating, nisétééł.

skeleton, 'ats'íísts'in.

skillet, tsee'é.

skin, 'akágí.

skin, to (skinning, skinned, skinned), 'ah 1. I skinned the sheep, dibé níséł'ah.

skinny, to be (being, was, been); ts'iiní 1. I am skinny, sits'iiní.

skirt, tł'aakał.

skull, tsiits'in.

skunk, gólízhii; ghólízhii.

sky, yá; yádiłhił; yá'ąąsh.

skyline, nahodeeshtł'iizh.

slacken (slackening, slackened slackened), tłóół 1, 2. I slackened the rope, tł'óół ńdiniiłtłóó'.

slam, to (slamming, slammed, slammed), hą́ął 2. I slammed the door, dáádílkał 'ahííłhan.

slap, to (slapping, slapped, slapped), kał 1. I slapped him; I gave him a slap, ńdíikaad. I am slapping him; I am giving him a slapping, náníshkad.

slave, naalté.

slay, to (slaying, slew, slain), hééł 1. I slew the wolf, mą'iitsoh séłhí. tsił 1. We will slay all of our enemies, nihe'ena'í 'ałtso ndadiiltsił.

slayer, 'iisxíinii.

sled, tsin naalzhoodí.

sledge hammer, bee 'atsidítsoh.

sleep, 'aghosh.

sleep, to (sleeping, slept, slept), hosh 5. I slept well, yá'át'éehgo 'iiłhaazh. I am sleeping, 'ashhosh.

sleep, to go to (going, went, gone), hosh 3, 4. I will go to sleep, 'iideeshhosh. I will go back to sleep, ná'iideeshhosh sih 1. My leg has gone to sleep, shijáád yiisíí'.

sleep, to put to (putting, put, put), hosh 5. I put him to sleep, bi'iiłhaazh.

sleepers, nák'eeshchǫǫ'.

sleepiness, bił.

sleepy, to be (being, was, been), zįįł. I am sleepy, bił nisin.

sleet, níló yázhí.

sleeve, 'agǫǫziz.

slender, 'áłts'óózí; -ts'óóz; -ts'ó-zí; -ts'ósí.

slender, to be (being, was, been), ts'óózí. I am slender, 'ánís-ts'óózí.

slice, to (slicing, sliced, sliced), gish 2. gish 2. I sliced the bread, bááh nihélgizh.

slim, 'áłts'óózí.

sling, bee'aditł'ą́įh.

sling, to (slinging, slung, slung), tł'įįł 5. I slung the stone, tsé bee 'adzíítł'in.

slingshot, bee 'adiltąshí.

slippery, yídéeltǫ'; hwíídéeltǫ'; nahateeł.

slow-witted, to be (being, was, been), gis. I am slow-witted, shitádazdínóozgis.

slowly, hazhó'ógo; tąądee.

smart, to (smarting, smarted, smarted), ch'ih 1. My eyes smart, shináá' shiłch'íí'.

smell, to (smelling, smelled smelled) chįįł 3. I smelled the soup, 'atoo' shéłchą́ą́'. I can smell, 'ashchin. chįįł 1. It smells like onions, tł'ohchin halchin. You smell bad, níłchxon.

smile, to (smiling, smiled, smiled), dloh 1. She smiled at me, shich'į' ch'ídeeldlo'.

smoke, łid.

smoke, to (smoking, smoked smoked), ('ááł) nił 8. I smoked the fish, łóó' łid béésé'ą́. I smoked the (pieces of) meat, 'atsį' łid béésénil. t'oh 3, 4. I am smoking a cigaret, nát'oh násh-t'oh. I do not smoke, doo ná'ásh-t'oh da.

smokehole, ch'ílághi'.

smooth, dilkǫǫh; hodilkǫǫh.

smooth, to (smoothing, smoothed, smoothed), kǫǫł 1. I will smooth it: I will make it smooth, dideeshkǫǫł.

smoothness, 'adilkǫǫh.

smut, dą́'áchaan.

snag, tsin bisgą'.

snagged, to get (getting, got, gotten), 'oł 3. I got snagged up on a pile of driftwood, diz bąąh dah nísé'éél. The boat got snagged up; the boat ran on a reef, tsinaa'eeł dah náz'éél.

snake, tł'iish

snakeweed, ch'il diilghésii.

snare, bee 'ódleehí.

snare, to (snaring, snared, snared), loh 1. I snared the bird, tsídii séloh.

snipe, tábąąsdísí.

snips, béésh 'ahédiłí.

sneeze, háts'íhyaa.

snore, to (snoring, snored, snored), hą́ą́ł I am snoring, 'ash-hą́ą́'.

snot, 'ané'éshtił; né'éshto'.
snow, yas; zas.
snow, to (snowing, snowed, snowed), chííł 1, 2, 3. It started to snow, deezhchííł. It is snowing, ńchííł. It stopped snowing, yóó' 'ííchííł. dzas. It snowed; snow fell, yidzaaz.
snowdrift, yas bił 'ahaniheeyolígíí.
snowstorm, chííł.
snuff, níí'ii'nił.
so, 'áko; t'áá 'aanii.
soak, to (soaking, soaked, soaked), tł'ish 1. I soaked it, diniiłtł'iizh.
soaking wet, to be (being, was, been), tł'ish 2. I am soaking wet, diniishtł'iizh.
soap, tálághosh.
socks, yistłé.
Socorro, N. M., sighóla.
soda pop, tó dilchxoshí.
solder, to (soldering, soldered, soldered), jah 2. I soldered them together, 'ahídiiłjéé'.
soft, yilzhólí; dit'ódí.
soil, łeezh.
sole (of the foot), 'akétł'ááh.
solid, niłdzil.
some, ła'.
somebody, háíshįį; háiida.
some more, náánáła'; ła' náánà.
someone, háíshįį; háiida; hááníyee'.
something, ha'át'ííshįį; t'áadoo le'é.
sometime, hahgoda.
sometimes, łahda.
somewhere, háadishįį; háájíshįį. hááji da
son, 'ayáázh; 'aghe'.
soon, t'áadoo hodina'í; t'áadoo hodíina'í; 'át'áhígo.
soot, jeełid.
sore, łóód.
sorrel, chąąt'inii.
soul, hwiinéé'; hwii' sizíinii.
soup, 'atoo'.
sour, dík'ǫ́ǫ́zh; sisíí'.
sour grapes, ch'įįd. He is just a case of sour grapes; he's just sour grapes, t'óó 'oołch'įįd. (Bilagáanaa bahane' bik'ehgo 'ał k'idą́ą' mą'ii dichin bi'niiłhį́įgo ch'il na'atł'o'ii ghódahdę́ę' dah dahidééghįįgo yik'íníyá jiní, 'áá dóó ła' ndi'deeshhééł nízingo ch'ééh yich'į' yááhiichah jiní. Chééh yááhiichahgo ghónáásdóó ch'ééh deeyá jiní, 'áádóó mą'ii yę́ę 'ání jiní, ch'ééh 'áá-t'įįdgo, "Ch'ínídahanii ch'il na-'atł'o'ii 'ayóo dadík'ǫ́ǫ́zh," ní jiní. 'Áádóó t'óó dah náádiildloozh, jiní. Díí hane'ígíí bik'ehgo bilagáanaa diné ła' 'oołch'įįdgo "sour grapes" (ch'il na'atł'o'ii dík'ǫ́ǫ́zh) deiłní.)
south, shádi'ááh.
southern, shádi'ááh biyaadi.
southerner, shádi'ááh biyaadę́ę naaghání.
southward, shádi'ááh bich'ijígo shádi'ááhjigo.
souvenir, bee 'ééhániihii.
spade, łeezh bee hahaalkaadí.

spade, to (spading, spaded, spaded), chał 5. I spaded my garden, shidá'ák'ehgi łeezh bee hahaalkaadí bee hahodíníił-chaad. goł 7. I spaded a furrow, nígeed.

Spaniard, naakaiiłbáhí.

sparrow, tsídiiłbáhí.

sparrow hawk, ginítsoh.

speak, to (speaking, spoke, spoken), dzih 5. Then my friend spoke up saying, "You are a liar," 'áko sik'is haadzíí'go 'ání, "Niyooch'ííd!" I spoke up, haasdzíí'. nih 1, 7. I made a slip in speaking; I spoke out of turn, ch'íhodineeshne'; hadinees dzíí'. tih 1. I am speaking Spanish, naakaii bizaad bee yáshti'

spear, tsii'détáán.

speck, dah 'alzhin.

spectacles, nák'eesiniłí.

speech, na'nt'á; yá'áti'; yáti'.

speech, to make a (making, made, made), t'ał 1. I am making a speech, nanisht'á.

spend, to (spending, spent, spent) shį́į́ł 7. I will spend the summer here, kwe'é shidooshį́į́ł. hah 5. I spent the winter there, 'ákwe'é shééhai. kááł 2. I will spend the night by the road, 'atiin bibąąhgi shiidoołkááł. nih. 12. I spent all my money, shibéeso 'ałtso naháłnii'.

spherical, nímaz; dijool.

spider, na'ashjé'ii.

spill, to (spilling, spilled, spilled) kááł 2. I spilled the water, tó yaaką́.

spin, to (spinning, spun, spun), dis 1, 2. I spun the wool, 'aghaa' sédiz. I am spinning, 'asdiz.

spinal cord, 'íígháántsiighąą'.

spindle, bee 'adizí.

spiralled, náhineests'ee'.

spirit, níłch'i; ch'į́įdii.

spit, to (spitting, spit, spit), zoh 1. I spit out the bone, ts'in hadíízo'. zhah 1. I spit, 'adíízhéé'. tał 6, 7. The coals are spitting out, tsíid hahaltał. The coals spit out on me, tsíid shik'íheestááł.

spleen, 'atélí.

spoil, to (spoiling, spoiled, spoiled), chǫǫł 1, 2. I spoiled my clothing, she'éé' yíłchǫ'. The food will spoil here, kwe'é ch'iyáán doochǫǫł. k'ǫsh 1. This milk has spoiled, díí 'abe' díík'ǫsh.

spoiled, dííłdzid; díík'ǫsh; yíchǫ'

spokes (of a wagon wheel), tsinaabąąs bijáád bináneeskálígíí

spoon, 'adee'; béésh 'adee'.

spotted, łikizh; yistł'in

spread, to (spreading, spread, spread), nah 13. He spreads the tuberculosis, jéí'ádįįh 'éé'dííłnah. k'ai 1. I spread my legs apart, sék'ai'. I am walking about with my legs spread apart, na'ashk'ai'. I spread out the dirt, łeezh ńdííziid. The people spread out, diné 'ał'ąą niikai. I spread the butter, mandagíiya ńdéétłéé'. The water spread out, tó ńdéégo'.

spring (in machinery) béésh náhineests'ee'.

spring, to (springing, sprang sprung), tał 1. I sprang up, náhidishtah. tał 1. I sprang at the rabbit, gah bich'į' 'aheeshtah.

spring, to become, (becoming, became, become), dąął 1. It became spring again, ch'éénídaan. It is spring, daan.

springy, 'adiłtąsh.

sprinkle, to (sprinkling, sprinkled, sprinkled), tsįįł 1. It is sprinkling, nikida'diłtsį'. nił 9 I am sprinkling water, tó naashnil.

spruce, ch'ó.

spurs, bee ná'nítalí.

spurt out, to (spurting, spurted, spurted), hosh 2. Water is spurting out of the hole, 'a'áándę́ę́' tó hada'niłhosh.

squash, naaghízí.

squat, to (squatting, squatted, squatted), jííł 3. I am squatting; I am sitting on my haunches, dah shishjį́įd.

squaw dress, biil.

squaw dance, nidáá'.

squaw dance, to be a (there is, there was, there has been), There will be a squaw dance, jidínóodah. There is a squaw dance, ndáá'.

squeak, to (squeaking, squeaked, squeaked), ts'į́įł 10. It is making a low squeaking sound, geez yiits'a'. It is making a shrill squeaking sound, k'iz yiits'a'.

squeeze, to (squeezing, squeezed, squeezed), nih 3. I squeezed it together, 'ałch'į' sénih.

squirrel, pine squirrel, dloziłgai; black pine squirrel, dlozishzhiin; small ground squirrel, naadooboo'íinii; ground squirrel, hazéítsoh; tseek'inástánii; rock squirrel, tsindit'inii.

stab, to (stabbing, stabbed, stabbed), goł 8. He stabbed me with his knife, bibéézh shaa 'ayííłgeed.

stable, łį́į' bighan.

stagger about, to (staggering, staggered, staggered), t'ih 18. I am staggering about, na'nisht'ih.

stairway, bee háádaa'aldahígíí; bąąh háádaa'aldahígíí.

stalk, to (stalking, stalked, stalked), 'nah 8. I stalked the deer bįįh baa ninish'na'.

stallion, łį́įchogii.

stammer, to (stammering, stammered, stammered), dzih 6. I stammer, 'ałt'anisdzih.

stamp (steel ---), bee 'ak'e'elchíhí.

stand, to (standing, stood, stood) 'įįł 6. I can't stand you, doo nee sohdeesh'įįł da! I can't stand (afford) five dollars, 'ashdla' béeso doo bee sohdeesh'įįł da. zįįł 1. I stood up, yiizį'. I am standing, sézį. I am standing on it, bik'i sézį; bik'idínís'éez (I have my foot on it).

Standing Rock, N. M., tsé 'íí'áhí.

staple, 'anít'i' bił 'adaalkaałí.

star, sǫ'.

stare, to (staring, stared, stared), gęsh 1, 2 I am staring at him, yíníshgęęzh.

start, to (starting, started, started), 'ááł 2, 3. I started singing, ha'díí'ą. I started singing the song, sin hadíí'ą. gááł 10. I started to walk when I was one year old, t'ááłá'í shináálaigo nikidiiyá. gááł 20. I started back home, nikiníyá. t'ih 11. Hitler started the war, Hitler 'anaa' hayíííłt'i'. ts'įįł 4, 5. My car will not start, shichidí doo diits'įih da. I started the car, chidí diséłts'ǫǫ'.

startled, to be (being, was, been) ghis 4. I was startled by it, bik'ee désghiz.

starvation, dichin 'ooghǫǫł; hodichin.

starve, to (starving, starved, starved), héél 5. I nearly starved to death, k'asdǫǫ' dichin shiisxį. ghǫǫł 4. They are starving to death, dichin bi'niighǫǫ'.

static (on the radio), dilch'ił; (in regard to motion) haszéé'; yiszéé'.

steal, to (stealing, stole, stolen), 'įįł 1. I stole his horse, bilįį' bee né'įį'.

steam, siil.

Steamboat Cañon, Ariz., hóghéé'.

steel, béésh ntł'izígíí.

steep, nikihodii'á.

steer, béégashii cho'ádinii.

steer, to (steering, steered, steered), loh 8, 10. I will steer the car, chidí deeshłoh I will steer, 'adeeshłoh.

steering wheel, bee na'adlo'í.

stem, 'atsiin; 'ání'áii.

step, to (stepping, stepped, stepped), tał 8. I stepped on his foot, bikee' bik'idiishtááł. 'is 1. I will step down, nikididees'is. 'is 3. I will step off the distance between your car and mine, nichidí dóó shichidíjí' ndidees'is.

sternum, 'aghid.

stew, 'atoo'.

stick, tsints'ósí.

stick, to (sticking, stuck, stuck), jah 2. I stuck them together, 'ahídiiłjéé'. leeł 14. I will stick with you no matter what happens, t'áá 'íidzaagi t'áá nił nishłį́į dooleeł.

stiffen, to (stiffening, stiffened, stiffened), tł'is 1, 2. It will stiffen, dootł'is. I stiffened it, séłtł'is. I stiffened myself, 'áhodínéstł'is.

stiff, to get (getting, got, gotten) tł'is 1. It got stiff, yítł'is. doh. I will get stiff muscles; I will get a "charlie horse," ńdadeeshdoh.

still, t'ah; t'ah ndi.

still, to become (becoming, became, become), zih 1, 2. I will be still, t'óó 'áhodideeszih. I became still, t'óó 'áhodiiszee'. I am still, t'óó 'áhodíiníszéé'. hił. I am still, díníshhééł.

sting, 'azǫ́ǫ́z.

sting, to (stinging, stung, stung), shish 1, 2. The bee stung me, tsís'ná shishish.

stingy, to be (being, was, been), chį' 1, 2 I am stingy with my horse, shilį́į́' baa nishchį'.

stink, to (stinking, stank, stunk). I stink, nishchxon. You stink, nííłchxon. He, she, it stinks, niłchxon; jíłchxon. The place stinks, hółchxon.

stinking, niłchxon; hółchxon.

stirring stick, 'ádístsiin.

stirrup, bii'dees'eez.

St. John's, Ariz., tsézhin deez'áhí.

St. Michael's, Ariz., ts'íhootso.

stocking, yistłé.

stomach, 'abid.

stomp, to (stomping, stomped stomped), tał 12. I am stomping my feet to get the snow off, shikee' yas bąąh nidínóodah biniighé nikídíshtał.

stone, tsé.

stool, bik'idah'asdáhí; chąą'.

stop, to (stopping, stopped, stopped), lííł 27. I will stop over there by that tree, ńléí tsin 'íí'áhídi ni'í'deeshłííł. k'eeł 3. It has stopped hurting, neezk'e'. t'ih 13. I stopped the sing, hatáál ni' niníłt'i'. tłił 1, 2. I stopped; I came to a stop, ninishtłah. I stopped him, nibiníłtłah.

stopper, 'adáádít'áhí.

storage pit, noo'; łe'oogeed.

store, naalghéhé bá hooghan.

storekeeper, naalghéhé yá sidáhí.

story, hane'.

stove, béésh bii' kǫ'í.

straddle, to (straddling, straddled, straddled), k'ai 3. I straddled the log, nástáán binísék'ai'.

straight, k'ézdon; k'éhózdon.

straighten, to (straightening straightened, straightened), k'ąs 1. I straightened the nail, 'ił 'adaalkaałí sék'ą́ąz.

strain, to (straining, strained strained), 'oł. I strained the milk, 'abe' háál'ééł. dził 1. I strained to raise it up, dei'áshłéehgo désdzil.

strainer, bee ha'al'eełí.

strangle, to (strangling, strangled, strangled), loh 5. I strangled him with a cord, tł'óół bee bizák'ídiilo'. nih 6. I strangled him, bizák'ídiinii'.

strangulation, 'azák'ídii'níth.

stray, to (straying, strayed strayed), gááł 30. I strayed away from home, shighan bits'ą́ą́dę́ę́' yóó 'ííyá.

streak, to (streaking, streaked, streaked), t'ish 1. **I streaked it black with charcoal, shét'éézh.** zoh 1. I made a streak on it, bik'i 'asézoh.

strength, dziil.

stretch, to (stretching, stretched, stretched), ts'ǫł 5. The rubber keeps stretching, jeeh dígházii ńdíts'ǫ'. ts'ǫł 3. I stretched it, déłts'ǫ́ǫ́d

string, to (stringing, strung, strung), 'ish 5. I will string the beads, yoo' deesh'ish.

strike, ni'íltee'.

strike, to (striking, struck, struck), 'niił 1. Lightning struck the tree, tsin bí'oos'ni'. ts'įįł 1. I struck him with my fist, ńdííłts'in. tsxis 1. I struck him a blow with a whip, ńdííłtsxas. zoh 2. I struck a match, tsitł'éłí sézoh.

striker, ninálṭihí.

striped, noodǫ́ǫ́z.

strive, to (striving, strove, striven), nííł 18. Our soldiers are striving for their country, nihisiláago bikéyah yá 'atídaat'į.

strop, 'akał bee 'ak'aashí.

strychnine, mą'iitsoh bee yigą́.

stubby, dichxosh.

stuck, to get (getting, got, gotten), ghoł 12, 13. My car got stuck in the mud, shichidí nahodits'ǫ' 'adinoolghod. The car got stuck in the sand, chidí séí yiih dinoolghod.

stud horse, łįį́chogii.

study, to (studying, studied studied), kah 2. I studied the stars sǫ' nisélkáá'. Study your lesson, bíhwiidoo'áłígíí bíhoot'aah! I am studying hard, yéigo 'íhoosh'aah.

stumble, to (stumbling, stumbled, stumbled), goh 1. I stumbled, dégo'.

stump, tsehágod.

stump, to (stumping, stumped, stumped), chééł 5. I stumped the teacher, bá'ólta'í tsístł'anéłchą́ą́'. kał 17. The teacher stumped us, bá'ólta'í tsístł'anihineeshkaad.

stumped, to be (being, was, been), chééł 4. I was stumped, tsístł'ashidi'neeshchą́ą́'.

stutter, to (stuttering, stuttered, stuttered), dzih 6. I stutter, 'ałt'anisdzih.

subjugate, to (subjugating, subjugated, subjugated), t'ááł 1. Hitler subjugated Poland, Hitler Poland 'áyaa 'ayoot'ą́. 'nił 4. Our enemies have subjugated many lands, nihe'ena'í kéyah t'óó 'ahayóígo 'áyaa 'adayiis'nil

subjugation, 'áyaa 'i'ii'nííł; 'áyaa 'o'oot'ą́.

submarine, tsinaa'eeł táłtł'áahdi ndaakaaígíí.

subsist on, to (subsisting, subsisted, subsisted). ts'íid 7. I subsist on corn, naadą́ą́' t'éiyá bee hodinists'íid.

subsistence, bee hats'íid.

succeed, to (succeeding, succeeded, succeeded), lííł 23. I succeeded in (at) it, ła' yishłaa.

success, ła' yil'į gholghéii.

succor, 'áká 'e'elgheed.

suck, to (sucking, sucked, sucked), t'oł 1, 2, 3, 4, 5, 6 I sucked the water out, tó háátł'óód. I am sucking the pop, tó dilchxoshí yisht'o'. tsoł 4. The baby is sucking its finger, 'awéé' bíla' yiłtso'. ts'ǫs 1. I sucked the plum, didzétsoh dík'ǫ́zhígíí yíts'ǫ́ǫ́z.

suckle, to (suckling, suckled, suckled), t'oł 7, 8. The baby is suckling, 'awéé' 'ałt'o'. The woman is suckling her baby, 'asdzą́ą́ be'awéé' yi'iiłt'o'

suddenly, t'áadoo hooyání; t'áadoo kót'é 'ílíní.

suffer, to (suffering, suffered, suffered), nih 11. I am suffering, ti'hooshníįh. gah 6. I am suffering pain, shił honeezgai. nah 12. I am suffering from a cough, dikos shidoolna'.

suffering, ti'hoo'níįh.

sugar, 'áshįįh łikan.

sugar cane, dá'ákaz łikaní.

suicide, ná'ázhdiilghé.

suicide, to commit (committing, committed, committed), ghééł 1 He committed suicide 'ádiisghį.

suitcase, tsits'aa' naadlo'í.

sumac, k'įį'.

summer, to become (becoming, became, become), shįįł 1, 2, 4, 5. It will become summer; summer will start, ch'ídooshįįł. It will become summer again; summer will come back, ch'íńdooshįįł. Summer has begun, 'i'niishį.

sun, jóhoonaa'éí; shá.

sunbeam, shá bitł'óól.

sundown, to be (is, was, been), 'ááł 9. It will soon be sundown, t'áadoo hodina'í 'i'doo'ááł.

sunflower, ndíghílii.

sunlight, shánídíín.

sunshine, shą́ą́'. I am sitting in the sunshine, shą́ą'ji' sédá.

sunset, 'i'íí'ą́.

sunset, to be (is, was, been), 'ááł 9. It is nearly sunset, k'adę́ę 'e'e'aah.

sun's rays, shá bitł'óól.

sunup, to be (is, was, been), 'ááł 4. It is sunup, ha'íí'ą́.

superintendent, naat'áanii.

supplication, ná'ookąąh.

supporting it, bíyah.

supra-orbital, 'anáts'iin.

sur-cingle, 'achxoshtł'óól.

surgeon, 'azee'íįł'íní na'ałgizhígíí.

surplus, ch'íníįłna'ígíí.

surprised, to be (being, was, been), ghis 4. I was surprised by you, nik'ee désghiz.

surrender, t'óó 'aa 'ádeet'aah.

surrender, to (surrendering, surrendered, surrendered), 'ááł 16. I surrendered to him, t'óó baa diní'ą́. t'įįł 3. Our enemies surrendered, nihe'ena'í 'áádahoost'įįd.

surveying, ni' bí'neel'ąąh.

survivor, ch'í'níłdįįdígíí.

survive, to (surviving, survived, survived). dįįł 6. Our car turned over, and I alone survived, nihichidí náhidéélts'idgo t'áá sáhí ch'í'níłdįįd. dzih 8. My relatives are all dead and I am the only one surviving, shik'éí t'áá 'ałtso daneezná; shí t'éiyá yisdziih.

susceptibility, 'ihodéélní.

susceptible, to be (being, was, been), ní. I am very susceptible (to disease), shihodééłní. The Navaho are highly susceptible to tuberculosis, naabeehó jéí'ádįįh 'ayóogo bidadééłní.

suspicious of, to be (being, was, been), liił 1. I am suspicious of him, baa 'ayahooshłi.

suspend, to (suspending, suspended, suspended), ch'ął 3. I suspended it by means of a string, tł'óółts'ósí bee dah hidííłch'ą́ął.

suspension, dah 'adiyéch'ą́ął.

suspicion, 'ayahoolni.

swallow (bird), táshchozhii.

swallow, 'o'oolna'.

swallow, to (swallowing, swallowed, swallowed), nah 1. I swallowed the water, tó 'ííłna'.

swallow, to take a (taking, took, taken), dził 3. I took a swallow of it, 'ádádiisdziid.

sway, to (swaying, swayed, swayed), ka'. I am swaying from side to side, naanídíníshka'.

sweat bath, to take a (taking, took, taken), 'nah 6. I will take a sweat bath, táchééh deesh'nah

sweater, 'éé' naats'ǫǫdii.

sweat house, táchééh.

sweep, to (sweeping, swept, swept), shoh 1. I am sweeping, nahashshooh.

sweet, łikan.

sweet potato, nahóóghéí.

swell up, to (swelling, swelled, swollen), chał 1, 2. My hand has swollen up, shíla' honiicháád.

swelling, 'aniichaad.

swim, to (swimming, swam swum), kǫ́ǫ́ł 1. I swam as far as the boat, tsinaa'eeł si'áníji' ni'níłkǫ́ǫ́'. I have swum as far as the boat, tsinaa'eeł si'áníji' ni'séłkǫ́ǫ́'.

swimming, to go (going, went, gone), kǫ́ǫ́ł 2. I want to go swimming, n'deeshkǫ́ǫ́ł nisin.

switch, to (switching, switched, switched), 'ááł 24. I switched the (position of) the pots, 'ásaa' 'ałnání'ą́.

Southwestern Range and Sheep Breeding Laboratory, lók'aach'égai; dibé bina'anishgi.

syphilis, chách'osh.

syrup, dá'ákaz bitoo'.

T

table, bikáá'adání.

tablespoon, béésh 'adee' nitsaaígíí.

tack, 'ił 'adaalkaałí 'áłts'íísígíí.

tackle, to (tackling, tackled tackled), goh 17, 18. I tackled, 'adzíígo'. I tackled him, ségoh. gááł 27. I haven't made it yet; tomorrow I'll tackle it, t'ah doo 'áshłéeh da; yiską́ągo baa tiih deesháál.

tadpole, ts'ǫ'asánii.

tail, 'atsee'.

take, to (taking, took, taken), 'ááł 1. He took out his knife, bibéézh hayíí'ą́. 'ááł 2. I took out the pot, 'ásaa' ch'íní'ą́. 'ááł 7. I will take it to you, naa deesh'ááł. 'ááł 9. He took it as far as the house, kinji' niiní'ą́. 'ááł 10. I took off my hat, shich'ah 'ák'ideesht'ą́. 'ááł 11. I took it away, nahji' 'íí'ą́. 'ááł 11. I took it into the house, kin góne' yah 'íí'ą́. 'ááł 11. I took the lid off of the pot, 'ásaa' bik'idíí'ą́. 'ááł 17. I took it out of the fire (or out of the water), dzíłts'ání'ą́. 'ááł 22. I took it back out of pawn, hanáásht'ą́. 'ał 1. I took down my hair, sitsii' k'e'íí'ah. leeł 27. A chicken pull will take place, naa'ahóóhai 'adooleeł. bąs 4 I took my car out of the garage, shichidí chidí bá hooghandę́ę́' ch'íníłbą́ą́z. gááł 31. I took his place, bikék'ehji' 'ííyá. hash 1. I took a bite of it, bidííłhazh. lóós 4. I'll take your horse to you, nilį́į' naa deesłóós. tsoł 1. I took hold of him, yiiłtsood. yą́ął 1. I take care of him, baa 'áháshyą́. yoł 5. I took a breath, 'ííyol. zhish 5. How long will it take, haa nízah bił nihodoolzhish?

tale, hane'.

talk, to (talking, talked, talked), tih 1. I am talking to you, nich'į' yáshti'. I am talking Spanish, naakaii bizaad bee yáshti'.

tall, to be (being, was, been), neez. I am tall, nisneez; 'ánísnééz.

tallow, 'ak'ah.

tomahawk, tsénił yázhí.

tame, to (taming, tamed, tamed) shǫǫł 1. I tamed the prairie dog, dlǫ́ǫ́' yíshǫǫd.

tame, yízhǫǫd.

tan, to (tanning, tanned, tanned) sééł 3, 4. I know how to tan, 'asséèh bééhasin. I tanned the hide, 'akágí, yísą́.

tanner, 'ałdzéhí.

tannery, 'aldzéehgi.

tantalize, to (tantalizing, tantalized, tantalized), ts'ih 4. I tantalize him, bé'éts'ih.

Taos, N. M., tóghoł.

Taos people, tóghołnii.

tape (adhesive ---), bee 'í'diiljeehí.

tape (measuring ---), bee 'ída'neel'ąąhí.

tapered, heets'óóz; heeneez.

tapering to a point, háhideeneez

tarantula, naał'aashii.

tarpaulin, níbaal.

tarsus, 'akéts'iin.

tartar (which collects on the teeth), 'aghóchaan.

taste, to (tasting, tasted, tasted), łįh 1, 2. I tasted it, sélįh. I can taste, 'ashłįįh. niih. It tastes like salt, 'áshįįh halniih.

tasty, yá'át'ééh halniih.

tattered, to get (getting, got, gotten), t'oł 12. My shirt will get tattered, she'éé' ńdidoot'oł.

tea, deéh.

teach, to (teaching, taught taught), tįįł 1, 2, 3, 4, 5. I will teach it to him, bínabidínéeshtįįł; bínanishtin dooleeł. I teach him, nanishtin. I teach na'nishtin.
teacher, bá'ólta'í; na'nitiní.
team (of horses), łį́į' na'ałbąąsii.
tear, nák'eeshto'.
tear, to (tearing, tore, torn) dlał 3. I tore it apart, 'aháníłdláád. dlał 4. It will tear, 'adoodlał. zǫ́ǫ́s 1. I tore it, 'íízǫ́ǫ́z.
teapot, dééh bee yibézhí.
Teesnospos, Ariz., t'iis názbąs.
teeth, 'aghoo'.
telegraph, 'atsiniltł'ish bee hane'é.
telephone, béésh bee hane'é.
telescope, bee'adéest'įį'.
tell, to (telling, told, told), nih 1. I will tell you about it, bee nił hodeeshnih. niił 4. I will tell him, bidideeshniił.
temperature, na'alkid.
tender (as a baby), baa hasti'.
tender, dit'ódí; doo ntł'iz da.
tendon, 'ats'id; 'adoh bits'id.
tennis shoes, kéjeehí.
tent, níbaal bii' dahooghanígíí.
tepee, níbaal yadiits'ózígíí.
terminate, to (terminating, terminated, terminated), lííł 18. I will terminate my work tomorrow, yiskąągo shinaanish ni' 'ádeeshłííł. t'ih 13, 14. The song has terminated, sin ninít'i' silįį'.
termination, ninít'i' silį́'ígíí.
terrified, to be (being, was, been) yóí. They are terrified, t'óó bił 'adahayóí. They became terrified, t'óó bił 'adahóóyóí. ghéé'. They became terrified, t'óó bił dahóóghéé'.
terror, 'ił 'ahóóyóí; 'ił hóghéé'.
testicle, 'acho' bighę́ęzhii.
textile, yistł'ónígíí.
that, 'éí; 'eii; ńléí; nagháí.
that it all right, t'áá 'áko.
thaw, to (thawing, thawed, thawed), ghįh 3. It is thawing, náhálghį́įh.
theft, 'aneest'įį'.
then, 'íídą́ą́'; 'áko; 'ákohgo; 'índa; 'ínidída.
there, 'áadi; 'aadi; 'ákwe'é; 'ákwii; ńléidi; ńláhdi; 'ákǫ́ǫ́.
there are, hólǫ́; dahólǫ́.
there inside, 'ákóne'.
there is, hólǫ́.
thermometer (clinical ---), 'aza nátsihí.
these, díí; díidí.
thick, 'íídéetą́ą́'; ditą́.
thick-lipped, bidáá' ń'deeshchid
thief, 'ani'įįhii.
thief, to be a (being, was, been), 'įįł 2. I am a thief, 'anish'įįh.
thievery, 'ani'įį'.
thigh bone, 'ajáád bita' sitání.
thimble, ná'álkadgo hála' bąąh naaz'ánígíí.
thin, 'áłt'ą́'í.
thing, t'áadoo le'é.
think, to (thinking, thought thought), kos. I am thinking about it, baa ntséskees. I started to think about it, baa ńtsídiikéez. ghęsh. I thought I saw a coyote, mą'ii bídínéshghęsh.

naał 6. I think fast, doo ndishna'góó ntséskees.

thirst, dibáá'.

thirsty, to be (being, was, been), I am thirsty, dibáá' nishłį; dibáá' shi'niiłhį.

this, díí; díidí.

this way, kót'éego. This is the way it is done, kót'éego 'ál'į.

this way (direction), ghóshdę́ę́'go; kojigo.

thistle, ch'il deenínii.

thumb, 'álátsoh.

thunder, 'ii'ni'.

thunder, to (thundering, thundered, thundered), 'niił. It is thundering, 'adi'ní.

Thursday, dį́'íjį nda'anish.

thorax, 'ajéíts'iin.

Thoreau, N. M., dlǫ́'áyázhí.

thorny, dighozh.

thread, bee ná'álkadí.

throat, 'adághi'; 'ayaayááh.

through, bináká; bighá.

throw, to (throwing, threw thrown), háą́ł 1, 2. I threw it up in the air, yááhiiłhan. I threw it away, yóó' 'ahííłhan. tł'ił 1. I will throw them away, yóó' 'ahideeshtł'ił. niił 4. I threw a rock at him, tsé bee yíníiłne'. ghał, I threw myself down, néshghal.

tick, yaa'.

tickle, to (tickling, tickled, tickled), hosh 1. I tickled him, shéłhozh.

ticklish, to be (being, was, been) ghozh. I am ticklish, yishhozh.

tie, to (tying, tied, tied), tł'óół 7, 8. I tied them together, 'ahíhéłtł'ǫ́. I tied my horse to a tree, shilį́į' tsin bíhéłtł'ǫ́.

tighten, to (tightening, tightened, tightened), gis 2. I tightened it well (a nut), yéigo bił 'íígiz.

time (by the clock), na'alkid.

time, 'óola (from Spanish hora). What time is it, díkwíishą' 'azlį́į'?

times, -di. naakidi, two times.

timid, to be (being, was, been), dzííł 2. I am timid, násdzid.

tiger náshdóítsoh danoodǫ́zígíí.

tin can, yadiizíní.

tinder box, ghoolk'ą́ąh.

tip of toes; tiptoes, kélą́ąd.

tip, to (tipping, tipped, tipped), k'ąął 1. I tipped the box, tsits'aa' diiłk'ąąd.

tipi, níbaal yadiits'ózígíí.

tire (of wagon wheel), tsinaabąąs bijáád béésh bináz'áhígíí.

tired, to be (being, was, been), gááł 25. I am tired of sleeping, 'aghosh bąąh niníyá. łxaał 1. I am tired of it, 'ádadéshłxáá'.

tired, to get (getting, got, gotten) gááł 8. I got tired, ch'ééh déyá. gááł 25. I will get tired of herding, na'nilkaad bąąh ndeesháááł łxaał 1. I got tired of my work, shinaanish 'ádadéshłxáá'.

titmouse (crested ---), ch'íshiishááshii.

titmouse (gray ---), dilt'óshii.

toad, ch'ałtsoh.

to him, baa; bich'į'. To town, kintahgóó.

to one side, nahji'; nahgóó.
Toadlena, N. M., tóháálį.
tobacco, nát'oh.
today, díí jį; jįįdą́ą́'.
toes (phalanges of the ---), 'akézhoozh.
toes, 'akédiníbiní.
toenail, 'akéshgaan.
Tohatchi, N. M., tóhaach'i'.
toilet, chǫǫ' bá hooghan; kin bii' nii'oh ńda'adáhígíí.
toilet paper, chǫǫ' bee yildéhí.
tomorrow, yiskáąągo.
tomato, ch'il łichxí'í.
tomcat, mósíką'.
tongs, bee 'ótsa'í.
tongs (ice ---), tin bee naajaahí.
tongue, 'atsoo'.
tonsil, 'akááz.
too, 'ałdó'; dó'.
tool, bee na'anishí.
tooth, 'aghoo'.
toothache, 'aghoo' diniih.
toothbrush, 'aghoo' bee yich'iishí.
toothpick, 'aghók'iz bee na'atsií.
top (toy), ndóstázii.
topcoat, 'éénééz.
Torreon, N. M., ya'niilzhiin.
torso, 'azhi'; 'ajéíts'iin.
tortilla, náneeskaadí.
touch, to (touching, touched touched), nih 2. I touched it, bidinishnii'.
tough, dits'id; ntł'iz.
tour, ch'aa na'adáh.
tour, to (touring, toured, toured), gááł 42. I went on a tour, ch'aa niséyá. I am going on a tour of Europe, Europe hoolghéégóó ch'aa deeshááł. I toured the Navaho country, naabeehó bikéyah góó ch'aa niséyá.
tourist, ch'aa naagháhí.
Towaoc, Colo., kin dootł'izhí.
toward it, bich'į'; bidááh; (-góó).
toy, daané'é.
trap, to (trapping, trapped, trapped), loh 1. I trapped the bird, tsídii séloh.
traces, 'ooshk'iizh nít'i'í.
trachea, 'azooł.
trachoma, 'anáziz bii' dighozhí.
tractor, chidí naa'na'í.
trade, na'iini'.
trader, naalghéhé yá sidáhí.
trading post, naalghéhé bá hooghan
trail, to (trailing, trailed, trailed) kah 1. I trailed the bear down, shash bíníłkáá'.
train, kǫ' na'ałbąąsii.
train, to (training, trained, trained), 'ááł 2. I trained to be a soldier, siláago biniighé 'íhooł'ą́ą́'.
training, 'íhoo'aah.
transfer, (of property), 'aa deet'ą́; (of a person), náánáłahji' 'aho'dool'a'.
transfusion (blood ---), dił 'iih nádzíid.
translation, saad náánáłahdę́ę́' saad bee 'áńdaalne'.
transparent, niłtólí.
transportation, bee nahat'i'ii.
trap, bee 'ódleehí.
trash, ts'iilzéí.

treat, to (treating, treated, treated), baał 1. I treated him to some candy, 'ałk'ésdisí bee baa jiiséba'. tiił 2. I treat it with care and respect, baa sisti'.
treaty, 'aha'deet'ą́.
tree, tsin 'íí'áii.
trench, łeeghi'ígeed.
trial (at law), 'aa hwiinít'į́; na'alkaah. (a try), 'óhoneestą́ą́'.
tribes, 'ał'ąą dine'é.
tribe, dine'é.
trick, 'ina'adlo'.
tricycle, dzi'izí bijáád tá'ígíí.
trigger, bee'eldǫǫh bee 'anáháltahí.
trip, to (tripping, tripped, tripped), goh 1. I tripped, dégo'. tał 4. I tripped him, bijáátah dinishtáál.
trot, to (trotting, trotted, trotted) dlosh 1, 2, 3, 4. The horse is trotting about, łį́į́' naaldloosh.
trousers, tł'aaji'éé'.
trouble, 'ach'į' nahwii'ná.
trouble, to have (having, had, had), 'naał 2. I had troubles, shich'į' nahwiis'náá'. chįįł 3. I caused him trouble, bik'iji' hóółchįįd.
truly, t'áá 'aaníí.
trunk, tsits'aa' ntsaaígíí.
trust, to (trusting, trusted, trusted), liił 2. I trust you, naa jóshłí.
truth, t'áá 'aaníí 'át'éii.
try, to (trying, tried, tried), tah 1. I will try it, bídínéeshtah.
Tuba City, Ariz., tó naneesdizí.
tubular, bii'hoodzą́.
tuberculosis, jéí 'ádįįh.
Tuesday, naaki jį nda'anish.
tuition, bik'é 'íhwiidoo'áałii.
tumbler, tózis.
tumble bug, chąąneiłhizii.
tunnel, 'a'áán.
turkey, tązhii.
turn, to (turning, turned, turned) 'ááł 14. I turned part of my land over to him, shikéyah łaji' baa diní'ą́. I turned the pot over, 'ásaa' náhidéé'ą́. bąs 10. I turned my car around, shichidí naanísétbą́ą́z. I turned around (in my car), naaní'sétbą́ą́z. gááł 49. The shoe turned up, ké deininíyá. gis 1. I turned on the faucet, tó háágiz. gǫsh 1. I'm turning it (intestine) inside out, náshgǫzh. zǫ́ǫ́z 2. I turned my coat inside out, she'éétsoh nísézǫ́ǫ́z. ghał 1. I turned over, náhidéshghał. I turned over and over (rolled and tossed) all night long, tł'éé' bíighah náheeshghał. jįsh 1. I turned over, náhidéshjįįzh. ghis 1. I turned around, níséghiz. his 1. I turned it around, níséłhiz. ghał 3. I turned my eyes, háághal. 'įįł 1. Whiskey turns my stomach, tódiłhił sé'įįd. 'oł 13, 14. I turned the boat around, tsinaa'eeł naanísét'éél. I turned around (in a boat), naaní'sét'éél. tsił. I am sitting and turning myself around in the sunshine, shą́ą'ji' náheestsił.

turn, to be one's. zhish 7. It will be my turn after you, nikéédę́ę́' shaa hodoolzhish.
turns, to take (taking, took, taken), gááł 47. Let's take turns, 'ałnááhiit'ash dooleeł ('ałnááhiikah dooleeł)!
turquoise, dootł'izhii.
turtle, ch'ééh digháhii.
tweezers, bee 'a'nizhí.
twenty cents, naaki dootł'izh.
twilight, to become (becoming, became, become), jį́į́ł 5. It became early twilight, ni' hoojį́į́'.
Twin Lakes, N. M., tsénáhádzoh
twins, naakishchíín.
twist, to (twisting, twisted, twisted), dis 1. 2. I twisted the wool, 'aghaa' sédiz.
twisted, 'ałk'ésgiz; yisdiz.
typewriter, béésh bee 'ak'e'elchíhí.
typhoid fever, tsą́hodiniihtsoh.

U

udder, 'abe 'astse'.
ugly, nichxǫ́ǫ́'í; t'óó baa'ih; t'óó nichxǫ́'í.
ugly, to be (being, was, been), chǫ́ǫ́'í. I am ugly, nishchǫ́ǫ́'í.
ulcer, łóód na'agházhígíí.
ulna, 'agąąlóó'.
umbilicus, 'ats'éé'.
umbrella, bee chaha'ohí.
unable to stand one, to be. diin. I am unable (I cannot) stand him, doo bił ni'níłdiin da.
unaware, to be (being, was, been), zįįł 15. I am unaware of it, doo baa 'áhonisin da
unbreakable, doo yiits'iłii.
uncle (maternal), 'adá'í; (paternal), 'abízhí.
unconcern, doo 'ídéét'i' da.
unconscious, to become (becoming, became, become), dįįł. I became unconscious, shíni' 'ásdįįd
unconsciousness, doo 'ił 'ééhózin da.
uncover, to (uncovering, uncovered, uncovered), 'ááł 11. I uncovered the pot, 'ásaa' bik'idii'ą́.
under it, biyaa.
underclothes, 'ayaadi daa'é'ígíí; 'ayaadi'éé'.
underneath it, biyaa.
understand, to (understanding, understood, understood), ts'į́į́ł 6, 7. I do not understand you, doo nidiists'a' da. tį́į́ł 1. I do not understand it (comprehend it), doo bik'i'diishtįįh da.
understanding, 'ak'i'diitįįh.
undertaker, diné daninéhígíí hasht'edeile'í.
undress, to (undressing, undressed, undressed), jih 1. I undressed and lay down, ha'diishjaa' dóó nétį.
undulating, doolk'ool; hodoolk'ool.
unison, łá'í 'ídlínígíí.
united, łá'í nilíinii
unexpectedly, t'áadoo hooyání t'áadoo kót'é 'ílíní
unite, to (uniting, united, united), leeł 16. We united, łá'í siidlį́į́'

unravel, to (unravelling, unravelled, unravelled), tał 3. I unravelled the blanket, beeldléí néiséłtah.
unreliable, to be (being, was, been), liił 6. He is unreliable, doo ba'jóolíí' 'ít'ée da.
unroll, to (unrolling, unrolled, unrolled), tał 3. I unrolled my blanket, shibeeldléí néiséłtah.
unscrew, to (unscrewing, unscrewed, unscrewed), gis 1. I am unscrewing the screw, 'ił 'adaasgizí haasgéés.
untie, to (untying, untied, untied), 'ał 1. I untied my hair, sitsii' k'e'íí'ah.
up, dah; ghódah; hódah; gódei; kódei; dei.
up here, kódei.
up there, 'ákódei.
upright pole (of loom), dah 'iistł'ǫ bá 'íí'áhí.
upward, deigo.
urinate, to (urinating, urinated urinated), lish 2. I cannot urinate, doo 'óshłizh 'át'ée da.
urination, 'adlizh.
urine, łizh.
use, chool'į.
use, to (using, used, used) 'įįł 3. I use a pencil to write, 'ak'e'eshchíigo bee'ak'e'elchíhí chonáosh'įįh łeh.
useful, to be (being, was, been), 'įįł 4. Horses are useful to the Navaho, łį́į́' naabeehó yá chodaoo'į.
usefulness, choo'į.
useless, to be (being, was, been), 'įįł 5. I am useless, t'áadoo bee choosh'íní da.
usually, łeh.
Ute, nóóda'í.
uterus, 'iishch'id.

V

vagina, 'ajóózh.
valley, tééh.
valise, tsits'aa' naadlǫ'í.
valuable, 'ílį. This rock is very valuable, díí tsé 'ayóo 'ílį. (V. leeł 30) What is its value, díkwíísh ą' bą́ąh 'ílį?
valueless, doo bą́ąh 'ílíní da.
vapor, siil.
varied, 'ałtaas'éí.
vaseline, bee 'ádíltłahí.
vegetable, ch'il daadánígíí.
vegetation, nanise'; ndanise'.
vein, 'ats'oos dootł'izhígíí.
velvet; velveteen, naak'a'at'ąhí dishooígíí.
vengeance, 'ił k'ééhodiidzaa.
vengeance on, to take (taking, took, taken), 'nííł 15. I took vengeance on him, bił k'éédiisdzaa.
venereal disease, 'aa 'adiniih.
ventral area, 'atéél.
vertebrae, 'íígháán.
very, 'ayóogo; 'ayóo; **'ayóígo; 'ayóí;** t'áá 'íighisíí.
vest, chaléeko.
visible, to be (being, was, been), t'į. I am visible, yisht'į.
vision, 'oot'į.
voice, 'azhí.

volunteer, t'áá bíni' bik'ehgo 'atah níyáhígíí.
vomit, to (vomiting, vomited, vomited), koh 1. I vomited, dékwih.
voyage, 'ił 'oo'oł.

W

waft to (wafting, wafted, wafted) doh 5. The feather wafted upward, 'at'a' dah diildoh.
wages, béeso bik'é na'anishígíí.
wagon, tsinaabąąs.
wagon bows, tsinaabąąs bítsą́ą́'.
wagon box, tsinaabąąs bits'a'.
wagon cover, tsinaabąąs bik'ésti'í.
wake up, to (waking, woke, waked), sił 3. I woke him up, ch'ééedeessił. dził 4. I will wake up, ch'éédeesdził.
walk, to (walking, walked, walked), gááł 32. I am walking about, naashá. 'is 4. I am walking quietly about, naas'iz. k'ęs 1. I am walking right along, 'aneeshk'ęs. ts'ih 3. I am walking on tiptoes, 'ayeests'ih.
walnut, ha'altsédii.
wander, to (wandering, wandered, wandered), gááł 15. I am wandering around on the Navaho Reservation, naabeehó bikéyah bikáa'gi tádíshááh.
want, to (wanting, wanted, wanted), zį́į́ł 1 I want water, tó nisin.
waist, 'aníí'.
wait, t'ahálo! 'át'ah! I am waiting for him, biba' sédá.
wagon hammer, 'atł'eeyah dah sinilí bił 'íí'áhígíí.
wagon tongue, łį́į́' bita'góó ní'áhígíí.
war, 'anaa'.
war, to get into (getting, got, gotten), dah 5. We got into (the) war, 'anaa' biih niidee'.
warm, sido; hoozdo.
warm up, to (warming, warmed, warmed), gah 5. It (the weather) will warm up, hodínóogah. dził 5. I warmed up, ná'iisdziil.
warmth, hado.
warp, nanoolzhee'.
warrior, naabaahii.
wart, sęęs.
wash, cháshk'eh.
wash, to (washing, washed, washed), gis 1, 2, 3. I washed my clothes, she'éé' ségis. I washed the dishes, łeets'aa' táágégiz. I washed myself, tá'ádésgiz
washboard, bik'i'iigisí.
Washington, D. C., wááshindoon.
washtub, bii'iigisí.
wasp, tsís'náłtsooí; ghóna'ałtéhí (wóóna'ałtéhí).
watch, jóhoonaa'éí 'áłts'íísígíí.
watchmaker, jóhonaa'éí 'ííł'íní.
watch fob, jóhonaa'éí bitł'óól.
watermelon, ch'ééh jiyáán
wave (on water), tó bííshgháán; (in hair), yilk'oołígíí.
wavy, yilk'ooł.
watchman, ha'asídí.
watchtower, bighą́ą́'dóó 'adéest'į́'í.
water, tó.

water dog, tsxilgháá́h
waterfall, hadahiilį́.
water pipe, béésh tó bii' nílínígíí.
waterscum, tátł'id.
watersnake, tótł'iish.
waterstrider, tálkáá' dijádii.
wave, to (waving, waved, waved) nih 1. He waved at me, shich'į' dah ndeesnii'.
wax (from the ears), 'ajéé́ht'iizh.
way, to be a (being, was, been), t'ih 10. There is no way of getting to Gallup, na'nízhoozhígóó t'áadoo bee hodót'éhí da. łíít 20. A way was opened for the army, siláago bá 'ąą 'áhoolyaa.
wealth, yódí; naalghé; yisht'íinii (my wealth).
wealthy, to be (being, was, been) t'įįł 6, 7 I am wealthy, 'asht'į́. I am wealthy in cattle, béégashii yisht'į́.
wean, to (weaning, weaned weaned), t'oł 9. The baby has been weaned, 'awéé' 'idíít'óód.
wear away, to (wearing, wore, worn), zhash. My land is wearing away, shikéyah yizhash.
weasel, dlǫ́'ii.
weave, to (weaving, wove, woven), tł'óół 1, 2, 3, 4, 5, 6. I started to weave a blanket, beeldléí háátł'ǫ́. I am weaving it, yishtł'ó. I am weaving, 'ashtł'ó.
wedding, 'iigeh.
Wednesday, tágí jį nda'anish.
weigh, to (weighing, weighed, weighed), loh 12, 13. I weigh a hundred pounds, neeznádiin dah hidíníshdlo'. I will weigh it for you, ná dah hidideeshłoh.
weight, das
weld, to (welding, welded, welded), jah 2. I welded them together, 'ahídiiłjéé'. I welded it to it, bídiiłjéé'.
well (water), tó hahadleeh; (adv) yá'át'éehgo; hózhǫ́.
well, to get (getting, got, gotten) leeł 26. I got well yá'át'ééh nísísdlį́į́'.
well, all right then, lą́'ąą hágoónee' ---. Well, all right then, go to town, lą́'ąą hágoónee' kintahgóó dínááh.
west, 'e'e'aah.
western, 'e'e'aahjígo; 'e'e'aah biyaadi; 'e'e'aahdęę́'go.
westward, 'e'e'aah biyaajigo; 'e'e'aahjigo; 'e'e'aah bich'ijigo.
wet, nástłéé'; ditłéé'.
wet, to (wetting, wet, wet), tł'ish 1. I will wet it, didínéeshtł'ish. tłoh 3. I wet it, nísélttłéé'
wet, to get (getting, got, gotten), tłoh 2. I got wet, nísístłéé'. I am wet, dinishtłéé'.
wether, dibé cho'ádinii.
whale, łóó'tsoh.
what, yááh? haa; daa; ha'át'íishą'; ha'át'íish?.
wheel (wagon ---), tsinaabąąs bijáád.
wheelbarrow, nabégilí.
when, hahgoshą'? hádą́ą́'shą'?
where, háadishą'? ha'át'éegishą'?
whetstone, tsé bee 'ak'aashí.

which, háidíshą'? háidísh?
whip, bee 'atsxis.
whip, to (whipping, whipped, whipped), tsxis 2. I whipped him, nánéłtsxas.
whip-poor-will, hooshdódii.
whirl, to (whirling, whirled whirled), his 1. I whirled the car wheel, chidí bijáád nísélhiz.
whirlwind, nááts'ó'oołdísii.
whiskers, 'adághaa'.
whiskey, tódiłhił.
whistle, bee 'ídílzoołí.
whistling sound, 'í'dílzooł.
whistle, to (whistling, whistled whistled), soł 1. I am whistling, 'í'dissooł.
white of the eye, 'anágaii.
White Horse Lake, N. M., tó hwiisxíní.
white, to get (getting, got, gotten), gah 1. I will get white, yideeshgah. gah 2. I am white, łinishgai.
whiten, to (whitening, whitened whitened), gah 4. I whitened it, yiiłgaii.
who, háí; háíshą'? háísh?
whooping cough, dikostsoh 'aná'iishiłígíí.
whosoever, t'áá háiida.
wicked, doo yá'áshǫ́ǫ da.
wicker bottle, tóshjeeh.
wide, niteel.
Wide Ruins, Ariz., kinteel.
widow, 'asdzání bahastiin daaztsánígíí.
width, naaniigo.
wife (one's ---), hwe'esdzáán.
wild, náldzid; 'ałchin.
wild foods, ch'iyáán t'áá bíhólníihgóó ńdahadleehígíí.
wildcat, náshdóíłbáí.
wilderness, náhádzidgi.
wild horse(s), łį́į́ da'ałchiní.
wildness, ná'áldzid.
wild rose, chǫǫh.
willow, k'ai'.
win, to (winning, won, won), bįįł 1, 2. I won a horse from him, łį́į́' baaisélbą́. I won last night, tł'éédą́ą́' 'iisélbą.
wind, to come up (coming, came, come), yoł 1, 2, 3. A wind came up, deeyol. A wind is coming up, 'aadę́ę́' yiyoł.
wind, to go down (going, went, gone), yoł 4. The wind went (or has gone) down, 'íiyol.
wind, níyol.
windmill, níyol tó hayiileehí.
window; window pane, tsésǫ'.
Window Rock, Ariz., tségháhoodzání.
windpipe, 'azooł.
wine, tó łichxí'í; tó łikaní; ch'il na'atł'o'ii bitoo'.
wing, 'at'a'.
wink, to (winking, winked, winked), lííł 33. I winked at her, bich'į' shináák'is 'áshłaa.
Winslow, Ariz., béésh sinil.
winter, to become (becoming became, become), hah 1. Soon winter will start, t'áadoo hodina'í ch'ídoohah. Winter has now set in, k'ad 'i'niihai.

wipe, to (wiping, wiped, wiped), t'oł 10. I wiped my car with a rag, shichidí 'anilí bee yít'óód.
wipe off, to (wiping, wiped, wiped), dah 3. I wiped the mud off of my pants, shitł'aaji'éé' hashtł'ish bą́ąh yíłdee'.
wire, béésh 'áłts'ózí.
wisdom, hódzą́; 'ił 'ééhózin.
wise, to be (being, was, been), yą́. I am wise, honisą́.
witch, 'adiłgąshii. (I am a witch or a wizard, 'adishgąsh.)
witchcraft, 'adigąsh.
with him, bił; bee.
wither (of an animal), 'ahaghał.
withered, sigan; yíłtseii.
within it, bighi'; bii'; biih.
without, t'áá gééd.
without warning, t'áadoo kót'é 'ílíní; t'áadoo hooyání.
withstand, to (withstanding withstood, withstood), dził 2. I cannot withstand the cold, deesk'aaz doo bínísdzil da.
wobble, to (wobbling, wobbled, wobbled), t'ih 18. The tire is wobbling chidí bikee' na'nit'ih.
wolf, mą'iitsoh.
wolf spider, na'ashjé'iitsoh.
woman, 'asdzání.
womenfolk, sáanii.
womb, 'iishch'id.
wood, chizh.
wood louse, tsin na'ayą'ii.
woodpecker, tsį́įłkaałii.
wool, 'aghaa'.
woolen mills, 'aghaa' binda'anishdi.
word, saad.
work, to (working, worked, worked), nish 1, 2, 3. I started working this morning, 'ahbinídą́ą' déshnish. I am working hard, yéigo naashnish. I worked on my car, shichidí binishishnish. My car doesn't work, shichidí doo naalnish (or 'át'į́į) da.
work horse, łį́į' na'albąąsii.
world, nahasdzáán.
worm, ch'osh.
worry, to (worrying, worried, worried), 'á 7. I am worried (it worries me), shi'diił'á. hééł 3. I am worried, yíní shiiłhé.
worried, to get (getting, got, gotten), tłish 8. I got worried, yíní biih yítłizh.
worse, to get (getting, got, gotten), nííł 4. I am getting worse and worse, yéigo 'áàshnííł.
worth, to be (being, was, been), leeł 30. How much is it worth, díkwíishą' bą́ą́h 'ílį́? It will be worth a hundred dollars, neeznádiin béeso bą́ą́h 'adooleeł.
worthless, doo yá'áshǫ́ǫ da; doo bą́ą́h 'ílíní da.
wound, tí'iilyaa.
wounded, to be (being, was, been), nííł 1. I was wounded in the war, 'anaa'go tídiishyaa.
wrap, to (wrapping, wrapped, wrapped), dis 3, 4. I wrapped it (up) with paper, naaltsoos bił sédis. I wrapped it up, bił 'asédis. hał 6. I wrapped up my gun with a blanket, shibee'eldǫǫh beeldléí bił séłhał.

wren, tsénoolch'óshii; (prairie ---), jádíshdlǫ́'ii.
wrench, bee 'ił 'ada'agizí.
wreck, to (wrecking, wrecked, wrecked), chǫǫł 1. I nearly wrecked my car, shichidí k'asdą́ą' yíłchǫ'.
wrestle, to (wrestling, wrestled, wrestled), taał 2. I wrestled with him, bił na'ahínéshtą́ą'.
wrestling, na'ahínítaah.
wriggle, to (wriggling, wriggled, wriggled), ghał 2. I wriggled on my belly until I was near the deer and killed it, bįįh t'áá 'áhánídę́ę́' bich'į' nihinishghal dóó séłhį. tł'ish 3. The snake is wriggling along, tł'iish nooltł'ish.
wringer, bee 'ąąh 'ii'nihí.
wrist, 'álátsíín.
wrist band, látsíín názt'i'í.
wrist bone, 'álátsį́įts'in.
wristlet, k'eet'oh.
write, to (writing, wrote, written) chííł 4. I know how to write, 'ak'e'eshchí bééhasin. lííł 1. I wrote to him, naaltsoos bich'į' 'íishłaa.
writhe, to (writhing, writhed, writhed), ghał 2. The snake is writhing, tł'iish náhoolghał.
writing, 'ak'e'elchí.
wrong, to be (being, was, been), That is wrong (incorrect), doo 'ákót'ée da. lííł 1. I did it wrong, doo 'ákó 'íishłaa da. nííł 5. You did wrong when you stole his horse, bilį́į' bits'ą́ą' níní'įį'go bąąhági 'íinidzaa.

X

X ray, 'aghá'deeldlaad.
X ray machine, bee 'aghánídíldla'í.

Y

yard (dooryard), 'ach'é'édą́ą'; (measurement), tsin sitą.
Yavapai, dilzhí'í.
yawn, bił ní'diiłch'ah.
yawn, to (yawning, yawned, yawned), ch'ah 3. I yawned, bił bik'ee diich'ee'.
year, nááhai.
year, to pass (passing, passed, passed), hah 3 4,, 5. A year has passed, yíhai (or nááhai). The year is passing fast, tsį́įłgo yihah
year, to spend the (spending, spent, spent), hah 5. I spent the year in Gallup, na'nízhoozhídi naasháago shééhai.
yearling, ła' binááhaaí.
yeast, bááh bił 'ál'íní; díík'ǫsh.
yell, to (yelling, yelled, yelled), ghosh 2, 3. I am yelling at him, bich'į' dishghosh.
yellow, łitso.
yellow, to turn (turning, turned, turned), tsxo 1. His skin turned yellow, bikágí yiitsxoi.
yellow, to dye (dyeing, dyed, dyed), tsxo 4. I dyed the wool yellow, 'aghaa' yiiłtsxoi.
yes, 'ouu'; 'aoo'; haoh; lą́'ąą'.
yesterday, 'adą́ądą́ą'.
yet, t'ah.
youth, tsíłkéí; dinééh.

yucca, tsá'ászi'; tsá'ászi' nteel; tsá'ászi'ts'óóz.
yucca fruit, hashk'aan.

Z

zebra, tééhłįį'.
zenith, yá 'ałníí'.
zero, 'ádin.
zigzag, naneeshtł'iizh; nooltł'iizh.
zone, hoodzo; náhádzo; 'ahééhoodzo.
Zuñi, N. M., naasht'ézhí.

Lightning Source UK Ltd.
Milton Keynes UK
UKHW010803010319
338228UK00002B/77/P